L'ANNÉE
CUISINE
JOUR PAR JOUR

JOUR DE L'AN

Menu

HUÎTRES AU FEU
(voir recette p. 314)

OIE FARCIE AUX POMMES
(voir recette ci-contre)

CASSATE
(voir recette ci-dessous)

Boisson conseillée :
UN POMEROL

OIE FARCIE AUX POMMES

 Long   Facile   Cher

POUR 8 PERSONNES
CUISSON : 3 heures
INGRÉDIENTS :
1 oie de 4 kg
1,5 kg de pommes
1 petite boîte
de pelures de truffes
1 branche de persil
2 v. à liqu. d'armagnac
1 cuill. à soupe d'huile
Sel, poivre

1 - Epluchez les pommes, coupez-les en quartiers, ôtez le cœur et les pépins. Détaillez chaque quartier en deux ou en trois.
2 - Récupérez le foie et le cœur de l'oie, et hachez-les à la moulinette. Mettez ce hachis dans un saladier, ajoutez-y le contenu de la boîte de pelures de truffes, jus y compris, un peu de persil haché, les 2 verres à liqueur d'armagnac. Salez, poivrez généreusement au moulin, et mélangez bien cette préparation.
3 - Introduisez cette farce dans le corps de l'oie, puis remplissez-la avec les quartiers de pommes. Cousez soigneusement l'ouverture.
4 - Disposez la volaille dans un grand plat allant au four, versez 1 verre d'eau chaude dans le fond du plat, enduisez l'oie légèrement d'huile, salez et poivrez l'extérieur et mettez à four très modéré pendant 3 heures. Arrosez la pièce de temps en temps avec le jus de cuisson.
5 - Lorsque la volaille est cuite, sortez la farce du corps de l'animal. Présentez l'oie sur un grand plat de service, entourée de la compote de pommes. Servez la sauce en saucière.

MINI-RECETTE

CASSATE

POUR 6 À 8 PERSONNES
CUISSON : 20 minutes
1 H 1/2 EN SORBETIÈRE
INGRÉDIENTS : 1 litre de lait
300 g de sucre en poudre
1 gousse de vanille, 8 jaunes d'œufs
2 verres à liqueur de rhum
250 g de fruits confits

1 - Faites bouillir dans une casserole, le lait avec la gousse de vanille fendue. Puis ôtez la gousse de vanille.
2 - Cassez les œufs et mettez les jaunes dans une terrine, battez-les avec le sucre et versez dessus, peu à peu, le lait bouillant sans cesser de battre.
3 - Versez ce mélange dans une casserole, remettez à feu doux, et tournez à la cuiller de bois jusqu'à ce que le mélange épaississe. Lorsque la crème nappe la cuiller, retirez du feu et laissez refroidir.
4 - Pendant ce temps, coupez les fruits confits en très petits dés, mettez-les dans un bol, et arrosez avec le rhum.
5 - Lorsque la crème est refroidie, ajoutez les dès de fruits confits aromatisés au rhum. Remuez bien le tout.
6 - Versez le mélange dans la sorbetière et laissez glacer pendant 2 h 1/2.
7 - Réglez votre réfrigérateur au plus froid. Lorsque la glace est prise en sorbetière, remplissez-en un moule en métal à hauts bords, et placez ce moule dans la partie haute du réfrigérateur.
8 - Au moment de servir, démoulez cassate sur un plat de service, et servez aussitôt.

LE TRUC DU CHEF

POUR LES HUÎTRES AU FEU : on peut raffiner encore cette recette en ajoutant à la sauce, en cours de cuisson, 1/2 verre à liqueur de cognac.
Pour une bonne réussite du plat, choisissez des huîtres dites « spéciales ». Ces coquillages, engraissés dans des parcs, sont les seuls suffisamment charnus pour être accommodés de cette manière.

VOS NOTES PERSONNELLES

Ecrire . . . .

Acheter . . . .

Téléphoner . . . .

JOUR DE L'AN

Menu

MÉDAILLONS DE LANGOUSTE TRUFFÉS
(voir recette ci-contre)

FAISAN SUR CANAPÉ
(voir recette ci-dessous)

GLACE PLOMBIÈRE AU KIRSCH
(voir recette p. 139)

Boisson conseillée :
UN SAINT-ÉMILION

MINI-RECETTE

FAISAN SUR CANAPÉ

POUR 4 PERSONNES
TEMPS DE CUISSON : 1 h 1/2
INGRÉDIENTS : 1 poule faisane
125 g de jambon cru
50 g de beurre, huile
1 verre de muscadet
50 g de lard gras, 1 truffe
1 jaune d'œuf, pistaches
Thym, laurier, 1 brin de romarin
Sel, poivre
Croûtons de pains frits au beurre

1 - Préparez une farce en hachant le jambon, le lard gras, la truffe coupée en petits dés, incorporez les aromates, le jaune d'œuf, assaisonnez en poivrant largement.
2 - Introduisez cette farce dans le corps de la poule faisane et bridez-la.
3 - Placez le volatile dans une cocotte et faites-le revenir à feu vif dans un mélange de beurre et d'huile.
4 - Lorsque le faisan est doré à point sur toutes ses faces, mouillez avec le verre de muscadet puis couvrez.
5 - Laissez cuire environ 1 h 15.
6 - En fin de cuisson, découpez le faisan et dressez-le sur un grand plat.
7 - Coupez des croûtons que vous ferez frire à feu vif dans du beurre mélangé à un peu d'huile.
8 - Disposez ces croûtons autour du plat qui contient les découpes de faisan, arrosez avec le jus de cuisson et servez.

MÉDAILLONS DE LANGOUSTE TRUFFÉS

POUR 8 PERSONNES
CUISSON : 50 minutes
INGRÉDIENTS :
1 belle langouste
d'environ 2 kg
2 v. de vin blanc sec
1 carotte, 1 oignon
Bouquet garni, persil
Poivre , gros sel
1 gd bol de mayonnaise
1 cœur de laitue
8 tomates, 8 œufs durs
1 boîte de macédoine
1 sachet de gelée
instantanée
Pain de mie
Pelures de truffes

1 - Prenez un vaste récipient rempli d'eau, ajoutez-y les ingrédients du court-bouillon, le vin blanc, les carottes, oignon, bouquet garni, persil. Ajoutez une poignée de gros sel, poivrez et laissez frémir 20 minutes.
2 - Plongez la langouste dans le liquide porté à ébullition et faites cuire pendant une bonne demi-heure à feu vif.
3 - Sortez la langouste et, avec des ciseaux, coupez sur toute la longueur et de chaque côté la membrane qui se trouve sous la queue. Dégagez précautionneusement la chair. Réservez. Ôtez les parties crémeuses de la tête que vous écraserez dans un bol, avant de les incorporer dans la mayonnaise.
4 - Placez la queue de la langouste sur une planche à découper et, avec un couteau bien aiguisé, divisez-la en médaillon. Mettez ceux-ci au réfrigérateur.
5 - Préparez la gelée, comme indiqué sur le sachet. Appliquez sur les médaillons une bonne cuillerée de gelée refroidie. Remettez au froid, après avoir mis sur chaque médaillon, une pelure de truffe.
6 - Ouvrez la boîte de macédoine, égouttez bien les légumes, et farcissez-en les tomates que vous aurez évidées au préalable.
7 - Sur un grand plat de service allongé, à l'aide de tranches de pain de mie, préparez un socle afin de mettre en valeur la carapace. Disposez dessus les médaillons en les faisant se chevaucher légèrement. Habillez avec des feuilles de laitue, des brins de persil.
8 - Placez, en alternant, les tomates farcies de macédoine et les œufs coupés en deux, surmontés d'une cuillerée de mayonnaise.

VOS NOTES PERSONNELLES

Ecrire . . . .
. . . .
Acheter . . . .
. . . .
Téléphoner . . . .

COQUES À LA MAYONNAISE
(voir recette p. 162)

LAPIN AU CIDRE
(voir recette ci-contre)

PAMPLEMOUSSES AU FOUR
(voir recette p. 179)

Boisson conseillée :
UN BEAUJOLAIS

TOUT SAVOIR SUR...

LE LAPIN

Le lapin que l'on trouve à la vente toute l'année provient en partie seulement de la production française, souvent artisanale. Ce sont les pays de l'Est qui approvisionnent largement nos marchés. La viande du lapin est intéressante, peu calorique car maigre, elle se digère sans aucune difficulté, même par les estomacs les plus délicats. Elle contient des vitamines C et PP ainsi que du calcium et du phosphore. Le lapin est toujours proposé sans sa peau. Choisissez un lapin d'environ 1,5 kg. Évitez les animaux trop vieux, la viande est dure, ou trop jeunes, la chair est molle et sans goût. L'aspect de la viande doit être rosé, avec le foie bien rouge et les rognons recouverts de graisse blanche. Préférez une bête râblée aux articulations épaisses.

LAPIN AU CIDRE

Long   Facile   Abordable

POUR 6 PERSONNES
CUISSON : 1 h 30
INGRÉDIENTS : 1 lapin
1 bouteille de cidre bouché
3 cuill. à soupe d'huile
1 cuill. à soupe de farine
2 dz de petits oignons blancs
2 tomates
2 gousses d'ail
1 carotte
Thym, laurier
Sel, poivre

1 - Faites chauffer l'huile dans une cocotte, et mettez-y à dorer le lapin coupé en morceaux, après l'avoir salé et poivré. Remuez de temps en temps afin de saisir le lapin sur toutes ses faces.

2 - Plongez les tomates quelques instants dans de l'eau bouillante, mondez-les, et concassez-les grossièrement.

3 - Épluchez les petits oignons. Détaillez la carotte en rondelles.

4 - Quand les morceaux de lapin ont pris couleur, retirez-les du récipient, et réservez quelques instants. Jetez dans la graisse de cuisson les oignons et les rondelles de carotte. Laissez colorer les légumes 2 à 3 minutes sur feu vif, puis versez la farine en pluie. Tournez à la cuiller de bois, le temps que la farine roussisse légèrement. Mouillez alors avec le cidre, délayez bien le roux dans le liquide en grattant le fond du récipient à la cuillère de bois.

5 - Remettez les morceaux de lapin dans la cocotte, ajoutez la purée de tomates fraîches, les gousses d'ail hachées, un peu de thym et de laurier. Salez légèrement, poivrez au moulin, et laissez mijoter à couvert 45 minutes environ. Passé ce temps, terminez la cuisson à découvert 25 à 30 minutes sur feu doux, afin que la sauce réduise convenablement.

6 - Dressez les morceaux de lapin dans un grand plat creux, nappez-les de la sauce, et servez immédiatement avec une garniture de pommes de terre cuites à la vapeur.

VOS NOTES PERSONNELLES

Ecrire . . . .

Acheter . . . .

Téléphoner . . . .

3 JANVIER

**SOUFFLÉ AUX FOIES
DE CANARD**
(voir recette p. 109)
**ROGNONS DE VEAU À LA
DUBAILLY**
(voir recette ci-dessous)
GALETTE DES ROIS
(voir recette ci-contre)

Boisson conseillée :
UN MORGON

MINI-RECETTE

ROGNONS DE VEAU À LA DUBAILLY

POUR 6 PERSONNES
CUISSON : 30 minutes environ
INGRÉDIENTS : 1 kg de rognons,
250 g de cèpes
4 décilitres de crème fraîche
1 verre de porto, 1 jaune d'œuf
50 g de beurre, 1 décilitre d'huile
1 pincée d'estragon en poudre
Sel, poivre

1 - Otez soigneusement la membrane qui entoure les rognons, coupez-les en deux, dénervez-les, et éliminez la partie blanchâtre qui se trouve à l'intérioeur. Puis taillez les rognons en lamelles.

2 - Nettoyez les cèpes et coupez-les en fines tranches.

3 - Faites fumer la moitié de l'huile à feu vif dans un récipient épais, et mettez-y à blondir la moitié des rognons. Salez et poivrez en fin de cuisson, puis égouttez-les dans une passoire. Pratiquez de même pour la seconde moitié.

4 - Versez le porto dans la casserole, ajoutez la crème, et laissez réduire de moitié. Aromatisez d'une pincée d'estragon, salez et poivrez légèrement.

5 - Faites sauter les cèpes à la poêle dans une noix de beurre 4 à 5 minutes sur feu vif. Salez légèrement.

6 - Ajoutez les rognons et les cèpes à la sauce, et mettez sur feu doux en évitant de faire bouillir. Incorporez le jaune d'œuf et, juste au moment de servir, le reste du beurre en petites parcelles.

7 - Versez les rognons en sauce dans un plat de service creux, et présentez avec quelques petits croûtons frits au beurre.

GALETTE DES ROIS

Long   Délicat   Abordable

**POUR 5
A 6 PERSONNES
CUISSON : 25 minutes
INGRÉDIENTS : 250 g**
de farine
175 g de beurre
1 verre de lait
2 œufs
1 cuill. à soupe de sucre
en poudre
1 cuill. à soupe
de sucre glace

1 - Mettez la farine dans un saladier, faites un puits, et versez peu à peu 1 verre de lait froid. Ajoutez 1 pincée de sel. Cassez 1 œuf entier, placez-le dans le puits ainsi que 1 cuillerée de sucre en poudre. Mélangez la farine et ces divers ingrédients, d'abord à la spatule, puis en pétrissant avec les mains.

2 - Quand la pâte est ferme et lisse, étalez-la au rouleau sur une planche à pâtisserie en veillant à ce que le centre soit quatre fois plus épais que les bords.

3 - Mettez 150 g de beurre dans un bol, et travaillez-le en pommade, à la fourchette.

4 - Lorsque le beurre est bien ramolli, placez-le au centre de la pâte étalée, puis rabattez les côtés par-dessus.

5 - Etendez à nouveau la pâte au rouleau en lui donnant la forme d'un rectangle trois fois plus long que large, d'environ 1 cm d'épaisseur. Pliez cette bande de pâte en trois, en rabattant l'un sur l'autre les côtés. Étalez ce carré de pâte, après l'avoir fait pivoter 1/4 de tour. Repliez en trois, de la même façon que précédemment. Recommencez encore cette opération quatre fois en laissant la pâte reposer 1/4 d'heure entre chaque tour.

6 - Lorsque la pâte est étalée pour la dernière fois, disposez-la en rond, introduisez la fève, et placez la pâte dans un moule d'environ 30 cm de diamètre, préalablement beurré.

7 - Cassez le dernier œuf, battez le jaune dans un bol, et en vous servant d'un pinceau badigeonnez le dessus de la pâte. Quadrillez cette pâte avec une fourchette et saupoudrez de sucre glace.

8 - Mettez à cuire à four chaud 25 minutes et servez tiède.

VOS NOTES PERSONNELLES

Ecrire . . . .
. . . .
Acheter . . . .
. . . .
Téléphoner . . . .

4 JANVIER

Menu

OMELETTE À LA RIQUET
(voir recette p. 296)

**ROTI DE DINDONNEAU
BONNE FEMME**
(voir recette p. 136)

POIRES BOURDALOUE
(voir recette ci-contre)

TOUT SAVOIR SUR...

LA POIRE

On trouve pratiquement des poires toute l'année sur les marchés. Riches en phosphore et en potassium, elles sont recommandées aux jeunes enfants. Trois types de poires composent la production française : les poires d'été (guyot, williams), les poires d'automne (épine du mas, louise-bonne), les poires d'hiver (beurré-hardy, passe-crassane, comice). La guyot, sucrée et juteuse. La williams, sucrée et parfumée. La comice, juteuse et fondante. La passe-crassane, gros fruit juteux. Les poires sont proposées à la vente sous trois catégories : catégorie extra (étiquette rouge), fruits sans défauts. Catégorie I (étiquette verte), catégorie II (étiquette jaune), quelques défauts de surface sont admis.

POIRES BOURDALOUE

**POUR 6 PERSONNES
CUISSON : 30 minutes
INGRÉDIENTS : 6 poires
60 g de farine
1 bloc de pâte brisée surgelée
4 œufs
610 g de sucre semoule
1/2 litre de lait
1 gousse de vanille
50 g de poudre d'amandes
1/2 v. à liqu. de kirsch
6 macarons
1 sachet de sucre vanillé
30 g de beurre
2 cuill. à soupe de sucre glace**

1 - Laissez dégeler le bloc de pâte à température ambiante en vous conformant aux indications portées sur l'emballage. Puis étalez-la au rouleau, et garnissez-en un moule à manqué. Piquez le fond à la fourchette, recouvrez de papier d'alu, et mettez à cuire à four chaud 10 minutes.

2 - Confectionnez la frangipane comme suit : mettez la farine dans une casserole, ajoutez un œuf entier, 3 jaunes, 110 g de sucre semoule et 1 pincée de sel. Mélangez bien, et versez peu à peu sur le tout le lait préalablement chauffé avec la gousse de vanille fendue. Placez le récipient sur feu très doux et tournez à la cuillère de bois jusqu'à ce que la crème épaississe. Ôtez la casserole du feu, placez-la au bain-marie, et incorporez la poudre d'amandes et un peu de kirsch.

3 - Faites un sirop dans une casserole avec 500 g de sucre semoule, le sucre vanillé, et 1 litre d'eau. Laissez bouillir 5 minutes.

4 - Pelez les poires, coupez-les en deux, ôtez le cœur et les pépins, et plongez-les dans le sirop. Laissez les fruits pocher une dizaine de minutes à petite ébullition. Puis retirez-les.

5 - Étalez les 2/3 de la frangipane sur la pâte précuite, disposez-y les 1/2 poires à plat, et recouvrez du restant de frangipane. Saupoudrez le dessus avec les macarons réduits en poudre et le sucre glace, arrosez de beurre fondu, et mettez à four chaud 4 à 5 minutes.

6 - Démoulez sur un plat de service et servez tiède ou froid.

VOS NOTES PERSONNELLES

Ecrire . . . .

Acheter . . . .

Téléphoner . . . .

Menu

KOULIBIAC AU CHOU
(voir recette ci-contre)

**CÔTES DE VEAU
EN PAPILLOTES**
(voir recette p. 299)

BEIGNETS AU MIEL
(voir recette ci-dessous)

Long   Facile   Abordable

MINI-RECETTE

BEIGNETS AU MIEL

POUR 6 À 8 PERSONNES
CUISSON : 30 minutes environ
INGRÉDIENTS : 400 g de farine
100 g de sucre semoule, 1/2 verre d'huile
20 g de levure, 2 œufs, 3 oranges
8 cuill. à soupe de miel
100 g d'amandes concassées
1 pincée de sel, 1 bain de friture

1 - Versez la farine dans un saladier. Faites un puits et mettez-y les œufs, le sucre, le jus de 2 oranges, l'huile, et une pincée de sel. Mélangez soigneusement le tout.

2 - Délayez la levure dans un peu d'eau tiède, et ajoutez-là à la préparation. Pétrissez longuement à la main jusqu'à obtenir une pâte souple.

3 - Farinez une planche à pâtisserie et abaissez la pâte au rouleau, sur une épaisseur d'environ 1/2 cm. Découpez dans la pâte, à l'aide d'une roulette de pâtissier, des carrés de 7 à 8 cm de côté. Pliez chaque carré en diagonale, en conservant à la pliure un bel arrondi. Laissez reposer 2 h dans un endroit tiède.

4 - Passé ce temps, plongez les gâteaux par 4 ou 5 dans le bain de friture bouillant. Laissez-les prendre une belle couleur dorée, puis mettez-les à égoutter sur du papier absorbant. Dressez-les en pyramide sur un plat de service.

5 - Pressez le jus de la dernière orange dans une casserole, ajoutez le miel, 1/2 verre d'eau et faites chauffer à feu très doux quelques instants. Versez ce sirop sur les beignets, saupoudrez le tout d'amandes concassées, et laissez refroidir.

KOULIBIAC
AU CHOU

POUR 6
A 8 PERSONNES
CUISSON : 1 h 15
INGRÉDIENTS :
1 chou blanc
1 gros oignon
6 œufs
3 œufs durs
1 verre de lait
500 g de farine tamisée
300 g de beurre
15 à 20 g de levure
de boulanger
Sel, poivre

1 - Dans une cocotte, faites fondre une noix de beurre, et mettez à revenir l'oignon haché.

2 - Lavez le chou, hachez-le grossièrement, et ajoutez-le à l'oignon. Laissez 10 à 15 minutes le chou suer dans le beurre, puis incorporez les œufs durs écrasés. Salez et poivrez. Réservez cette farce.

3 - Dans un grand saladier, versez 1 verre de lait préalablement tiédi et la levure. Faites dissoudre, puis ajoutez suffisamment de farine (1/4 environ) pour obtenir une pâte mollette. Laissez reposer et lever la pâte 2 heures environ.

4 - Dans un saladier, ou sur un marbre, disposez le reste de la farine en fontaine. Mettez au centre 5 œufs, 1 pincée de sel. Mélangez et battez énergiquement la pâte. Adjoignez-y le beurre en pommade, puis le levain. Mélangez et laissez cette préparation reposer au frais pour raffermir.

5 - Étendez la pâte au rouleau sur 1/2 cm d'épaisseur environ, et garnissez-en le milieu avec la préparation au chou. Rabattez les bords et soudez-les avec les doigts mouillés. Battez 1 œuf à la fourchette et dorez le koulibiac au pinceau avant la cuisson.

6 - Placez le gâteau sur une plaque beurrée, et laissez-le cuire 1 heure à four doux.

7 - Lorsque le koulibiac est cuit, badigeonnez-en le dessus de beurre fondu, et présentez-le sur un plat de service, découpé en tranches parallèles.

VOS NOTES PERSONNELLES

Ecrire . . . .

. . . .

Acheter . . . .

. . . .

Téléphoner . . . .

TOUT SAVOIR SUR...

LE SUCRE

Le sucre, par l'immense réserve d'énergie qu'il représente, tient une place particulière dans notre alimentation. Sa valeur calorique est telle que quelques dizaines de morceaux de sucre suffisent à assurer les besoins en énergie d'un individu pendant 24 heures. Non seulement il est indispensable à la croissance et à la formation des muscles, mais également au bon développement et au bon fonctionnement du cerveau. Le sucre provient essentiellement de deux végétaux ; la betterave et la canne que l'on trouve sous différentes présentations : le **sucre raffiné en morceaux,** *petits parallélépipèdes blancs.* **Le sucre aggloméré,** *sucre non raffiné vendu sous forme de morceaux de différentes tailles.* **Sucre cristallisé,** *présenté en sachets de papier de 1 kg.* **Sucre semoule,** *c'est un sucre pulvérisé que l'on utilise surtout pour la pâtisserie.* **Sucre glace,** *sucre raffiné réduit en poudre extrêmement fine, s'utilise pour les glaçages et les crèmes.* **Sucre roux,** *c'est surtout un sucre de canne dont la teinte est due aux traces de mélasse. Le sucre roux est commercialisé en semoule ou en morceaux.*

MOKA DE RIO

**POUR 8 PERSONNES
CUISSON : 40 minutes
INGRÉDIENTS : 260 g
de sucre
6 œufs, 130 g de farine
200 g de beurre
100 g de crème fraîche
250 g de fondant
1 verre à liqueur de rhum
1 verre de café
très concentré
Grains de café en sucre**

1 - Mettez 4 jaunes d'œufs dans un saladier (réservez les blancs). Ajoutez 130 g de sucre semoule, et travaillez longuement à la cuillère de bois jusqu'à ce que le mélange blanchisse. Incorporez alors 60 g de beurre fondu, 3/4 de verre de café, et la farine. Mélangez soigneusement pour obtenir une préparation homogène.

2 - Battez les blancs en neige très ferme, et incorporez-les délicatement à la préparation. Versez le tout dans un moule à génoise, et mettez à four moyen 40 minutes.

3 - Pendant ce temps, confectionnez la crème au beurre comme suit : cassez deux œufs dans une casserole, ajoutez 130 g de sucre, et tournez le mélange à la cuillère de bois sur feu très doux jusqu'à ce que le sucre soit fondu. Retirez alors le récipient du feu et laissez refroidir en remuant encore quelque temps. Puis incorporez 140 g de beurre en pommade et le rhum.

4 - Quand le gâteau est cuit, divisez-le en trois disques d'égale épaisseur. Étalez la crème, en la répartissant, sur le premier et le deuxième disque, puis reformez le gâteau en empilant les trois disques.

5 - Mettez le fondant dans une casserole et faites-le chauffer doucement en le travaillant à la spatule. Ajoutez un peu de café pour le teinter.

6 - Appliquez le fondant sur tout le moka à la spatule métallique, décorez-le de grains de café en sucre. Placez quelques instants au réfrigérateur avant de servir.

VOS NOTES PERSONNELLES

Ecrire . . . .

Acheter . . . .

Téléphoner . . . .

TOUT SAVOIR SUR...

LE GIGOT
DE MOUTON

*Le gigot est la partie correspondant à la cuisse du mouton. C'est une viande nourrissante, peu grasse et qui se digère très facilement. Elle contient, entre autres, des vitamines B et PP, ainsi que des éléments minéraux tels que le phosphore et le potassium. Le gigot est présent toute l'année à la vente, avec toutefois une époque de prédilection qui se situe traditionnellement à Pâques. Chez votre boucher, vous trouverez du **gigot d'agneau** (animal âgé de 5 à 6 mois) et du **gigot de mouton** (animal adulte). Généralement, la préférence va au gigot d'agneau qui est plus tendre et d'une saveur plus délicate mais est, en revanche, plus cher que le gigot de mouton. Choisissez une viande de couleur rouge vif avec une fine couche de graisse (la chair du mouton est plus foncée que celle de l'agneau). Un bon gigot doit être trapu ou non, de forme allongée. Le gigot donne peu de déchets. Compter un gigot de 3 kg, pour une douzaine de convives.*

SALADE AUX GERMES
DE SOJA

Moyen **Très facile** **Abordable**

**POUR 5
A 6 PERSONNES
CUISSON : 12 minutes
INGRÉDIENTS : 2 tomates
600 g de germes de soja
1 œuf
1 poivron vert
1 sachet de crevettes
décortiquées
2 cuill. à soupe
de vinaigre
5 cuill. à soupe d'huile
2 cuill. à café
de moutarde
Sel, poivre**

1 - Lavez les germes de soja à plusieurs eaux dans une bassine, puis plongez-les 20 à 25 secondes dans une grande quantité d'eau bouillante. Égouttez-les dans une passoire.

2 - Faites durcir l'œuf à l'eau bouillante 12 minutes, écalez-le sous l'eau froide.

3 - Lavez les tomates et essuyez-les avec un torchon.

4 - Lavez le poivron, essuyez-le, fendez-le en deux dans le sens de la longueur. Débarrassez-le de la queue et des pépins, et détaillez les demi-poivrons en fines lanières.

5 - Confectionnez une vinaigrette dans un saladier comme suit : faites dissoudre un peu de sel dans le vinaigre, délayez la moutarde, poivrez, et ajoutez l'huile en tournant constamment.

6 - Lorsque la sauce a pris une consistance crémeuse, ajoutez-lui les germes de soja, les lanières de poivron, les tomates coupées en quartiers, les crevettes décortiquées. Écrasez l'œuf dur, et versez-le dans la salade. Mélangez soigneusement le tout avant de servir.

LE TRUC DU CHEF

POUR LA SALADE : les germes de soja frais doivent présenter un aspect luisant et, au toucher, doivent crisser sous la main. A éviter absolument : des germes mous ou bien encore humides. Dans ce dernier cas, il a pu se produire un début de fermentation.

VOS NOTES PERSONNELLES

Ecrire . . . .
. . . .

Acheter . . . .
. . . .

Téléphoner . . . .

Menu

CROÛTES CHAUDES
À LA GERMAIN
(voir recette ci-contre)
DARNES DE COLIN GRILLÉES
AUX ENDIVES
(voir recette ci-dessous)
BANANA SPLIT
(voir recette p. 333)

CROÛTES CHAUDES A LA GERMAIN

 Moyen   Facile   Abordable

POUR 4 PERSONNES
CUISSON : 25 minutes
INGRÉDIENTS :
2 tranches de jambon
500 g de champignons de Paris
1/2 v. de vin blanc sec
1/2 citron
60 g de beurre
2 dl de crème fraîche
1 cuill. à soupe de farine
1 jaune d'œuf
1 verre à liqueur de cognac
4 croûtes de bouchées
Noix de muscade râpée
Sel, poivre

1 - Otez la partie terreuse du pied des champignons. Lavez-les, séchez-les, et détaillez-les en fines lamelles.

2 - Dans une poêle, faites revenir les champignons avec une noix de beurre, ajoutez-y les tranches de jambon passées à la moulinette, ou hachées au couteau. Lorsque le contenu de la poêle a pris couleur, mouillez avec le vin, le jus du 1/2 citron. Ajoutez la crème fraîche et un peu de noix de muscade râpée. Salez et poivrez. Remuez bien à la cuillère de bois, et laissez cuire 4 à 5 minutes à découvert.

3 - Dans une petite casserole, faites fondre le reste du beurre, ajoutez la farine, remuez et laisser blondir. Puis versez sur ce roux le contenu de la poêle. Ajoutez le cognac et, hors du feu, le jaune d'œuf. Remettez sur feu très doux 2 à 3 minutes, en tournant constamment à la cuillère de bois.

4 - Dans un plat allant au four, disposez les croûtes de bouchées à la reine que vous aurez commandées chez votre pâtissier, et remplissez-les de la préparation. Mettez à four moyen une dizaine de minutes. Servez très chaud.

MINI-RECETTE

DARNES DE COLIN GRILLÉES AUX ENDIVES

POUR 6 PERSONNES
CUISSON : 1/2 heure
INGRÉDIENTS :
4 tranches de colin
3 cuillerées à soupe d'huile
2 citrons, persil
8 endives moyennes
Estragon, thym, laurier, sel, poivre

1 - Placez les darnes (tranches) de colin dans un plat creux et arrosez-les du jus des citrons et des 3 cuillerées à soupe d'huile. Ajoutez quelques brins de thym et une feuille de laurier brisée menu. Salez, poivrez. Laissez le poisson mariner 1 heure environ en retournant les tranches de temps en temps.

2 - Pendant ce temps, coupez les bouts de chaque pied d'endive, enlevez les feuilles flétries, et lavez-les. Plongez-les dans de l'eau bouillante salée, et laissez-les cuire environ 1/4 d'heure. Passé ce temps, sortez les endives de l'eau, égouttez-les.

3 - Sortez les tranches de colin de la marinade, égouttez-les et disposez-les sur la grille de votre four. Allumez le gril et faites griller environ 5 minutes de chaque côté.

4 - Placez alors votre poisson dans un plat long allant au four, et entourez les darnes avec les endives fendues en deux, dans le sens de la longueur.

5 - Arrosez poisson et légumes avec la marinade au citron, et remettez à four chaud quelques minutes. Avant de présenter le plat à table, ciselez sur les darnes, un peu de persil et d'estragon.

LE TRUC DU CHEF

POUR LES CROÛTES CHAUDES : on peut encore agrémenter cette classique recette en parsemant le dessus de la farce de gruyère râpé.

Choisissez de préférence, pour la farce de ces croûtes, un jambon de qualité assez gras, du type jambon « au torchon » qui donnera plus de moelleux à la préparation.

VOS NOTES PERSONNELLES

Ecrire . . . .
. . . .
Acheter . . . .
. . . .
Téléphoner . . . .

Menu

GOUGÈRES
(voir recette p. 151)
CRÉPINETTES EN SAUCE TOMATE
(voir recette ci-contre)
OMELETTE À L'ORANGE
(voir recette p. 163)

Boisson conseillée :
UN TAVEL

TOUT SAVOIR SUR...

L'ORANGE

L'orange est bien connue pour son apport important en vitamine C qui en fait un fruit conseillé pour tous. Quatre grandes catégories sont présentes sur le marché : **oranges navel**, reconnaissables à leur «nombril» (navel en anglais), gros fruits à peau fine comme la Thomson navel, ou à peau épaisse comme la Washington navel. Elles apparaissent en octobre. **Oranges blondes**, peu de pépins, de décembre à mars, citons la cadenera, la jaffa, la hamlin. **Oranges sanguines**, pulpe colorée comme l'excellente maltaise, la sanguinelli, elles sont présentes de décembre à avril. **Oranges tardives**, la valencia late ou la vernia qui sont des fruits surtout à presser, que l'on trouve de mars à juin. Les oranges comportent 3 catégories : **catégorie extra** (étiquette rouge) sans défauts. **Catégorie I** (étiquette verte), **catégorie II** (étiquette jaune).

CRÉPINETTES EN SAUCE TOMATE

POUR 6 PERSONNES
CUISSON :
35 minutes environ
INGRÉDIENTS :
6 crépinettes
2 oignons
6 tomates
1 noix de concentré de tomates
2 gousses d'ail
1 poivron
1 verre de vin blanc sec
3 cuill. à soupe d'huile d'olive
1 noix de beurre
Thym, laurier
Sel, poivre

1 - Faites chauffer le mélange de beurre et d'huile dans une sauteuse, et couchez-y les crépinettes. Laissez-les dorer quelques minutes sur chaque face.
2 - Pendant ce temps, épluchez les oignons et détaillez-les en fines rondelles.
3 - Plongez les tomates quelques instants dans de l'eau bouillante, épluchez-les, et concassez-les grossièrement.
4 - Lavez le poivron, fendez-le en deux, ôtez le cœur et les pépins, et coupez chaque demi-poivron en fines lanières.
5 - Quand les crépinettes ont pris couleur, sortez-les de la sauteuse, et jetez les oignons et le poivron dans la graisse de cuisson. Laissez les légumes colorer quelques minutes, puis ajoutez la purée de tomates fraîches, les gousses d'ail pilées, un peu de thym et de laurier. Mouillez avec le vin blanc, délayez un peu de concentré de tomates, salez, poivrez, et replacez les crépinettes dans la sauteuse.
6 - Laissez mijoter à découvert 15 à 20 minutes, le temps pour la sauce de réduire convenablement. Servez dans un plat creux avec une garniture de riz blanc.

LE TRUC DU CHEF

POUR LES GOUGÈRES : à défaut de poche à douille, on peut se servir tout simplement d'une petite cuiller pour déposer la pâte en couronne sur la plaque.
Tous les fromages à pâte pressée cuite conviennent pour cette recette, vous choisirez, selon vos goûts.

VOS NOTES PERSONNELLES

Ecrire . . . .

. . . .

Acheter . . . .

. . . .

Téléphoner . . . .

10 JANVIER

Menu

SALADE DE LANGOUSTINES AUX CHAMPIGNONS
(voir recette p. 254)

CÔTE DE BŒUF À LA MOELLE
(voir recette ci-contre)

GLACE PLOMBIÈRE AU KIRSCH
(voir recette p. 139)

Boisson conseillée :
UN POMMARD

TOUT SAVOIR SUR...

LA CÔTE DE BŒUF

La côte de bœuf, ou plus exactement côte bouchère, se situe dans la partie dorsale de l'animal. Ce sont les cinq côtes couvertes formant le centre du train de côtes qui fournissent les côtes bouchères. Ce morceau est considéré comme un mets de roi par les amateurs de viande de bœuf. Choisissez une côte d'un beau rouge vif, accompagnée d'une couche de graisse blanche ou jaune pâle. La graisse est le signe qu'il s'agit d'un animal qui a été bien nourri. De plus, les fines veinules de graisse dans la viande (persillage) donne tout le goût et le moelleux indispensables à cette pièce de choix. On trouve, bien sûr, toute l'année, des côtes bouchères, mais c'est de la fin de l'automne au début du printemps que cette viande est la meilleure. La côte bouchère donne quelques déchets ; il faut donc compter 1 kg pour 4 personnes.

CÔTE DE BŒUF À LA MOELLE

Moyen · Facile · Cher

POUR 6 À 8 PERSONNES
CUISSON : 50 minutes
INGRÉDIENTS :
1 côte de bœuf
1 bel os à moelle
3 cuill. à soupe d'huile
50 g de beurre
200 g de poitrine fumée
1 kg de champignons
500 g de petits oignons blancs
1 jus de citron
2 gousses d'ail
1 botte de cresson
Persil, laurier
Sel, poivre

1 - Enduisez légèrement la côte d'huile, piquez-la d'ail en divers endroits, et mettez-la sur une grille, à four très chaud, gril allumé, 20 minutes environ de chaque côté (pour une pièce pesant 2 à 2,5 kg).

2 - Pendant ce temps, débarrassez les champignons de leur pied terreux, lavez-les à l'eau courante, séchez-les, coupez-les en quatre.

3 - Pelez les petits oignons, détaillez la poitrine fumée en petits dés.

4 - Sortez la moelle de l'os (faites-le fendre au préalable par votre boucher), coupez-la en rondelles. Jetez ces dernières à l'eau bouillante salée. Laissez pocher hors du feu.

5 - Faites fondre le beurre avec 1 cuillerée d'huile dans une sauteuse, et mettez-y les lardons à dorer. Laissez 2 à 3 minutes, puis ajoutez les petits oignons et les champignons. Remuez à la cuillère de bois, et laissez le tout prendre couleur. Mouillez alors d'un jus de citron, aromatisez d'une feuille de laurier, salez, poivrez, et laissez cuire 15 minutes à couvert.

6 - Lorsque la viande est cuite, salez et poivrez-la, dressez-la sur un grand plat de service tapissé d'un lit de cresson. Disposez les rondelles de moelle dessus. Entourez la côte de bœuf de la garniture aux champignons, saupoudrée d'un hachis de persil.

VOS NOTES PERSONNELLES

Ecrire . . . .

. . . .

Acheter . . . .

. . . .

Téléphoner . . . .

11 JANVIER

QUICHE A LA MOSELLANE

Moyen   Facile   Abordable

**POUR 5
A 6 PERSONNES
CUISSON : 35 minutes
INGRÉDIENTS :**
250 g de farine
125 g de beurre
100 de poitrine fumée
150 g de jambon
3 œufs
200 g de crème fraîche
1 cuillerée d'huile
Sel, poivre

MINI-RECETTE

COMPOTE AUX TROIS FRUITS

**POUR 6 PERSONNES
CUISSON : 30 minutes
INGRÉDIENTS :**
5 pommes
5 poires
3 oranges
2 cuillerées à café de rhum
1 pincée de cannelle
6 cerises confites

1 - Epluchez les pommes et les poires. Otez les pépins et coupez les fruits en petits dés.
2 - Pressez le jus des trois oranges.
3 - Versez la moitié du jus des oranges dans une casserole avec les deux cuillerées à café de rhum et faites chauffer à feu moyen.
4 - Lorsque le jus commence à bouillir, ajoutez les petits morceaux de pommes et de poires. Laissez cuire à feu moyen environ 15 minutes. Remuez de temps en temps.
5 - Passé ce temps, ajoutez le reste du jus d'orange, une pincée de cannelle en poudre. Mélangez bien et laissez à nouveau cuire, à feu doux, 15 minutes.
6 - Lorsque la compote est cuite, retirez la casserole du feu et passez son contenu au moulin à légumes.
7 - Remplissez de cette mousse des coupes individuelles et piquez au centre une cerise confite.
8 - Placez ces coupes au réfrigérateur 1/2 heure environ avant de servir.

1 - Préparez la pâte : mélangez avec les mains, dans un grand saladier, la farine et le beurre. Creusez ensuite au milieu de cette préparation un puits. Versez-y un verre d'eau et une pincée de sel.
2 - Pétrissez le tout et laissez reposer la pâte en boule environ 1 heure.
3 - Coupez la poitrine fumée en petits dés et faites-les revenir à feu moyen dans un peu de beurre et d'huile.
4 - Dans une jatte, cassez les œufs, ajoutez la crème fraîche, poivrez, et battez comme pour une omelette.
5 - Étalez la pâte au rouleau, et garnissez-en un moule à tarte préalablement beurré.
6 - Préchauffez quelques instants à four moyen, piquez en divers endroits votre fond de pâte à l'aide d'une fourchette et mettez à cuire environ 10 minutes.
7 - Retirez votre pâte du four, sans la sortir de son moule, parsemez-la des dés de lard et des morceaux de jambon coupés fins. Versez ensuite sur le tout le contenu de la jatte qui contient le mélange œufs-crème fraîche.
8 - Replacez la quiche à four chaud et laissez cuire pendant 20 à 25 minutes. Ce plat peut être servi chaud ou tiède.

12 JANVIER

Menu

SOUFFLÉ AU ROQUEFORT
(voir recette p. 335)
BROCHETTES AU BŒUF MARINÉ
(voir recette ci-contre)
MACRODES
(voir recette p. 177)

TOUT SAVOIR SUR...

LE ROQUEFORT

C'est la petite commune d'Auvergne, Roquefort-sur-Soulzon, qui a donné son nom à ce merveilleux fromage à pâte persillée. Il est fabriqué exclusivement avec du lait de brebis non écrémé et non pasteurisé. C'est un fromage très calorique, riche en calcium et en chlore. Sa fabrication se divise en deux temps : le caillage et l'égouttage pratiqués sur les lieux de production, l'Auvergne, le Massif central, les Pyrénées, la Corse, et l'affinage obligatoirement réalisé dans les caves de Roquefort. C'est lors de cette seconde phase que les fromages blancs sont ensemencés du «penicilium roqueforti» (champignon microscopique) qui produit en se développant les veinules bleues si caractéristiques. Le roquefort se présente sous la forme d'un cylindre d'une vingtaine de centimètres de diamètre et pèse environ 2,6 kg. Il est protégé par une appellation d'origine et par un label de qualité. Sa pâte doit être onctueuse et grasse, le «bleu» réparti régulièrement. A la coupe, il ne doit pas trop s'émietter et le «blanc» ne doit pas être jaune, signe de vieillissement.

BROCHETTES AU BŒUF MARINÉ

POUR 4 PERSONNES
CUISSON :
10 à 15 minutes
INGRÉDIENTS :
600 g de steak
1 cuillerée à café de vinaigre
1 gros poivron
4 oignons moyens
4 tomates bien fermes
8 champignons de Paris
1 petit verre d'huile
Thym, laurier
1 pincée d'estragon
Sel, poivre

1 - Préparez une marinade en versant dans un plat creux le petit verre d'huile, la cuillerée à café de vinaigre, un peu de thym et de laurier, la pincée d'estragon en poudre. Salez et poivrez.
2 - Coupez la viande en cubes, et mettez-la dans la marinade une heure environ.
3 - Pendant ce temps, détachez la queue des champignons, et ne conservez que les têtes que vous laverez.
4 - Lavez les tomates, essuyez-les soigneusement, et coupez-les en deux. Épluchez les oignons et coupez-les également par le milieu.
5 - Lavez le poivron, coupez-le en deux. Épépinez-le, puis recoupez chaque moitié en quatre.
6 - Sortez les cubes de viande de la marinade, et garnissez chaque brochette en alternant les cubes de viande, les tomates, les oignons, les poivrons et les champignons. Arrosez à la cuillère les légumes avec le jus de la marinade.
7 - Préchauffez le four, et, lorsqu'il est très chaud, placez les brochettes sous le gril. Vous pouvez les poser directement sur une grille, avec la lèchefrite en dessous.
8 - Laissez griller 5 à 6 minutes, en tournant les brochettes régulièrement, puis éteignez le gril et laissez à four chaud quelques minutes encore.
9 - Servez très chaud en plaçant une brochette entière par assiette. Le riz blanc constitue un accompagnement idéal.

VOS NOTES PERSONNELLES

Ecrire . . . .
. . . .
Acheter . . . .
. . . .
Téléphoner . . . .

Menu

ASPIC DE JAMBON PERSILLÉ
(voir recette ci-contre)
CÔTELETTES D'AGNEAU À LA VILLAGEOISE
(voir recette p. 235)
CRÈME GLACÉE AU CACAO
(voir recette p. 187)

ASPIC DE JAMBON PERSILLÉ

Long   Facile   Abordable

POUR 5 A 6 PERSONNES
CUISSON : 5 minutes
INGRÉDIENTS :
800 g de jambon
1 sachet de gelée instantanée
1 bouquet de persil
500 g de tomates
Cornichons
Petits oignons blancs au vinaigre

1 - Coupez le jambon en dés.
2 - Lavez un petit bouquet de persil et hachez-le finement.
3 - Détaillez quelques cornichons en fines lamelles dans le sens de la longueur.
4 - Préparez la gelée en vous conformant aux instructions portées sur le sachet.
5 - Versez une fine couche de gelée dans le fond d'un plat creux à bords hauts, saupoudrez d'un peu de persil, confectionnez un décor de lamelles de cornichons, et laissez prendre la gelée. Puis disposez au mieux une partie des cubes de jambon. Recouvrez d'une couche de gelée, persillez, disposez à nouveau du jambon, et ainsi de suite jusqu'à épuisement des ingrédients, en terminant par une couche de gelée.
6 - Placez le tout 2 heures au réfrigérateur, le temps pour la gelée de prendre convenablement. Passé ce temps, démoulez l'aspic de jambon sur un plat de service, et entourez-le de quartiers de tomates, de cornichons et de petits oignons blancs avant de servir.

TOUT SAVOIR SUR...

LE JAMBON CUIT

Le jambon cuit est la partie correspondant à la cuisse du porc. Les jambons cuits sont présentés désossés ou non. Dans le premier cas, on peut les débiter en tranches, à la machine. Différentes formes et catégories sont présentes dans le commerce. **Le jambon supérieur** : *il est frais, de bonne qualité, cuit à cœur à 69° minimum, et vendu dans les 10 jours suivant sa cuisson.* **Le jambon surchoix** : *de qualité égale au précédent, peut être vendu jusqu'à 15 jours après sa cuisson. Dans cette catégorie, on trouve des jambons braisés et des jambons cuits au torchon.* **Le jambon 1ᵉʳ choix** : *bonne qualité, souvent recouvert d'une fine pellicule noire.* **Le jambon façon york** : *c'est un jambon cuit à l'os, ayant subi une préparation de fumage.* **Le jambon de Prague** : *préparé en saumure douce et sucrée, souvent fumé, il est coupé rond.*

LE TRUC DU CHEF

POUR LES CÔTELETTES D'AGNEAU À LA VILLAGEOISE : pour faire prendre couleur aux légumes, vous pouvez remplacer la noix de beurre par une noix de saindoux.
Préférez les côtelettes provenant du carré de côtes couvert (premières et secondes) aux côtelettes découvertes. Ces dernières sont savoureuses mais moins charnues.

VOS NOTES PERSONNELLES

Ecrire . . . .
. . . .
Acheter . . . .
. . . .
Téléphoner . . . .

Menu

TOMATES AUX CREVETTES
(voir recette ci-dessous)

CŒUR DE VEAU EN ESCALOPE
(voir recette p. 247)

BANANES EN BEIGNETS
(voir recette ci-contre)

BANANES EN BEIGNETS

Moyen · Facile · Abordable

POUR 4 PERSONNES
CUISSON :
20 minutes environ
INGRÉDIENTS :
4 bananes
100 g de farine
2 œufs
100 g de sucre semoule
2 cuill. à soupe d'huile
2 verres à liqueur
de rhum
1 pincée de sel
1 bain de friture

1 - Versez la farine dans une terrine, et faites un puits. Mettez-y 1 verre d'eau froide, les 2 œufs entiers, 1 cuillerée à soupe de sucre semoule, l'huile, et 1 pincée de sel. Mélangez soigneusement le tout avec une spatule en bois, jusqu'à obtenir une pâte à beignets bien homogène. Laissez reposer la pâte pendant 1 heure.

2 - Passé ce temps, épluchez les bananes et fendez-les en deux dans le sens de la longueur.

3 - Piquez les fruits à la fourchette, et passez-les dans la pâte à beignets avant de les plonger dans le bain d'huile bouillante.

4 - Quand les beignets ont pris une belle teinte dorée (il faut compter 4 à 5 minutes), ôtez-les du bain avec une écumoire et mettez-les à égoutter sur du papier absorbant.

5 - Disposez côte à côte les beignets de banane sur un plat de service chaud et saupoudrez-les de sucre semoule.

6 - Faites chauffer légèrement le rhum dans une petite casserole, arrosez-en les beignets et faites flamber devant vos convives.

MINI-RECETTE

TOMATES AUX CREVETTES

POUR 4 PERSONNES
INGRÉDIENTS :
4 belles tomates
250 g de crevettes roses
1 jaune d'œuf
1 cuill. à café de moutarde
1 cuill. à café de vinaigre, 1 dl d'huile
1 pincée de paprika, 1 échalote
1 bouquet de persil, sel, poivre

1 - Plongez les crevettes dans un peu d'eau bouillante salée, laissez-les cuire environ 2 minutes, puis égouttez-les et attendez qu'elles refroidissent.

2 - Décortiquez les crevettes, en ne conservant que les queues. Réservez.

3 - Confectionnez une mayonnaise comme suit : mettez un jaune d'œuf dans un grand bol, ajoutez la moutarde, le vinaigre, une pincée de sel et un peu de poivre. Tournez à la cuiller ou au fouet et versez régulièrement l'huile en mince filet. Lorsque la mayonnaise est bien montée et ferme, incorporez-lui l'échalote finement hachée.

4 - Mélangez les queues de crevettes à la mayonnaise.

5 - Lavez les tomates, et essuyez-les avec un torchon. Découpez un large chapeau, côté queue, et évidez-les à l'aide d'un petit couteau pointu. Salez légèrement l'intérieur.

6 - Remplissez les tomates du mélange mayonnaise-crevettes, saupoudrez le dessus d'un peu de paprika et de persil haché très fin. Placez au réfrigérateur 1/2 heure avant de servir.

LE TRUC DU CHEF

POUR LES BANANES EN BEIGNETS : pour rester dans la note extrême-orientale, vous pouvez flamber les beignets avec de l'alcool de riz. Cette eau-de-vie incolore possède un arôme très subtil.

Evitez, pour la confection de ce dessert, les bananes trop mûres (dont la peau est légèrement « tigrée »).

VOS NOTES PERSONNELLES

Ecrire . . . .

Acheter . . . .

Téléphoner . . . .

Menu

POUNTI
(voir recette p. 210)

HADDOCK AU GRATIN
(voir recette ci-contre)

SABAYON À LA SICILIENNE
(voir recette p. 192)

TOUT SAVOIR SUR...

LE BEURRE

Le beurre est un aliment très nutritif, riche en vitamines A et D mais dont il faut faire un usage modéré, comme pour toutes les graisses. Trois sortes de beurre sont présents à la vente qui, tous, peuvent être présentés doux ou salés. **Le beurre fermier** *: de plus en plus rare, c'est un produit fabriqué à la ferme. Il se présente en mottes et vendu à la coupe. De par son type de fabrication, le beurre fermier se conserve mal.* **Le beurre laitier** *: de production semi-industrielle, il est fabriqué à partir de crèmes provenant de laits crus ou pasteurisés. De goût agréable, il se conserve bien lorsqu'il est pasteurisé. On le trouve à la vente parfois en mottes, mais le plus souvent en plaquettes ou cylindres de 125 g à 1 kg.* **Le beurre pasteurisé** *: c'est le plus commercialisé. Il est fabriqué en usines. La pasteurisation est une action qui élimine les microbes pathogènes et permet une longue conservation. Il est vendu en plaquettes ou cylindres de 125 g à 500 g.*

HADDOCK AU GRATIN

POUR 6 PERSONNES
CUISSON : 40 minutes
INGRÉDIENTS : 1 kg de haddock
1 branche de céleri
100 g de beurre
30 g de farine
1 oignon
1/2 litre de lait
1 jaune d'œuf
50 g de chapelure
Sel, poivre

1 - Epluchez la branche de céleri et l'oignon. Hachez-les très finement ensemble et réservez.

2 - Faites fondre le beurre dans une petite casserole et ajoutez le hachis d'oignon et de céleri. Laissez suer quelques instants ces légumes dans le beurre, à feu doux, puis versez la farine en pluie. Tournez le mélange à la cuillère de bois jusqu'à ce que la farine blondisse.

3 - Ajoutez alors le lait, salez et poivrez. Laissez cette sauce cuire doucement, sans bouillir, une dizaine de minutes, afin qu'elle épaississe, en continuant de tourner. Incorporez le jaune d'œuf en fin de cuisson.

4 - Beurrez un plat allant au four et couchez-y les filets de haddock. Nappez-les de la sauce, parsemez de quelques noisettes de beurre, et saupoudrez de chapelure.

5 - Mettez à cuire et à gratiner à four chaud pendant 25 minutes. Servez immédiatement dans le plat de cuisson.

LE TRUC DU CHEF

POUR LES POUNTI : vous pouvez remplacer la poitrine fumée et le jambon blanc par du jambon fumé en utilisant moitié maigre, moitié gras.

POUR LE HADDOCK AU GRATIN : le haddock, qui est de l'églefin fumé, est vendu dans le commerce sous forme de filets. Il n'y a par conséquent pas de déchets et une ration de 150 g par convive suffit.

POUR LE SABAYON À LA SICILIENNE : vous pouvez ajouter au sucre semoule, une pincée de sucre vanillé.

VOS NOTES PERSONNELLES

Ecrire . . . .

Acheter . . . .

Téléphoner . . . .

TOUT SAVOIR SUR...

LE CHAMPIGNON DE PARIS

Ce champignon de couche a été cultivé à l'origine dans les carrières du Bassin parisien. Actuellement, le Val de Loire est le grand producteur de ce produit. Le champignon de Paris ne se digère pas toujours très bien à cause de sa haute teneur en cellulose qui facilite, par contre, le transit intestinal. Il contient de la vitamine C et du potassium de façon non négligeable. Le champignon de Paris est présent toute l'année sur les marchés. La couleur du chapeau varie du blanc au brun. Les amateurs attribuent plus de goût aux variétés foncées. Pour être frais, un champignon doit être ferme au toucher et ne pas présenter un aspect spongieux. La taille n'est ni un critère de maturité ni un critère de qualité. Il est à noter que, généralement, les champignons de couleur foncée sont moins chers.

SOUPE AUX CHAMPIGNONS

Long   Très facile   Abordable

POUR 4
A 5 PERSONNES
CUISSON : 1 heure
INGRÉDIENTS :
350 g de champignons
60 g de mie
de pain rassis
25 g de beurre
30 g de farine
1 jaune d'œuf
Cerfeuil
Sel, poivre

1 - Débarrassez les champignons de leur pied terreux, lavez-les à l'eau courante, détaillez-les en fines lamelles.

2 - Mettez les champignons dans une casserole avec 1 litre 1/4 d'eau froide, la mie de pain rassis émiettée. Salez, poivrez légèrement, portez à ébullition, et laissez cuire à couvert pendant 1 heure.

3 - Passé ce temps, faites fondre le beurre dans une casserole, versez la farine en pluie, et tournez le mélange sur feu doux à la cuillère de bois quelques instants, sans que la farine prenne couleur.

4 - Prélevez 2 verres de bouillon de champignons, et mouillez le roux blanc de ce liquide, sans cesser de tourner. Délayez bien au fouet.

5 - Incorporez le jaune d'œuf à cette dernière préparation, et laissez cuire très doucement, tout en tournant, pendant 4 à 5 minutes.

6 - Versez cette préparation dans le bouillon de champignons, mélangez bien le tout.

7 - Lavez un petit bouquet de cerfeuil, hachez-le, et ajoutez-le à la soupe. Présentez aussitôt en soupière.

LE TRUC DU CHEF

POUR LA SOUPE AUX CHAMPIGNONS : choisissez de préférence des champignons de Paris au chapeau de couleur brune. Cette variété possède une saveur plus prononcée que les champignons de couleur crème ou blanche, et a en outre l'avantage d'être généralement proposée à des prix plus avantageux.

VOS NOTES PERSONNELLES

Ecrire . . . .

Acheter . . . .

Téléphoner . . . .

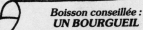

Menu

TERRINE AUX FOIES DE VOLAILLES
(voir recette ci-dessous)

PAËLLA
(voir recette p. 209)

TARTE TATIN
(voir recette ci-contre)

Boisson conseillée :
UN BOURGUEIL

MINI-RECETTE

TERRINE AUX FOIES DE VOLAILLES

POUR 8 à 10 PERSONNES
CUISSON : 1 h 50
INGRÉDIENTS :
500 g de foies, 200 g de jambonneau
200 g de chair à saucisses, 1 gros oignon
2 gousses d'ail, 1 carotte, 3 œufs
300 g de bardes lard,
1 sachet de gelée instantanée,
1 verre de madère,
2 verres à liqueur d'Armagnac
1 branche de persil
Thym, laurier, sel, poivre

1 - Détaillez le jambonneau en petits cubes, et mélangez-le avec la chair à saucisses et les foies de volailles hachés.

2 - Pelez l'oignon et les gousses d'ail. Lavez un peu de persil, et hachez-les. Ajoutez ces éléments à la préparation précédente, salez, poivrez.

3 - Cassez les œufs dans un bol, ajoutez l'Armagnac, et battez. Versez dans la préparation aux foies de volailles. Remuez bien le tout.

4 - Tapissez le fond et les parois d'une terrine avec les bardes de lard. Garnissez le récipient de la préparation en tassant bien le tout. Disposez sur le dessus quelques bardes taillées en fines lanières, en les entre-croisant. Couvrez la terrine, et mettez à cuire à four chaud 1 h 50.

5 - Confectionnez la gelée en mettant dans une casserole le Madère, le contenu du sachet de gelée, et en vous conformant aux proportions indiquées sur le sachet.

6 - Quand la terrine est cuite, décorez le dessus avec des rondelles de carotte, un peu de thym et de laurier, et recouvrez de gelée. Laissez complètement refroidir.

TARTE TATIN

POUR 6
A 8 PERSONNES
CUISSON : 30 minutes
INGRÉDIENTS : 1 kg
de pommes
220 g de farine
1 œuf
150 g de beurre
180 g de sucre
en poudre
1 pincée de sel

1 - Confectionnez une pâte brisée en mélangeant dans un grand saladier la farine, l'œuf entier, 75 grammes de beurre et une pincée de sel. Pétrissez le tout en y ajoutant un peu d'eau.

2 - Laissez reposer cette pâte mise en boule, après l'avoir farinée, pendant une bonne heure.

3 - Épluchez les pommes, coupez-les en deux et ôtez les pépins.

4 - Prenez un moule à tarte profond et beurrez-le largement. Répandez sur le fond, et de façon régulière, la moitié du sucre.

5 - Disposez sur ce lit de sucre, régulièrement en rond, les tranches de pomme en les serrant du mieux possible, et saupoudrez-les de sucre. Parsemez le tout de quelques petites noisettes de beurre.

6 - Étalez la pâte au rouleau en lui donnant une épaisseur de 4 à 5 mm et placez-les sur les pommes en prenant bien soin de les recouvrir parfaitement.

7 - Faites partir sur feu doux pendant 3 minutes environ, pour caraméliser le fond. Mettez ensuite à four chaud une trentaine de minutes.

8 - Sortez votre tarte du four et retournez-la sur un plat de service. Les pommes sur le dessus doivent être caramélisées.

LE TRUC DU CHEF

POUR LA TARTE TATIN : pour qu'elle soit meilleure, servez-la chaude ou tiède. Froide, elle peut être réchauffée.

Il existe, dans tous les rayons «surgelés», de la pâte brisée prête à l'emploi. Cela évite de la confectionner soi-même. Lisez attentivement les indications portées sur l'emballage.

VOS NOTES PERSONNELLES

Ecrire . . . .

. . . .

Acheter . . . .

. . . .

Téléphoner . . . .

Menu

CRÊPES AU GRUYÈRE
(voir recette p. 169)

FOIE DE PORC SOUBISE
(voir recette ci-contre)

TARTE AU FROMAGE BLANC
(voir recette p. 168)

TOUT SAVOIR SUR...

LES FROMAGES BLANCS

Ce sont des fromages non affinés, réalisés uniquement par coagulation du lait. Ils ne comportent aucun additif chimique de conservation. Une date limite de consommation doit figurer sur l'emballage. Les fromages blancs sont riches en vitamine C, en calcium et en phosphore, leur valeur calorique est environ la moitié de celle des fromages affinés. On trouve dans le commerce quatre grandes sortes de fromages blancs. **Les battus ou lissés** : *ils ont subi un égouttage provoqué, et contiennent de 0 à 40 % de M.G.* **Les fromages blancs de campagne** : *égouttés naturellement, ils sont vendus au poids ou en faisselle.* **Les suisses** : *fabriqués à base de lait et de crème, ils comportent 40 à 60 % de M.G. Les plus connus sont les «petits-suisses».* **Les pâtes salées** : *elles ont été travaillées, après égouttage, et salées. Les plus répandues sont les «demi-sel» et contiennent 40 à 60 % de M.G. Pour certains fromages frais, les fabricants ont ajouté des arômes divers tels que, herbes, poivre, ail...*

FOIE DE PORC SOUBISE

POUR 4 PERSONNES
CUISSON : 30 minutes
INGRÉDIENTS :
4 tranches de foie
de porc
200 g d'oignons
1 verre de vin blanc sec
1 cuill. à soupe
de moutarde
1 cuill. à café de conc.
de tomates
50 g de beurre
25 g de farine
Thym, laurier
Sel, poivre

1 - Salez et poivrez les tranches de foie, passez-les légèrement à la farine, et mettez-les à dorer sur feu moyen à la poêle, dans une belle noix de beurre.

2 - Épluchez les oignons, et coupez-les en fines rondelles.

3 - Quand les tranches de foie ont pris couleur sur leurs deux faces, réservez-les sur un plat, et jetez les oignons dans la graisse de cuisson. Laissez blondir sur feu vif, salez et poivrez légèrement.

4 - Mouillez alors avec le vin blanc, aromatisez d'un peu de thym et de laurier émiettés, incorporez 1 cuillerée de moutarde dans la sauce et colorez d'un peu de concentré de tomates.

5 - Replacez les tranches de foie dans la poêle, et laissez mijoter doucement environ 10 minutes à découvert.

6 - Passé ce temps, dressez les tranches de foie de porc sur un plat de service, nappez-les de la sauce aux oignons, et accompagnez de pommes de terre cuites à la vapeur.

LE TRUC DU CHEF

POUR LES CRÊPES AU GRUYÈRE : toutes les variétés de fromages à pâtes cuites conviennent pour la confection de ces crêpes. On pourra ainsi choisir, en fonction de ses goûts, de l'emmental (français ou suisse), du comté, du beaufort.

POUR LE FOIE DE PORC SOUBISE : le foie de porc est manifestement le foie le moins coûteux, mais il possède une saveur un peu particulière que n'apprécient pas tous les consommateurs. Sachez que la recette convient aussi bien pour accommoder le foie de génisse ou de veau.

VOS NOTES PERSONNELLES

Ecrire . . . .

Acheter . . . .

Téléphoner . . . .

FONDS D'ARTICHAUTS FORESTIÈRE

Menu

FONDS D'ARTICHAUTS FORESTIÈRE
(voir recette ci-contre)
POITRINE DE VEAU PRINTANIÈRE
(voir recette p. 128)
SOUFFLÉ AUX POMMES
(voir recette p. 153)

Long — Facile — Abordable

POUR 4 PERSONNES
CUISSON : 1 heure
INGRÉDIENTS :
4 artichauts
2 biscottes
1/2 verre de lait écrémé
150 g de champignons de Paris
8 échalotes
1 gousse d'ail
1 noisette de beurre
50 g de gruyère râpé
Sel, poivre

1 - Mettez à cuire les artichauts dans de l'eau bouillante salée pendant 45 minutes. L'eau doit atteindre les artichauts à mi-hauteur.
2 - Pendant ce temps, coupez la partie terreuse des champignons, lavez-les rapidement sous l'eau courante, et séchez-les sur du papier absorbant. Puis hachez-les finement.
3 - Épluchez les échalotes, hachez-les grossièrement, et mettez-les à revenir doucement à la poêle dans une noisette de beurre. Remuez de temps en temps à la spatule de bois.
4 - Ajoutez le hachis de champignons aux échalotes, l'ail pilé. Salez légèrement, poivrez, et laissez réduire presque à sec.
5 - Lorsque les artichauts sont cuits, laissez-les égoutter, la tête en bas, puis ôtez les feuilles et la barbe afin de dégager les cœurs. Disposez les fonds dans un petit plat allant au four.
6 - A l'aide d'une petite cuillère, retirez la chair des feuilles d'artichaut, et mettez-la dans un plat creux. Ajoutez-y la purée de champignons et les biscottes après les avoir légèrement essorées. Mélangez délicatement le tout.
7 - Tartinez largement de cette farce les fonds d'artichauts, parsemez de gruyère râpé, et mettez à gratiner 12 à 15 minutes à four moyen. Servez immédiatement à la sortie du four.

TOUT SAVOIR SUR...

L'ARTICHAUT

L'artichaut a une bonne valeur calorique et se digère facilement. Riche en vitamines, notamment C et B1, il l'est également en sels minéraux comme le calcium, le phosphore et le manganèse. Les principales variétés que l'on trouve sur les marchés sont : **Le camus de Bretagne** *: tête ronde et volumineuse, feuilles serrées de couleur vert foncé. Le cœur est charnu et savoureux.* **Le macau** *: de même qualité que le camus, il est de couleur plus claire et provient du Sud-Ouest.* **Le violet** *: provient du midi de la France. Sa taille est petite, de forme allongée en poire, on le consomme souvent cru. Trois catégories ont été définies, suivant les normes européennes :* **catégorie extra** *(étiquette rouge) sans défauts,* **catégorie I** *(étiquette verte) quelques légères blessures,* **catégorie II** *(étiquette jaune). Choisissez toujours des artichauts lourds dont la feuille se casse d'un coup sec, sans le bout des feuilles noirci.*

VOS NOTES PERSONNELLES

Ecrire . . . .

. . . .

Acheter . . . .

. . . .

Téléphoner . . . .

TOUT SAVOIR SUR...

L'AVOCAT

L'avocat est un fruit originaire du Mexique. Sa peau, lisse ou rugueuse, suivant les espèces, va du vert clair au vert presque noir. Sa chair a la couleur et la consistance du beurre. L'avocat est aussi calorique que la viande de bœuf, il est riche en lipides, en vitamine C et en potassium. Venant d'Israël, de Martinique, d'Afrique du Sud, il est présent toute l'année. Les principales variétés sont : **la fuerte**, c'est le plus répandu. Goût agréable, peau fine, il pèse entre 200 et 400 g. **Le hass**, peau rugueuse, presque noire, d'une grande finesse de goût. 150 à 300 g. **Le ettinger**, peau vert brillant. **Le lula**, il est présent au printemps. Choisissez un avocat, mûr à point. Sous la pression du doigt, le fruit doit être souple et, en le secouant, on doit entendre le noyau dans le fruit.

POIRES A LA BONDURANT

Long   Délicat   Abordable

POUR 6 PERSONNES
CUISSON : 1 h 15 env.
INGRÉDIENTS :
12 poires
1/2 litre de vin rouge
135 g de sucre semoule
15 morceaux
de sucre roux
1/2 litre de lait
1 gousse de vanille
2 œufs entiers
3 jaunes d'œufs
125 g de crème fraîche
1 cuill. à soupe
de sucre glace
1 sachet d'amandes
effilées

1 - Pelez les poires et coupez-les en deux. Débarrassez-les du cœur et des pépins.

2 - Verser dans une casserole 2 verres d'eau et 1 verre de bon vin rouge, ajoutez 60 g de sucre. Portez le liquide à ébullition et plongez-y les fruits. Faites cuire à petits bouillons 30 minutes, et laissez refroidir dans le sirop.

3 - Faites fondre les morceaux de sucre dans une casserole avec 3 cuillerées à soupe d'eau, jusqu'à obtenir un caramel blond. Nappez de ce caramel le fond et les parois d'un moule à savarin.

4 - Faites bouillir le lait dans une casserole avec la gousse de vanille fendue et 75 g de sucre semoule. Laissez infuser la gousse 10 minutes, puis ôtez-la.

5 - Battez les œufs entiers et les jaunes dans une terrine, puis ajoutez peu à peu le lait dessus, en remuant au fouet. Versez cette préparation dans le moule.

6 - Placez le moule dans un récipient allant au four, rempli d'eau chaude à hauteur de la crème, et mettez à cuire au bain-marie à four moyen 30 minutes. Puis laissez refroidir complètement avant de démouler dans un compotier.

7 - Détaillez la moitié des poires en dés, et placez-les au centre de la crème. Disposez les demi-poires en rond, sur la crème, et nappez le tout du sirop de cuisson des poires.

8 - Confectionnez une chantilly en fouettant la crème fraîche avec le sucre glace et 2 glaçons. Décorez au mieux le dessert avec la crème Chantilly, saupoudrez le tout d'amandes effilées grillées, et placez au réfrigérateur quelques instants avant de servir.

VOS NOTES PERSONNELLES

Ecrire . . . .
. . . .
Acheter . . . .
. . . .
Téléphoner . . . .

Menu

**CHICORÉE FRISÉE AUX FOIES
DE VOLAILLES**
(voir recette p. 145)

COQ AU VIN À LA GARREAU
(voir recette ci-contre)

BEIGNETS À L'ANANAS
(voir recette ci-dessous)

MINI-RECETTE

BEIGNETS
À L'ANANAS

POUR 6 À 8 PERSONNES
CUISSON : 1/4 d'heure
INGRÉDIENTS : 1 bel ananas
150 g de farine, 2 œufs, 1 flacon de rhum
2 cuillerées à soupe de sucre
2 cuillerées à soupe de sucre vanillé
1 verre de lait, 1 cuillerée à soupe d'huile
1 bassine d'huile de friture, 1 pincée de sel

1 - Préparez la pâte à beignets : mettez dans un saladier la farine et formez un puits au milieu. Cassez les œufs, réservez les blancs et placez les jaunes battus dans le puits avec 2 cuillerées de rhum, l'huile et la pincée de sel. Délayez en incorporant peu à peu le lait, en remuant bien pour éviter les grumeaux. Laissez reposer cette pâte à beignets une bonne heure.
2 - Passé ce temps, battez vigoureusement les blancs en neige. Incorporez-les délicatement à la pâte à beignets.
3 - Épluchez l'ananas, coupez-le en rondelles.
4 - Mettez ces tranches d'ananas dans un plat creux, arrosez-les de rhum, et laissez macérer quelques instants.
5 - Plongez ensuite les rondelles dans la pâte à beignets, puis dans l'huile bouillante de la bassine à friture. Laissez cuire chaque beignet jusqu'à ce qu'il prenne une belle teinte dorée.
6 - Sortez les beignets de la friture, placez-les sur un papier absorbant.
7 - Disposez vos beignets dans un plat de service, saupoudrez-les de sucre vanillé, arrosez-les de rhum chaud et faites flamber.

COQ AU VIN
A LA GARREAU

POUR 6 PERSONNES
CUISSON : 1 h 50
**INGRÉDIENTS : 1 jeune
coq ou une poule de 2 kg**
2 oignons
2 carottes
2 gousses d'ail
1 bouteille
de Bourgogne
150 g de poitrine fumée
250 g de champignons
5 cl de cognac
40 g de farine
50 g de beurre
2 cuill. à soupe d'huile
Sel, poivre

1 - Faites découper la volaille en quartiers par votre volailler.
2 - Dans une grande cocotte, mettez à chauffer sur feu vif le mélange de beurre et d'huile, et faites-y revenir les morceaux de coq. Salez et poivrez.
3 - Pendant ce temps, épluchez carottes, oignons et ail. Coupez les carottes et les oignons en rondelles, hachez l'ail.
4 - Lorsque les quartiers de volaille ont pris couleur, mettez à blondir dans la cocotte les rondelles de carottes et d'oignons.
5 - Saupoudrez avec la farine, et remuez bien à la cuillère de bois jusqu'à ce que la farine roussisse légèrement.
6 - Mettez alors le cognac, faites flamber, puis mouillez avec le bourgogne. Ajoutez l'ail haché, couvrez et laissez cuire à petit feu 1 h 1/2.
7 - Épluchez les champignons, coupez-les en quartiers, et faites-les dorer à feu vif dans un peu de beurre. Réservez.
8 - Coupez la tranche de poitrine fumée en petits dés et ajoutez-les au coq en cours de cuisson.
9 - 1/2 heure avant la fin de la cuisson, laissez le récipient à découvert afin que la sauce réduise convenablement. Quelques instants avant de servir, ajoutez les champignons sautés à la sauce.

VOS NOTES PERSONNELLES

Ecrire . . . .
. . . .
Acheter . . . .
. . . .
Téléphoner . . . .

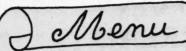

Menu

**PÂTÉ DE LAPIN
À LA MONTSABERT**
(voir recette p. 139,

DAURADE AU FENOUIL
(voir recette ci-contre)

PUDDING DE PAIN FLAMBÉ
(voir recette ci-dessous)

MINI-RECETTE

PUDDING DE PAIN FLAMBÉ

POUR 5 À 6 PERSONNES
CUISSON : 1 heure
INGRÉDIENTS : 400 g de pain rassis
3/4 de litre de lait, 3 œufs,
150 g de sucre, 75 g de beurre
6 cuillerées à soupe de rhum,
1 zeste de citron,
150 g de raisins de Corinthe,
1 pincée de noix de muscade râpée
Quelques fruits confits,
1 cuillerée à café d'huile,
1 pincée de sel

1 - Emiettez le pain rassis.
2 - Faites chauffer le lait.
3 - Versez le lait bouillant sur le pain. Puis ajoutez le sucre, sel, le zeste de citron râpé, le beurre.
4 - Malaxez cette préparation.
5 - Cassez les œufs et battez-les.
6 - Ajoutez-les à la pâte déjà obtenue, et versez également les raisins de Corinthe, 1 cuillerée de rhum, et les divers fruits confits coupés en petits morceaux. Mélangez.
7 - Versez cette préparation dans un moule à bords hauts huilé.
8 - Mettez au four moyennement chaud et laissez cuire 1 heure.
9 - Une fois sorti du four, laissez refroidir, puis démoulez dans un plat.
10 - Saupoudrez le gâteau de sucre, arrosez-le avec le restant du rhum que vous aurez légèrement fait chauffer, au préalable, dans une petite casserole. Faites flamber en arrosant d'alcool le pudding.

DAURADE AU FENOUIL

**POUR 4
A 5 PERSONNES**
CUISSON : 30 minutes
INGRÉDIENTS :
1 daurade de 1,2 kg
2 oignons
4 tomates
1 verre de vin blanc sec
2 branches de fenouil
1 bouquet de persil
2 citrons
Thym, laurier
1 cuill. à soupe d'huile
Sel, poivre

1 - Faites vider et écailler la daurade par votre poissonnier. Lavez-la soigneusement et séchez-la sur du papier absorbant. Introduisez à l'intérieur du poisson les branches de fenouil, après avoir salé et poivré.
2 - Plongez les tomates dans de l'eau bouillante quelques instants, mondez-les et concassez-les grossièrement.
3 - Épluchez les oignons et coupez-les en fines rondelles.
4 - Huilez légèrement un plat allant au four, et couchez-y la daurade après avoir pratiqué 3 à 4 incisions de chaque côté du poisson à l'aide d'un petit couteau pointu.
5 - Disposez tout autour du poisson les oignons en rondelles et la purée de tomates fraîches, arrosez avec le vin blanc, ajoutez un peu de thym et de laurier. Salez et poivrez la garniture.
6 - Mettez à four moyen 30 minutes environ (un peu plus ou un peu moins selon que vous aimez ou non le poisson rose à l'arête).
7 - Disposez le poisson sur un long plat de service après avoir ôté les branches de fenouil, entouré de quartiers de citron et de petits bouquets de persil, et présentez la sauce à la tomate en saucière.

LE TRUC DU CHEF

POUR LE PÂTÉ DE LAPIN : pour une bonne cuisson, il est essentiel que le couvercle de la terrine bouche parfaitement celle-ci. Pour cela, constituez un peu de pâte faite de farine et d'eau, et appliquez-la à la jointure. Choisissez un lapin à chair bien rosée, peu gras à l'exception d'un peu de graisse sur le râble.

VOS NOTES PERSONNELLES

Ecrire . . . .
. . . .
Acheter . . . .
. . . .
Téléphoner . . . .

Menu

SOUPE À L'EMMENTAL
(voir recette ci-contre)

CARRÉ D'AGNEAU AUX CÈPES
(voir recette p. 169)

**BLANCS D'ŒUFS
À LA CRÈME COGNAC**
(voir recette p. 301)

Boisson conseillée :
UN ARBOIS ROUGE

TOUT SAVOIR SUR...

LES GRUYÈRES

Gruyère est le nom d'une région de la Suisse qui a donné son nom à toute une variété de fromages à pâte pressée cuite. Les gruyères sont riches en vitamines B2, en calcium, phosphore et sodium, ils ont une valeur calorique exceptionnelle. Sur les marchés, on trouve trois sortes de gruyères français : **l'emmental,** *qui se présente sous la forme d'une meule pouvant atteindre 1 m de diamètre et peser 100 kg. Il comporte des trous plus ou moins gros, est fabriqué au lait entier de vache et comporte 45 à 48 % de matière grasse...* **Le comté** *: fabriqué en Franche-Comté, c'est une appellation d'origine contrôlée. Il se présente sous la forme de meules de 60 à 80 cm de diamètre et de 30 à 50 kg. Fait de lait cru de vache, il comporte des petits trous.* **Le beaufort** *: ce fromage de Savoie est protégé par une appellation contrôlée. On trouve du beaufort de montagne fabriqué en alpage et du beaufort d'hiver. Il ne comporte pas de trous et contient 50 % de M.G. Le beaufort se présente en meules de 20 à 60 kg.*

SOUPE A L'EMMENTAL

Moyen   Très facile   Abordable

**POUR 6
A 8 PERSONNES
CUISSON : 50 minutes
INGRÉDIENTS :**
250 g d'emmental
2 tabl. de bouillon de volailles
250 g de poitrine fumée
2 gros oignons
1 gousse d'ail
2 cuill. à soupe de crème fraîche
1 noix de beurre
Quelques tranches de gros pain
Sel, poivre

1 - Dans une marmite, préparer le bouillon en faisant fondre dans 2 litres d'eau, les 2 tablettes de concentré de bouillon de volaille. Laissez frémir le liquide à couvert.

2 - Coupez la poitrine fumée en petits dés, et faites-les rissoler dans une petite poêle avec 1 noix de beurre.

3 - Épluchez les oignons, hachez-les finement, et ajoutez-les aux lardons le temps de prendre couleur.

4 - Versez alors le contenu de la poêle dans le bouillon de volaille, ajoutez la gousse d'ail pilée, salez très légèrement, poivrez. Couvrez la marmite et laissez cuire doucement 30 minutes.

5 - Coupez quelques tranches de gros pain, mettez-les sous le gril et faites-les dorer sur leurs deux faces.

6 - Lorsque la soupe a cuit le temps nécessaire, tapissez le fond de la soupière de pain grillé, recouvrez d'une bonne poignée d'emmental râpé, disposez une seconde couche de pain, recouvrez encore généreusement de fromage, et terminez par une couche de pain.

7 - Hors du feu, incorporez au bouillon 2 bonnes cuillerées de crème fraîche, et versez le bouillon brûlant dans la soupière. Couvrez le récipient et laissez tremper quelques instants avant de servir.

LE TRUC DU CHEF

POUR LA SOUPE À L'EMMENTAL : cette recette peut également être confectionnée avec d'autres variétés de fromages à pâte pressée cuite comme le gruyère de comté ou le beaufort. C'est simplement affaire de goût, mais l'emmental reste généralement le moins coûteux.

VOS NOTES PERSONNELLES

Ecrire . . . .

. . . .

Acheter . . . .

. . . .

Téléphoner . . . .

TOUT SAVOIR SUR...

LES ROGNONS DE VEAU

Les rognons sont les reins de l'animal. De forme ovoïde, ils sont constitués de lobes recouverts d'une peau transparente. Les rognons de veau sont les plus chers des rognons d'animaux de boucherie mais possèdent certainement la saveur la plus délicate, ce qui en fait un mets de haute gastronomie. Ils sont riches en vitamines B2, B5, C et PP ainsi qu'en sels minéraux tels que calcium, fer et phosphore. On les recommande donc aux enfants et aux personnes anémiées. Les rognons doivent être de teinte brun clair. Recherchez les rognons bien bombés, recouverts d'une légère couche de graisse très blanche, évitez une graisse virant au jaune. Présentant peu de déchets, comptez par convive environ 150 g.

ROGNONS DE VEAU FAÇON PRINCE

Moyen   Facile   Cher

**POUR 6 PERSONNES
CUISSON : 25 minutes
INGRÉDIENTS :**
800 g de rognons
250 g de champignons
1 jaune d'œuf
3 cuillerées
de crème fraîche
60 g de beurre
1 verre de porto
1 verre à liqueur
de cognac
1 petit bouquet
de cerfeuil
Sel, poivre

1 - Préparez les rognons, ôtez la membrane qui les entoure, coupez-les en deux, dénervez soigneusement et enlevez la partie blanchâtre de l'intérieur. Taillez les rognons en petits quartiers. Salez et poivrez-les.

2 - Débarrassez les champignons de leur pied terreux, lavez-les à l'eau courante, séchez-les sur du papier absorbant. Puis détaillez-les en grosses lamelles.

3 - Faites fondre à feu vif dans une petite sauteuse 30 g de beurre, et jetez-y les rognons. Laissez-les blondir ainsi 4 minutes, en remuant de temps en temps à la spatule de bois. Puis versez le cognac et flambez. Mouillez avec le verre de porto, ajoutez la crème, et laissez réduire sur feu doux 15 minutes environ.

4 - Pendant ce temps, faites revenir les champignons dans une poêle, avec 1 noix de beurre. Laissez-les bien dorer, 5 à 6 minutes, salez-les et poivrez-les légèrement.

5 - En fin de cuisson des rognons, incorporez à la sauce, hors du feu, 1 jaune d'œuf. Ajoutez les champignons à la préparation, mélangez délicatement le tout, et remettez la sauteuse 2 à 3 minutes, sur feu très doux, en évitant l'ébullition.

6 - Versez la préparation dans un plat de service creux, ciselez dessus un petit bouquet de cerfeuil, et servez immédiatement, avec un accompagnement de haricots verts extra-fins, simplement réchauffés au beurre.

VOS NOTES PERSONNELLES

Ecrire . . . .
. . . .
Acheter . . . .
. . . .
Téléphoner . . . .

25 JANVIER

Menu

**SALADE DE CHOU-FLEUR
AUX NOISETTES**
(voir recette ci-contre)
FOIE DE VEAU AUX SALSIFIS
(voir recette p. 207)
**OMELETTE SOUFFLÉE
À L'ANANAS**
(voir recette p. 216)

TOUT SAVOIR SUR...

LE CHOU-FLEUR

Toutes les régions de France en produisent mais c'est surtout la Bretagne qui fournit la majeure partie du marché. Le chou-fleur possède une valeur nutritive faible, mais renferme en grande quantité vitamines C, PP et B5, phosphore, potassium et sodium. Il est présent à la vente toute l'année, mais pendant la période d'abondance de février à mai, il est meilleur marché. Le poids des légumes commercialisés varie de 800 g à 1,2 kg. Il est présenté sous trois formes : **en feuilles,** *qui recouvrent partiellement le «blanc» ;* **couronné,** *le blanc est entouré de feuilles coupées en couronne ;* **effeuillé,** *débarrassé du trognon et des feuilles. Quatre catégories les classent, repérées par des étiquettes de couleur :* **catégorie extra** *(étiquette rouge), c'est le haut de gamme.* **Catégorie I** *(étiquette verte),* **catégorie II** *(étiquette jaune),* **catégorie III** *(étiquette grise). D'une classe à l'autre, on accepte de plus en plus d'imperfections.*

SALADE DE CHOU-FLEUR AUX NOISETTES

Moyen — Très facile — Abordable

**POUR 5
A 6 PERSONNES
CUISSON : 20 minutes
INGRÉDIENTS :**
1 chou-fleur
2 œufs
3 échalotes
1 gousse d'ail
1/2 verre de vinaigre
1 citron
Quelques noisettes
1 cuill. à soupe
de moutarde
6 cuill. à soupe d'huile
1 petit bouquet
de cerfeuil
Sel, poivre

1 - Coupez le trognon du chou-fleur et divisez le légume en petits bouquets. Mettez-les dans un récipient, recouvrez d'eau froide, ajoutez le vinaigre, et laissez tremper 15 à 20 minutes.

2 - Passé ce temps, égouttez le légume et faites-le cuire 20 minutes à l'eau bouillante salée.

3 - Faites durcir les œufs 15 minutes à l'eau bouillante, puis passez-les sous l'eau froide et écalez-les.

4 - Cassez la valeur d'une poignée de noisettes, et concassez-les grossièrement.

5 - Quand le légume a cuit le temps convenable, égouttez-le dans une passoire et laissez-le tiédir.

6 - Dans un saladier, délayez la moutarde dans 2 cuillerées à soupe de jus de citron, salez, poivrez, et versez l'huile peu à peu en tournant constamment. Ajoutez les échalotes finement hachées et la gousse d'ail pilée.

7 - Versez le chou-fleur dans la sauce, et mélangez délicatement. Ajoutez alors les noisettes concassées, un peu de cerfeuil haché, et les œufs durs passés à la moulinette avant de servir.

LE TRUC DU CHEF

**POUR LE FOIE DE VEAU AUX SALSIFIS : pour peler les salsifis sans les casser, maintenez-les à plat sur le plan de travail, en tenant une extrémité.
Pour cette recette, faites trancher épais le foie, avant de détailler chaque tranche en deux ou en trois.**

VOS NOTES PERSONNELLES

Ecrire . . . .
. . . .
Acheter . . . .
. . . .
Téléphoner . . . .

Menu

TARAMA
(voir recette ci-dessous)

SPARE-RIBS EN SAUCE PIQUANTE
(voir recette ci-contre)

FRUITS RAFRAÎCHIS
(voir recette p. 229)

MINI-RECETTE

TARAMA

POUR 5 À 6 PERSONNES
INGRÉDIENTS :
200 g d'œufs de cabillaud salés et fumés
5 cl d'huile d'olive
5 cl d'huile d'arachide
2 citrons, 50 g de mie de pain
1 cuillerée à soupe de crème fraîche
1 pain de seigle, 100 g d'olives noires

1 - Otez soigneusement la peau qui enveloppe les œufs de cabillaud, et placez les œufs dans une terrine. Pressez dessus le jus de 2 citrons, et laissez blanchir 2 à 3 Minutes.

2 - Trempez la mie de pain dans un bol d'eau pendant quelques instants, puis essorez-la en la pressant fortement entre vos mains.

3 - Ajoutez la mie de pain aux œufs de cabillaud et, à l'aide d'une cuiller en bois, tournez soigneusement le tout.

4 - Versez alors l'huile en filet (d'olive et d'arachide) sur la préparation en remuant constamment.

5 - Lorsque toute l'huile est incorporée, ajoutez une bonne cuillerée de crème fraîche. Passez le tout au mixer pour obtenir une préparation légère.

6 - Versez le tarama dans un plat de service creux, étalez-le et décorez-le au mieux avec les pointes d'une fourchette. Disposez au centre et autour du plat des demi-olives noires. Présentez avec du pain de seigle coupé en fines tranches, que chaque convive tartinera à sa guise.

SPARE-RIBS EN SAUCE PIQUANTE

POUR 6 PERSONNES
CUISSON : 1 h 15
INGRÉDIENTS :
3 oignons, 6 tomates
1,5 kg de travers de porc
1 gousse d'ail
1 pincée de sucre
1 pointe de cayenne
1 noix de concentré de tomates
1 petit pot de câpres
1 noix de beurre
2 cuill. à soupe d'huile
1 feuille de laurier
Sel, poivre

1 - Salez et poivrez le travers de porc, coupez-le dans le nombre de parts voulues, mettez-le dans un plat allant au four, et laissez cuire à four modéré 1 h 15.

2 - Pendant ce temps, épluchez les oignons, coupez-les en rondelles, et mettez-les à blondir à la casserole dans le mélange de beurre et d'huile.

3 - Plongez quelques instant les tomates dans de l'eau bouillante, mondez-les et concassez-les grossièrement.

4 - Quand les oignons ont pris couleur, ajoutez-leur la purée de tomates fraîches, mouillez d'un verre d'eau, et agrémentez d'une gousse d'ail pilée, d'une pincée de sucre, d'une pointe de cayenne, d'une feuille de laurier. Incorporez un peu de concentré de tomates, salez, et laissez mijoter à découvert jusqu'à la cuisson de la viande.

5 - Quand le travers est cuit, dressez-le sur un plat de service creux, nappez-le de la sauce, à laquelle vous aurez ajouté les câpres, et servez très chaud.

LE TRUC DU CHEF

POUR LES SPARE-RIBS : pour donner à la viande un bel aspect coloré, mettez en fin de cuisson le four en position « gril » 3 à 4 minutes.

POUR LE TARAMA : les poches d'œufs de cabillaud salés et fumés (ce produit est quelquefois dénommé « maviar ») sont généralement emballées sous vide, en sachets plastiques.

VOS NOTES PERSONNELLES

Ecrire . . . .
. . . .
Acheter . . . .
. . . .
Téléphoner . . . .

Menu

PETITS PAINS DE MUROL
(voir recette p. 182)

**CÔTELETTES DE
MOUTON DUBARRY**
(voir recette p. 259)

MERVEILLES D'EXCIDEUIL
(voir recette ci-contre)

Moyen   Très facile   Pas cher

TOUT SAVOIR SUR...

LA CÔTE DE MOUTON

Les côtes ou côtelettes de mouton sont situées dans la partie dorsale de l'animal. Les côtes de mouton sont d'un bon pouvoir calorique et se digèrent facilement. Elles contiennent des vitamines C et PP ainsi que du potassium. Les côtes d'agneau sont prélevées sur un animal jeune (5 mois), les côtes de mouton sur un animal adulte. Les côtes font parties du morceau que l'on appelle le carré. Le carré couvert donne les côtes premières qui sont les plus appréciées et les côtes secondes. Le carré découvert donne des côtes moins charnues et de qualité inférieure. La chair du mouton doit être rouge vif (plus clair chez l'agneau), la graisse bien blanche. A noter que l'agneau est plus cher que le mouton mais cela est justifié par la qualité et la finesse de sa chair.

MERVEILLES D'EXCIDEUIL

**POUR 6
A 8 PERSONNES
CUISSON :
20 à 30 minutes
INGRÉDIENTS :**
250 g de farine
2 œufs
1/2 verre de lait
1/2 sachet de levure
1 verre d'huile
1/2 citron
1 pincée de sel
1 bain de friture

1 - Râpez le zeste du demi-citron.

2 - Dans un grand saladier, mettez la farine. Faites un puits et cassez-y les œufs. Pétrissez bien le tout.

3 - Ajoutez l'huile, le zeste de citron râpé, et une pincée de sel. Mélangez soigneusement, puis versez le lait et la levure. Pétrissez jusqu'à obtenir une pâte souple qui reste encore un peu adhérente aux bords du saladier.

4 - Mettez sur feu vif une bassine contenant de l'huile d'arachide, et laissez chauffer.

5 - Farinez une planche à pâtisserie, et étalez-y la pâte au rouleau en lui donnant une épaisseur de 3 mm environ.

6 - Découpez dans la pâte, avec de petits moules de différentes formes, des morceaux de pâte.

7 - Lorsque l'huile de la bassine est bouillante, plongez-y les morceaux de pâte.

8 - Laissez les petits gâteaux dorer, en les retournant à mi-cuisson (quelques minutes suffisent).

9 - Sortez les « merveilles » avec une écumoire lorsqu'elles sont blondes à point, et laissez-les s'égoutter sur du papier absorbant.

10 - Placez les petits gâteaux sur un plat de service, saupoudrez-les de sucre vanillé, et servez chaud.

VOS NOTES PERSONNELLES

Ecrire . . . .

Acheter . . . .

Téléphoner . . . .

Menu

TARTE AUX ÉPINARDS
(voir recette ci-contre)

STEACKS SANTA-MONICA
(voir recette p. 213)

CRÈME PORTO-RICO
(voir recette p. 248)

TARTE AUX ÉPINARDS

Moyen   Très facile   Pas cher

**POUR 5
A 6 PERSONNES
CUISSON : 30 minutes
INGRÉDIENTS :**
1 kg d'épinards
4 fromages blancs 1/2 sel
1 bloc de pâte
feuilletée surgelée
1 cuillerée d'huile
Sel, poivre

TOUT SAVOIR SUR...

L'ÉPINARD

L'épinard, déjà connu des Arabes au Vᵉ siècle, qui l'avaient reçu eux-mêmes des Perses, fait son apparition en Europe au XIIᵉ siècle, à l'époque des croisades. C'est un des légumes les plus intéressants par sa richesse en vitamines A et B, en calcium, phosphore et fer. L'épinard est quasiment présent toute l'année sur les marchés grâce à des variétés d'été comme la «tétragone» et d'hiver comme le «Monstrueux de Viroflay» ou le «Géant d'hiver». Ces dernières ont des feuilles plus épaisses. Ce légume comporte deux catégories définies par les normes européennes : catégorie I (étiquette verte), feuilles entières, de teinte uniforme, sans traces de blessures. Catégorie II (étiquette jaune), de qualité légèrement inférieure à la précédente, mais d'aspect frais et sain. L'épinard frais se distingue par la couleur brillante de ses feuilles et également par le test qui consiste à casser sa côte : celle-ci doit se briser d'un seul coup. A noter que l'épinard mouillé et insuffisamment essoré peut fermenter.

1 - Otez les queues des feuilles d'épinards. Lavez soigneusement les légumes à plusieurs eaux.

2 - Mettez les épinards à cuire dans une grande quantité d'eau bouillante salée, sans couvrir le récipient, durant 5 minutes après la reprise de l'ébullition.

3 - Pendant ce temps, étalez au rouleau le bloc de pâte feuilletée, après l'avoir laissée dégeler à température ambiante le temps nécessaire (les indications de durée sont portées sur l'emballage). Garnissez de la pâte un moule à tarte préalablement beurré, piquez la pâte à la fourchette, couvrez de papier aluminium et mettez à four moyen 20 minutes environ.

4 - Lorsque les épinards sont cuits, égouttez-les, puis pressez-les fortement entre vos mains pour en extraire toute l'eau.

5 - Dans un saladier, mélangez intimement les légumes avec les fromages 1/2 sel, en écrasant le tout à la fourchette. Additionnez d'une cuillerée d'huile, et poivrez.

6 - Versez ce mélange dans la pâte à tarte précuite, égalisez bien à la fourchette, et mettez à four doux 10 à 15 minutes.

7 - Démoulez et servez, selon vos goûts, chaud ou froid.

VOS NOTES PERSONNELLES

Ecrire . . . .

. . . .

Acheter . . . .

. . . .

Téléphoner . . . .

29 JANVIER

Menu

WELSH RAREBIT
(voir recette p. 185)

PAUPIETTES DE TURBOT FARCIES
(voir recette ci-contre)

TARTE AUX NOISETTES
(voir recette ci-dessous)

PAUPIETTES DE TURBOT FARCIES

Moyen Facile Cher

POUR 4 PERSONNES
CUISSON : 20 minutes
INGRÉDIENTS :
1 turbot de 1,2 kg
200 g de filets de merlan
1 verre de lait
4 tr. de pain de mie
200 g de champignons
1 petit pot de crème
2 jaunes d'œufs
30 g de beurre, huile
1 verre de sancerre
1/2 citron
1 branche de persil
Thym, 1 feuille de laurier
1 pincée d'estragon
en poudre, sel, poivre

1 - Coupez les pieds terreux des champignons, lavez-les. Détaillez-en la moitié en lamelles.

2 - Lavez soigneusement le persil, hachez-le et mélangez-le à l'autre moitié des champignons que vous hacherez également. Faites réduire à sec dans une petite casserole avec une cuillerée d'huile.

3 - Dans une petite casserole, faites bouillir le lait, retirez du feu et faites tremper le pain de mie.

4 - Hachez les filets de merlan finement.

5 - Cassez les œufs, mettez les jaunes dans une terrine et ajoutez la mie de pain trempée et pressée, la purée de champignons réduite, le merlan. Salez, poivrez, et mélangez bien cette préparation.

6 - Levez (ou laissez votre poissonnier exécuter cette opération assez délicate) les filets du turbot. Étendez sur chacun d'eux la farce que vous venez de confectionner, et roulez-les délicatement. Maintenez les filets roulés avec du fil, et rangez-les dans un plat allant au four préalablement beurré. Ajoutez les champignons en lamelles.

7 - Versez le vin blanc de Sancerre, ajoutez le thym, le laurier et la pincée d'estragon, et mettez à four moyen une vingtaine de minutes. Arrosez en cours de cuisson.

8 - Lorsque le poisson est cuit, rangez les paupiettes de turbot dans un plat de service chaud. Versez le jus de cuisson dans une petite casserole, sur feu doux, laissez réduire puis incorporez-y le jus de citron et le beurre.

9 - Nappez les paupiettes de cette sauce et servez très chaud.

MINI-RECETTE

TARTE AUX NOISETTES

POUR 6 PERSONNES
CUISSON : 40 minutes environ
INGRÉDIENTS :
220 g de farine, 1 petit pot de crème fraîche
100 g de beurre, 150 g de sucre semoule
4 œufs, 250 g de noisettes décortiquées
1 petit verre de kirsch, 1 jus d'orange
1 pincée de cannelle
1 sachet de sucre vanillé

1 - Préparez une pâte brisée en mettant dans un saladier la farine, 1 œuf entier, 80 g de beurre, et une pincée de sel. Mélangez soigneusement le tout en ajoutant un peu d'eau afin de faciliter l'opération.

2 - Quand la pâte est bien pétrie, formez-la en boule, farinez-la, et laissez-là reposer 1 heure.

3 - Cassez les 3 œufs restants dans une jatte, battez-les comme pour une omelette, puis incorporez le sucre semoule, le sucre vanillé, le kirsch, la crème fraîche, un jus d'orange et une pincée de cannelle. Fouettez quelques instants cette préparation.

4 - Passez les noisettes à la moulinette pour les réduire en petits fragments, et incorporez-les à la préparation précédente. Mélangez bien le tout.

5 - Quand la pâte est prête à l'emploi, étalez-la au rouleau, et tapissez-en un moule à tarte préalablement beurré. Garnissez la pâte de la préparation aux noisettes, et mettez à cuire à four moyen 40 minutes. Attendez le refroidissement complet du dessert avant de le démouler sur un plat de service.

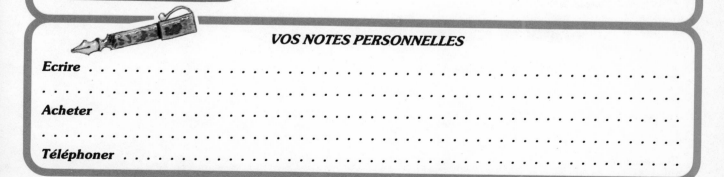

VOS NOTES PERSONNELLES

Ecrire . . . .
. . . .
Acheter . . . .
. . . .
Téléphoner . . . .

TOUT SAVOIR SUR...

LES VINS D'ALSACE

Comprenant le Haut et le Bas-Rhin, le vignoble d'Alsace ne produit, à une exception près, que des vins blancs. Ces vins ne portent pas des noms de lieux ou de crus mais du cépage dont ils sont issus. Sept cépages constituent le vignoble alsacien dont les vins sont tous obligatoirement mis en bouteilles sur le lieu de production. **Le riesling***, très sec, au goût délicat (poisson).* **Le gewutztraminer***, souple et rond, au bouquet accentué (dessert et apéritif).* **Le sylvaner***, sans doute le plus connu, léger et parfumé (hors-d'œuvre, fruits de mer).* **Le tokay***, sec et délicat, légèrement fruité (viandes blanches).* **Le muscadet d'Alsace***, sec et très fruité (desserts).* **Le pinot blanc** *ou «klevner» sec et très fruité (volailles).* **Le pinot noir***, seul vin rosé d'Alsace. Il est sec et délicatement fruité (viandes et gibiers). Les vins d'Alsace demandent à être semi-frais (10° env.), mais jamais glacés car ils perdraient tout leur bouquet. Ce sont des vins qui se dégustent jeunes, et, à part certains grands millésimes, ne se conservent pas au-delà de 5 ans.*

GIBELOTTE DE LAPIN AU SYLVANER

Long   Facile   Abordable

**POUR 6 PERSONNES
CUISSON : 1 h 15
INGRÉDIENTS :**
1 beau lapin
1/2 litre de sylvaner
80 g de saindoux
3 cuill. à soupe de farine
200 g de poitrine fumée
20 petits oignons blancs
4 échalotes
2 tomates
2 gousses d'ail
1 bouquet de cerfeuil
Thym, laurier
Sel, poivre

1 - Faites chauffer le saindoux dans un faitout, et mettez-y à dorer le lapin coupé en morceaux, légèrement salé au préalable. Remuez de temps à autre pour que les morceaux soient bien saisis sur toutes leurs faces.

2 - Épluchez les petits oignons blancs et les échalotes, ainsi que les gousses d'ail.

3 - Plongez quelques instants les tomates dans de l'eau bouillante, mondez-les et concassez-les grossièrement.

4 - Coupez la poitrine fumée en petits dés.

5 - Lorsque les morceaux de lapin ont pris couleur, ôtez-les du faitout et mettez-y les lardons, les oignons et les échalotes. Laissez blondir 2 à 3 minutes, puis versez la farine en pluie. Remuez quelques instants à la cuillère de bois, le temps que la farine roussisse légèrement, et mouillez avec le vin blanc. Tournez la préparation pour que le roux se dissolve bien dans le vin.

6 - Ajoutez alors la purée de tomates fraîches, l'ail haché, une branche de thym et une feuille de laurier. Salez légèrement, poivrez généreusement au moulin. Ajoutez un peu d'eau pour assurer le mouillement jusqu'aux 3/4 de la hauteur. Laissez mijoter à couvert 1 heure environ.

7 - Dressez les morceaux de lapin dans un grand plat creux, nappez-les de la sauce. Entourez le plat de pommes de terre vapeur.

VOS NOTES PERSONNELLES

Ecrire . . . .
. . . .

Acheter . . . .

Téléphoner . . . .

Menu

FROMAGE DE CHÈVRE EN BRIOCHE
(voir recette ci-dessous)
RIS DE VEAU EN GOURMANDISE
(voir recette p. 330)
ILE FLOTTANTE
(voir recette ci-contre)

Boisson conseillée :
UN CHINON

MINI-RECETTE

FROMAGE DE CHÈVRE EN BRIOCHE

POUR 4 PERSONNES
CUISSON : 20 minutes
INGRÉDIENTS :
150 g de chèvre, 50 g de fromage blanc
1 cuillerée à soupe de crème fraîche
4 brioches individuelles
2 cuillerées à café d'huile, ciboulette, persil
1 échalote, sel, poivre

1 - Découpez un chapeau à la partie supérieure des brioches et, à l'aide d'un petit couteau pointu, évidez en partie l'intérieur.
2 - Epluchez le fromage de chèvre, et écrasez-le à la fourchette. Ajoutez le fromage blanc, la cuillerée à soupe de crème fraîche, salez légèrement (si le chèvre est très doux), poivrez.
3 - Lavez un petit bouquet de persil et un peu de ciboulette, pelez l'échalote, et hachez ensemble ces trois ingrédients. Versez ce hachis dans la préparation au fromage de chèvre, remuez soigneusement le tout, pour obtenir une pâte bien homogène.
4 - Garnissez l'intérieur des brioches de cette préparation, replacez les chapeaux, et mettez à four doux 15 à 20 minutes. Servez dès la sortie du four.

ILE FLOTTANTE

Moyen Facile Abordable

POUR 6 A 7 PERSONNES
CUISSON : 30 minutes
INGRÉDIENTS : 5 œufs
50 g de poudre d'amandes
270 g de sucre en poudre
3/4 litre de lait
1 gousse de vanille
1 sachet d'amandes effilées

1 - Cassez les œufs, mettez les blancs dans un saladier (réservez les jaunes), et montez-les en neige au fouet. Puis incorporez-y délicatement la poudre d'amandes et 100 g de sucre en poudre.
2 - Mettez 50 g de sucre et 2 cuillerées à soupe d'eau dans un moule à manqué, chauffez le moule à la flamme pour confectionner un caramel. Tournez le moule (utilisez un torchon pour le tenir) pour bien napper les parois de caramel.
3 - Versez les œufs en neige dans le moule, placez-le dans un récipient plus vaste rempli d'eau, et mettez à cuire à four chaud 30 minutes dans ce bain-marie. Puis sortez du four et laissez refroidir.
4 - Confectionnez une crème anglaise comme suit : mettez les jaunes d'œufs dans une terrine. Ajoutez 120 g de sucre en poudre, et travaillez bien le tout jusqu'à ce que le mélange blanchisse. Versez alors peu à peu le lait brûlant (faites-le bouillir au préalable avec la gousse de vanille) sur la préparation. Remuez, et remettez le tout dans une casserole. Tournez à la cuillère, sur feu doux, jusqu'à ce que la crème épaississe. Ôtez alors du feu et laissez refroidir.
5 - Démoulez l'île, disposez-la au milieu d'un plat de service creux, versez la crème autour, saupoudrez-la soigneusement d'amandes effilées, et placez quelques instants au réfrigérateur avant de servir.

VOS NOTES PERSONNELLES

Ecrire . . . .

Acheter . . . .

Téléphoner . . . .

1 FÉVRIER

PISSALADIÈRE CASSIDAINE
(voir recette p. 163)
**CERVELLES D'AGNEAU
AUX ÉPINARDS**
(voir recette p. 173)
**GÂTEAU AUX NOIX
ET AU CHOCOLAT**
(voir recette ci-contre)

TOUT SAVOIR SUR...

LA NOIX

*C'est le sud-est et le sud-ouest de la France qui approvisionnent la majeure partie du marché des noix. La noix est un fruit très gros particulièrement calorique, donc très nourrissant. Sa teneur en protéines est comparable à celle de la viande de boucherie. Elle contient des vitamines C et PP, ainsi que du phosphore et du potassium. La noix est présente sur les marchés tout au long de l'année, sous forme de fruits secs. Fraîche, elle ne fait qu'une courte apparition en octobre. Les principales variétés provenant du **Périgord** sont la « corne », la « marbot », la « grandjean ». Quant aux variétés pouvant prétendre à l'appellation **noix de Grenoble**, ce sont la « franquette », la « mayette » et la « parisienne ». Les noix fraîches de bonne qualité doivent avoir une coque saine sans trace de moisissure et de terre. L'amande doit être fraîche et la fine peau qui la recouvre doit s'enlever facilement. Certains commerçants ont la désastreuse habitude de mouiller les noix afin de les rendre plus lourdes. Evitez-les, car outre le prix de l'eau, vous allez acquérir des fruits qui vont moisir rapidement.*

GÂTEAU AUX NOIX ET AU CHOCOLAT

Moyen   Facile   Abordable

POUR 6 PERSONNES
CUISSON : 30 minutes
INGRÉDIENTS :
5 œufs
100 g de sucre
en poudre
100 g de chocolat
150 g de cerneaux
de noix
90 g de beurre
40 g de chapelure
1 gousse de vanille

1 - Faites fondre au bain-marie sur feu doux 100 g de chocolat cassé en morceaux dans une petite casserole placée dans une casserole plus grande contenant de l'eau chaude.
2 - Cassez les œufs en séparant les blancs des jaunes et placez-les respectivement dans deux terrines.
3 - Ajoutez 100 g de sucre aux jaunes d'œufs et travaillez au fouet jusqu'à ce que le mélange blanchisse.
4 - Concassez 150 g de cerneaux de noix (réservez-en une petite quantité pour le moule), ajoutez le reste au mélange œufs-sucre ainsi que 40 g de chapelure, le chocolat fondu et 75 g de beurre bien ramolli. Mélangez bien l'ensemble.
5 - Fendez la gousse de vanille en deux et, à l'aide d'un couteau, récupérez les petites graines noires qui se trouvent à l'intérieur, que vous ajouterez à la pâte.
6 - Battez les blancs d'œufs en neige ferme, au fouet ou à l'aide d'un mixer, et incorporez-les délicatement à la pâte.
7 - Beurrez un moule à manqué, saupoudrez le fond de noix concassées, versez-y la préparation, et faites cuire à four moyen environ 30 minutes.
8 - Démoulez le gâteau à sa sortie du four en le retournant sur un plat de service. Servez tiède ou froid.

VOS NOTES PERSONNELLES

Ecrire . . . .

Acheter . . . .

Téléphoner . . . .

Menu

GNOCCHI À LA ROMAINE
(voir recette ci-contre)

**PAUPIETTES DE
VEAU CHÂTELAINE**
(voir recette p. 253)

TARTE A L'ORANGE
(voir recette p. 183)

TOUT SAVOIR SUR...

LE LAIT

Le lait, aliment miracle, aliment complet, contient tous les principes nécessaires à la vie. Il est en outre, par sa haute teneur en calcium, un élément déterminant de la croissance. Le lait se trouve dans le commerce sous divers aspects. **Le lait cru,** *de plus en plus difficile à trouver, c'est le lait naturel. Il faut le faire bouillir avant de l'utiliser.* **Le lait pasteurisé,** *il a suivi un traitement afin d'éliminer les germes pathogènes. Il se conserve trois jours au réfrigérateur.* **Le lait stérilisé,** *c'est un lait longue conservation, les germes ont été détruits par haute température.* **Le lait stérilisé U.H.T.** *a subi une ultra haute température. C'est un lait de très longue conservation.* **Le lait concentré,** *sucré ou non, conditionné en tubes ou en boîtes, se conserve non ouvert plusieurs mois.* **Le lait en poudre** *est à conserver dans un lieu très sec. Les différentes sortes de lait se reconnaissent aux couleurs particulières de leur conditionnement :* **rouge** *(lait entier)* **bleu** *(demi-écrémé)* **vert** *(écrémé)* **jaune** *(lait cru). Des dates limites de vente sont portées sur les emballages.*

GNOCCHI A LA ROMAINE

**POUR 5
A 6 PERSONNES**
CUISSON : 30 minutes
INGRÉDIENTS :
3/4 de litre de lait
175 g de semoule de blé
80 g de beurre
2 œufs
150 g de parmesan râpé
Sel, poivre

1 - Versez le lait dans une casserole et faites-le bouillir.

2 - Ajoutez alors la semoule en pluie et le beurre. Tournez soigneusement à la spatule afin d'obtenir une pâte homogène, en maintenant le récipient sur feu doux. Salez et poivrez.

3 - Lorsque le mélange a suffisamment épaissi (il faut environ 15 minutes), ôtez du feu et ajoutez aussitôt, en tournant énergiquement à la spatule, les œufs battus en omelette, puis ajoutez le parmesan râpé. Remuez bien le tout.

4 - Étalez cette préparation sur une plaque préalablement beurrée, en lui donnant une épaisseur d'environ 3 cm. Laissez-la refroidir complètement.

5 - Découpez dans la pâte bien refroidie des petites galettes (ou des croissants) de 3 cm de diamètre.

6 - Rangez les gnocchi dans un plat allant au four et beurré. Saupoudrez-les avec le reste de parmesan, puis arrosez avec le reste du beurre fondu. Passez sous le gril de la cuisinière jusqu'à ce que les gnocchi aient blondi.

7 - Dressez les gnocchi sur un plat de service et servez immédiatement.

LE TRUC DU CHEF

POUR LES GNOCCHI À LA ROMAINE : pour découper aisément les petites galettes de pâte, utilisez une roulette de pâtissier ou de petits moules métalliques que vous utiliserez comme emporte-pièce.

Le classique parmesan peut être remplacé, pour ceux qui aime un fromage plus doux, par du gruyère.

VOS NOTES PERSONNELLES

Ecrire . . . .

. . . .

Acheter . . . .

. . . .

Téléphoner . . . .

3 FÉVRIER

POIVRONS FARCIS

Moyen Très facile Abordable

POUR 6 PERSONNES
CUISSON : 30 minutes
INGRÉDIENTS :
6 beaux poivrons
400 g de viande
de mouton hachée
1 verre de riz
1 oignon
4 tomates
2 aubergines
Huile d'olive
Sel, poivre

TOUT SAVOIR SUR...

LE POIVRON

*Le poivron est un légume de la même famille que le piment mais, contrairement à ce dernier, il ne pique pas à la dégustation. Le poivron est 2,5 fois plus riche que l'orange en vitamine C. Il contient également du potassium et du fer, ce qui en fait un légume pour les enfants. Les nombreuses variétés, aux formes diverses, (allongées ou trapues), aux couleurs allant du vert au rouge sont présentes sur le marché. Elles proviennent, pendant la saison chaude, principalement de France et sont, en hiver, importées d'Afrique du Nord et d'Israël. En France, trois grandes variétés sont surtout commercialisées : le **tendre de Châteaurenard**, gros légume vert, cannelé ; le **précoce de Lagnes**, de forme allongée ; le **gros carré de Cavaillon**, très gros et très en chair. Choisissez toujours un poivron bien frais. Il doit avoir une peau bien tendue et ferme, sans la moindre trace de rides et une belle couleur luisante.*

1 - Chauffez un peu d'huile d'olive dans une casserole, et mettez-y à revenir le hachis de mouton, le riz et l'oignon haché. Remuez et laissez prendre couleur une bonne dizaine de minutes. Salez, poivrez.

2 - Pendant ce temps, épluchez les aubergines. Détaillez-les en cubes.

3 - Plongez les tomates quelques instants dans de l'eau bouillante. Mondez-les. Concassez-les grossièrement.

4 - Dans une cocotte, faites sauter les cubes d'aubergines dans un peu d'huile d'olive pendant 10 minutes. Puis ajoutez les tomates concassées. Laissez cuire quelques minutes encore.

5 - Versez ensuite ce mélange dans la casserole contenant le hachis de mouton, le riz et l'oignon. Remuez bien le tout afin d'obtenir une farce homogène.

6 - Lavez soigneusement les poivrons. Coupez-les en deux moitiés égales, dans le sens de la longueur. Ôtez la queue et les pépins.

7 - Dans un plat allant au four, légèrement huilé, disposez ces moitiés de poivrons que vous garnirez largement de la farce.

8 - Mettez à four chaud de 20 à 30 minutes, et présentez les poivrons farcis dans leur plat de cuisson.

LE TRUC DU CHEF

POUR LES POIVRONS FARCIS : une variante de cette recette consiste à agrémenter la farce de raisins secs (une poignée). Ceux-ci vont lui communiquer un léger goût sucré qui se marie très bien avec la saveur du mouton.

VOS NOTES PERSONNELLES

Ecrire . . . .

. . . .

Acheter . . . .

. . . .

Téléphoner . . . .

4 FÉVRIER

Menu

POIREAUX Á LA TOMATE
(voir recette p. 202)
**ROULADES DE JAMBON
Á LA PURÉE DE LÉGUMES**
(voir recette ci-dessous)
**GÂTEAU RENVERSÉ
Á L'ANANAS**
(voir recette ci-contre)

MINI-RECETTE
ROULADES DE JAMBON Á LA PURÉE DE LÉGUMES

POUR 4 PERSONNES
CUISSON : 35 minutes
INGRÉDIENTS :
4 tranches de jambon, 2 pommes de terre
2 poireaux, 6 carottes, 4 tomates
1 noix de concentré de tomates,
1 noix de beurre, ciboulette, persil
1 bouquet garni, sel, poivre

1 - Débarrassez les poireaux de leurs feuilles vertes. Lavez les légumes.
2 - Epluchez les pommes de terre et les carottes, et coupez-les en fines rondelles.
3 - Mettez à cuire les poireaux, carottes et pommes de terre 15 minutes à l'eau bouillante salée.
4 - Epluchez les tomates et concassez-les grossièrement. Faites chauffer 1 noix de beurre dans une casserole, et mettez-y la purée de tomates fraîches. Mouillez d'un verre d'eau, ajoutez le concentré de tomates, aromatisez d'un bouquet garni, salez, poivrez, et laissez mijoter doucement à découvert.
5 - Quand les légumes ont cuit le temps convenable, égouttez-les soigneusement, réduisez-les en purée. Incorporez un peu de persil et de ciboulette hachés.
6 - Placez les tranches de jambon sur un plan de travail, répartissez la purée sur celles-ci, et roulez les tranches. Tenez-les roulées à l'aide d'un fil.
7 - Disposez les roulades sur un plat allant au four légèrement beurré, nappez-les de la sauce à la tomate, et mettez à cuire à four chaud 10 minutes environ.

GÂTEAU RENVERSÉ A L'ANANAS

Moyen Facile Abordable

POUR 6 PERSONNES
CUISSON : 30 minutes
INGRÉDIENTS :
1 petit ananas
15 morceaux de sucre
2 œufs
100 g de sucre
en poudre
100 g de beurre
100 g de farine
1/2 sachet
de levure chimique

1 - Dans une petite casserole, préparez le caramel avec les 15 morceaux de sucre imbibés d'eau. Quand il est bien doré, dispersez-le dans un moule à manqué.
2 - Épluchez l'ananas en ne laissant aucune particule marron. Coupez-le en tranches de 1 cm d'épaisseur environ. Découpez et enlevez la partie fibreuse centrale, et partagez chaque tranche en 4 morceaux. Disposez-les dans le fond du moule sur le caramel.
3 - Dans une terrine, travaillez le beurre avec une spatule de bois pour le rendre crémeux, ajoutez le sucre, mélangez bien afin que ce soit onctueux, et incorporez l'un après l'autre les œufs entiers. Mélangez la levure à la farine et incorporez-les peu à peu au mélange. S'il vous reste des morceaux d'ananas, vous pouvez les mélanger à la pâte.
4 - Versez cette préparation dans le moule sans déranger les morceaux, et faites cuire à four moyen 30 minutes. Assurez-vous de la bonne cuisson en piquant avec la pointe d'un couteau qui doit ressortir sèche.
5 - Démoulez en renversant le moule sur un plat de service.

LE TRUC DU CHEF

POUR LES POIREAUX À LA TOMATE : cette préparation est encore plus savoureuse à déguster si on la place quelques instants dans le réfrigérateur avant de servir.

POUR LA ROULADE DE JAMBON : vous pouvez parfumer la sauce en lui ajoutant, lors de la cuisson, une bonne pointe d'estragon en poudre.

VOS NOTES PERSONNELLES

Ecrire . . . .
. . . .
Acheter . . . .
. . . .
Téléphoner . . . .

MATELOTE D'ANGUILLE

Moyen   Facile   Abordable

**POUR 4
A 5 PERSONNES
CUISSON : 45 minutes
INGRÉDIENTS :**
1 belle anguille
de 1,2 kg environ
150 g de lard
de poitrine
150 g de petits oignons
1 bouteille de vin rouge
200 g de champignons
75 g de beurre
1 cuill. à soupe de farine
1 cuill. à café de sucre
Thym, laurier
Sel, poivre, croûtons

TOUT SAVOIR SUR...

L'ANGUILLE

L'anguille est un poisson qui ressemble à un serpent. L'anguille pond dans la mer des Sargasses et c'est de là que, portées par les courants, les petites larves gagnent les côtes européennes. Elles remontent les fleuves et les rivières et y demeurent environ 5 ans pour les mâles et 10 ans pour les femelles qui peuvent atteindre alors 1,50 m de longueur. C'est après cette longue période, qu'elles retournent dans la mer des Sargasses pour y frayer et y mourir. Les anguilles adultes sont de couleur brun-vert foncé sur le dos, et gris argent pour le ventre. Chez le poissonnier, on propose des anguilles adultes, allant de 200 g au kilo pendant la période d'avril à mai. En mars, on trouve également à la vente des civelles qui sont de toutes petites anguilles de 6 à 8 cm. Elles sont pêchées par bancs entiers, à l'estuaire des fleuves. On trouve également de l'anguille fumée, très goûtée des gourmets. La chair de l'anguille est riche en vitamines A, C et PP et également en calcium, phosphore et potassium. A noter que ce poisson donne peu de déchets.

1 - Epluchez les oignons, coupez en petits dés le lard de poitrine.
2 - Dans une cocotte, faites revenir dans une noix de beurre les oignons et le lard à feu moyen.
3 - Lorsqu'ils ont pris couleur (5 minutes suffisent), versez la farine, remuez bien à l'aide d'une cuillère de bois, et attendez que la farine roussisse légèrement.
4 - Mouillez alors avec le vin rouge, en grattant bien le fond du récipient avec la cuillère, afin que le roux n'attache pas. Salez, poivrez, ajoutez le thym, le laurier et le sucre. Laissez mijoter 1/2 heure.
5 - Coupez la partie terreuse du pied des champignons. Lavez-les, séchez-les. Fendez-les en quatre et faites-les revenir 3 à 4 minutes dans un peu de beurre. Réservez.
6 - Après la 1/2 heure de cuisson de la sauce au vin, ajoutez les champignons et l'anguille que vous aurez fait dépouiller et couper en tronçons par votre poissonnier.
7 - Laissez cuire le poisson environ 20 minutes dans la matelote.
8 - Pendant ce temps, dans une poêle, faites frire quelques croûtons dans un peu de beurre.
9 - Présentez les morceaux d'anguille dans un plat creux, sur les croûtons frits. Nappez avec la matelote.

VOS NOTES PERSONNELLES

Ecrire . . . .

Acheter . . . .

Téléphoner . . . .

TOUT SAVOIR SUR...

LA PINTADE

Originaire d'Afrique, la pintade était connue des Egyptiens. Elle apparaît en Europe, à l'époque de la Renaissance. En France, elle est élevée d'une façon industrielle. Sa chair, au goût fin, légèrement «sauvage» est très digeste. Elle contient des vitramines C et PP, ainsi que du potassium. Présente toute l'année sur les marchés, elle est commercialisée sous deux appellations : **le pintadeau**, jeune volaille de 8 semaines, pesant environ 850 g. **La pintade**, volaille adulte de 1 100 à 1 300 g, dont le goût est plus prononcée que celui du pintadeau. Les pintades sont présentées effilées, c'est-à-dire à demi-vidées, ou éviscérées, soit complètement vidées. Certaines productions comportent un label de qualité, notamment les produits fermiers. Pour une bonne pintade, choisissez-la avec un peu de graisse car cette volaille est un peu sèche. Recherchez une peau bien colorée et vérifiez que le bréchet est bien souple.

PÂTÉ DE VOLAILLE EN CROÛTE

Long   Facile   Abordable

**POUR 6 PERSONNES
CUISSON : 1 h 1/2
INGRÉDIENTS :**
400 g de farine
200 g de beurre
4 beaux blancs de poulet
300 g de porc maigre
250 g de chair
à saucisse
2 œufs
3 feuilles de laurier
Noix de muscade râpée
1 petit verre à liqueur
d'armagnac
Sel, poivre
1 pincée d'estragon
en poudre

1 - Préparez la pâte : mélangez à la main la farine et le beurre. Faites un puits au milieu du mélange et versez un verre d'eau et une pincée de sel. Pétrissez l'ensemble jusqu'à ce que la pâte devienne homogène. Mettez en boule et laissez reposer.

2 - Coupez en petits morceaux les blancs de poulet, le porc maigre. Placez-les dans un saladier et ajoutez-y la chair à saucisse, 1 œuf entier, le petit verre d'armagnac. Râpez un peu de noix de muscade, salez, poivrez largement au moulin. Mélangez bien le tout.

3 - Etalez la pâte au rouleau en lui donnant une épaisseur de 1/2 cm environ. Prélevez-en le tiers.

4 - Beurrez généreusement une terrine à pâté.

5 - Garnissez ce récipient avec les 2/3 de la pâte, en appliquant bien à la main celle-ci sur le fond et les parois. Laissez dépasser un peu la pâte sur les bords. Piquez le fond en divers endroits avec une fourchette.

6 - Garnissez la terrine avec la préparation porc-poulet, parsemez d'une pincée d'estragon en poudre, placez les 3 feuilles de laurier.

7 - Le 1/3 de pâte restant va servir à couvrir ce pâté. Posez-le sur la viande en joignant soigneusement ses bords avec ceux qui dépassent de la terrine. Soudez bien avec le bout des doigts mouillés d'eau.

8 - Cassez l'œuf restant, séparez le blanc du jaune, et badigeonnez ce dernier à l'aide d'un pinceau sur le couvercle.

9 - Mettez à four chaud et laissez cuire environ 1 h 1/2.

10 - Laissez ensuite refroidir, démoulez et servez froid.

VOS NOTES PERSONNELLES

Ecrire . . . .

Acheter . . . .

Téléphoner . . . .

Menu

FROMAGE BLANC AUX HERBES
(voir recette p. 231)

BORTSCH À L'UKRAINIENNE
(voir recette ci-contre)

PRUNEAUX AU VIN DE CAHORS
(voir recette ci-dessous)

MINI-RECETTE

PRUNEAUX AU VIN DE CAHORS

POUR 4 PERSONNES
1 NUIT A MACÉRER
CUISSON : 15 minutes
INGRÉDIENTS : 300 g de pruneaux
1/2 bouteille de vin de Cahors
1 cuillerée à soupe d'Armagnac
70 g de sucre en poudre
1 cuillerée à café de sucre vanillé, 1 orange
1 pointe de cannelle, 10 cl de crème fraîche
1 glaçon, 1 poignée d'amandes effilées

1 - Lavez les pruneaux, et séchez-les.
2 - Brossez l'orange sous l'eau chaude, essuyez-la et coupez-la en rondelles.
3 - Mettez les pruneaux dans un grand saladier, versez le vin rouge, et ajoutez le sucre en poudre, le sucre vanillé, la cuillerée à soupe d'Armagnac, les tranches d'orange. Relevez le tout d'une pointe de cannelle en poudre, et laissez macérer une douzaine d'heures.
4 - Versez le contenu du saladier dans une casserole, après avoir ôté les tranches d'orange, et portez le liquide à ébullition. Laissez frémir 15 minutes à découvert.
5 - Replacez les pruneaux au vin dans le saladier et laissez refroidir.
6 - Quelques instants avant de servir, mettez la crème fraîche dans une jatte, ajoutez 1 cuillerée de sucre et 1 glaçon, et fouettez cette crème jusqu'à l'obtention de chantilly.
7 - Répartissez les pruneaux dans des coupes, recouvrez-les de vin, et déposez sur le tout un beau macaron de chantilly à la poche à douille. Saupoudrez d'amandes effilées avant de servir.

BORTSCH A L'UKRAINIENNE

POUR 6 PERSONNES
CUISSON : 2 h 1/4
INGRÉDIENTS : 1 kg
de bœuf dans le gîte
à la noix
500 g de plat de côtes
de bœuf
1 betterave cuite
1 cœur de chou
5 carottes, 4 tomates
2 oignons, 2 poireaux
2 échalotes
2 branches de céleri
50 g de beurre
Thym, laurier
Sel, poivre

1 - Coupez la viande dans le gîte en gros dés.
2 - Épluchez et coupez en rondelles les carottes, les oignons et les échalotes.
3 - Lavez et coupez en lanières le chou, le céleri et les poireaux.
4 - Dans une grande marmite, faites revenir quelques minutes à feu doux dans un peu de beurre les dés de viande et les légumes.
5 - Dans une grande casserole, faites bouillir 2 litres 1/2 d'eau, et versez cette eau dans la marmite. Ajoutez le plat de côtes, un peu de thym et de laurier, salez et poivrez. Laissez bouillir doucement pendant deux bonnes heures.
6 - Plongez les tomates à l'eau bouillante, pelez-les, concassez-les.
7 - Épluchez la betterave et coupez-la en dés.
8 - Une dizaine de minutes avant la fin de la cuisson, ajoutez les tomates concassées et la betterave en dés dans le bortsch. Remuez bien.
9 - Au moment de passer à table, disposez les viandes dans un plat de service. Présentez le bouillon en soupière. Servez comme garniture des pommes de terre cuites en robe de chambre.

LE TRUC DU CHEF

POUR LE BORTSCH : présentez sur la table, une petite jatte de crème fraîche. Chacun pourra se servir à raison d'une cuillerée à soupe de crème par assiettée de bortsch. Le gîte peut être remplacé par de la macreuse ou de la culotte de bœuf.
Ce plat russe peut être accompagné d'une boisson telle que bière ou vodka glacée.

VOS NOTES PERSONNELLES

Ecrire . . . .

. . . .

Acheter . . . .

. . . .

Téléphoner . . . .

Menu

CHOUX À LA MOUSSE DE ROQUEFORT
(voir recette ci-contre)

STEACK TARTARE
(voir recette p. 172)

RIZ CLÉMENTINE
(voir recette ci-dessous)

MINI-RECETTE

RIZ CLÉMENTINE

POUR 5 À 6 PERSONNES
CUISSON : 30 minutes
INGRÉDIENTS : 150 g de riz
5 clémentines, 50 g de raisins secs
1/2 litre de lait écrémé
1 gousse de vanille
2 cuillerées à soupe de sucre
1 verre à liqueur de rhum, 1 noix de beurre

1 - Mettez les raisins secs dans un bol, arrosez avec le rhum, et laissez macérer quelques instants.
2 - Versez le riz dans une casserole, mouillez d'eau froide à hauteur, et portez à ébullition. Dès que le liquide bout, égouttez le riz dans une passoire.
3 - Versez le lait dans la casserole, ajoutez la gousse de vanille fendue, 1 cuillerée à soupe de sucre, et 1 pincée de sel. Faites bouillir.
4 - Ajoutez alors le riz au lait, et laissez cuire doucement à couvert 20 à 25 minutes, jusqu'à ce que le riz ait entièrement absorbé le lait. Otez le récipient du feu et laissez refroidir.
5 - Pelez les clémentines, séparez-en les quartiers, et mettez-les à dorer à la poêle, dans une noix de beurre. Saupoudrez d'un peu de sucre et laissez cuire 2 à 3 minutes.
6 - Mélangez dans un saladier le riz et les clémentines, ajoutez les raisins secs avec le rhum, et mettez au réfrigérateur quelque temps avant de servir.

CHOUX A LA MOUSSE DE ROQUEFORT

Moyen Facile Abordable

POUR 5
A 6 PERSONNES
CUISSON :
25 minutes environ
INGRÉDIENTS :
100 g de roquefort
150 g de farine tamisée
5 œufs
150 g de beurre
30 g de gruyère râpé
1 pincée de sel

1 - Faites bouillir 1/4 de litre d'eau dans une casserole, et ajoutez 80 g de beurre coupé en morceaux et 1 pincée de sel.
2 - Dès l'ébullition, ôtez le récipient du feu et versez d'un seul coup toute la farine. Mélangez vivement à la spatule de bois pour obtenir une pâte bien homogène.
3 - Incorporez un à un les 4 œufs entiers, sans cesser de tourner la pâte. Puis ajoutez 30 g de gruyère râpé fin.
4 - Beurrez une plaque de four et, à l'aide d'une cuillère, disposez des morceaux de pâte de la valeur d'une belle noix.
5 - Battez un jaune d'œuf, badigeonnez-en les choux à l'aide d'un pinceau, et mettez à four chaud 20 minutes environ, jusqu'à ce que les choux soient bien gonflés et dorés.
6 - Dans une terrine, écrasez à la fourchette le roquefort, et mélangez-le avec 50 g de beurre en pommade. Montez cette préparation en mousse au mixer.
7 - Quand les choux sont cuits, pratiquez une ouverture en les incisant avec un petit couteau pointu et, à l'aide d'une poche à douille, fourrez-les de la mousse de roquefort.
8 - Remettez les choux fourrés sur la plaque, laissez à four moyen quelques instants. Puis disposez-les en pyramide sur un plat de service chaud. Servez immédiatement.

VOS NOTES PERSONNELLES

Ecrire . . . .

Acheter . . . .

Téléphoner . . . .

Menu

SALADE À LA MOUTOT
(voir recette p. 193)

**CÔTELETTES D'AGNEAU
GRILLÉES AUX ENDIVES**
(voir recette p. 245)

CRÈME GLACÉE À LA BANANE
(voir recette ci-contre)

TOUT SAVOIR SUR...

LA BANANE

La banane est un des fruits les plus vendus tout au long de l'année. Sa valeur nutritive est importante. C'est un fruit qui ne comporte pas de pépins, n'est jamais véreux et possède son propre emballage. Parmi les variétés que l'on trouve sur les marchés, les plus répandues sont : **La Poyo,** *gros fruit très sucré.* **La Cavendish,** *proche de la Poyo.* **La Valéry,** *sucrée et au goût très délicat.* **La Gros Michel,** *très gros fruit, très allongé et un peu moins sucré que les précédents.* Deux catégories ont été définies par les normes européennes : **catégorie extra** *(étiquette rouge) fruits sans défauts et d'une longueur de 17 cm minimum.* **Catégorie I** *(étiquette verte), les fruits peuvent présenter quelques défauts et la longueur requise est de 15 cm.* Choisissez un fruit de belle couleur jaune orangé. L'extrémité verte signale un fruit incomplètement mûr. Les bananes piquetées de taches brunes (tigrées) sont mûres à point.

CRÈME GLACÉE A LA BANANE

Long — Facile — Pas cher

**POUR 4
A 5 PERSONNES
CUISSON :
50 minutes environ
INGRÉDIENTS : 5 bananes
80 g de sucre semoule
15 morceaux de sucre
2 œufs entiers
2 jaunes d'œufs
1 verre à liqueur de rhum
1/4 de litre de lait
20 g de beurre**

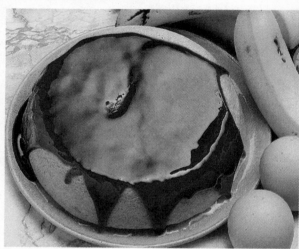

1 - Confectionnez un sirop dans une casserole avec le sucre semoule et 1 bon verre d'eau. Portez à ébullition et plongez-y les bananes épluchées et coupées en fines rondelles. Laissez cuire une dizaine de minutes en remuant de temps en temps à la cuillère de bois. Puis laissez refroidir.

2 - Cassez 2 œufs entiers dans une terrine, ajoutez les 2 jaunes, et battez le tout en omelette. Incorporez alors les bananes au sirop après les avoir réduites en purée, au mixer de préférence.

3 - Portez le lait à ébullition, versez-le sur la préparation précédente et mélangez soigneusement le tout. Aromatisez avec le rhum.

4 - Beurrez légèrement un moule rond à hauts bords, et garnissez-le de la préparation. Placez ce moule dans un récipient allant au four et rempli d'eau très chaude, de façon à ce que le liquide arrive aux trois quarts de la hauteur du moule. Mettez à cuire ce bain-marie à four moyen 30 minutes.

5 - Quand la crème est cuite, laissez-la refroidir puis, sans la démouler, placez-la 2 heures dans la partie haute du réfrigérateur.

6 - Au moment de servir, confectionnez un caramel avec les morceaux de sucre et 1/2 verre d'eau dans une petite casserole. Laissez quelques minutes sur feu vif, jusqu'à ce que la préparation blondisse.

7 - Démoulez la crème sur un plat de service, nappez-la de caramel chaud et servez immédiatement.

VOS NOTES PERSONNELLES

Ecrire . . . .
. . . .
Acheter . . . .
. . . .
Téléphoner . . . .

Menu

BOUILLON À LA VOLAILLE
(voir recette p. 209)

STEACKS HACHÉS MARION
(voir recette ci-contre)

**DÉLICE MERINGUÉ
A L'ORANGE**
(voir recette p. 207)

TOUT SAVOIR SUR...

LA MOUTARDE

Ce condiment est réalisé à partir de la graine d'une plante (Brassica nigra) que l'on trouve en Europe et en Asie. La moutarde, utilisée pour accompagner viandes, volailles et charcuterie ou pour réaliser des sauces, possède une valeur calorique moyenne. Elle contient des vitamines C et PP ainsi que du calcium et du soufre et favorise la sécrétion des glandes salivaires. Deux grands types de moutarde sont présents sur le marché. La moutarde forte, ou moutarde classique, et la moutarde douce, obtenue en y ajoutant des aromates. Toutes sortes de moutardes sont commercialisées : au poivre vert, à l'estragon, au vin blanc, au vin vieux, etc. Dans les moutardes « à l'ancienne », les graines de moutarde apparaissent. Certaines moutardes, au goût sucré, contiennent du miel. Il existe, pour les régimes, des moutardes sans sel. Conditionnée en général en pot de verre ou de grès (moutarde à l'ancienne), on les trouve également en tubes.

STEAKS HACHÉS MARION

Moyen   Facile   Abordable

**POUR 4 PERSONNES
CUISSON : 25 minutes
INGRÉDIENTS :**
700 g de steak
3 oignons
1 noix de beurre
2 cuill. à soupe d'huile
1 cuill. à soupe
conc. de tomates
1 cuillerée à soupe
de moutarde
4 cornichons au vinaigre
250 g de champignons
1 pincée
d'estragon séché
1 pointe de paprika
Sel, poivre

1 - Mettez le steak haché dans un saladier, salez, poivrez au moulin, et aromatisez la viande d'un peu d'estragon et d'une forte pointe de paprika. Mélangez bien le tout et, à l'aide de vos mains, reconstituez des steaks.
2 - Faites chauffer sur feu vif le mélange de beurre et d'huile dans une sauteuse et mettez-y les steaks à dorer 3 à 4 minutes de chaque côté.
3 - Pendant ce temps, ôtez le pied terreux des champignons, lavez-les et séchez-les sur du papier absorbant. Puis détaillez en fines lamelles.
4 - Épluchez les oignons et coupez-les en tranches.
5 - Quand la viande est bien saisie, sortez les steaks de la sauteuse, et réservez au chaud. Jetez dans la graisse de cuisson les champignons, les oignons, et faites-les revenir sur feu vif quelques minutes en remuant de temps en temps à la cuillère de bois.
6 - Mouillez alors avec 1 bon verre d'eau dans lequel vous aurez délayé le concentré de tomates, salez, poivrez, et laissez cuire à découvert 15 minutes environ.
7 - Passé ce temps, incorporez une bonne cuillerée de moutarde forte dans la sauce, et remettez les steaks dans la sauteuse. Laissez quelques minutes sur feu doux et, en fin de cuisson, ajoutez les cornichons coupés en rondelles. Servez très chaud.

VOS NOTES PERSONNELLES

Ecrire . . . .
. . . .
Acheter . . . .
. . . .
Téléphoner . . . .

Menu

TOMATES AU RIZ ET AUX CREVETTES
(voir recette ci-contre)

COQUELETS FARCIS AU CITRON
(voir recette ci-dessous)

SORBET À L'ORANGE
(voir recette p. 307)

MINI-RECETTE

COQUELETS FARCIS AU CITRON

POUR 4 PERSONNES
CUISSON : 40 minutes
INGRÉDIENTS :
2 coquelets
4 citrons
2 feuilles d'estragon
1 noisette de beurre
2 cuillerées à soupe d'huile
1 boîte de petits pois
thym, laurier, sel, poivre

1 - Epluchez les citrons, coupez-les en morceaux, et farcissez-en les coquelets après avoir salé et poivré l'intérieur. Ajoutez au citron un peu d'estragon haché, et refermez l'orifice des volailles avec du fil.

2 - Faites chauffer dans une cocotte le mélange de beurre et d'huile, et mettez-y les coquelets à dorer quelques minutes. Puis mouillez avec un grand verre d'eau, couvrez, et laissez mijoter environ 30 minutes. Aromatisez d'un peu de thym et de laurier.

3 - 10 minutes avant la fin de la cuisson, ouvrez la boîte de petits pois, et ajoutez les légumes au contenu de la cocotte. Salez et poivrez très légèrement.

4 - Quand les coquelets sont cuits, dressez-les sur un plat de service creux, entourez-les de la garniture de petits pois, et servez aussitôt.

TOMATES AU RIZ ET AUX CREVETTES

Rapide — Très facile — Abordable

POUR 4 PERSONNES
CUISSON : 20 minutes
INGRÉDIENTS :
4 belles tomates
2 œufs
1 sachet de crevettes décortiquées
125 g de riz
2 cuillerées à soupe d'huile d'olive
1 citron
1 oignon
2 gousses d'ail
1 branche de persil
Quelques olives noires
Sel, poivre

1 - Lavez les tomates à l'eau courante, essuyez-les avec un torchon et découpez un large chapeau côté queue. Puis, à l'aide d'un petit couteau, évidez-les en ayant soin de ne pas abîmer la peau. Conservez la pulpe que vous écraserez en purée.

2 - Faites chauffer l'huile dans une casserole et mettez-y à blondir quelques instants l'oignon finement haché. Puis jetez le riz, remuez 2 à 3 minutes à la cuillère de bois jusqu'à ce qu'il prenne légèrement couleur. Mouillez alors avec 3 bons verres d'eau, salez, poivrez, et laissez cuire doucement une vingtaine de minutes.

3 - Pendant ce temps, faites durcir deux œufs à l'eau bouillante 15 minutes.

4 - Quand le riz est cuit (il doit avoir absorbé toute l'eau), laissez refroidir, puis ajoutez-lui les jaunes d'œufs écrasés à la fourchette, le contenu du sachet de crevettes décortiquées, la pulpe de tomates, les gousses d'ail pilées, et un peu de persil haché. Agrémentez de quelques lamelles d'olives noires, arrosez le tout d'un jus de citron, et remuez soigneusement la préparation.

5 - Salez et poivrez l'intérieur des tomates évidées, et emplissez-les de cette garniture. Servez aussitôt.

VOS NOTES PERSONNELLES

Ecrire . . . .

. . . .

Acheter . . . .

. . . .

Téléphoner . . . .

Menu

SOUFFLÉ AUX ÉPINARDS
(voir recette p. 238)

CABILLAUD AU PAPRIKA
(voir recette ci-contre)

CRÈME À L'ÉCOSSAISE
(voir recette p. 272)

TOUT SAVOIR SUR...

LE CABILLAUD

C'est un beau poisson pouvant dépasser 1 mètre de longueur, que l'on pêche en mer du Nord et dans l'Atlantique Nord. Il possède un corps allongé et gris tirant sur le vert, parsemé de taches jaunes sur le dos. Un barbillon orne la mâchoire inférieure. La période la meilleure se situe pendant la saison froide, et plus généralement de septembre à mai. Le cabillaud, compte tenu de sa grande taille, est presque toujours vendu à la coupe. On le détaille en darnes mais également en filets. Choisissez un poisson à la chair blanche, à l'odeur franche de marée, dépourvu de relent d'ammoniac. La chair de cabillaud est maigre et contient des vitamines (C, PP) et des éléments minéraux (potassium, soufre) qui en font un aliment intéressant pour les enfants. C'est un poisson bon marché offrant peu de déchets. A noter que le cabillaud séché et salé est la morue. Elle a un pouvoir nourrissant double de celui du poisson frais.

CABILLAUD AU PAPRIKA

Moyen — Très facile — Abordable

POUR 4 PERSONNES
CUISSON : 30 minutes
INGRÉDIENTS :
4 belles tranches de cabillaud
150 g de poitrine fumée
2 oignons
4 gousses d'ail
1/2 boîte de maïs
4 tomates
1 citron, 2 poivrons
1 cuill. à soupe de farine
1 cuill. à s. de paprika
2 clous de girofle pilés
1 pincée de poivre rouge
Huile, sel, poivre gris

1 - Lavez soigneusement les tranches de cabillaud et séchez-les à l'aide de papier absorbant.

2 - Coupez la poitrine en petits dés.

3 - Épluchez les oignons et l'ail. Coupez les oignons en rondelles. Pilez l'ail.

4 - Plongez quelques instants les tomates dans l'eau bouillante, afin de les peler facilement. Coupez-les en quartiers.

5 - Lavez et coupez en fines lanières les poivrons. Ouvrez la boîte de maïs et égouttez les grains.

6 - Dans une cocotte, faites dorer les tranches de cabillaud, après les avoir salées et poivrées. Faites rissoler en même temps les lardons et blondir les oignons et poivrons. Lorsque les tranches de poisson sont cuites, disposez-les dans un plat de service.

7 - Versez alors la cuillerée de farine, laissez-lui prendre de la couleur puis ajoutez les tomates et le jus de citron.

8 - Laissez mijoter une dizaine de minutes, à découvert, afin que les tomates réduisent.

9 - Ajoutez l'ail pilé, le paprika, les clous de girofle pilés, une pincée de poivre rouge. Versez les grains de maïs.

10 - Laissez cuire à feu doux quelques minutes et présentez, dans le plat de service, les tranches de poisson entourées de leur garniture.

VOS NOTES PERSONNELLES

Ecrire . . . .

. . . .

Acheter . . . .

. . . .

Téléphoner . . . .

13 FÉVRIER

Menu

**ŒUFS EN GELÉE
A L'ESTRAGON**
(voir recette p. 208)
TÊTE DE VEAU EN SAUCE FORTE
(voir recette p. 191)
**GÂTEAU AU MIEL
ET AUX NOISETTES**
(voir recette ci-contre)

Boisson conseillée :
UN BEAUJOLAIS

TOUT SAVOIR SUR...

L'ŒUF

L'œuf est un aliment de tout premier ordre. Il faut savoir que deux œufs correspondent, sur le plan des protéines, à un bifteck de 100 g. Sur le marché, les œufs sont présentés suivant leur calibre de 50 à + de 70. Ces chiffres indiquent leur poids en grammes. Seule, la **catégorie A** *est présente à la vente. Dans cette catégorie, une distinction est faite pour les œufs extra-frais. Une bande ou une étiquette rouge, portant le mot «extra» scelle le conditionnement. Après 7 jours, si les œufs ne sont pas vendus, cette indication doit être enlevée par le commerçant. Toutes autres indications, comme «œufs du jour», «œufs coques», n'ont aucune valeur. Les œufs frais se reconnaissent à une coquille lisse et brillante. De plus, ils doivent être lourds et sembler bien pleins. Lorsqu'on les agite, on ne doit pas entendre un bruit de clapotis.*

GATEAU DE MIEL AUX NOISETTES

**POUR 8 PERSONNES
CUISSON :**
35 minutes environ
INGRÉDIENTS :
250 g de farine
400 g de noisettes
200 g de miel
3 œufs
1 cuill. à soupe de sucre
5 cuill. à soupe d'huile
1/4 de verre de lait
1 noix de beurre
1 cuillerée à soupe
de graines de sésame
1 pincée de sel

1 - Cassez les œufs, réservez les jaunes, et fouettez les blancs dans un saladier avec le sucre pour les monter en neige très ferme.
2 - Mélangez aux jaunes 150 g de miel, et mouillez avec le lait. Remuez soigneusement, puis incorporez l'huile, les noisettes décortiquées et concassées, la farine en pluie et 1 pincée de sel. Incorporez délicatement les blancs d'œufs en neige à la préparation.
3 - Garnissez de cette préparation un moule à manqué, beurré et fariné, et mettez à four moyen 30 à 35 minutes.
4 - Quand le gâteau est cuit (une lame enfoncée dans la pâte doit ressortir parfaitement sèche), laissez-le refroidir avant de le démouler sur un plat de service.
5 - Coulez dessus le miel restant et saupoudrez de quelques graines de sésame avant de servir.

LE TRUC DU CHEF

POUR LA TÊTE DE VEAU EN SAUCE FORTE : on peut réduire de moitié le temps de cuisson de la viande en utilisant une cocotte-minute. On trouve dans le commerce de la tête grise ou blanche. La première citée est moins coûteuse bien que de saveur en tous points comparable. C'est une simple question de coloration de l'animal.

VOS NOTES PERSONNELLES

Ecrire . . . .

Acheter . . . .

Téléphoner . . . .

Menu

SAUCISSON EN BRIOCHE
(voir recette ci-dessous)

CANARD À L'ORANGE
(voir recette ci-contre)

BEIGNETS AUX POMMES
(voir recette p. 204)

MINI-RECETTE

SAUCISSON EN BRIOCHE

POUR 6 À 8 PERSONNES
CUISSON : 50 minutes
INGRÉDIENTS : 315 g de farine
1 kg de saucisson cuit
10 g de levure de boulanger
1/2 de verre de lait, 150 g de beurre
10 g de sucre, 4 œufs + 1 jaune
1 bouquet garni, sel, poivre

1 - Préparez le levain en mettant dans une terrine 65 g de farine, la levure au milieu. Délayez avec 1/2 verre de lait. Laissez lever 1 heure.

2 - Mettez le reste de farine sur une planche de travail, en fontaine, et ajoutez 2 œufs, le sucre, 1 pincée de sel. Mélangez puis incorporez les 2 œufs restants, un à un.

3 - Pratiquez un trou au milieu de la pâte, mettez-y le levain, et pétrissez longuement, puis ajoutez le beurre ramolli.

4 - Placez cette boule de pâte farinée et recouverte d'un linge au réfrigérateur 1 h 30 à 2 h.

5 - Faites frémir de l'eau salée dans une cocotte, ajoutez-y un bouquet garni, un peu de poivre, et plongez-y le saucisson 20 à 25 minutes.

6 - Passé ce délai, égouttez le saucisson, laissez-le tiédir, puis retirez sa peau.

7 - Abaissez la pâte au rouleau, disposez le saucisson au milieu, après l'avoir badigeonné de jaune d'œuf. Puis entourez-le complètement de cette pâte. Badigeonnez cette dernière avec un peu de jaune d'œuf.

8 - Laissez pousser la pâte dans un endroit tiède pendant 30 minutes, puis mettez à cuire 20 minutes à four chaud. Servez immédiatement.

CANARD A L'ORANGE

POUR 5
A 6 PERSONNES
CUISSON : 1 h 1/4
INGRÉDIENTS :
1 beau canard de
1,700 kg environ
6 oranges
100 g d'échalotes
1 cuill. à café de vinaigre
1 cuill. à soupe de sucre
50 g de beurre
2 cuillerées à soupe
d'huile
1 verre à liqueur
de curaçao
Sel, poivre au moulin

1 - Brossez deux oranges à l'eau chaude. Réservez les quartiers. Détaillez les zestes en fines lamelles.

2 - Salez et poivrez le canard, à l'intérieur et à l'extérieur. Introduisez à l'intérieur la moitié des zestes et la chair des deux oranges.

3 - Dans une cocotte, faites fondre le beurre et l'huile, et faites revenir le canard à feu vif, en le retournant afin qu'il soit bien saisi.

4 - Ajoutez alors les échalotes hachées. Laissez-les prendre couleur, puis versez le jus d'une orange. Couvrez la cocotte et laissez cuire à feu moyen 1 heure environ.

5 - Faites bouillir, pendant ce temps, dans un peu d'eau, l'autre moitié des zestes d'oranges. Laissez 3 minutes.

6 - Dans une petite casserole, faites caraméliser le sucre dans la cuillerée de vinaigre. Réservez.

7 - Lorsque le canard est cuit, ôtez-le de la cocotte et réservez-le.

8 - Versez alors dans le jus de cuisson l'eau aromatisée au zeste d'orange, le caramel au vinaigre et le curaçao. Laissez réduire, à feu moyen, 10 minutes en raclant bien le fond pour décoller les sucs de cuisson. Puis passez au chinois.

9 - Ôtez la farce à l'orange du canard. Placez la volaille sur un plat de service. Nappez-la légèrement de la sauce, et présentez le reste de la sauce en saucière.

10 - Épluchez trois oranges, et décorez le canard, tout autour, avec les quartiers. Accompagnez avec des pommes paille achetées toutes prêtes, que vous réchaufferez un peu au four.

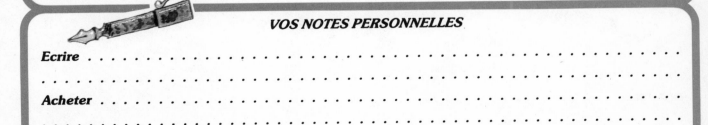

VOS NOTES PERSONNELLES

Ecrire . . . .
. . . .
Acheter . . . .
. . . .
Téléphoner . . . .

15 FÉVRIER

Menu

SALADE TIVOLI
(voir recette p. 134)

BOULETTES DE VIANDE AUX NAVETS
(voir recette p. 150)

BOURDELOTS DE LISIEUX
(voir recette ci-contre)

TOUT SAVOIR SUR...

LA POMME

*La pomme est une véritable mine de vitamines et de sels minéraux. Elle ne fait pas grossir, donc est appréciée des personnes suivant un régime. Toutefois, consommez toujours des fruits bien mûrs afin d'éviter des maux d'estomac. Présente toute l'année sur les marchés, nous citerons parmi les nombreuses variétés, les plus commercialisées, **la golden** : jaune et lisse, elle est moyennement sucrée et peu parfumée. **La reine des reinettes** : croquante et très parfumée. **Reinette grise du Canada** : gros fruit gris, chair ferme très parfumée. **Reinette blanche du Canada** : gros fruit rugueux jaune-vert, chair acidulée et sucrée. **Starking** : striée de rouge, chair juteuse. **Richard** : fruit rouge, croquant, sucré et parfumé. Trois catégories définies par les normes européennes : **catégorie extra** (étiquette rouge), sans défauts, **catégorie I** (étiquette verte), très légers défauts, **catégorie II** (étiquette jaune) quelques défauts.*

BOURDELOTS DE LISIEUX

Long   Facile   Abordable

POUR 6 PERSONNES
CUISSON : 30 minutes
INGRÉDIENTS : 6 pommes
200 g de farine
200 g de beurre
100 g de sucre
en poudre
1 jaune d'œuf
70 g de sucre glace
6 cuill. à café de calvados
1 pincée de sel

1 - Versez la farine sur une planche à pâtisserie, faites un puits et mettez-y 1 verre d'eau. Ajoutez 1 pincée de sel et pétrissez.

2 - Lorsque la pâte est formée, étalez-la au rouleau, les bords plus minces que le centre, et placez au milieu 150 g de beurre.

3 - Rabattez les bords sur le beurre pour l'emprisonner, puis étendez ce bloc en un rectangle de 1 cm d'épaisseur, trois fois plus long que large.

4 - Pliez cette bande de pâte en trois, faites pivoter le bloc de 1/4 de tour, et étendez à nouveau de la même façon. Pour l'obtention d'une bonne pâte feuilletée, cette opération est à renouveler quatre fois. Laissez reposer 15 minutes entre chaque tour.

5 - Épluchez les pommes, évidez-les avec un petit couteau pointu pour enlever le cœur et les pépins. Faites fondre doucement le beurre au bain-marie et, à l'aide d'un pinceau, enduisez-en chaque pomme, à l'intérieur et à l'extérieur.

6 - Mettez le sucre en poudre dans une assiette creuse, et roulez-y les pommes enduites de beurre. Placez un peu de sucre dans l'évidement des fruits ainsi que 1 cuillerée à café de calvados.

7 - Étendez la pâte une dernière fois, et découpez 6 carrés de dimensions suffisantes pour envelopper complètement les pommes. Placez les fruits au milieu de chaque carré, et rabattez les bords de façon à les masquer complètement.

8 - Battez un jaune d'œuf, badigeonnez l'enveloppe de pâte à l'aide d'un pinceau, et mettez à four moyen 30 minutes sur une plaque légèrement beurrée. En fin de cuisson, saupoudrez les bourdelots de sucre glace. Servez tiède.

VOS NOTES PERSONNELLES

Ecrire . . . .
. . . .

Acheter . . . .
. . . .

Téléphoner . . . .

Menu

MINI-RECETTE

CRÊPES À LA NANTAISE

POUR 4 PERSONNES
CUISSON : 45 minutes
INGRÉDIENTS : 120 g de farine, 2 œufs
2 verres de lait, 2 tranches de jambon
250 g de champignons
200 g de gruyère râpé, 1 dl de crème
1/4 de l de lait, 220 g de beurre, sel, poivre

1 - Mettez 100 g de farine dans un saladier, faites un puits, cassez-y les œufs. Mélange bien en ajoutant les 2 verres de lait peu à peu, et 1 pincée de sel. Laissez reposer.

2 - Nettoyez les champignons et détaillez-les en fines lamelles. Hachez grossièrement le jambon.

3 - Commencez à faire les crêpes, en graissant la poêle d'un peu de beurre.

4 - Faites fondre une noix de beurre dans une poêle, et faites-y revenir le jambon. Puis mettez-le dans une assiette creuse.

5 - Dans le même récipient, ajoutez une noix de beurre et faites-y dorer les champignons à feu vif quelques minutes.

6 - Dans une casserole, faites fondre 60 g de beurre, et versez en pluie 1 cuillerée de farine. Ajoutez le 1/4 de lait, délayez au fouet. Portez à ébullition. Ajoutez la crème fraîche, et laissez bouillir 3 minutes. Incorporez alors la moitié dû gruyère râpé. Salez, poivrez.

7 - Disposez sur chaque crêpe, un peu de jambon et de champignons, nappez d'une bonne cuillerée de sauce, et roulez les crêpes avant de les disposer côte-à-côte dans un plat allant au four.

8 - Recouvrez le plat du reste de la sauce, mettez quelques noisettes de beurre, parsemez de l'autre moitié de gruyère. Laissez gratiner à four chaud 15 à 20 minutes.

GALETTES DE BLÉ NOIR AUX SAUCISSES

 Moyen   Très facile   Abordable

**POUR 8
A 10 PERSONNES
CUISSON :
30 minutes environ
INGRÉDIENTS : 1 œuf
500 g de farine
de sarrasin
8 saucisses fraîches
100 g de beurre
1 cuillerée d'huile
1 pincée de sel**

1 - Mettez la farine dans un grand saladier et délayez-la avec environ 1/2 litre d'eau. Incorporez l'œuf et une bonne pincée de sel. Mélangez bien pour éviter les grumeaux. Vous devez obtenir une pâte à crêpes fluide sans être aqueuse. Laissez reposer une bonne heure.

2 - Faites chauffer une poêle sur feu vif, et déposez-y une petite noisette de beurre. Coulez à la louche la quantité de pâte suffisante pour la confection d'une galette (après deux ou trois essais, vous évaluerez la bonne quantité pour une galette ni trop fine ni trop épaisse). Imprimez avec le poignet un mouvement circulaire pour que la pâte s'étale uniformément. Laissez cuire 1 à 2 minutes à feu moyen de chaque côté, en retournant la galette à l'aide d'une longue spatule en bois. Faites glisser la galette sur une assiette chaude, et recommencez l'opération jusqu'à épuisement de la pâte.

3 - Parallèlement à la cuisson des galettes, mettez à revenir les saucisses à la poêle, dans un mélange de beurre et d'huile. Laissez cuire à feu moyen une quinzaine de minutes. Puis découpez les saucisses en rondelles.

4 - Avant de servir, repassez rapidement les galettes à la poêle légèrement beurrée, disposez au centre quelques rondelles de saucisse, et roulez-les. Présentez immédiatement à table.

VOS NOTES PERSONNELLES

Ecrire . . . .

Acheter . . . .

Téléphoner . . . .

Menu

SALADE AU MAÏS ET AU CRABE
(voir recette p. 282)

MOUSSAKA
(voir recette ci-contre)

DÉLICE DE BANANE GLACÉ
(voir recette ci-dessous)

MINI-RECETTE

DÉLICE DE BANANE GLACÉ

POUR 6 PERSONNES
CUISSON : 1 h environ
2 H AU RÉFRIGÉRATEUR
INGRÉDIENTS : 6 bananes
1/4 de litre de lait écrémé
2 œufs, 2 jaunes d'œufs
1 noix de beurre
1 cuillerée à soupe de sucre
Quelques fruits confits

1 - Epluchez 5 bananes et écrasez-les en purée dans une terrine. Pour ce faire, utilisez de préférence un mixer.

2 - Versez le lait dans une casserole, ajoutez le sucre, et portez le liquide à ébullition.

3 - Mettez 2 œufs entiers et 2 jaunes dans une terrine, battez-les en omelette, et incorporez-leur les bananes en purée. Versez sur le tout le lait bouillant en filet en tournant constamment la préparation.

4 - Beurrez légèrement un moule à manqué, et garnissez-le de la crème. Placez le moule dans un récipient contenant de l'eau très chaude, pour réaliser un bain-marie, et faites cuire à four moyen pendant 30 à 35 minutes.

5 - Passé ce temps, laissez refroidir, puis démoulez sur un plat de service. Placez au réfrigérateur 2 heures.

6 - Au moment de servir, décorez le délice avec le fruit que vous avez réservé, en disposant des rondelles au mieux, et agrémentez avec cerises et angélique confites.

MOUSSAKA

POUR 5 A 6 PERSONNES
CUISSON : 1 h env.
INGRÉDIENTS :
350 g de mouton
6 aubergines
2 oignons
1 verre d'huile d'olive
1 verre de lait
3 jaunes d'œufs
60 g de fromage râpé
Noix de muscade
Sel, poivre

1 - Choisissez un morceau de mouton dans l'épaule et faites-le hacher par votre boucher.

2 - Lavez soigneusement les aubergines, essuyez-les, coupez les queues et détaillez les légumes en rondelles fines.

3 - Pelez les oignons et hachez-les grossièrement.

4 - Faites chauffer 1/2 verre d'huile dans une sauteuse, et jetez-y la viande et les oignons hachés. Ajoutez un peu de muscade râpée, salez, poivrez, et laissez cuire à feu moyen une dizaine de minutes, en remuant de temps en temps à la cuillère de bois.

5 - Faites dorer à la poêle, dans un peu d'huile, les rondelles d'aubergines. Salez et poivrez-les, et mettez-les à égoutter sur du papier absorbant.

6 - Huilez un plat allant au four, tapissez-le du tiers de rondelles d'aubergines, étalez dessus la moitié du mélange viande-oignons. Couvrez avec le deuxième tiers d'aubergines, disposez le reste du hachis et recouvrez le tout d'aubergines.

7 - Mélangez dans un bol le lait avec les jaunes d'œufs. Salez, poivrez, battez bien le tout.

8 - Versez ce mélange sur le plat, saupoudrez de fromage râpé, et mettez à cuire à four moyen 40 minutes environ. Servez très chaud dans le plat de cuisson.

VOS NOTES PERSONNELLES

Ecrire . . . .

Acheter . . . .

Téléphoner . . . .

Menu

VOL-AU-VENT DUCHESSE
(voir recette p. 167)

POULET FARCI AUX POMMES
(voir recette p. 161)

APPLE PIE
(voir recette ci-contre)

Moyen   Facile   Abordable

TOUT SAVOIR SUR...

LE POULET

Le poulet est une viande peu grasse mais plus riche en éléments bâtisseurs que la viande de boucherie. De ce fait, il est recommandé aux enfants en période de croissance. Sur les marchés, sont commercialisées des volailles à divers stades de leur croissance. **Coquelet ou poussin** environ 500 g. **Poulet** de 1,2 kg à 2 kg. **Poule** de 2 kg à 2,5 kg. **Coq** de 4 à 5 kg. On les présente, soit effilés (intestin enlevé), soit éviscérés (entièrement vidés) prêts à cuire. **La classe A** correspond au poulet sans défaut. **La classe B** accepte quelques défauts. Les classes déterminent l'aspect et non la qualité. Les volailles portant des « label rouge » ou « label rouge fermier » sont plus chers mais correspondent à des animaux nourris au grain et plus âgés de 4 à 5 semaines que les poulets standards. Ils sont également plus savoureux. Choisissez un poulet bien en chair, sans amas graisseux. Vérifiez la souplesse du bréchet. Compte tenu des déchets, prévoyez 250 g par personne.

APPLE PIE

POUR 6 A 8 PERSONNES
CUISSON : 30 minutes
INGRÉDIENTS :
800 g de pommes
1 bloc de feuilleté surgelé
120 g de sucre semoule
60 g de raisins secs
2 verres à liqueur de whisky
40 g de beurre
1 pincée de cannelle
1 jaune d'œuf

1 - Mettez les raisins secs dans un bol et arrosez-les de whisky. Laissez macérer 1 heure.

2 - Lorsque la pâte feuilletée a dégelé le temps nécessaire (conformez-vous aux instructions portées sur l'emballage), étalez-la au rouleau sur une surface double d'un moule à tarte.

3 - Beurrez le moule et tapissez-le d'une bonne moitié de la pâte de telle sorte qu'elle dépasse légèrement sur les bords.

4 - Épluchez les pommes, coupez-les en quatre, ôtez le cœur et les pépins, et détaillez les quartiers en rondelles.

5 - Disposez les lamelles de pommes sur la pâte, ajoutez les raisins secs, saupoudrez avec le sucre en poudre et un peu de cannelle, et parsemez le tout de noisettes de beurre.

6 - Recouvrez les fruits avec le morceau de pâte restant, et soudez soigneusement les bords à l'aide du bout des doigts mouillés, en pinçant bien la pâte.

7 - Battez un jaune d'œuf à la fourchette. Constituez un décor sur la pâte à la pointe d'un couteau, puis badigeonnez-la avec l'œuf battu. Pratiquez au centre du gâteau un petit trou (cheminée) pour que la vapeur s'échappe lors de la cuisson.

8 - Mettez à cuire à four chaud 30 minutes. Surveillez la cuisson de temps en temps et, si la pâte se colore trop, recouvrez-la d'un papier d'aluminium.

VOS NOTES PERSONNELLES

Ecrire . . . .

Acheter . . . .

Téléphoner . . . .

Menu

SOUFFLÉ À L'AVOCAT
(voir recette ci-dessous)

BRANDADE DE MORUE
(voir recette ci-contre)

BEIGNETS PRINCE EDOUARD
(voir recette p. 135)

MINI-RECETTE

SOUFFLÉ A L'AVOCAT

POUR 4 À 5 PERSONNES
CUISSON : 40 minutes
INGRÉDIENTS : 2 avocats
4 œufs, 75 g de farine, 100 g de beurre
1/2 litre de lait, 1 citron, noix de muscade
1 pointe de cayenne, sel, poivre

1 - Ouvrez les avocats en deux dans le sens de la longueur. Enlevez les noyaux et, à l'aide d'une cuiller, détachez la chair de la peau.
2 - Mettez cette pulpe dans une terrine, écrasez-la soigneusement à la fourchette (ou mieux, au mixer).
3 - Faites fondre 75 g de beurre dans une casserole, versez la farine en pluie, remuez à la cuiller de bois 2 à 3 minutes sur feu doux, sans que le mélange colore.
4 - Faites bouillir le lait dans une petite casserole, et versez-le en une seule fois sur le roux froid. Remuez au fouet, faites cuire 3 minutes. Salez, poivrez, ôtez du feu.
5 - Cassez les œufs, incorporez les jaunes à la purée d'avocats (réservez les blancs), et ajoutez le jus de citron, un peu de noix de muscade râpée, et une pointe de cayenne.
6 - Mélangez la purée d'avocats à la sauce au lait, et incorporez délicatement à cette préparation, les blancs d'œufs battus en neige très ferme.
7 - Versez le tout dans un moule à soufflé préalablement beurré, et mettez à four moyen une trentaine de minutes. Servez immédiatement dans le moule de cuisson.

BRANDADE DE MORUE

POUR 5
A 6 PERSONNES
CUISSON : 30 minutes
INGRÉDIENTS :
800 g de morue
2 pommes de terre
2 v. d'huile d'olive
1 v. de lait
3 gousses d'ail
1 citron
1 noix de beurre
1 cuillerée à soupe
de vinaigre
1 petit bouquet de persil
Thym, laurier
Petits croûtons
Sel, poivre

1 - Mettez la morue dans un récipient, recouvrez d'eau froide, et laissez dessaler pendant 24 heures, en changeant l'eau de temps en temps.
2 - Quand la morue est dessalée, plongez-la dans une casserole d'eau froide. Ajoutez un peu de vinaigre, du thym et du laurier, et portez à ébullition. Laissez cuire à petits frémissements 7 à 8 minutes. Puis ôtez du feu et laissez le poisson tiédir dans la casserole.
3 - Pendant ce temps, faites cuire les pommes de terre en robe de chambre 20 minutes. Épluchez-les et écrasez-les en purée.
4 - Sortez la morue de son liquide de cuisson, égouttez-la, détaillez-la en petits morceaux en retirant soigneusement les arêtes. Passez le poisson à la moulinette.
5 - Dans un saladier, versez l'huile en filet sur la purée de poisson, en tournant à la cuillère de bois. Incorporez ensuite le lait, et enfin la purée de pommes de terre. Ajoutez les gousses d'ail pilées, et malaxez bien le tout de façon à obtenir une préparation homogène. Poivrez.
6 - Mettez à réchauffer la brandade dans une casserole, au bain-marie, ajoutez le jus du 1/2 citron, un peu de persil haché, et servez dans un plat de service à bords hauts. Présentez en même temps quelques petits croûtons de pain frits dans du beurre.

VOS NOTES PERSONNELLES

Ecrire . . . .

Acheter . . . .

Téléphoner . . . .

Menu

COUPES DE FRUITS DE MER
(voir recette ci-dessous)
**BROCHETTES D'AGNEAU
EN VERDURE**
(voir recette p. 142)
**CRÊPES SOUFFLÉES
AU GRAND-MARNIER**
(voir recette ci-contre)

Boisson conseillée :
UN TAVEL

MINI-RECETTE

COUPES DE FRUITS DE MER

POUR 4 PERSONNES
CUISSON : 15 minutes
INGRÉDIENTS : 1 litre de coques
150 g de bouquets décortiqués
1 verre de vin blanc sec
1 carotte, 2 échalotes, 1 gousse d'ail
1 noix de beurre, 1 cuill. à café de moutarde
1 jaune d'œuf, 1 dl d'huile, 1 citron
1 cœur de laitue, 1 bouquet de cerfeuil
Thym, laurier, sel, poivre

1 - Epluchez la carotte et les échalotes, coupez-les en fines rondelles.
2 - Faites fondre 1 noix de beurre dans une cocotte, et jetez-y les légumes à suer quelques minutes. Mouillez alors avec le vin blanc, ajoutez l'ail pilé, aromatisez d'un peu de thym et de laurier, poivrez.
3 - Lavez soigneusement les coques, triez-les. Mettez-les à cuire dans la cocotte sur feu vif 3 à 4 minutes, récipient couvert, le temps pour les coques de s'ouvrir.
4 - Egouttez les coquillages, laissez-les refroidir, et décortiquez-les.
5 - Mettez dans un grand bol la moutarde et le jaune d'œuf, mélangez, salez, poivrez, et montez une mayonnaise au fouet en faisant couler régulièrement l'huile en filet. Incorporez le jus d'1/2 citron et un fin hachis de cerfeuil.
6 - Lavez quelques belles feuilles de laitue prélevées dans le cœur, séchez-les, et tapissez-en des coupes. Garnissez avec un mélange de coques et de queues de bouquets décortiquées. Coulez sur les fruits de mer une bonne cuillerée de mayonnaise avant de servir.

CRÊPES SOUFFLÉES AU GRAND MARNIER

Long   Facile   Abordable

POUR 8 PERSONNES
CUISSON : 1 heure
INGRÉDIENTS
POUR LA PÂTE :
250 g de farine tamisée
3 œufs, 4 dl de lait
1 belle orange
POUR LA CRÈME :
75 g de farine
180 g de sucre
1/2 l de lait
3 œufs + 1 jaune
6 blancs d'œufs
2 v. à liqu. de Gd Marnier

PRÉPAREZ LES CRÊPES :

1 - Dans un saladier, mélangez la farine et le sucre. Délayez avec les œufs battus et le jus d'orange. Ajoutez le lait et une pincée de sel. Remuez bien le tout jusqu'à obtenir une préparation homogène. Laissez reposer 1 h environ.
2 - Confectionnez ensuite, dans une poêle légèrement huilée, des crêpes fines. Réservez.

PRÉPAREZ LA CRÈME :

1 - Cassez les 3 œufs dans un saladier. Ajoutez le sucre et la farine. Remuez bien le tout au fouet.
2 - Dans une petite casserole, faites bouillir le lait et versez-le très chaud dans le saladier. Battez longuement au fouet.
3 - Mettez alors cette préparation sur le feu en fouettant vivement quelques instants. Laissez refroidir, puis ajoutez le jaune d'œuf et 1 verre à liqueur de Grand Marnier.
4 - Battez les 6 blancs d'œufs en neige et, lorsque le blanc colle au fouet, incorporez-le peu à peu à la crème.

PRÉPAREZ LES CRÊPES SOUFFLÉES :

1 - Disposez au centre de chaque crêpe une bonne cuillerée de crème. Pliez-les en deux et couchez-les dans un plat allant au four, préalablement beurré. Saupoudrez de sucre.
2 - Mettez à four chaud 10 minutes. Puis versez sur les crêpes le reste de liqueur et flambez. Présentez les crêpes sur un plat de service.

VOS NOTES PERSONNELLES

Ecrire . . . .
. . . .
Acheter . . . .
. . . .
Téléphoner . . . .

Menu

ASPIC DE FOIE GRAS
(voir recette p. 138)

FILET DE PORC DES ÎLES
(voir recette ci-contre)

POIRE EN CRÔUTE
(voir recette p. 131)

Boisson conseillée :
UN ROSÉ DU VAR

TOUT SAVOIR SUR...

LE FILET DE PORC

Le filet est un morceau prélevé dans la portion lombaire du porc. C'est une viande maigre par rapport aux autres parties de l'animal, le jambon en particulier. Il comporte des vitamines PP et des sels minéraux tels que calcium et phosphore. Le filet frais est vendu, soit avec l'os, soit désossé, il est alors roulé et bardé et présenté comme un rosbif. Le filet fumé est vendu sous la dénomination de «bacon». Fraîche, recherchez une viande bien rosée, striée légèrement de graisse ce qui est la preuve d'une bête bien nourrie et apporte à la dégustation le moelleux nécessaire. Evitez les viandes blanches, molles et humides. Prévoyez par personne 180 g pour une viande avec os, et 150 g sans os.

FILET DE PORC DES ILES

Long Facile Abordable

POUR 6 PERSONNES
CUISSON : 1 h 30
INGRÉDIENTS :
1 kg de filet
2 verres de riz
1 gros oignon
1 boîte d'ananas
1 cuil. à café de curry
1 pointe de cayenne
1/4 de v. d'huile
1 petit verre de rhum
Sel, poivre

1 - Salez et poivrez le filet de porc. Mettez-le dans un plat allant au four, avec 1 verre d'eau dans le fond, et laissez cuire à four moyen 1 h 30.
2 - 30 minutes avant la fin de la cuisson de la viande, épluchez l'oignon, hâchez-le finement, et mettez-le à dorer dans une grande casserole avec 1/4 de verre d'huile. Ajoutez le riz, remuez le mélange à la cuillère de bois quelques instants jusqu'à ce qu'il prenne couleur.
3 - Mouillez alors d'eau (1 fois 3/4 le volume de riz), salez d'une pincée de gros sel, ajoutez le curry et 1 pointe de cayenne, laissez cuire à découvert jusqu'à ce que le riz ait entièrement absorbé l'eau (20 minutes environ).
4 - Ouvrez la boîte d'ananas, égouttez les tranches, réservez le jus.
5 - Faites chauffer une plaque sur feu vif, et mettez les tranches d'ananas à griller, 2 bonnes minutes, de chaque côté.
6 - Mettez dans une petite casserole le jus de la boîte d'anans, ajoutez le rhum, et faites chauffer sur feu très doux.
7 - Lorsque la viande est cuite, dressez le rôti sur un long plat de service, disposez dessus les tranches d'ananas grillées, et entourez-le du riz.
8 - Versez le contenu de la casserole qui contient le jus d'ananas et le rhum dans le plat de cuisson de la viande, mélangez, et versez en saucière.

VOS NOTES PERSONNELLES

Ecrire . . . .
. . . .
Acheter . . . .
. . . .
Téléphoner . . . .

Menu

TOMATES À LA WANTZENAU
(voir recette ci-contre)

TRIPES À LA MODE DE CAEN
(voir recette p. 157)

PAIN À LA CANNELLE
(voir recette p. 230)

TOUT SAVOIR SUR...

LA TOMATE

La tomate est originaire du Mexique et du Pérou et a été introduite en Europe au XVIe siècle par les conquistadores sous le nom de pomme d'amour, mais il faut attendre le XVIIIe siècle pour qu'elle se répande en France. Peu nourrissante, la tomate est riche en vitamines A, C, et PP ainsi qu'en potassium et possède des propriétés diurétiques et laxatives. Plusieurs variétés sont présentes quasiment toute l'année sur les marchés, avec une pointe de juin à septembre. **Marmande, plate de Châteaurenard, saint-pierre olivette,** petite allongée et ferme. Quatre catégories les répartissent en fonction de leur qualité : **catégorie extra** (étiquette rouge), **catégorie I** (étiquette verte), **catégorie II** (étiquette jaune), **catégorie III** (étiquette grise). Choisissez les tomates à la chair bien ferme et de couleur uniforme. A noter que les fruits un peu verts sont plus acides que les fruits mûrs.

TOMATES A LA WANTZENAU

 Rapide   Facile Pas cher

POUR 6 PERSONNES
CUISSON : 15 minutes
INGRÉDIENTS :
6 tomates
1/2 céleri-rave
3 saucisses de Strasbourg
1 jaune d'œuf
1 cuillerée à café
de moutarde
1 citron
1 verre d'huile
Ciboulette
Sel, poivre

1 - Mettez les saucisses dans une casserole avec un peu d'eau chaude, et laissez-les pocher 15 minutes sur feu doux. Évitez l'ébullition.

2 - Pendant ce temps, lavez les tomates et essuyez-les avec un torchon. Découpez sur chacune d'elles un large chapeau côté queue et, avec un petit couteau pointu, évidez-les. Salez et poivrez l'intérieur.

3 - Mettez le jaune d'œuf, la moutarde, une pincée de sel et de poivre dans un bol. Remuez, puis versez l'huile en filet en tournant constamment à la cuillère ou au fouet. Quand la mayonnaise est montée, agrémentez d'un jus de citron.

4 - Égouttez les saucisses une fois cuites, et détaillez-les en fines rondelles que vous ajouterez à la préparation précédente. Agrémentez d'un fin hachis de ciboulette et remuez bien le tout.

5 - Garnissez les tomates évidées de la préparation, en répartissant au mieux, et disposez sur un plat de service. Servez aussitôt.

LE TRUC DU CHEF

POUR LES TRIPES À LA MODE DE CAEN : le gras-double (qui est la panse du bœuf) vendu en triperie est déjà généralement pré-cuit. Si vous voulez accommoder de la panse fraîche, il vous faut la laisser tremper 4 h avant de la faire cuire une première fois dans un court-bouillon au vin blanc. Ce temps de cuisson est d'environ 5 heures.

VOS NOTES PERSONNELLES

Ecrire . . . .
. . . .

Acheter . . . .
. . . .

Téléphoner . . . .

Menu

POTAGE AUX CINQ LÉGUMES
(voir recette p. 201)

CERVELLES À LA CASTILLANE
(voir recette ci-contre)

**CRÊPES SOUFFLÉES
AU MARASQUIN**
(voir recette p. 226)

TOUT SAVOIR SUR...

LES HUILES

Les huiles alimentaires sont issues de végétaux. A froid, toutes les huiles conviennent pour l'assaisonnement des salades ou la réalisation de sauces froides. A chaud, seules quelques-unes peuvent être utilisées pour frire, rôtir ou braiser. Parmi les plus commercialisées, citons : **l'huile d'arachide,** *à froid son goût est neutre, à chaud, elle supporte de hautes températures (200°). C'est l'huile recommandée pour les fritures.* **L'huile d'olive,** *agréable à froid, en assaisonnement pour son goût très prononcé. Préférez l'huile d'olive « vierge extra ». A chaud, elle supporte 160°, mais dégage une odeur forte.* **L'huile de tournesol,** *saveur neutre à froid, convient aux estomacs fragiles. A chaud, jusqu'à 160°. A conserver à l'abri de la lumière.* **Huile de maïs,** *peu de goût. A conserver à l'abri de la lumière. 160° à chaud.* **Huile de soja,** *à froid uniquement.* **Huile de colza,** *comme l'huile de soja.* **Huile de noix,** *recherchée par les amateurs pour son goût particulier. Ne pas employer à chaud. C'est un produit cher.* **Huile de pépins de raisin,** *huile de régime, éviter de l'employer à chaud.*

CERVELLES A LA CASTILLANE

Long   Facile   Abordable

POUR 6 PERSONNES
CUISSON : 30 minutes
INGRÉDIENTS :
2 cervelles de veau
1 gros oignon
4 citron
250 g de farine
2 blancs d'œufs
1 œuf entier
1 cuill. à soupe d'huile
Thym, laurier
Persil
Sel, poivre
1 bain de friture

1 - Mettez les cervelles à dégorger dans de l'eau froide additionnée d'un peu de vinaigre, 1 heure environ. Puis ôtez soigneusement la fine peau qui les recouvre, ainsi que les filaments sanguins.

2 - Dans un récipient, faites bouillir 1 litre d'eau salée avec l'oignon coupé en rondelles, un peu de thym et de laurier, le jus d'un citron. Poivrez.

3 - Plongez les cervelles dans le liquide frémissant, et faites-les cuire 15 minutes. Puis égouttez-les sur un linge et laissez-les refroidir complètement.

4 - Pendant ce temps, versez 200 g de farine dans un saladier. Faites un puits dans lequel vous verserez 1 œuf, 1 cuillerée à soupe d'huile, 3 dl d'eau tiède et 1 pincée de sel. Délayez le tout pour obtenir une pâte légère. Laissez reposer 1 heure 1/2 à 2 heures.

5 - Montez les 2 blancs d'œufs en neige très ferme. Incorporez-les à la pâte au moment de l'emploi.

6 - Coupez les cervelles froides en gros dés, roulez-les dans de la farine, trempez-les dans la pâte à beignets avant de les plonger dans le bain d'huile bouillante.

7 - Quand les beignets sont bien dorés, retirez-les à l'aide d'une écumoire, mettez-les à égoutter sur du papier absorbant.

8 - Garnissez le plat de service d'une serviette, disposez-y les beignets, et entourez-les de quartiers de citron. Ciselez finement du persil. Servez chaud.

VOS NOTES PERSONNELLES

Ecrire . . . .

Acheter . . . .

. . . .

Téléphoner . . . .

Menu

CHICKEN-PIE
(voir recette ci-contre)

BŒUF FROID À LA DUVAL
(voir recette p. 180)

GÂTEAU DU JUTLAND
(voir recette ci-dessous)

Long   Facile   Abordable

**POUR 7
A 8 PERSONNES**
CUISSON : 1 h 10 env.
INGRÉDIENTS :
200 g de beurre
250 g de farine, 4 œufs
600 g de blancs
de poulet
4 tranches de jambon
150 g de champignons
1 gros oignon
1 tab. conc. de volaille
Sel, poivre

CHICKEN PIE

MINI-RECETTE

GÂTEAU
DU JUTLAND

POUR 6 À 8 PERSONNES
CUISSON : 3 minutes
INGRÉDIENTS : 1 génoise
1 pot de confiture d'abricot
1 petite boîte d'ananas
Angélique et cerises confites
200 g d'amandes effilées

1 - Coupez une génoise en deux parties égales, dans le sens de la hauteur, à l'aide
d'un couteau à longue lame crantée.

2 - Ouvrez les boîtes d'ananas et d'abricots,
réservez le sirop d'abricot. Conservez les
1/2 abricots tels et coupez les tranches
d'ananas en quartiers.

3 - Mettez sur le feu, dans une casserole,
250 g environ de confiture d'abricots et le
sirop des abricots en boîte. Portez à ébullition, et versez la moitié de cette préparation sur la partie inférieure de la génoise.
Egalisez bien à l'aide d'une spatule métallique. Disposez dessus les quartiers d'ananas et des morceaux de fruits confits.

4 - Recouvrez le tout avec la deuxième moitié
de génoise pour reconstituer le gâteau,
nappez du reste de confiture d'abricot, en
badigeonnant également les tranches au
pinceau.

5 - Disposez au mieux les 1/2 abricots, l'angélique et les cerises confites. Faites
adhérer sur les tranches, tout autour, des
amandes effilées, parsemez le restant sur
le dessus.

1 - Versez la farine dans une terrine, faites un puits, et mettez-y 125 g de
beurre en parcelles, 1 œuf entier, 5 cl d'eau et 1 pincée de sel. Pétrissez
bien le tout de façon à obtenir une pâte homogène, puis façonnez-la en
boule et laissez reposer dans le récipient.

2 - Débarrassez les champignons de leur pied terreux, lavez-les, séchez-les
sur du papier absorbant, et détaillez-les en fines lamelles.

3 - Coupez les blancs de poulet et le jambon en menus morceaux, pelez et
hachez l'oignon.

4 - Faites durcir 2 œufs 12 à 15 minutes à l'eau bouillante.

5 - Faites chauffer 2 verres d'eau avec la tablette de concentré de bouillon de
volaille. Réservez le bouillon.

6 - Faites fondre 60 g de beurre dans une sauteuse, et mettez-y les morceaux
de poulet et de jambon à dorer. Ajoutez les oignons, les champignons, et
laissez quelques instants revenir tous ces ingrédients en remuant à la
cuillère de bois.

7 - Mouillez avec le bouillon, salez et poivrez, et laissez cuire doucement à
découvert une trentaine de minutes.

8 - Passé ce temps, beurrez un plat allant au four et versez-y le contenu de la
sauteuse. Découpez les œufs durs en rondelles, disposez-les dessus.
Étalez la pâte au rouleau et recouvrez-en le plat. Soudez bien la pâte aux
rebords du plat (réservez les chutes), et pratiquez un petit trou au centre.

9 - Décorez la pâte avec les chutes, badigeonnez-la avec un jaune d'œuf battu,
et mettez à cuire à four moyen 30 minutes environ. Servez chaud dans le
plat de cuisson.

VOS NOTES PERSONNELLES

Ecrire . . . .

. . . .

Acheter . . . .

. . . .

Téléphoner . . . .

25 FÉVRIER

BEIGNETS A L'ORANGE

Menu

SALADE DE CHAMPIGNONS AU CITRON
(voir recette ci-dessous)
CARRÉ D'AGNEAU À LA MOUTARDE
(voir recette p. 199)
BEIGNETS À L'ORANGE
(voir recette ci-contre)

POUR 5 A 6 PERSONNES
CUISSON :
20 à 30 minutes
INGRÉDIENTS : 4 oranges
2 œufs
100 g de farine
2 cuill. à soupe d'huile
80 g de sucre en poudre
1 bain de friture

1 - Pelez les oranges et divisez-les en quartiers.
2 - Confectionnez une pâte à frire comme suit : mettez la farine dans un grand saladier, formez un puits, et versez-y un verre d'eau froide, les 2 jaunes d'œufs (réservez les blancs), 1 pincée de sel fin et les 2 cuillerées à soupe d'huile. Mélangez à la spatule de bois en incorporant petit à petit la farine.
3 - Dans une jatte, fouettez les blancs en neige très ferme avec 1 cuillerée à café de sucre en poudre.
4 - Incorporez les blancs en neige délicatement à la pâte, en remuant doucement à la spatule. Vous devez obtenir la consistance d'une pâte à crêpes, ni trop liquide, ni trop épaisse.
5 - Trempez les quartiers d'oranges dans la pâte, et plongez-les dans le bain de friture bouillant. Laissez bien dorer chaque beignet.
6 - Une fois cuits, sortez-les avec une écumoire et mettez-les à égoutter sur du papier absorbant.
7 - Dressez les beignets sur un plat de service, et saupoudrez-les de sucre. Servez chaud.

MINI-RECETTE

SALADE DE CHAMPIGNONS AU CITRON

POUR 4 PERSONENS
INGRÉDIENTS : 3 échalotes
1 cœur de laitue
500 g de champignons de Paris
2 gousses d'ail, 1 petit bouquet de persil
2 cuillerées à soupe de jus de citron
8 cuillerées à soupe d'huile de tournesol
2 cuillerées à café de moutarde
Sel, poivre

1 - Débarrassez les champignons de leur pied terreux, lavez-les à l'eau courante, et séchez-les sur du papier absorbant.
2 - Lavez un beau cœur de laitue, séchez-le dans un torchon, et détaillez-le en lanières.
3 - Epluchez les échalotes, les gousses d'ail, lavez un petit bouquet de persil, et hachez ensemble ces trois ingrédients.
4 - Préparez dans un saladier une sauce comme suit : mettez 2 cuillerées à soupe de jus de citron, salez légèrement, poivrez, et mélangez avec 2 cuillerées à café de moutarde forte. Puis ajoutez en filet 8 cuillerées à soupe d'huile. Tournez la sauce jusquà ce qu'elle devienne crémeuse. Incorporez-lui alors le hachis d'échalotes, d'ail et de persil.
5 - Coupez les champignons en fines lamelles et mettez-les dans la sauce. Mélangez bien, puis ajoutez la laitue. Remélangez juste avant de servir.

LE TRUC DU CHEF

POUR LES BEIGNETS À L'ORANGE : pour prendre les quartiers d'oranges et les plonger dans la pâte afin de les enrober, servez-vous d'une pince en bois, du type « pince à cornichons ». L'usage de la fourchette est absolument à proscrire car elle crèverait la fine membrane qui entoure les quartiers.
Pour cette recette, choisissez des oranges sans pépins et bien juteuses (washington navel ou maltaise).

VOS NOTES PERSONNELLES

Ecrire . . . .
. . . .
Acheter . . . .
. . . .
Téléphoner . . . .

26 FÉVRIER

Menu

TARTE AUX POIREAUX
(voir recette p. 227)

TRUITES AUX AMANDES
(voir recette ci-contre)

POMMES AU FOUR EN CHEMISE
(voir recette p. 172)

TRUITES AUX AMANDES

POUR 6 PERSONNES
CUISSON :
15 minutes environ
INGRÉDIENTS : 6 truites
160 g de beurre
60 g de farine
100 g d'amandes effilées
2 cuill. à soupe d'huile
Sel, poivre

TOUT SAVOIR SUR...

LA TRUITE

Les truites que l'on trouve dans le commerce, tout au long de l'année, proviennent toutes d'élevage. La chair tendre est très recherchée pour sa saveur délicate. Peu grasse, elle convient aux estomacs les plus délicats. La truite contient des vitamines C et PP, ainsi que du phosphore, du potassium et du soufre. A noter que sa teneur en protides est supérieure à celle de la viande. Les variétés proposées aux consommateurs sont : **La truite arc-en-ciel**, élevée en France, elle est originaire d'Amérique du Nord. Son poids varie de 250 à 300 g pour une taille de 18 à 25 cm. **La truite de rivière** ou truite «fario» atteint parfois 60 cm. Son corps est constellé de taches de couleurs plus ou moins vives. **La truite de lac** peut atteindre 80 cm. Lorsque sa nourriture est riche en crustacés, sa chair prend une coloration rose, on l'appelle alors «truite saumonnée». **La truite de mer** peut atteindre 80 cm. Elle vit en amont ou en aval des cours d'eau côtiers de la Manche, suivant la teémpérature de l'eau. Choisissez un poisson bien frais. Pour cela, l'aspect doit être luisant, l'œil vif et bombé, remplissant bien l'orbite, les ouies rouges. De plus en plus les poissonniers proposent des truites vivantes. La part comestible étant d'environ 50 %, prévoyez 250 g par personne.

1 - Videz soigneusement les truites en pratiquant une incision de l'anus à la tête, à l'aide d'un petit couteau pointu. Lavez-les à l'eau courante et laissez-les sécher sur du papier absorbant.

2 - Placez les poissons dans un grand plat. Salez-les et poivrez-les.

3 - Mettez la farine dans un plat, et roulez-y les truites afin de bien les enrober, mais sans excédent.

4 - Faites chauffer l'huile et 80 g de beurre à feu vif dans une poêle, et couchez-y les truites. Laissez la peau dorer de chaque côté, puis faites cuire quelques minutes sur feu plus doux.

5 - Disposez les poissons cuits dans un plat de service chaud, et réservez.

6 - Dans une autre poêle, mettez le restant du beurre et, lorsqu'il mousse, ajoutez les amandes effilées. Attendez que les amandes blondissent, puis versez le tout sur les truites. Décorez le tour du plat avec des quartiers de citron et de petits bouquets de persil, et servez aussitôt avec une garniture de pomme vapeur.

LE TRUC DU CHEF

POUR LA TARTE AUX POIREAUX : pour cette recette particulièrement, il faut choisir des poireaux bien frais.

POUR LES TRUITES AUX AMANDES : pour cette recette, choisissez de préférence des truites dites «arc-en-ciel», espèce importée des Etats-Unis où elle vit en eaux libres. En France, cette espèce fait l'objet d'une pisciculture intensive. La truite arc-en-ciel mesure de 18 à 25 cm et pèse de 200 à 300 g.

VOS NOTES PERSONNELLES

Ecrire . . . .

. . . .

Acheter . . . .

. . . .

Téléphoner . . . .

Menu

CORNETS À LA MOUSSE DE FOIE GRAS
(voir la recette ci-dessous)

PINTADE AUX CHOUX
(voir recette ci-contre)

FLAN AUX POIRES
(voir recette p. 174)

MINI-RECETTE

CORNETS À LA MOUSSE DE FOIE GRAS

POUR 6 PERSONNES
INGRÉDIENTS : 1 truffe en boîte
1 boîte de mousse de foie gras
6 tranches de jambon d'York
1 sachet de gelée instantanée
1 gros bouquet de persil

1 - Préparez la gelée en vous conformant aux indications portées sur le sachet.

2 - Taillez les tranches de jambon en un triangle approximatif, après avoir ôté le gras du pourtour. Posez sur chacune des tranches un petit bouquet de persil, et roulez-les en cornet pas trop évasé (le persil, que l'on retire par ailleurs, facilite la roulade des tranches).

3 - Entourez les cornets d'un fil, afin de les maintenir en forme, enduisez l'extérieur d'une couche de gelée, et placez les cornets au réfrigérateur pour que la gelée se solidifie plus vite.

4 - Ouvrez la boîte contenant la truffe, et détaillez dans celle-ci 6 belle rondelles.

5 - Sortez les cornets du réfrigérateur, débarrassez-les du persil qu'ils contiennent et, à l'aide d'une poche à douille, garnissez-les de mousse de foie gras. Terminez l'opération en obturant le cornet avec une belle rondelle de truffe.

6 - Disposez les cornets en étoile sur un grand plat de service rond, tapissé de gelée hachée fine, agrémentez de quelques petits bouquets de persil, et placez le tout 15 à 20 minutes au réfrigérateur avant de servir.

PINTADE AUX CHOUX

 Moyen   Facile   Abordable

POUR 4 A 5 PERSONNES
CUISSON : 1 heure 15
INGRÉDIENTS :
1 pintade de 1,5 kg
1 beau chou
200 g de poitrine fumée
150 g de carottes
2 oignons
3 gousses d'ail
Thym, laurier
1 noix de beurre
3 cuill. à soupe d'huile
Sel, poivre

1 - Dans une grande cocotte, faites dorer la pintade à feu moyen dans un mélange de beurre et d'huile. Salez et poivrez.

2 - Épluchez les oignons, les carottes et l'ail. Coupez les carottes et les oignons en rondelles.

3 - Coupez la tranche de poitrine fumée en petits dés.

4 - Coupez le trognon du chou, ôtez les feuilles extérieures qui seraient jaunies. Fendez le chou en quatre, lavez-le soigneusement et faites-le blanchir dans de l'eau bouillante salée 25 minutes après avoir retiré les grosses côtes.

5 - Lorsque la volaille commence à être dorée sur toutes ses faces, ajoutez les carottes et les oignons, ainsi que les lardons, et laissez-les prendre couleur quelques instants.

6 - Lorsque le chou est blanchi, égouttez-le et mettez-le avec la pintade. Mouillez avec 1 bon verre d'eau, ajoutez l'ail haché, un peu de thym et de laurier, et laissez cuire une quarantaine de minutes à couvert.

7 - Sur un grand plat de service creux, présentez la pintade entourée de sa garniture de légumes.

LE TRUC DU CHEF

POUR LA PINTADE AUX CHOUX : une variante de cette recette consiste à ajouter à la sauce 1 cuillerée à soupe de concentré de tomates.

Afin de ne pas abîmer la pintade, lors de la cuisson, également pour communiquer à la chair de cette volaille maigre un peu de moelleux, faites-la entourer par votre volailler d'une barde de lard.

VOS NOTES PERSONNELLES

Ecrire . . . .

Acheter . . . .

Téléphoner . . . .

Menu

BROUILLADE AUX TRUFFES
(voir recette p. 188)

GIGOT D'AGNEAU EN CROÛTE
(voir recette p. 175)

GÂTEAU DE BAHIA
(voir recette ci-contre)

TOUT SAVOIR SUR...

LES VINS DES CÔTES DU RHÔNE

Le vignoble s'étire de chaque côté du Rhône, de Lyon au sud d'Avignon, sur environ 200 km. Parmi les vins d'appellation d'origine contrôlée, citons **Lirac** : *vin rouge puissant et bouqueté.* **Tavel** : *vin considéré comme le meilleur rosé de France, capiteux et fruité.* **Châteauneuf-du-pape** : *rouge puissant au fort bouquet, à la belle couleur rubis foncé. Blanc très fruité.* **Gigondas** : *rouge puissant d'une grande délicatesse, fournit des «primeurs».* **Côte-rôtie** : *rouge au bouquet très fin.* **Condrieu** : *blanc moelleux.* **Château grillet** : *blanc sec au parfum musqué.* **Saint-joseph** : *rouge, à la saveur caractéristique de framboise. Blanc fruité.* **Cornas** : *vin rouge, capiteux à la couleur sombre.* **Saint-peray** : *blanc champagnisé, au délicat parfum de violette. Les vins rouges doivent être servis chambrés (13º, 14º). Ils accompagnent parfaitement les gibiers, les viandes en sauce, les fromages. Les blancs secs sont servis frais et conviennent aux fruits de mer et poissons, les moelleux avec les desserts ou en apéritif, les rosés servis frais accompagnent les viandes blanches et les charcuteries.*

GÂTEAU DE BAHIA

Moyen   Très facile   Abordable

**POUR 6
A 8 PERSONNES
1 HEURE
AU RÉFRIGÉRATEUR
INGRÉDIENTS : 6 bananes
4 oranges
1 génoise toute prête
250 g de cerneaux
de noix
2 v. à liqu. de rhum
1/2 v. de sirop de canne
250 g de crème fraîche
50 g de sucre glace
1 boîte de tranches
d'ananas
Quelques cerises confites**

1 - Ouvrez la boîte d'ananas, égouttez les tranches en réservant le jus, et coupez celles-ci en huit.

2 - Dans une jatte, mettez le jus des oranges que vous aurez pressées, ajoutez le rhum, le sirop de canne et le jus de la boîte d'ananas.

3 - Épluchez les bananes, coupez-les en rondelles, et laissez-les macérer 1/2 heure dans cette préparation.

4 - Préparez une crème Chantilly en fouettant, dans un grand saladier, la crème fraîche avec 50 g de sucre glace et 2 glaçons.

5 - A l'aide d'un long couteau cranté, coupez la génoise en 3 disques d'égale épaisseur.

6 - Dans un grand plat de service, placez le disque du dessous, et arrosez-le d'une partie du mélange dans lequel macèrent les bananes. Recouvrez-le de 1/3 de la crème Chantilly, et placez au centre du gâteau une rondelle d'ananas reconstituée, et autour, des rondelles de bananes. Saupoudrez avec des cerneaux de noix que vous aurez émiettés. Placez sur le tout le disque du milieu, recommencez l'opération de la même façon, puis couvrez avec le disque supérieur. Sur la croûte de la génoise, disposez le reste de la chantilly, 1 tranche d'ananas, des rondelles de bananes, et décorez avec des cerneaux de noix entiers et des cerises confites.

7 - Placez le gâteau au réfrigérateur 1 bonne heure avant de servir.

VOS NOTES PERSONNELLES

Ecrire . . . .

. . . .

Acheter . . . .

. . . .

Téléphoner . . . .

Rapide Très facile Abordable

Menu

SALADE AUX CŒURS DE PALMIERS
(voir recette ci-contre)

ESCALOPES ROULÉES MAGDEBURG
(voir recette p. 192)

GÂTEAU AUX MARRONS
(voir recette p. 240)

SALADE AUX CŒURS DE PALMIERS

POUR 6 PERSONNES
CUISSON : 15 minutes
INGRÉDIENTS :
2 œufs entiers
1 jaune d'œuf
1 boîte de cœurs
de palmiers
1 laitue
250 g de champignons
1 verre d'huile
1 citron
1 cuillerée à café
de moutarde
Ciboulette, cerfeuil
Sel, poivre

1 - Mettez à durcir les œufs 15 minutes à l'eau bouillante.
2 - Débarrassez les champignons de leur pied pour ne conserver que les chapeaux, lavez-les, séchez-les sur du papier absorbant, et détaillez-les en fines lamelles. Arrosez-les d'un demi-jus de citron.
3 - Éliminez les premières feuilles de la laitue, gardez le cœur, et lavez-le.
4 - Ouvrez la boîte de cœurs de palmiers, et égouttez-en soigneusement le contenu.
5 - Confectionnez une mayonnaise comme suit : mettez dans un grand bol le jaune d'œuf, la moutarde. Salez, poivrez, remuez à la fourchette ou au fouet, et versez peu à peu l'huile en filet. Quand la mayonnaise est montée, agrémentez d'un filet de citron et d'un fin hachis de ciboulette et de cerfeuil.
6 - Mettez dans un grand saladier la laitue, les champignons, les cœurs de palmiers. Ajoutez la mayonnaise et mélangez délicatement le tout. Décorez avec les œufs durs découpés en rondelles, et servez aussitôt.

TOUT SAVOIR SUR...

LES SALADES

Les salades vertes sont intéressantes à plus d'un titre. Leur composition importante en cellulose favorise le transit intestinal. Elles sont riches en vitamines ainsi qu'en éléments minéraux (cuivre, fer). Deux grandes familles se disputent le marché toute l'année : les laitues et les chicorées. Dans la première famille, citons **la laitue**, *vert tendre, au cœur pommé blanc, feuilles importantes, saveur tendre et délicate.* **La batavia**, *c'est une salade pommée aux feuilles cloquées à grosses nervures.* **La romaine**, *vert intense, feuilles allongées à grosses nervures dont la saveur est plus prononcée que les deux précédentes. Dans la seconde famille, notons :* **la scarole**, *salade très ouverte, feuilles frisées, cœur blanc, très croquante.* **La chicorée frisée**, *feuilles frisées et très déchiquetées, cœur blanc, croquante, légèrement amère. Choisissez toujours une salade très fraîche, aux feuilles non fripées, non souillées, d'une belle couleur franche. N'attendez pas pour la consommer, c'est un gage pour lui conserver toutes ses propriétés.*

LE TRUC DU CHEF

POUR LA SALADE AUX CŒURS DE PALMIERS : pour donner une coloration rosée à la mayonnaise, ajoutez-lui un peu de concentré de tomates.

POUR LES ESCALOPES ROULÉES MAGDEBOURG : cette délicieuse recette allemande peut même prétendre au gastronomique si l'on ajoute à la farce 1 petit verre de cognac.

VOS NOTES PERSONNELLES

Ecrire . . . .

. . . .

Acheter . . . .

. . . .

Téléphoner . . . .

Menu

BEIGNETS AUX OIGNONS
(voir recette ci-dessous)

CÔTELETTES D'AGNEAU AUX OLIVES
(voir recette ci-contre)

MACARONS SOUFFLÉS
(voir recette p. 233)

MINI-RECETTE

BEIGNETS AUX OIGNONS

POUR 4 À 5 PERSONNES
CUISSON : 30 minutes environ
INGRÉDIENTS : 500 g d'oignons
250 g de chair à saucisses, 3 œufs
1 noix de saindoux, 1 petit bouquet de persil
250 g de farine, 2 cuillerées à soupe d'huile
Sel, poivre, 1 bain de friture

1 - Préparez la pâte à beignets comme suit : versez la farine dans un grand saladier, faites un puits, et mettez-y 2 jaunes d'œufs (réservez les blancs), 2 cuillerées à soupe d'huile, et une pincée de sel. Mélangez en mouillant peu à peu avec 1/4 de litre d'eau. Laissez reposer la pâte.

2 - Epluchez les oignons, et coupez-les en fines rondelles.

3 - Faites fondre une noix de saindoux dans une grande poêle, et mettez-y à revenir sur feu moyen la chair à saucisses et les rondelles d'oignon. Salez, poivrez, et laissez cuire 12 à 15 minutes en remuant de temps en temps à la cuiller de bois.

4 - Passé ce temps, ajoutez un jaune d'œuf et un peu de persil haché hors du feu, et confectionnez avec vos mains de petites boulettes avec cette préparation. Passez-les à la farine.

5 - Fouettez les blancs d'œufs en neige et incroporez-les délicatement à la pâte.

6 - Trempez les boulettes dans la pâte à beignets, puis plongez-les dans le bain de friture bouillant.

7 - Laissez les beignets gonfler et dorer, et sortez-les au fur et à mesure avec une écumoire. Mettez-les à égoutter sur du papier absorbant. Servez très chaud.

CÔTELETTES D'AGNEAU AUX OLIVES

Moyen   Facile   Cher

POUR 6 PERSONNES
CUISSON : 35 minutes
INGRÉDIENTS :
6 côtelettes
100 g d'olives vertes
100 g d'échalotes
1 branche de céleri
1/4 de litre
de bon vin rouge
2 cuill. à café de farine
1 noix de beurre
1 cuill. à soupe d'huile
Thym, laurier
Sel, poivre

1 - Epluchez soigneusement une belle branche de céleri, les échalotes, et hachez finement ces légumes ensemble.

2 - Faites chauffer dans une sauteuse le mélange de beurre et d'huile, et mettez-y à dorer les côtelettes d'agneau, après avoir salé et poivré la viande.

3 - Quand les côtelettes sont saisies, ôtez-les du récipient, et réservez la viande au chaud.

4 - Jetez les légumes hachés dans la graisse de cuisson, et laissez blondir quelques minutes sur feu très doux. Ajoutez alors la farine en pluie, tournez quelques instants à la cuillère de bois, puis mouillez avec le vin rouge. Aromatisez d'un peu de thym et de laurier, salez, poivrez au moulin, et laissez mijoter à découvert 15 minutes, après y avoir incorporé les olives dénoyautées.

5 - Passé ce temps, mettez les côtelettes dans la sauce, laissez 1 à 2 minutes, et dressez la viande sur un plat de service chaud. Entourez la viande avec les olives, présentez la sauce au vin en saucière, et servez immédiatement avec une garniture de pommes à l'anglaise.

LE TRUC DU CHEF

POUR LES MACARONS SOUFFLÉS : si vous ne disposez pas de papier sulfurisé, vous pouvez utiliser du papier blanc ordinaire. Le seul risque est de voir les macarons adhérer légèrement au papier en fin de cuisson. Il vous suffira alors de mouiller légèrement le papier en dessous.

VOS NOTES PERSONNELLES

Ecrire . . . .

Acheter . . . .

Téléphoner . . . .

Menu

CORNETS DE JAMBON MACÉDOINE
(voir recette p. 355)

FOIE DE VEAU VÉNITIENNE
(voir recette p. 203)

COUPE MATIGNON
(voir recette ci-contre)

Moyen Très facile Abordable

COUPE MATIGNON

POUR 4 PERSONNES
CUISSON : 5 minutes
INGRÉDIENTS : 4 oranges
4 bananes
4 boules
de sorbet mandarine
100 g de fromage
blanc maigre
1/4 de v. de lait écrémé
1 cuill. à soupe de sucre

1 - Épluchez les bananes et coupez-les en deux dans le sens de la longueur.
2 - Battez le fromage blanc avec le lait écrémé, à l'aide d'un fouet, pour obtenir un mélange bien mousseux.
3 - Épluchez 2 oranges, divisez-les en quartiers, et pressez le jus des 2 autres.
4 - Dans des coupes larges ou des assiettes à dessert, placez les boules de sorbet et entourez-les des 1/2 bananes. Mettez 2 à 3 quartiers d'orange de part et d'autre de chaque boule de sorbet, s'appuyant sur les 1/2 bananes.
5 - Mettez le fromage blanc battu dans une poche à douille, et décorez-en les fruits.
6 - Dans une petite casserole, faites chauffer le jus des oranges pressées avec la cuillerée à soupe de sucre. Attendez quelques instants que le mélange épaississe et coulez ce sirop sur les bananes et les quartiers d'orange. Servez immédiatement.

TOUT SAVOIR SUR...

LE FOIE DE VEAU

C'est le plus apprécié des foies d'animaux de boucherie, c'est aussi le plus coûteux. Moins gras que la viande, il est très digeste. Il est riche en vitamines, notamment B5 (stimulant musculaire) ce qui est rare dans les aliments. Il est également bien pourvu en sels minéraux tels que fer, phosphore, potassium, soufre, ce qui en fait un aliment recommandé aux enfants, aux malades, aux personnes âgées. Riche également en cholestérol et en purines, il peut être déconseillé dans certains cas. Un foie frais de veau de bonne qualité doit apparaître d'une couleur marron quand on le coupe. On trouve dans le commerce du foie de veau congelé qui est vendu, de ce fait, moins cher que le frais. A noter que la congélation ne lui fait rien perdre de ses qualités. Ne présentant aucun déchet, prévoyez environ 140 g de foie par personne.

LE TRUC DU CHEF

POUR LE FOIE DE VEAU VÉNITIENNE : on peut raffiner cette spécialité en incorporant, en fin de cuisson, une cuillerée de crème fraîche.

Le foie de veau étant un produit extrêmement coûteux, vous pouvez le remplacer par du foie de génisse.

POUR LA COUPE MATIGNON : pour une bonne tenue du sorbet, placez les coupes ou les assiettes vides au réfrigérateur, quelques instants avant de les garnir.

VOS NOTES PERSONNELLES

Ecrire . . . .

. . . .

Acheter . . . .

. . . .

Téléphoner . . . .

Menu

CHAMPIGNONS À LA GRECQUE
(voir recette ci-dessous)

ROSBIF AUX ENDIVES
(voir recette ci-contre)

GÂTEAU DE SEMOULE AUX DATTES ET AUX NOIX
(voir recette p. 196)

MINI-RECETTE

CHAMPIGNONS À LA GRECQUE

POUR 5 À 6 PERSONNES
CUISSON : 20 minutes
INGRÉDIENTS :
1 kg de champignons de Paris
1 verre de vin blanc sec
1 petit verre d'huile d'olive
1 cuillerée à café de concentré de tomates
4 tomates, 1 oignon, 2 branches de fenouil
1/2 citron, thym, laurier, sel, poivre en grains

1 - Coupez le pied sableux des champignons et lavez-les soigneusement. Puis mettez-les à sécher dans un torchon et coupez-les en quatre.
2 - Passez les tomates à l'eau bouillante, pelez-les. Concassez-les.
3 - Dans une casserole, mettez les tomates, l'oignon haché, le vin blanc, l'huile d'olive, le jus de citron, la cuillerée à café de concentré, chauffez à feu vif pendant quelques instants.
4 - Ajoutez les champignons, le fenouil coupé menu, le thym et le laurier. Salez, et poivrez au moulin.
5 - Couvrez alors votre récipient, portez à ébullition. Puis supprimez le couvercle et laissez réduire, afin d'obtenir juste ce qu'il faut comme jus pour enrober les champignons. Cette cuisson demande 10 à 12 minutes.
6 - Lorsqu'ils sont cuits, versez les champignons ainsi préparés dans un plat en terre, laissez la préparation refroidir, puis placez-la dans la partie basse du réfrigérateur. Les champignons à la grecque sont excellents lorsque consommés frais.

ROSBIF AUX ENDIVES

Moyen — Très facile — Abordable

POUR 5
A 6 PERSONNES
CUISSON : 40 minutes
INGRÉDIENTS :
1 rosbif de 1 kg
12 belles endives
3 gousses d'ail
20 g de beurre
1 cuill. à soupe d'huile
Cerfeuil
Ciboulette
1/2 morceau de sucre
Thym, laurier
Sel, poivre

1 - Epluchez les gousses d'ail, divisez-les en éclats et, à l'aide d'un petit couteau pointu, piquez-en la viande en divers endroits. Disposez le rosbif dans un plat allant au four, salez et poivrez-le, frottez-le d'un peu de thym et de laurier émietté, et mettez à cuire à four très chaud 30 à 40 minutes selon que vous désirez la viande saignante ou à point.
2 - Pendant ce temps, ôtez les feuilles jaunies ou abîmées des endives, lavez les légumes, et mettez-les à cuire 15 minutes à l'eau bouillante salée, en additionnant l'eau d'un demi-morceau de sucre.
3 - Passé ce temps, égouttez soigneusement les endives, au besoin en les pressant légèrement pour leur faire rendre leur trop-plein d'eau.
4 - Faites chauffer le mélange de beurre et d'huile dans une grande poêle, et couchez-y les endives. Laissez les légumes revenir et prendre couleur sur feu moyen 15 à 20 minutes, en les retournant de temps en temps.
5 - Quand le rosbif est cuit, découpez-le en tranches fines, et disposez-les sur un grand plat de service. Entourez la viande des endives braisées.
6 - Versez 1/2 verre d'eau dans le plat de cuisson du rosbif, grattez le fond du récipient à la cuillère de bois pour bien décoller les sucs de cuisson, et nappez la viande de cette sauce. Parsemez sur le plat un fin hachis de cerfeuil et de ciboulette avant de servir.

LE TRUC DU CHEF

POUR LE ROSBIF AUX ENDIVES : lorsque la viande est cuite, laissez-la reposer une dizaine de minutes avant de la découper. Elle n'en sera que plus tendre.
Outre le faux-filet et le rumsteak, on peut faire tailler un rosbif dans le filet (coûteux, mais tendre), ou la tranche.

VOS NOTES PERSONNELLES

Ecrire . . . .
. . . .
Acheter . . . .
. . . .
Téléphoner . . . .

 **Menu**

MOULES À LA POULETTE
(voir recette ci-contre)

PIZZA À LA REINE
(voir recette p. 233)

CRÈME À LA VANILLE
(voir recette ci-dessous)

MINI-RECETTE

CRÈME À LA VANILLE

POUR 5 À 6 PERSONNES
CUISSON : 30 minutes environ
INGRÉDIENTS : 1/2 litre de lait
3 œufs entiers, 3 jaunes
100 g de sucre, 1 gousse de vanille
2 oranges

1 - Mettez le lait à bouillir dans une casserole avec la gousse de vanille fendue, en remuant de temps en temps à la cuiller de bois.

2 - Cassez les œufs et mettez dans une terrine 3 œufs entiers et 3 jaunes. Ajoutez le sucre, et mélangez au fouet jusqu'à ce que le mélange blanchisse.

3 - Versez sur ce mélange le lait chaud (mais pas bouillant) après avoir ôté la gousse de vanille. Tournez quelques instants au fouet, et laissez reposer 4 à 5 minutes.

4 - Garnissez de cette préparation un moule très légèrement beurré, placez ce moule dans un récipient allant au four, et contenant de l'eau afin que la crème cuise au bain-marie. Mettez le tout à four doux 25 à 30 minutes.

5 - Passé ce temps, laissez refroidir complètement la crème, et démoulez-la sur un plat de service. Pelez les oranges, entourez la crème avec les quartiers. Servez froid mais pas glacé.

MOULES A LA POULETTE

Moyen   Facile   Abordable

POUR 4 PERSONNES
CUISSON : 30 minutes
INGRÉDIENTS : 2 litres de moules
1 carotte, 1 oignon
1 échalote
1 gousse d'ail
1 branche de thym
1 feuille de laurier
100 g de beurre
1 v. de vin blanc sec
1 cuil. à s. de farine
2 jaunes d'œufs
1 citron
Persil
1 cuil. de crème fraîche
Sel. Poivre

1 - Epluchez et coupez en fines rondelles la carotte, l'oignon et l'échalote. Hachez l'ail. Faites revenir ces légumes dans un grand récipient, avec une noix de beurre. Ajoutez un peu de thym et de laurier, salez et poivrez.

2 - Lorsque les légumes ont pris couleur, mouillez avec le verre de vin blanc, portez à ébullition, et jetez-y les moules soigneusement lavées au préalable. Remuez à la cuillère de bois, couvrez quelques instants le temps que les coquillages s'ouvrent. Ôtez du feu.

3 - Faites fondre 25 g de beurre dans une casserole, mélangez avec la farine jusqu'à coloration, puis mouillez avec 2 verres du liquide de cuisson des moules, passé au tamis fin. Laissez cuire doucement 5 minutes. Retirez du feu.

4 - Dans un bol, battez 2 jaune d'œufs avec le jus d'un demi-citron, ajoutez 25 g de beurre fondu, et versez ce mélange dans la préparation précédente. Travaillez au fouet en incorporant peu à peu, le reste du beurre, puis 1 bonne cuillerée de crème fraîche. Mettez cette sauce à réchauffer au bain-marie.

5 - Placez les moules en soupière, ou dans un saladier, arrosez-les de la sauce poulette chaude, parsemez d'un hâchis de persil, et servez immédiatement, en prévoyant des assiettes creuses pour les convives.

VOS NOTES PERSONNELLES

Ecrire . . . .

Acheter . . . .

Téléphoner . . . .

Menu

QUENELLES À LA PARISIENNE
(voir recette p. 235)

POULE AU RIZ
(voir recette ci-contre)

SORBET AU 2 ALCOOLS
(voir recette p. 224)

TOUT SAVOIR SUR...

LE RIZ

Le riz est, avant toute chose, un aliment énergétique. Riche en glucides, il contient également des vitamines B et PP, ainsi que des éléments minéraux tels que calcium, phosphore, potassium. Il est très bien assimilé par les très jeunes enfants et les personnes ayant un estomac délicat. Deux types de riz sont commercialisés : le grain rond et le grain long, présentés de plusieurs façons. **Le riz glacé** a subi un polissage réalisé par frottement des grains afin d'en améliorer l'aspect. **Le riz étuvé** est un riz qui a été précuit à haute température. Son aspect est plus jaune. Il est plus nourrissant et cuit plus vite que le riz glacé. **Le riz prétraité**, une préparation lui permet de ne pas coller à la cuisson. **Le riz complet**, plus riche en vitamines et sels minéraux, a une cuisson plus longue. Le choix du riz dépend de son utilisation. En garniture de viandes ou de poissons on préfère le grain long, pour les desserts, le grain rond.

POULE AU RIZ

POUR 6 PERSONNES
CUISSON : 2 h environ
INGRÉDIENTS : 1 poule de 2 kg
2 carottes
2 poireaux 1 oignon
2 clous de girofle
1 bouquet garni
250 g de riz
70 g de beurre
2 cuillerées à soupe d'huile
40 g de farine
1 jaune d'œuf
25 cl de crème fraîche
Sel, poivre

1 - Épluchez les carottes, fendez-les en quatre. Pelez l'oignon, et piquez-le de clous de girofle.
2 - Lavez soigneusement les poireaux en les fendant en quatre. Ne conservez que les blancs.
3 - Mettez ces légumes dans un grand récipient avec la poule. Ajoutez le bouquet garni, salez, poivrez, couvrez d'eau, et laissez cuire, récipient couvert, 1 h 20 à 1 h 30.
4 - 20 minutes avant la fin de la cuisson, faites chauffer 2 cuillerées à soupe d'huile dans une casserole, et jetez-y le riz. Laissez-le colorer quelques instants en le remuant à la cuillère de bois, puis mouillez avec 1 fois 3/4 son volume du bouillon de cuisson de la poule. Salez légèrement, et faites cuire à petits bouillons une vingtaine de minutes.
5 - Pendant ce temps, faites fondre 40 g de beurre dans une casserole, versez la farine en pluie, et remuez le tout à la cuillère de bois, sur feu doux, jusqu'à ce que le mélange commence à mousser. Mouillez alors avec 1/2 litre de bouillon de poule. Tournez au fouet jusqu'à ébullition, puis laissez cuire doucement 10 minutes, à découvert. Puis ajoutez la crème et laissez bouillir 5 minutes. Hors du feu, ajoutez le jaune d'œuf et le beurre. Portez à ébullition, et retirez du feu.
6 - Disposez la poule découpée sur un grand plat de service, entourez-la de la garniture de riz, nappez largement de sauce. Présentez le reste en saucière.

VOS NOTES PERSONNELLES

Ecrire . . . .

. . . .

Acheter . . . .

. . . .

Téléphoner . . . .

Menu

BLINIS AU CAVIAR ROUGE
(voir recette ci-dessous)

PORC À L'AIGRE DOUX
(voir recette p. 212)

**TOURTE AUX POMMES
À LA VIEUVILLE**
(voir recette ci-contre)

Boisson conseillée :
UN ROSÉ DE BÉARN

MINI-RECETTE

BLINIS AU CAVIAR ROUGE

POUR 6 À 8 PERSONNES
CUISSON : 20 minutes environ
INGRÉDIENTS : 250 g de farine, 4 œufs
150 g de fromage blanc, 1 verre de lait
12 g de levure de boulanger, 100 g de beurre
250 g de caviar rouge, citrons

1 - Faites tiédir un peu d'eau dans une casserole, et faites-y dissoudre la levure.
2 - Versez la farine dans un saladier, creusez un puits. Cassez-y les œufs, ajoutez l'eau de levure, le fromage blanc, et une pincée de sel. Mélangez bien le tout.
3 - Faites tiédir le lait, et incorporez-le peu à peu à la préparation pour obtenir une pâte à crêpes un peu épaisse. Laissez reposer 1/2 heure.
4 - Pendant ce temps, pilez de la glace et mette-la dans un petit saladier. Versez le caviar rouge (ce sont des œufs de saumon) dans un bol ou une coupe évasée, placez ce récipient sur la glace pilée, et placez le tout au réfrigérateur.
5 - Graissez une poêle au beurre, et confectionnez avec la pâte des petites galettes minces de 8 à 10 cm de diamètre. Réservez-les au chaud au fur et à mesure sur un plat de service recouvert d'un torchon, à la bouche d'un four tiède.
6 - Quand la cuisson des crêpes (blinis) est terminée, servez immédiatement, accompagnées du caviar rouge sur glace pilée. Chaque convive dépose à la cuiller un peu de caviar au centre du blinis, et arrose le tout de jus de citron avant de replier la crêpe.

TOURTE AUX POMMES À LA VIEUVILLE

Moyen — Très facile — Abordable

POUR 6 PERSONNES
CUISSON : 50 minutes
INGRÉDIENTS :
300 g de farine
150 g de beurre
120 g de sucre semoule
1,2 kg de pommes
1 cuill. à café de cannelle
1 petit v. de calvados
1 cuillerée à café
de sucre vanillé
1 pincée de sel

1 - Confectionnez une pâte brisée en mélangeant avec vos mains la farine et le beurre en parcelles. Faites un puits, et mettez-y 70 g de sucre semoule, un demi-verre d'eau et une pincée de sel.
2 - Pétrissez soigneusement le tout, puis formez la pâte en boule, farinez-la légèrement, et laissez reposer 30 minutes environ.
3 - Pendant ce temps, épluchez la moitié des pommes, coupez-les en quatre, débarrassez-les du cœur et des pépins, puis détaillez chaque quartier en très minces lamelles.
4 - Mettez ces lamelles de pomme dans une casserole avec 50 g de sucre semoule, la cuillerée à café de sucre vanillé, le calvados, la cannelle, et 1 verre d'eau. Laissez cuire à découvert sur feu doux une vingtaine de minutes.
5 - Quand la pâte est prête à l'emploi, étalez-la au rouleau et garnissez-en une tourtière. Piquez le fond à la fourchette en divers endroits, recouvrez la pâte de papier aluminium, y compris les bords afin que ceux-ci ne s'affaissent pas à la cuisson, et mettez à précuire à four moyen 10 minutes.
6 - Pendant ce temps, épluchez le reste des pommes, et détaillez-les en lamelles de moyenne épaisseur.
7 - Quand la pâte a cuit le temps nécessaire, garnissez-la de la compote de pommes refroidie, puis disposez en cercles concentriques, en les faisant se chevaucher, les lamelles de fruit.
8 - Mettez à cuire à four chaud 15 à 20 minutes, et laissez tiédir dans la tourtière avant de démouler sur un plat de service. Ce dessert peut se déguster tiède ou froid.

VOS NOTES PERSONNELLES

Ecrire . . . .

. . . .

Acheter . . . .

. . . .

Téléphoner . . . .

Menu

SALADE BAVAROISE
(voir recette p. 159)

**NOIX DE VEAU
À LA DUPLESSIS**
(voir recette ci-contre)

POIRES EN MOUSSE
(voir recette p. 262)

TOUT SAVOIR SUR...

LA NOIX DE VEAU

La noix de veau, appelée noix pâtissière, est une pièce de viande située en haut de la cuisse de l'animal. Considérée comme une viande maigre, elle est moins calorique que la viande de bœuf et convient bien aux régimes amaigrissants. Comme toutes les viandes elle contient, entre autres, des protides, éléments indispensables à la croissance. Choisissez une viande blanche, ou rose très pâle, au grain fin. Les meilleurs veaux proviennent d'élevages corréziens ou normands, et la saison où cette viande est la moins chère se situe du printemps à la fin de l'été. La noix pâtissière ne comporte pas de déchets. Une portion de 150 g par personne est donc tout à fait raisonnable.

NOIX DE VEAU
A LA DUPLESSIS

Moyen   Facile   Cher

POUR 6 PERSONNES
CUISSON : 1 h 1/2
INGRÉDIENTS :
1 rôti de 1,2 kg
500 g de champignons
6 échalotes
2 carottes
2 cuillerées à soupe
de crème fraîche
1 v. de vin blanc sec
1 pt. v. de madère
Thym, laurier
1 pincée d'estragon
1 noix de beurre
2 cuill. à soupe d'huile
Sel, poivre au moulin

1 - Salez et poivrez le rôti taillé dans la noix de veau, et mettez-le à revenir en cocotte dans le mélange de beurre et d'huile.

2 - Pendant ce temps, lavez les champignons après avoir ôté le pied terreux, et séchez-les sur du papier absorbant. Épluchez les échalotes et les carottes. Hachez les échalotes et coupez les carottes en fines rondelles.

3 - Lorsque le rôti a bien doré sur toutes ses faces, ajoutez les légumes dans la cocotte et laissez-les prendre couleur.

4 - Mouillez alors avec le vin blanc et 1 verre d'eau. Ajoutez un peu de thym, de laurier, 1 pincée d'estragon en poudre, et laissez cuire à couvert pendant 1 heure.

5 - Découvrez ensuite la cocotte afin que la sauce réduise convenablement.

6 - En fin de cuisson, incorporez la crème fraîche à la sauce, ajoutez un petit verre à liqueur de madère, rectifiez si besoin est l'assaisonnement, et laissez encore quelques minutes sur feu très doux.

7 - Sortez le rôti de la cocotte, découpez-le en tranches fines que vous disposerez sur un grand plat de service. Nappez avec la sauce brûlante et servez aussitôt.

LE TRUC DU CHEF

POUR LA NOIX DE VEAU À LA DUPLESSIS : choisissez une viande bien blanche, avec une graisse nacrée. C'est un grantie de veau de lait. Les viandes rosées proviennent des bêtes dites « broutard », c'est-à-dire de veaux qui ont déjà brouté de l'herbe. La saveur de leur chair n'a pas la finesse de celle des veaux de lait.

VOS NOTES PERSONNELLES

Ecrire . . . .

Acheter . . . .

Téléphoner . . . .

TOUT SAVOIR SUR...

LE BOUDIN

Le boudin noir se compose à parts égales de sang de porce, de gras cuit et d'oignons hachés. Au préalable, le sang a été battu, puis chauffé afin de le rendre solide. Sa teneur en protides (éléments bâtisseurs) est très élevée ainsi que sa valeur calorique qui est près du double de celle de la viande de bœuf. C'est un aliment nourrissant. Il est commercialisé, soit en portion individuelle ayant la forme d'une saucisse, soit vendu à la coupe. Différents types de boudins provenant de régions de France sont proposés à la vente. **Le boudin aux châtaignes** *vient du Centre. Il contient des petits morceaux de châtaignes qui le rendent moins gras et lui donnent un goût particulier, légèrement sucré.* **Le boudin à la langue,** *fumée ou non, est une spécialité alsacienne. Il comporte des morceaux de langue de porc et est conditionné dans de gros boyaux d'une quinzaine de centimètres de diamètre.*

PETITS FEUILLETÉS AU ROQUEFORT

**POUR 6 PERSONNES
CUISSON : 25 minutes
INGRÉDIENTS :**
250 g de farine
150 g de roquefort
140 g de beurre
1 jaune d'œuf
Sel, poivre

1 - Mettez la farine sur une table de travail, faites un puits, et versez-y peu à peu 1 verre d'eau. Ajoutez 1 pincée de sel et pétrissez longuement.

2 - Lorsque la pâte est ferme et lisse, étalez-la au rouleau en cercle, plus épais au centre que sur les bords. Placez au milieu 125 g de beurre en parcelles, puis rabattez les côtés afin de bien l'emprisonner.

3 - Étendez alors la pâte en un rectangle de 1 cm d'épaisseur environ, trois fois plus long que large. Pliez la bande en trois, faites pivoter d'un quart de tour. Allongez à nouveau, selon les mêmes mesures, et repliez en trois. Laissez reposer 15 à 20 minutes. Recommencez deux fois la même opération, avec, entre chaque opération, un repos de la pâte. Chaque fois que vous allongez et pliez la pâte en trois, vous réalisez 1 tour. L'opération complète de feuilletage en comporte 6.

4 - Dans une assiette, écrasez à la fourchette le roquefort avec 1 noix de beurre pour réaliser une pâte homogène.

5 - Coupez des rectangles de pâte feuilletée finement étalée, de 8 cm sur 15 cm environ. Tartinez la moitié de ces rectangles avec la préparation au roquefort, recouvrez-les de pâte. Soudez soigneusement en pinçant tout autour la pâte avec les doigts, après avoir passé un peu de jaune battu.

6 - Mouillez très légèrement une plaque de cuisson, disposez-y les feuilletés, et badigeonnez-les au pinceau avec 1 jaune d'œuf battu. Faites un décor en losanges sur le dessus de la pâte avec la pointe d'un couteau, et mettez à cuire à four chaud 25 minutes. Servez immédiatement.

VOS NOTES PERSONNELLES

Ecrire . . . .

. . . .

Acheter . . . .

. . . .

Téléphoner . . . .

Menu

SALADE BERTIE
(voir recette ci-dessous)

POT-AU-FEU À L'ANCIENNE
(voir recette p. 148)

MERINGUES À LA CHANTILLY
(voir recette ci-contre)

MINI-RECETTE

SALADE BERTIE

POUR 4 PERSONNES
CUISSON : 12 minutes
INGRÉDIENTS : 2 œufs
1 sachet de crevettes décortiquées
1 branche de céleri, 1 pomme, 1 jus de citron
150 g de fromage blanc maigre
1 cuillerée à soupe de lait
Quelques feuilles de laitue, cerfeuil,
Ciboulette, sel, poivre

1 - Faites durcir les œufs à l'eau bouillante 12 à 15 minutes. Ecalez-les sous l'eau froide, et détaillez-les en rondelles.

2 - Epluchez soigneusement la branche de céleri pour éliminer les filandres. Coupez-la en tronçons de 4 à 5 centimètres, et fendez chaque tronçon en bâtonnets.

3 - Pelez la pomme, coupez-la en quatre, ôtez le cœur et les pépins. Détaillez chaque quartier en lamelles. Arrosez-les d'un jus de citron pour les empêcher de noircir.

4 - Egouttez le fromage blanc si nécessaire, mettez-le dans une jatte avec 1 cuillerée à soupe de lait, et fouettez-le énergiquement pour bien l'aérer.

5 - Lavez un petit bouquet de cerfeuil et de ciboulette, hachez ensemble ces herbes, et incorporez-les au fromage blanc. Salez légèrement, poivrez.

6 - Lavez quelques feuilles de salade verte, essuyez-les dans un torchon, et tapissez-en un saladier.

7 - Garnissez le saladier avec les pommes, le céleri, les œufs durs, les crevettes décortiquées, versez dessus le fromage blanc aux herbes. Mélangez délicatement le tout au moment de servir.

MERINGUES A LA CHANTILLY

Long — Très facile — Abordable

POUR 5
A 6 PERSONNES
CUISSON : 1 heure
1 h au réfrigérateur
INGRÉDIENTS :
4 blancs d'œufs
130 g de sucre vanillé
150 g de sucre
en poudre
1/2 citron
1 petite noix de beurre
1 pincée de farine
1/4 de litre
de crème fraîche
2 cuillerée de lait
1 pincée de sel

1 - Pressez le demi-citron pour en extraire le jus.

2 - Cassez les œufs, conservez les jaunes pour une autre utilisation, et placez les blancs dans un saladier. Ajoutez la pincée de sel, le jus de citron et fouettez les blancs. En cours d'opération, versez en pluie 100 g de sucre vanillé et 100 g de sucre en poudre. Battez vigoureusement pour obtenir des blancs très fermes.

3 - Beurrez la plaque du four, puis saupoudrez la plaque d'une mince pellicule de farine.

4 - Déposez avec une cuillère, sur la plaque, des petites boules de blancs d'œufs, en prenant soin de les espacer convenablement.

5 - Mettez à four très doux, pendant 1 heure environ, en maintenant légèrement entrouverte la porte du four.

6 - Pendant ce temps, confectionnez la chantilly en battant lentement dans un saladier la crème fraîche additionnée de 2 cuillerées de lait. Lorsque la crème devient mousseuse, ajoutez délicatement 50 g de sucre en poudre et 30 g de sucre vanillé. Mettez au réfrigérateur.

7 - Au moment de servir, assemblez les meringues dorées deux par deux en intercalant entre elles une bonne cuillerée à soupe de chantilly.

VOS NOTES PERSONNELLES

Ecrire . . . .
. . . .
Acheter . . . .
. . . .
Téléphoner . . . .

CÔTELETTES D'AGNEAU A LA BOURDIN

Moyen   Facile   Cher

Menu

VELOUTÉ AUX ASPERGES
(voir recette p. 170)

**CÔTELETTES D'AGNEAU
À LA BOURDIN**
(voir recette ci-contre)

DÉLICE GLACÉ À L'ORANGE
(voir recette p. 159)

TOUT SAVOIR SUR...

L'ASPERGE

L'asperge fait son apparition sur les marchés pendant une courte période, d'avril en juillet. Elle est très recherchée des gourmets pour la finesse de sa saveur. Sans aucune valeur nutritive, elle contient cependant des vitamines C et B, du calcium et du phosphore. Trois variétés sont proposées à la vente, qui se différencient par la couleur de leur pointe. **L'asperge blanche**, c'est la plus grosse, est charnue et se consomme quasiment totalement. **L'asperge violette** : sa forme est moins régulière que la blanche et son goût est plus prononcé. **L'asperge verte**, d'une grande finesse, a la pointe seule qui est consommable. Trois catégories distinguent ce légume, suivant les normes européennes : **catégorie extra** (étiquette rouge), tiges bien droites, pointes bien serrées. **Catégorie I** (étiquette verte) des tiges légèrement courbées sont acceptées. **Catégorie II** (étiquette jaune) les tiges courbes et les pointes moins serrées sont admises.

POUR 4 PERSONNES
CUISSON : 25 minutes
INGRÉDIENTS :
8 côtelettes
6 échalotes
2 blancs de poireaux
1 v. de vin blanc
1 cuill. à café de farine
1 gousse d'ail
1 noix de beurre
1 cuill. à soupe d'huile
1 cuillerée à café
de conc. de tomates
Laurier
2 cuillerées à café
de moutarde
1 branche d'estragon
Sel, poivre

1 - Faites chauffer l'huile et le beurre dans une sauteuse, et mettez-y à dorer les côtelettes d'agneau, après les avoir salées et poivrées.

2 - Pendant ce temps, épluchez les échalotes et hachez-les finement. Débarrassez les poireaux de leurs feuilles vertes pour n'en conserver que les blancs, et détaillez-les en julienne.

3 - Lorsque les côtelettes sont bien saisies des deux côtés, ôtez-les de la sauteuse et réservez. Jetez dans la graisse de cuisson le poireau et l'échalote, et laissez quelques instants ces légumes blondir.

4 - Ajoutez alors la cuillerée à café de farine, remuez soigneusement le tout à la cuillère de bois, le temps pour la farine de prendre couleur.

5 - Mouillez avec le verre de vin blanc, ajoutez la gousse d'ail pilée, un peu de concentré de tomates, 1 feuille de laurier.

6 - Laissez bouillir quelques instants en tournant constamment, puis baissez le feu et mettez les côtelettes dans la sauce. Laissez cuire sur feu doux une dizaine de minutes.

7 - En fin de cuisson, dressez la viande sur un plat de service, incorporez hors du feu 2 cuillerées à café de moutarde et quelques feuilles d'estragon hachées dans la sauce. Nappez les côtelettes de cette sauce et servez immédiatement.

VOS NOTES PERSONNELLES

Ecrire . . . .

Acheter . . . .

Téléphoner . . . .

SALADE VALLIER
(voir recette ci-dessous)

MERLANS À LA BORDELAISE
(voir recette ci-contre)

CRÊPES AUX POMMES
(voir recette p. 138)

MERLANS
A LA BORDELAISE

Rapide   Très facile   Pas cher

POUR 4 PERSONNES
CUISSON : 25 minutes
INGRÉDIENTS : 4 merlans
moyens
1 dl de bordeaux blanc
1 oignon
60 g de beurre
2 jaunes d'œufs
1 pincée de farine
1 jus de citron
1 pointe de cayenne
Thym, laurier
Sel, poivre

MINI-RECETTE

SALADE VALLIER

POUR 4 À 5 PERSONNES
INGRÉDIENTS :
5 endives, 4 branches de céleri, 1 œuf
2 tranches de jambon, 40 g de Roquefort
1 yaourt, 1 cuillerée à soupe de vinaigre
Ciboulette, quelques feuilles d'estragon
Sel, poivre

1 - Faites durcir un œuf 12 à 15 minutes à l'eau bouillante. Ecalez-le sous l'eau froide.
2 - Coupez le trognon des endives, éliminez les feuilles abîmées ou flétries du dessus, et passez les endives rapidement à l'eau courante. Séchez-les en les pressant dans un torchon.
3 - Epluchez soigneusement les branches de céleri pour bien ôter les parties filandreuses. Détaillez-les en petits tronçons.
4 - Roulez les 2 tranches de jambon, et coupez-les en fines lanières.
5 - Ecrasez le roquefort à la fourchette, et mélangez-le avec 1 cuillerée de vinaigre. Versez le yaourt, salez, poivrez, remuez le tout.
6 - Mettez dans le saladier les endives fendues en quatre puis coupées en tronçons, le céleri, le jambon en lanières. Hachez sur le tout un peu de ciboulette et 3 à 4 feuilles fraîches d'estragon. Mélangez bien le tout, et décorez le dessus de la salade avec l'œuf passé à la moulinette.

1 - Videz soigneusement les poissons et coupez les têtes que vous ferez cuire dans un peu d'eau une dizaine de minutes avec l'oignon coupé en morceaux, le thym et le laurier, un peu de sel et de poivre.
2 - Beurrez un plat allant au four, salez légèrement les merlans, et couchez-les dans le plat. Passez le bouillon de têtes de poisson dessus et versez le vin blanc. Mettez au four (220°) et laissez cuire environ 8 minutes.
3 - Pendant ce temps, faites fondre 20 g de beurre dans la casserole du bouillon, versez la farine, tournez quelques instants, puis mouillez avec un peu du jus des merlans que vous prélèverez dans le plat de cuisson. Poivrez et donnez un coup de fouet hors du feu.
4 - Ajoutez alors le jus de citron et les deux jaunes d'œufs. Remettez sur le feu et laissez bouillir quelques instants en tournant continuellement à la spatule en bois.
5 - Incorporez le beurre restant peu à peu, en battant la sauce au fouet, hors du feu.
6 - Nappez de cette sauce les merlans sortant du four, et servez très chaud.

LE TRUC DU CHEF

POUR LES MERLANS À LA BORDELAISE : lorsque vous videz les merlans, pour bien enlever la peau noire qui tapisse l'abdomen, faites glisser un linge dans l'ouverture en appuyant légèrement.

Sachez que de tous les poissons, le merlan est sans doute celui qui se « défraîchit » le plus rapidement.

VOS NOTES PERSONNELLES

Ecrire . . . .
. . . .
Acheter . . . .
. . . .
Téléphoner . . . .

12 MARS

Menu

PETITS CHOUX AU FROMAGE BLANC
(voir recette ci-contre)

CANETTE DE BARBARIE AU CITRON
(voir recette p. 295)

FLAN GOURINOIS
(voir recette p. 143)

Boisson conseillée :
UN MORGON

TOUT SAVOIR SUR...

LE CANARD

Le canard a une chair particulièrement appréciée des connaisseurs. Sa couleur est sombre et sa digestibilité est relativement bonne. Il faut noter que sa teneur en protides est plus importante que celle des viandes de boucherie. La chair du canard contient des vitamines C et PP, ainsi que du phosphore et du potassium. Les principales espèces comemrcialisées sont **le canard nantais** : volaille à chair claire, agréable mais grasse. Le nantais peut dépasser 2 kg. La saison la plus favorable est de février à octobre. **Le canard de barbarie** : volaille à chair sombre, ferme et peu grasse, à la saveur délicate, aux magrets épais. Le mâle peut atteindre 2,5 kg. La meilleure saison est septembre-décembre. **Le canard croisé** : croisement d'un colvert et d'un canard domestique, c'est une volaille ne dépassant pas 1,4 kg. La chair est ferme, peu grasse, et d'une saveur très prononcée. La meilleure saison : février-août. Sachez que le nantais est plus économique que le barbarie et qu'une grosse volaille a, proportionnellement, plus de viande qu'une petite. Compter environ 250 g par personne.

PETITS CHOUX AU FROMAGE BLANC

POUR 5 A 6 PERSONNES
CUISSON :
25 minutes environ
INGRÉDIENTS :
150 g de farine
120 g de fromage blanc sans mat. grasse
5 œufs, 150 g de beurre
30 g de gruyère râpé
Ciboulette
Cerfeuil
Sel, poivre

1 - Faites bouillir 1/4 de litre d'eau dans une casserole, et ajoutez 80 g de beurre coupé en parcelles et 1 pincée de sel.

2 - Dès l'ébullition, ôtez la casserole du feu et versez toute la farine en une seule fois. Mélangez rapidement à la spatule de bois jusqu'à l'obtention d'une pâte homogène. Faites dessécher cette pâte sur feu doux en remuant pendant 2 minutes.

3 - Incorporez alors un à un 4 œufs entiers en dehors du feu, en tournant toujours la pâte, puis ajoutez le gruyère râpé.

4 - Beurrez une plaque de four et, avec une cuillère à soupe, déposez des petites boules de pâte de la grosseur d'une belle noix.

5 - Battez un jaune d'œuf, badigeonnez-en le dessus de la pâte, et mettez à cuire à four chaud une vingtaine de minutes.

6 - Pendant ce temps, écrasez le fromage blanc dans une jatte, et ajoutez-lui un fin hachis de cerfeuil et de ciboulette. Salez légèrement, poivrez.

7 - Quand les choux sont cuits, pratiquez une incision avec un petit couteau pointu, ménagez une cavité à l'aide de vos doigts, et fourrez les petits choux de la préparation au fromage blanc.

8 - Remettez au four 2 à 3 minutes et dressez les petits choux en pyramide sur un plat de service. Servez immédiatement.

VOS NOTES PERSONNELLES

Ecrire . . . .

Acheter . . . .

Téléphoner . . . .

13 MARS

Menu

**ESCARGOTS
À LA BOURGUIGNONNE**
(voir recette p. 161)

COQ À LA BIÈRE
(voir recette p. 134)

CHARLOTTE AU CHOCOLAT
(voir recette ci-contre)

Boisson conseillée :
UN CHÂTEAUNEUF DU PAPE

TOUT SAVOIR SUR...

LE CHOCOLAT

Le chocolat est obtenu par mélange de pâte de cacao et de sucre. Le cacao, originaire d'Amérique du Sud, était déjà connu et consommé par les Aztèques. Son apparition en France se situe dans la deuxième moitié du XVIIᵉ siècle. Le chocolat est un aliment de l'effort, c'est un bon aliment musculaire. Dans le commerce, on le trouve sous des formes diverses et suivant des compositions différentes. Le chocolat que l'on utilise en cuisine, pour les desserts, est **le chocolat à cuire** ou «chocolat de ménage». Comme **le chocolat à croquer**, il contient plus de sucre et moins de cacao que **le chocolat fondant**. **Le chocolat au lait**, doit comporter au moins 14 % de produits lactiques. **Le chocolat blanc** contient un très fort pourcentage de beurre de cacao. Des fruits secs (noisettes, noix, pignons, etc.) sont parfois ajoutés aux chocolats en tablette. Plus un chocolat contient de cacao par rapport au sucre, meilleure est sa qualité.

CHARLOTTE AU CHOCOLAT

**POUR 5
A 6 PERSONNES
4 HEURES AU
RÉFRIGÉRATEUR
INGRÉDIENTS :**
150 g de chocolat
1 boîte de biscuits
à la cuillère
2 v. à liqu. de kirsch
10 morceaux de sucre
30 g de sucre en poudre
50 g de beurre
4 œufs, 1 p. de sel

1 - Versez dans une assiette creuse le kirsch, et ajoutez 1/2 verre d'eau.

2 - Imbibez légèrement les biscuits en les trempant rapidement dans ce mélange et tapissez-en le fond et les parois du moule à charlotte.

3 - Dans une casserole, faites chauffer les 10 morceaux de sucre avec très peu d'eau, jusqu'à la formation d'un caramel blond. Coulez le caramel chaud sur les biscuits pour les soudez entre eux.

4 - Cassez le chocolat en morceaux dans une casserole, et ajoutez le sucre en poudre et le beurre. Placez le récipient au bain-marie et laissez fondre doucement le mélange en tournant à la cuillère de bois.

5 - Cassez les œufs, réservez les blancs, et incorporez les jaunes un à un à la crème chocolat. Puis retirez du feu.

6 - Dans un saladier, fouettez les blancs d'œufs en neige très ferme, avec 1 pincée de sel. Ajoutez délicatement les blancs battus à la crème au chocolat, une fois celle-ci refroidie.

7 - Versez cette préparation dans le moule tapissé de biscuits, jusqu'à mi-hauteur, placez dessus une couche de biscuits imbibés, puis recouvrez du restant de la préparation. Terminez par une couche de biscuits aromatisés au kirsch.

8 - Placez sur le gâteau une petite assiette surmontée d'un poids, pour bien tasser la charlotte. Mettez au réfrigérateur 4 heures.

VOS NOTES PERSONNELLES

Ecrire . . . .
. . . .
Acheter . . . .
. . . .
Téléphoner . . . .

Menu

SALADE NIÇOISE
(voir recette p. 222)

**CARRÉ DE PORC
AUX PRUNEAUX**
(voir recette ci-contre)

GÂTEAU AU FROMAGE BLANC
(voir recette ci-dessous)

MINI-RECETTE

GÂTEAU AU FROMAGE BLANC

POUR 5 À 6 PERSONNES
CUISSON : 35 Minutes environ
INGRÉDIENTS : 6 œufs
250 g de fromage blanc
100 g de crème fraîche, 1 citron
1/2 sachet de sucre vanillé
100 g de raisins secs
1 verre à liqueur de vodka
150 g de sucre semoule, 160 g de beurre
1 pincée de sel

1 - Mettez les raisins secs à gonfler dans un bol avec un peu d'eau et la vodka.
2 - Cassez les œufs, mettez 3 œufs entiers et 3 jaunes dans une terrine (réservez les 3 blancs) et battez-les à la fourchette comme pour une omelette en y incorporant peu à peu le sucre semoule. Mélangez jusqu'à ce que la préparation blanchisse.
3 - Travaillez 140 g de beurre en pommade, et incorporez-le aux œufs battus.
4 - Rapez le zest d'un citron.
5 - Ajoutez à la préparation le fromage blanc écrasé à la fourchette, le zeste râpé, la crème fraîche, et 1 pincée de sel. Remuez bien le tout, puis versez-y les raisins sec égouttés.
6 - Battez énergiquement les blancs d'œufs que vous avez réservés, avec le 1/2 sachet de sucre vanillé, pour obtenir une neige très ferme, et incorporez délicatement ces blancs à la préparation.
7 - Beurrez un moule à manqué et garnissez-le du mélange obtenu. Mettez à cuire à four chaud 35 minutes, puis laissez tiédir le gâteau avant de le démouler sur un plat de service. Servez tiède ou froid.

CARRÉ DE PORC AUX PRUNEAUX

Long   Très facile   Abordable

**POUR 6 PERSONNES
CUISSON : 1 h 30
INGRÉDIENTS :**
500 g de pruneaux
1 carré de porc
de 6 côtes
1 v. de vin blanc
1 pet. v. d'eau-de-vie
de prune
2 gousses d'ail
10 cl de crème fraîche
4 cuill. à soupe d'huile
2 feuilles de laurier
Sel, poivre

1 - Mettez la veille les pruneaux à tremper dans une bassine d'eau froide.
2 - Piquez le carré de porc avec les gousses d'ail, salez-le, poivrez-le, émiettez dessus les feuilles de laurier. Arrosez-le de 4 cuillerées d'huile.
3 - Versez 1 bon verre d'eau dans un plat allant au four, placez la viande dans le plat, et mettez à four moyen 1 h 30, en arrosant le carré de temps en temps.
4 - Égouttez les pruneaux, mettez-les dans une casserole avec le vin blanc, l'eau-de-vie de prune, et un peu d'eau pour compléter le mouillement à hauteur. Faites cuire à petits bouillons, à découvert, une quizaine de minutes jusqu'à ce que le liquide réduise de moitié.
5 - Lorsque la viande est cuite, disposez-la sur un plat de service chaud, et entourez-la des pruneaux.
6 - Versez le jus de cuisson des pruneaux dans le plat de cuisson de la viande, grattez bien le fond à la spatule de bois pour décoller les sucs qui y adhèrent, et incorporez 10 cl de crème fraîche.
7 - Servez immédiatement le carré de porc et présentez la sauce en saucière.

LE TRUC DU CHEF

POUR LE CARRÉ DE PORC AUX PRUNEAUX : pour faciliter le tranchage des côtes, et afin que celles-ci se détachent bien, demandez à votre boucher ou charcutier de scier le talon de la pièce de viande.
Si vous recherchez une viande bien maigre, choisissez un carré dans les côtes dites « premières ».

VOS NOTES PERSONNELLES

Ecrire . . . .
. . . .
Acheter . . . .
. . . .
Téléphoner . . . .

Menu

POTAGE AU CÉLERI
(voir recette ci-dessous)

ENTRECÔTES À LA RIVETTE
(voir recette p. 219)

FEUILLETÉS AU CASSIS
(voir recette ci-contre)

Moyen   Très facile   Abordable

MINI-RECETTE

POTAGE AU CÉLERI

POUR 4 À 5 PERSONNES
CUISSON : 45 minutes
INGRÉDIENTS : 1/2 céleri-rave, 40 g de riz
1 tablette de concentré de bœuf
1 noisette de beurre, 1 jaune d'œuf, cerfeuil
Ciboulette, 1/4 jus de citron, sel, poivre

1 - Epluchez soigneusement un demi céleri-rave, et râpez-le à la grille gros trous.
2 - Faites fondre le beurre dans une marmite, et jetez-y le céleri râpé. Laisser suer le légume quelques minutes, en remuant à la spatule de bois.
3 - Confectionnez un bouillon en faisant dissoudre 1 tablette de concentré de bœuf dans 1 litre d'eau bouillante.
4 - Versez le bouillon de bœuf dans la marmite, et laissez cuire le tout à petits bouillons 10 minutes environ.
5 - Lavez le riz à l'eau froide dans une passoire, et mettez-le à cuire avec le potage au céleri. Salez, poivrez, et laissez sur feu moyen 1/2 heure, à couvert.
6 - Passez le potage au chinois, en écrasant bien le céleri et le riz. Remettez à bouillir quelques instants et, hors du feu, incorporez 1 jaune d'œuf, et versez un peu de jus de citron.
7 - Versez le potage en soupière, saupoudrez d'un hachis de cerfeuil et de ciboulette. Servez aussitôt.

FEUILLETÉS AU CASSIS

POUR 5 A 6 PERSONNES
CUISSON : 20 minutes
INGRÉDIENTS :
1 jaune d'œuf
1 bloc
de feuilleté surgelé
1 pot de gelée de cassis
50 g de sucre semoule
1 pincée de sucre vanillé
Quelques cerneaux
de noix

1 - Laissez le bloc de pâte feuilletée dégeler le temps nécessaire (environ 2 h 30 à température ambiante), et étalez la pâte au rouleau. Puis découpez à l'aide d'un petit moule rond ou d'un verre retourné des disques de 7 à 8 cm de diamètre.
2 - Répartissez les disques en deux tas égaux et découpez sur les disques de l'un des tas, en vous servant d'un petit moule ou d'un verre retourné de 3 à 4 cm de diamètre, des ronds de pâte en leur centre de façon à former des couronnes.
3 - Cassez un œuf, mettez le jaune dans un bol et battez-le à la fourchette. Avec un pinceau, badigeonnez-en les disques pleins puis centrez sur chaque disque une couronne de pâte. Enduisez également les couronnes avec le jaune d'œuf.
4 - Disposez ces préparations sur une plaque de four beurrée, et mettez à cuire à four chaud 18 à 20 minutes. Quelques instants avant la fin de la cuisson, saupoudrez les petits gâteaux avec le sucre semoule auquel vous mélangerez une bonne pincée de sucre vanillé. Vous pouvez aussi saupoudrer de sucre glace, mais après cuisson.
5 - Quand les feuilletés sont cuits, sortez-les du four, et laissez-les refroidir.
6 - Mettez la gelée de cassis dans une casserole, faites chauffer tout doucement, puis coulez cette gelée liquide en répartissant au centre des couronnes. Disposez dessus quelques morceaux de noix. Servez froid.

VOS NOTES PERSONNELLES

Ecrire . . . .

Acheter . . . .

Téléphoner . . . .

16 MARS

Menu

SALADE BIGARÉE
(voir recette p. 205)

*CÔTE DE VEAU
AUX BRUXELLES*
(voir recette p. 194)

GÂTEAU DU CHOCOLATIER
(voir recette ci-contre)

TOUT SAVOIR SUR...

LA CÔTE
DE VEAU

*Les côtes sont situées dans la partie dorsale du veau. C'est une viande qui contient des vitamines C et PP et des éléments minéraux tels que le phosphore, le potassium, le fer et le calcium en assez bonne quantité. Les bouchers proposent : **les côtes découvertes** — elles sont prélevées près du cou du veau et se présentent sans manche. **Les côtes couvertes** — elles forment le carré couvert et comprennent, de la 6e à la 8e côte, les côtes secondes, et de la 9e à la 13e côte, les côtes premières. Le veau nourri au lait donne une viande de couleur blanche ou rose très pâle, accompagnée de graisse blanche. La viande du veau qui a déjà brouté est plus colorée. Sachez que les côtes découvertes sont moins en viande que les autres, que les côtes premières sont les plus chères, mais aussi les plus charnues.*

GÂTEAU DU CHOCOLATIER

Moyen   Facile   Abordable

**POUR 6
A 8 PERSONNES
CUISSON : 55 minutes
INGRÉDIENTS :**
150 g de cacao
100 g de farine
150 g de sucre
en poudre
1 sachet de sucre vanillé
180 g de beurre
4 œufs
125 g de chocolat
à croquer
1 barre de chocolat
à cuire
1 v. à liqueur de rhum
100 g de crème fraîche

1 - Versez dans une terrine le cacao, la farine et le sucre en poudre. Mélangez bien ces trois ingrédients.

2 - Dans une petite casserole, faites fondre, de préférence au bain-marie, 150 g de beurre. Versez le beurre fondu dans la terrine. Amalgamez le tout.

3 - Cassez les œufs, ajoutez les jaunes à la préparation.

4 - Fouettez les blancs en neige avec le sucre vanillé, et incorporez délicatement ces blancs montés à la préparation.

5 - Beurrez un moule à charlotte, garnissez-le du mélange, et mettez à four moyen 55 minutes. Sortez ensuite le gâteau du four, laissez-le refroidir, puis démoulez-le sur un plat de service.

6 - Dans une petite casserole, au bain-marie, faites fondre le chocolat à croquer avec une goutte d'eau. Aromatisez avec le rhum, ajoutez la crème fraîche en tournant régulièrement cette sauce.

7 - Lorsque le mélange est bien homogène, versez-le sur le gâteau et, à l'aide d'une spatule à lame métal, enrobez-le entièrement de chocolat, tant sur le dessus que sur les côtés.

8 - Avant que ce glaçage ne sèche, décorez le gâteau de copeaux de chocolat que vous obtiendrez en rabotant une barre de chocolat à cuire avec la lame d'un couteau.

VOS NOTES PERSONNELLES

Ecrire . . . .

. . . .

Acheter . . . .

. . . .

Téléphoner . . . .

Menu

*OMELETTE AUX
CHAMPIGNONS DE PARIS*
(voir recette ci-contre)

POULET À LA MOUTARDE
(voir recette p. 236)

CRÈME AU MARASQUIN
(voir recette ci-dessous)

MINI-RECETTE
CRÈME AU MARASQUIN

POUR 5 À 6 PERSONNES
CUISSON : 30 minutes environ
INGRÉDIENTS : 3 œufs entiers, 3 jaunes
100 g de sucre semoule
1 cuillerée à café de sucre vanillé
1 gousse de vanille, 1 noisette de beurre
100 g de raisins secs
1 verre à liqueur de marasquin

1 - Mettez les raisins secs dans un bol, arrosez-les avec le marasquin, et laissez macérer quelques temps.

2 - Versez le lait dans une casserole, et faites-le bouillir avec la gousse de vanille fendue. Puis ôtez du feu, couvrez, et laissez infuser la vanille dans le lait quelques minutes.

3 - Mettez les œufs entiers et les jaunes dans une terrine, ajouter le sucre semoule, et fouettez la préparation jusqu'à ce qu'elle devienne blanche. Versez alors le lait chaud, après avoir retiré la gousse de vanille, et tournez au fouet.

4 - Incorporez à cette préparation les raisins secs (réservez-en quelques-uns pour la décoration finale), le marasquin, et le sucre vanillé.

5 - Beurrez très légèrement un moule du genre «moule à brioche», et garnissez-le de la crème. Placez ce moule dans un plat creux allant au four, rempli d'eau chaude, et mettez à cuire au bain-marie 30 minutes à four doux.

6 - Quand la crème est cuite, laissez-la refroidir complètement avant de démouler. Disposez le desert sur un plat de service, décorez-le de raisins secs, et placez-le 20 à 30 minutes au réfrigérateur avant de servir.

OMELETTE AUX CHAMPIGNONS DE PARIS

Rapide — Très facile — Pas cher

POUR 4 PERSONNES
CUISSON :
15 minutes environ
INGRÉDIENTS : 8 œufs
250 g de champignons de Paris
1 noisette de beurre
2 cuillerées à soupe de lait écrémé
1 bouquet de persil
1 gousse d'ail
Sel, poivre

1 - Coupez la partie terreuse du pied des champignons, et passez-les rapidement sous l'eau courante. Séchez-les sur du papier absorbant puis détaillez-les en fines lamelles.

2 - Faites fondre une noisette de beurre dans une poêle, et mettez-y les champignons à revenir quelques minutes.

3 - Pendant ce temps, cassez les œufs dans un saladier, salez, poivrez, et battez-les au fouet avec 2 cuillerées de lait, jusqu'à ce que le mélange devienne mousseux. Ajoutez le hachis de persil et d'ail.

4 - Lorsque les champignons ont pris couleur, ôtez-les de la poêle et réservez-les au chaud. Versez les œufs battus dans ce même récipient et remuez vivement au centre, à la spatule, afin de faciliter et accélérer la coagulation.

5 - Lorsque l'omelette est presque cuite, disposez les champignons dessus, laissez encore quelques instants au feu, puis faites glisser l'omelette sur un plat de service. Repliez-la sur elle-même et servez immédiatement.

LE TRUC DU CHEF

POUR L'OMELETTE AUX CHAMPIGNONS DE PARIS : évitez de peler les champignons de Paris. Cela leur retirerait une bonne partie de leur arôme. Il ne faut pas non plus les faire tremper car ils se ramollissent.
La fraîcheur d'un champignon se juge au toucher. Un bon champignon doit être ferme. Lorsqu'il vieillit, des cavités d'air se forment à l'intérieur de la chair et le champignon prend un aspect spongieux.

VOS NOTES PERSONNELLES

Ecrire . . . .

Acheter . . . .

Téléphoner . . . .

Menu

SOUPE DU PÊCHEUR
(voir recette p. 244)

SAUMON EN FRICANDEAU
(voir recette ci-contre)

DÉLICE AUX DEUX PARFUMS
(voir recette p. 211)

TOUT SAVOIR SUR...

LE SAUMON

Ce magnifique poisson possède un corps allongé, d'une belle couleur argentée, constellé sur le dos de petites taches sombres. Le saumon est un migrateur. On le rencontre dans les eaux de l'Atlantique Nord et jusqu'au Portugal. A la saison de la ponte, il remonte les cours d'eau où sont ménagées des échelles à saumon, afin de lui faciliter le passage des barrages. La femelle dépose ses œufs dans un nid de cailloux. Les alevins demeurent en rivière, puis, lorsqu'ils ont atteint une certaine taille, retournent à la mer. La chair grasse du saumon est extrêmement prisée des gastronomes. Elle contient des vitamines A, B et D, ainsi que du phosphore et du potassium. A la vente, le saumon est proposé entier, pour les pièces ne dépassant pas 2 kg, ou en darnes. Choisissez une chair ferme de couleur rosée ou orangée. L'odeur doit être franche, sans relent d'ammoniac, l'œil vif et humide, la peau brillante. Le saumon est également proposé fumé. On s'accorde à considérer que le meilleur provient de Norvège.

SAUMON EN FRICANDEAU

Moyen   Facile   Cher

POUR 6 PERSONNES
CUISSON : 40 minutes
INGRÉDIENTS :
6 tranches de saumon
80 g de lard gras
200 g de couennes de lard
50 g de beurre
2 carottes
2 oignons
1 v. à liqu. de cognac
1 v. de bouillon
2 gousses d'ail
Thym, laurier
Sel, poivre

1 - Coupez le lard en petits dés, et piquez-en, à l'aide d'un couteau pointu, les tranches de saumon.

2 - Épluchez les carottes, les oignons, les gousses d'ail. Taillez les carottes et oignons en fines lamelles. Hachez l'ail.

3 - Tapissez le fond d'une cocotte de couennes de lard, des légumes, et d'un peu de thym et de laurier.

4 - Salez et poivrez les tranches de poisson, et faites-les dorer à la poêle, sur leurs deux faces, dans le beurre.

5 - Placez alors le saumon dans la cocotte, sur les couennes et les légumes. Arrosez avec le cognac et le bouillon.

6 - Laissez mijoter à petit feu 15 minutes, le récipient couvert.

7 - Dressez les tranches de saumon sur un plat de service de forme allongée. Entourez-les d'une garniture de pommes vapeur sur lesquelles vous coulerez un peu de beurre fondu, et agrémenterez d'un hachis de cerfeuil.

LE TRUC DU CHEF

POUR LA SOUPE DU PÊCHEUR : afin de ne pas trouver dans la soupe des peaux de tomates, il est préférable de les peler auparavant. Cette opération fastidieuse devient un jeu d'enfant si l'on prend la précaution d'ébouillanter les tomates quelques instants.

Les poissons indiqués ne sont pas obligatoires pour la bonne réussite de la recette, et l'on peut les faire varier en fonction des arrivages et des goûts de chacun.

VOS NOTES PERSONNELLES

Ecrire . . . .

Acheter . . . .

Téléphoner . . . .

Menu

SALADE COMPOSÉE AU RIZ
(voir recette p. 189)

PINTADE AU CÉLERI
(voir recette ci-contre)

COMPOTE AUX POMMES ET AUX COINGS
(voir recette ci-dessous)

Boisson conseillée :
UN MÉDOC

MINI-RECETTE

COMPOTE AUX POMMES ET AUX COINGS

POUR 5 À 6 PERSONNES
CUISSON : 30 minutes
INGRÉDIENTS : 500 g de pommes
500 g de coings, 10 morceaux de sucre
1 cuillerée à soupe de sucre en poudre

1 - Pelez les pommes et les coings, coupez-les en quatre, ôtez le cœur et les pépins. Coupez les quartiers de fruits en petits dés.

2 - Mettez les pommes et coings dans une casserole avec 1/2 verre d'eau et 1 cuillerée à soupe de sucre en poudre, et laissez cuire à feu doux pendant 30 minutes. Remuez de temps en temps à la cuiller de bois'.

3 - Quand la compote est cuite, retirez le récipient du feu, laissez refroidir, et passez le mélange pommes-coings à la moulinette à légumes. Puis versez la compote dans un compotier.

4 - Préparez un caramel en mettant dans une casserole 10 morceaux de sucre et 1/2 verre d'eau. Portez à ébullition, puis baissez l'intensité du feu et laissez blondir le mélange.

5 - Versez le caramel en filet sur la compote, et placez 20 minutes au réfrigérateur avant de servir.

PINTADE AU CÉLERI

Long — Très facile — Abordable

POUR 4 A 5 PERSONNES
CUISSON : 1 h 20
INGRÉDIENTS :
1 pintade
1,5 kg de céleri en branches
2 carottes
1 oignon
2 gousses d'ail
1 cuillerée à soupe de conc. de tomates
2 cuill. à soupe d'huile
Thym, laurier
1 pointe d'estragon en poudre
Sel, poivre

1 - Salez et poivrez l'intérieur de la pintade, et mettez-la à dorer à la cocotte dans un peu d'huile.

2 - Détachez les côtes du céleri, épluchez-les soigneusement à l'aide d'un couteau économe afin de retirer tous les fils. Coupez-les en tronçons, et mettez-les à blanchir 10 minutes dans une casserole à l'eau bouillante salée. Égouttez-les.

3 - Pelez les carottes, l'oignon et les gousses d'ail. Détaillez les carottes et l'oignon en rondelles, hachez l'ail.

4 - Quand la volaille a pris couleur sur toutes ses faces, ajoutez-lui les légumes, et laissez ceux-ci quelques minutes, le temps de blondir légèrement.

5 - Mouillez avec 2 verres d'eau chaude, ajoutez le concentré de tomates, un peu de thym, de laurier et une bonne pointe d'estragon en poudre. Salez, poivrez, et laissez cuire à couvert 40 à 45 minutes sur feu doux.

6 - Passé ce temps, dressez la volaille sur un plat de service, entourée de ses légumes, et servez à part la sauce en saucière.

LE TRUC DU CHEF

POUR LA SALADE AU RIZ : pour obtenir de beaux grains de riz, une fois cuits, couvrez la casserole 2 à 3 minutes hors du feu, passé le temps de cuisson. Votre riz gonflera.

Pour cette recette, vous pouvez acheter du riz américain à grains longs qui est prétraité. Cela lui vaut de ne jamais coller.

VOS NOTES PERSONNELLES

Ecrire . . . .

. . . .

Acheter . . . .

. . . .

Téléphoner . . . .

Menu

BOUCHÉES AUX ÉCREVISSES
(voir recette ci-contre)

GIGOT AUX MOJETTES
(voir recette p. 238)

COUPE GLACÉES AU CURAÇAO
(voir recette ci-dessous)

MINI-RECETTE

COUPES GLACÉES AU CURAÇAO

POUR 6 PERSONNES
INGRÉDIENTS : 1 orange
200 g de sucre semoule
2 verres à liqueur de curaçao
1 sachet de sucre vanillé
1/2 tablette de chocolat à cuire
1/2 verre de lait
1 sachet d'amandes effilées

1 - Versez 1/2 litre d'eau dans une casserole. Ajoutez 200 g de sucre semoule, portez à ébullition, et ôtez le récipient du feu.
2 - Râpez un zeste d'orange dans le sirop brûlant, laissez tiédir, puis ajouter le jus d'une orange, le curaçao, le sucre vanillé.
3 - Peu avant la fin de l'opération, mettez le chocolat en morceaux dans une casserole avec le lait, et laissez fondre doucement. Maintenez au chaud.
5 - Quand le sorbet est constitué mettez-le dans un récipient au moins 1 heure dans le congélateur. Au moment de servir, prélevez-en des boules que vous disposerez dans des coupes individuelles. Nappez avec le chocolat chaud, parsemez d'amandes effilées, et servez aussitôt.

BOUCHÉES AUX ÉCREVISSES

POUR 6 PERSONNES
CUISSON :
30 minutes environ
INGRÉDIENTS :
30 écrevisses
6 croûtes à bouchées
200 g de champignons
1 v. de vin blanc
60 g de beurre
30 g de farine
4 dl de lait
15 cl de crème fraîche
60 g de beurre
d'écrevisses
1 bouquet garni
Sel, poivre

1 - Versez le vin blanc et 1/2 litre d'eau dans un grand récipient, salez et poivrez légèrement, ajoutez le bouquet garni, et portez à ébullition.
2 - Châtrez les écrevisses, et jetez-les dans le liquide bouillant. Remuez-les quelques minutes à la cuillère de bois et, lorsqu'elles deviennent rouges, ôtez le récipient du feu. Décortiquez les crustacés et réservez les queues.
3 - Lavez les champignons, séchez-les, et détaillez-les en fines lamelles. Mettez-les à revenir quelques minutes à la poêle dans une noix de beurre.
4 - Faites fondre 30 g de beurre dans une casserole, ajoutez la farine, et laissez cuire doucement 2 à 3 minutes en tournant le mélange à la cuillère de bois.
5 - Versez alors peu à peu le lait en continuant de remuer, salez légèrement, poivrez, et laissez cuire à découvert une quizaine de minutes.
6 - En fin de cuisson, incorporez la crème fraîche, laissez bouillir 4 à 5 minutes, et ajoutez le beurre d'écrevisses. Remuez et laissez fondre hors du feu.
7 - Ajoutez alors à la préparation les champignons et les queues d'écrevisses. Gardez au chaud.
8 - Mettez les croûtes à chauffer à vide à four moyen 4 à 5 minutes, puis garnissez-les de la préparation. Servez immédiatement.

VOS NOTES PERSONNELLES

Ecrire . . . .

. . . .

Acheter . . . .

. . . .

Téléphoner . . . .

Menu

**PIZZA AUX QUEUES
DE LANGOUSTINES**
(voir recette p. 199)

POIVRONS FARCIS
(voir recette ci-contre)

CHOUX À LA NONETTE
(voir recette ci-dessous)

MINI-RECETTE

CHOUX
À LA NONETTE

POUR 6 PERSONNES
CUISSON : 20 minutes
INGRÉDIENTS : 120 g de beurre
1 cuillerée à soupe de sucre
150 g de farine tamisée, 4 œufs
300 g de crème fraîche
1 sachet de sucre vanillé
1 verre à liqueur de Grand Marnier
100 g de sucre glace

1 - Faites bouillir dans une casserole 1/4 de litre d'eau avec 80 g de beurre coupé en morceaux, le sucre en poudre, et 1 pincée de sel.

2 - Dès l'ébullition, ôtez le récipient du feu, et versez d'un seul coup toute la farine. Mélangez vivement avec une spatule de bois pour obtenir une pâte homogène.

3 - Incorporez un à un les œufs entiers, en tournant bien la pâte entre chacun d'eux.

4 - Beurrez une plaque de four, à l'aide d'une cuiller, disposez des morceaux de pâte de la valeur d'une grosse noix. Mettez à four chaud 20 minutes, jusqu'à ce que les choux gonflent et prennent une belle couleur dorée.

5 - Pendant ce temps, confectionnez une chantilly en fouettant, dans un grand saladier, la crème fraîche et le sucre vanillé. Réservez cette crème au réfrigérateur jusqu'au remplissage des choux.

6 - Quand les choux sont cuits, laissez-les refroidir, puis pratiquez sur chacun d'eux une petite incision pour les remplir de chantilly.

7 - Dressez les choux en pyramide sur un plat de service, saupoudrez-les généreusement de sucre glace, et servez.

POIVRONS FARCIS

POUR 6 PERSONNES
CUISSON : 40 minutes
INGRÉDIENTS :
6 poivrons moyens
400 g de champignons de Paris
400 g de steak haché
6 échalotes
4 tomates
1 noix de conc. tomates
40 g de beurre
1 cuill. à soupe d'huile
1 feuille de laurier
1 pt. bouquet de persil
Sel, poivre

1 - Plongez les tomates quelques instants dans de l'eau bouillante, pelez-les, et concassez-les grossièrement. Faites fondre 1 noix de beurre dans une petite casserole, et mettez-y la purée de tomates fraîches. Mouillez d'un verre d'eau dans lequel vous aurez délayé un peu de concentré de tomates, aromatisez d'une feuille de laurier, salez, poivrez, et laissez mijoter doucement à découvert.

2 - Débarrassez les champignons de leur pied terreux, lavez-les, séchez-les sur du papier absorbant, et hachez-les grossièrement.

3 - Faites chauffer dans une poêle 1 noix de beurre et 1 cuillerée d'huile sur feu vif, et mettez-y la viande et les champignons à revenir avec les échalotes hachées. Laissez 7 à 8 minutes en remuant de temps en temps à la cuillère de bois. Salez et poivrez. Ajoutez un peu de persil haché en fin de cuisson.

4 - Lavez les poivrons, essuyez-les, et coupez-les par le milieu. Ôtez la queue et les pépins, et farcissez-les de la préparation aux champignons.

5 - Disposez les demi-poivrons farcis dans un plat allant au four, versez dans le fond la sauce à la tomate, et mettez à cuire 25 à 30 minutes à four moyen. Servez dans le plat de cuisson.

LE TRUC DU CHEF

POUR LA PIZZA AUX QUEUES DE LANGOUSTINES : en plus des langoustines, on peut agrémenter cette pizza de 1/2 l de moules décortiquées. Le court-bouillon de cuisson, convenablement réduit, pourra être incorporé dans la purée de tomates et oignons. Cela communiquera à la pizza, un excellent fumet de fruits de mer.

VOS NOTES PERSONNELLES

Ecrire . . . .

. . . .

Acheter . . . .

. . . .

Téléphoner . . . .

Menu

FONDS D'ARTICHAUTS JARDINIERS
(voir recette p. 174)
RÔTI DE BŒUF À LA PURÉE DE CÉLERI
(voir recette ci-dessous)
GLACE À LA POIRE
(voir recette ci-contre)

MINI-RECETTE

RÔTI DE BŒUF À LA PURÉE DE CÉLERI

POUR 6 PERSONNES
CUISSON : 25 à 30 minutes
INGRÉDIENTS : 1 rosbif de 1 kg
1 k de céleri en branches, 2 gousses d'ail
1 feuille de laurier, 1 jus de citron
1 cuilleré à soupe d'huile, sel, poivre

1 - Epluchez soigneusement, à l'aide d'un couteau économe, les branches de célerie. Coupez-les en tronçons. Triez les feuilles, éliminez celles qui sont jaunies ou flétries. Mettez le légume à cuire 20 à 25 Minutes à l'eau bouillante salée, avec 1 feuille de laurier et le jus de 1 citron.

2 - Pendant ce temps, épluchez les gousses d'ail, et piquez-en le rosbif en plusieurs endroits, à l'aide d'un petit couteau pointu. Enduisez la viande très légèrement d'huile, placez-la dans un plat allant au four, et laissez cuire à four très chaud 25 à 30 minutes selon le degré de cuisson que vous désirez obtenir.

3 - Quand le céleri est cuit, égouttez-le soigneusement, et passez-le à la moulinette à légumes.

4 - Dressez le rosbif sur un plat de service, salez-le. Déglacez le plat de cuisson avec 1 bon verre d'eau chaude, en raclant bien le fond du récipient à la cuiller de bois pour décoller tous les sucs de cuisson. Salez légèrement ce jus, et versez dedans la purée de céleri. Mélangez bien et entourez la viande de cette garniture. Servez immédiatement.

GLACE A LA POIRE

**POUR 4
A 5 PERSONNES
CUISSON : 15 minutes
2 H EN SORBETIÈRE
INGRÉDIENTS : 4 poires
1/3 l. de lait écrémé
150 g de sucre
en poudre
4 jaunes d'œufs
1/2 gousse de vanille
1 citron
Quelques cerises confites**

1 - Epluchez 3 belles poires, coupez-les en quatre, ôtez le cœur et les pépins, et réduisez-les en purée au mixer.

2 - Faites bouillir le lait dans une casserole avec la 1/2 gousse de vanille fendue.

3 - Cassez les œufs, mettez les jaunes dans une jatte (réservez les blancs pour une autre utilisation), et ajoutez le sucre. Mélangez soigneusement jusqu'à ce que la préparation blanchisse.

4 - Versez alors peu à peu le lait bouillant, après avoir ôté la gousse de vanille, versez le tout dans une casserole, et tournez quelques instants à la cuillère de bois sur feu doux, afin que le mélange épaississe. Laissez refroidir.

5 - Incorporez la purée de poires à cette crème, et mettez 2 heures à glacer en sorbetière.

6 - Epluchez la poire restante, coupez-la en quatre, ôtez le cœur et les pépins, puis détaillez chaque quartier en petits cubes. Arrosez ces morceaux d'un jus de citron pour les empêcher de noircir.

7 - Quand la glace est prise, remplissez-en aux 3/4 des coupes individuelles, complétez par les petits cubes de poire montés en pyramide, et achevez la décoration avec les cerises confites. Servez immédiatement.

LE TRUC DU CHEF

POUR LA GLACE À LA POIRE : vous ouvez enrichir cette glace en ajoutant à la préparation, juste avant la mise en sorbetière, un petit verre d'eau-de-vie de poires. Choisissez, pour ce sorbet, des variétés de fruits à la pulpe à la fois parfumée et fondante, telles que « Louise Bonne », « Beurré Hardy », « Passe-Cras-sane ».

VOS NOTES PERSONNELLES

Ecrire . . . .

. . . .

Acheter . . . .

. . . .

Téléphoner . . . .

Menu

TERRINE DE DINDE PISTACHÉE
(voir recette ci-contre)

PANNEQUETS AU JAMBON
(voir recette p. 228)

MOKA ARLEQUIN
(voir recette p. 232)

TOUT SAVOIR SUR...

LE JAMBONNEAU

Le jambonneau est la partie située entre le pied et la cuisse (jambon) du porc. C'est une viande moins fine et moins tendre que le jambon. Elle contient des vitamines PP et du phosphore, mais en petite quantité. Sur les marchés, on propose des jambonneaux demi-sel ou cuits. Les jambonneaux demi-sel : ils portent l'indication «salé» ou «demi-sel» et ont été préparés soit au sel, soit à la saumure. Il convient donc de les dessaler en les faisant tremper dans de l'eau froide avant de les cuisiner. Ce sont des viandes de longue cuisson. Les jambonneaux cuits : ils sont présentés sous la forme de grosse poire et recouverts de panure. Ils ont été cuits moulés dans un torchon, et souvent complétés par des morceaux de jambon ou d'épaule. Sachez différenciez les jambonneaux de devant des jambonneaux de derrière, ces derniers étant plus charnus.

TERRINE DE DINDE PISTACHÉE

Long — Facile — Abordable

POUR 10 PERSONNES
CUISSON : 2 h 30
INGRÉDIENTS :
1/2 jambonneau
500 g de rôti
de dindonneau
250 g de chair
à saucisse
3 œufs, 3 échalotes
Persil, sel, poivre
1/2 verre de lait
1 sachet de pistaches
1 pet. v. d'armagnac
Thym, laurier, ail
1 v. de vin blanc sec
Bardes de lard
1 sachet de gelée

1 - Coupez le rôti de dindonneau en menus morceaux, détaillez le jambonneau en petits dés, et mélangez dans un saladier ces viandes avec la chair à saucisse.

2 - Ajoutez aux viandes un fin hachis de persil, d'échalotes et d'ail, les œufs battus avec le lait, le contenu d'un sachet de pistaches décortiquées. Aromatisez d'un peu de thym et de laurier émiettés, d'un petit verre d'armagnac, salez, poivrez au moulin, et mélangez soigneusement le tout.

3 - Tapissez le fond et les parois d'une terrine de fines bardes de lard, et garnissez le récipient de la préparation en tassant bien. Recouvrez de fines lanières de bardes disposées en croisillons, couvrez la terrine de son couvercle, et mettez à cuire à four chaud 1 h 30.

4 - Un peu avant la fin de la cuisson, versez le verre de vin dans une casserole, ajoutez le contenu du sachet de gelée, additionnez d'eau dans la proportion indiquée sur le sachet, portez le liquide à ébullition, et ôtez du feu.

5 - Quand la terrine est cuite, recouvrez-la de gelée et laissez refroidir complètement avant de déguster.

LE TRUC DU CHEF

POUR LES PANNEQUETS AU JAMBON : vous pouvez relever la saveur des épinards en y ajoutant quelques feuilles d'oseille hachées.
Vous pouvez ajouter à la crème une goutte de rhum, qui rehaussera l'arôme du café.

VOS NOTES PERSONNELLES

Ecrire . . . .

Acheter . . . .

Téléphoner . . . .

GALETTES DE VIANDE A LA SEMOULE

Long — Facile — Abordable

GRATIN AU FENOUIL
(voir recette p. 166)

**GALETTES DE VIANDE
À LA SEMOULE**
(voir recette ci-contre)

TARTE À LA RHUBARBE
(voir recette p. 198)

Menu

**POUR 6 PERSONNES
CUISSON : 1 heure
INGRÉDIENTS :**
500 g de semoule
500 g de steak haché
500 g de mouton haché
30 g de beurre, 2 œufs
3 gousses d'ail
1 bouquet de persil
3 cuillerées à soupe
d'huile d'arachide
3 cuillerées à soupe
d'huile d'olive
3 tomates, 1 oignon
1 noix de conc. tomates
1 pointe de cayenne
Sel, poivre

1 - Versez la semoule dans une passoire, mouillez-la bien d'eau tiède, salez-la, puis étalez-la dans un grand plat et laissez gonfler 1/2 h.

2 - Mettez les viandes hachées de bœuf et de mouton dans un grand saladier, et mélangez-les soigneusement. Incorporez les œufs entiers, les gousses d'ail pilées, et un fin hachis de persil. Salez, poivrez, et malaxez bien le tout.

3 - A l'aide de vos mains, formez avec cette préparation de petites galettes, et mettez-les à revenir à la poêle dans un peu d'huile d'arachide. Laissez cuire 7 à 8 minutes de chaque côté. Réservez au chaud.

4 - Mettez de l'eau à bouillir dans la partie basse d'un couscoussier, placez la semoule gonflée dans la partie haute, et laissez cuire 30 minutes à la vapeur.

5 - Versez dans une casserole l'huile d'olive, hachez l'oignon et mettez-le à revenir quelques instants. Puis ajoutez les tomates coupées en morceaux, et mouillez avec 2 verres d'eau. Diluez un peu de concentré de tomates dans la sauce, salez et poivrez d'une forte pointe de cayenne. Laissez mijoter 25 minutes à découvert.

6 - Quand la semoule a cuit le temps prescrit, étalez-la dans un grand plat, parsemez de noisettes de beurre. A l'aide de vos mains légèrement enduites d'huile, mélangez délicatement la semoule en veillant à ce que les grains restent bien détachés. Remettez à cuire encore 20 minutes dans le couscoussier.

7 - Au moment de servir, présentez séparément les galettes de viande et la semoule. Servez la sauce en saucière.

TOUT SAVOIR SUR...

LE POIVRE

De tout temps cet épice a été recherché. Il provient d'une sorte de liane des pays tropicaux « Piper nigrum » qui donne des fruits qui sont les grains de poivre. Le poivre est riche en éléments minéraux et favorise la digestion, surtout des graisses, en stimulant les glandes salivaires. Différentes présentations de poivre sont proposées à la consommation. **Le poivre noir,** c'est le plus courant. Les baies sont cueillies avant d'être mûres (elles sont alors rouges) et sont laissées quelques jours à macérer afin de leur faire obtenir leur teinte foncée. Après cette opération, les graines sont séchées et conditionnées. **Le poivre blanc,** contrairement au précédent ses graines sont récoltées très mûres. Par une opération, on leur fait perdre leur écorce pour qu'apparaisse alors la graine de couleur claire. **Le poivre vert,** les grains sont récoltés verts. **Le poivre rose,** plus rare et plus cher que les précédents, est également moins fort. Les poivres noirs et blancs, qui sont les plus commercialisés, sont vendus soit en grains soit en poudre, sous divers conditionnements.

VOS NOTES PERSONNELLES

Ecrire . . . .
. . . .
Acheter . . . .
. . . .
Téléphoner . . . .

Menu

LAITUES AUX FRUITS DE MER
(voir recette p. 214)

BARBUE À L'OSEILLE
(voir recette p. 202)

BUGNES À LA CHICAUD
(voir recette ci-contre)

BUGNES A LA CHICAUD

Moyen   Facile   Pas cher

**POUR 5
A 6 PERSONNES
CUISSON :
15 minutes environ
INGRÉDIENTS : 5 œufs
400 g de farine tamisée
90 g de beurre fin
80 g de sucre semoule
1 cuillerée à café
de sucre vanillé
1 cuillerée à soupe
de sucre glace
1 zeste d'orange
1 v. à liqu. de kirsch
Sel
1 bain de friture**

TOUT SAVOIR SUR...

LA BARBUE

La barbue, bien que pêchée pratiquement toute l'année, n'est pas toujours présente à l'étal du poissonnier. C'est un poisson plat pouvant atteindre 70 à 80 cm. Vivant sur les fonds sableux et vaseux, la barbue a adopté la teinte de son milieu naturel. La chair de la barbue, ferme et blanche, est appréciée des gastronomes. Peu grasse, elle est d'une grande digestibilité. Sa teneur en vitamines (B2, PP) et en éléments minéraux (phosphore, potassium, manganèse) n'est pas négligeable et en fait, sur ce point, un aliment intéressant. Choisissez un poisson à la peau ferme et luisante. Recherchez une barbue dont le corps est épais ; c'est un gage de filets bien en chair. Comptez pour 4 à 5 personnes une pièce de 1 kg, la barbue ne donnant que peu de déchets.

1 - Versez la farine dans un saladier, faites un puits, et cassez-y les œufs. Ajoutez une bonne pincée de sel, et mélangez bien le tout.

2 - Faites fondre le beurre au bain-marie, et incorporez-le à la pâte, ainsi que le sucre semoule.

3 - Brossez soigneusement une orange à l'eau chaude, essuyez-la, et râpez-en finement le zeste. Ajoutez ce zeste à la pâte et aromatisez d'un peu de sucre vanillé et d'un verre à liqueur de kirsch.

4 - Pétrissez soigneusement cette pâte et, lorsqu'elle devient parfaitement lisse et homogène, roulez-la en boule, farinez-la légèrement et laissez-la reposer une trentaine de minutes.

5 - Passé ce temps, étalez la pâte au rouleau, sur une épaisseur de 2 à 3 mm. A l'aide d'une roulette de pâtissier, découpez dans cette pâte des petits rectangles d'environ 5 × 10 cm.

6 - Faites chauffer le bain de friture, et lorsque celui-ci est bouillant, plongez-y les morceaux de pâte. Laissez-les prendre une belle teinte dorée, sortez-les au fur et à mesure du bain à l'aide d'une écumoire, et mettez-les à égoutter sur du papier absorbant.

7 - Dressez les bugnes sur un plat de service, saupoudrez-les de sucre glace et servez tiède ou froid.

VOS NOTES PERSONNELLES

Ecrire . . . .

. . . .

Acheter . . . .

. . . .

Téléphoner . . . .

MINI-RECETTE

FRAISES EN MOUSSELINE

POUR 5 À 6 PERSONNES
INGRÉDIENTS : 650 g de fraises
150 g de sucre glace, 1/2 citron
5 feuilles de gélatine
20 cl de crème fraîche

1 - Lavez soigneusement les fraises à l'eau courante, égouttez-les, réservez quelques beaux fruits pour la décoration, et équeutez les autres.
2 - Passez les fraises au mixer, puis ajoutez-leur le sucre glace et le jus d'un demi-citron.
3 - Passez la gélatine à l'eau froide, et mettez-la dans une petite casserole avec 3 cuillerées à soupe d'eau. Placez la casserole dans un récipient contenant de l'eau chaude, et disposez le tout sur feu doux afin de laisser fondre la gélatine au bain-marie.
4 - Quand cette opération est réalisée, ajoutez la gélatine à la mousseline de fraises, et mélangez délicatement.
5 - Mettez la crème fraîche dans un saladier. Ajoutez 2 glaçons, et fouettez énergiquement le tout.
6 - Incorporez cette crème fouettée aux fruits, et garnissez un moule en couronne de cette préparation. Placez au réfrigérateur 2 à 3 heures.
7 - Au moment de servir, démoulez délicatement la mousseline, décorez-la au mieux avec les fraises que vous avez réservées, et servez aussitôt avec des boudoirs.

SALSIFIS EN ROBE CHAUDE

POUR 4 A 5 PERSONNES
CUISSON : 1 h env.
INGRÉDIENTS :
1 kg de salsifis
250 g de farine
1 cuill. à soupe d'huile
2 cuillerées à soupe de vinaigre
1 œuf entier +2 blancs
1 citron
Sel, poivre
1 bain de friture

1 - Mettez 200 g de farine dans un saladier. Creusez un puits et versez-y la cuillerée à soupe d'huile, l'œuf, 1 pincée de sel, et 3 dl d'eau tiède. Délayez bien la farine dans l'eau pour obtenir une pâte claire. Laissez reposer 2 heures.
2 - Pendant ce temps, grattez soigneusement les salsifis, coupez les extrémités, et détaillez-les en tronçons de 5 à 6 centimètres. Plongez les légumes dans de l'eau froide additionnée d'un peu de vinaigre. Laissez quelques instants avant de bien les laver dans l'eau vinaigrée. Égouttez.
3 - Dans une grande casserole, délayez 2 bonnes cuillerées de farine dans 2 litres d'eau chaude, et ajoutez le jus d'un citron, afin de confectionner un blanc. Salez et poivrez.
4 - Portez le liquide à ébullition et mettez-y à cuire les salsifis 1 bonne heure. Puis égouttez-les et laissez-les refroidir.
5 - Fouettez les blancs d'œufs en neige très ferme, et incorporez-les à la pâte au moment de son utilisation.
6 - Trempez les tronçons de salsifis dans la pâte à beignets, puis plongez-les au fur et à mesure dans le bain d'huile bouillante. Quand ils sont bien dorés, sortez-les à l'aide d'une écumoire et mettez-les à égoutter sur du papier absorbant.
7 - Dressez les beignets chauds sur un plat de service et servez immédiatement.

VOS NOTES PERSONNELLES

Ecrire

Acheter

Téléphoner

GRATIN DE SOLES BEAUMANOIR

Menu

CRÊPES SOUFFLÉES COMBALOU
(voir recette p. 190)
GRATIN DE SOLES BEAUMANOIR
(voir recette ci-contre)
GÂTEAU À LA VIENNOISE
(voir recette ci-dessous)

Boisson conseillée :
UN GEWURZTRAMINER

MINI-RECETTE

GÂTEAU À LA VIENNOISE

POUR 6 PERSONNES
CUISSON : 40 minutes
INGRÉDIENTS : 4 œufs
100 g de sucre en poudre
100 g de cacao en poudre, 60 g de beurre
300 g de crème fraîche, 100 g de farine
60 g de sucre glace
1 petit pot de confiture d'orange
1 orange et cerises confites
1 tablette de chocolat à croquer

1 - Mettez les jaunes d'œufs dans un terrine (réservez les blancs). Ajoutez le sucre en poudre, le beurre en pommade, mélangez bien le tout.
2 - Battez les blancs en neige ferme, et incorporez-les à la préparation. Puis ajoutez la farine en pluie et le cacao.
3 - Beurrez un moule à charlotte, et versez la préparation. Mettez à cuire à four doux 40 minutes, et laissez refroidir.
4 - Confectionnez une chantilly en fouettant énergiquement la crème fraîche dans un grand saladier avec le sucre glace.
5 - Découpez le gâteau transversalement en trois disques d'égale épaisseur. Disposez le disque du dessous sur un grand plat de servie, étalez une couche de confiture d'orange, puis de crème chantilly. Recouvrez le tout du deuxième disque, et procédez de même pour ce dernier. Placez le troisième disque et, à l'aide d'une poche à douille, disposez la chantilly sur tout le gâteau.
6 - Avec un couteau, faites des copeaux de chocolat sur la chantilly. Décorez le dessus du gâteau avec les fruits confits.

POUR 6 PERSONNES
CUISSON : 30 minutes
INGRÉDIENTS :
750 g de filets de sole
2 v. de vin blanc sec
150 g de beurre
30 g de farine
1 citron
1 carotte
2 échalotes
1 branche de céleri
Thym, laurier
150 g de gruyère râpé
Sel, poivre

1 - Faites lever par votre poissonnier 750 g de filets de sol, et demandez-lui de vous réserver les têtes et les arêtes.
2 - Préparez un fumet de poisson en faisant bouillir doucement dans une cocotte les déchets de poisson avec le vin blanc et 1/2 litre d'eau. Salez très légèrement, poivrez et ajoutez le bouquet garni, la branche de céleri, la carotte coupée en fines rondelles et les échalotes hachées. Laissez cuire 20 à 25 minutes.
3 - Beurrez un plat long allant au four, couchez-y les filets de sole, arrosez-les avec du jus de citron. Versez sur les filets le fumet de poisson passé au chinois.
4 - Mettez à four chaud 5 minutes.
5 - Pendant ce temps, faites fondre 30 g de beurre dans une petite casserole, et amalgamez la farine au beurre fondu, en tournant régulièrement à la cuillère de bois.
6 - Passé les 5 minutes de four, versez sur le mélange beurre-farine le jus de cuisson des soles. Remuez soigneusement, puis incorporez la moitié de gruyère râpé et les 120 g de beurre restant en petites parcelles. Mélangez délicatement.
7 - Nappez de cette préparation les filets de sole, parsemez du reste du fromage, et mettez sous le gril pour colorer rapidement.
8 - Servez brûlant dans le plat de cuisson.

VOS NOTES PERSONNELLES

Ecrire . . . .
. . . .
Acheter . . . .
. . . .
Téléphoner . . . .

28 MARS

Menu

POTAGE AUX POIS FRAIS
(voir recette p. 156)

BŒUF AUX OIGNONS
(voir recette p. 284)

CRÈME A LA BANANE
(voir recette ci-contre)

TOUT SAVOIR SUR...

L'OIGNON

*Depuis la plus haute antiquité, l'oignon a été reconnu pour ses qualités nourrissantes, mais également diurétiques et laxatives. De plus, ce légume contient des vitamines C et PP ainsi que du potassium et du soufre. L'oignon est présent toute l'année sur les marchés, soit venant de la production française, soit importé d'Espagne, d'Italie, de Hollande. **Les oignons frais**, vendus avec leurs feuilles, sont commercialisés au printemps. **Les oignons secs** ou **demi-secs** sont de variétés rouges, roses ou jaunes. La jaune est de loin la plus importante. Trois catégories ont été déterminées suivant les normes européennes : **catégorie I** (étiquette verte), **catégorie II** (étiquette jaune), **catégorie III** (étiquette grise). Suivant les catégories, on accepte plus ou moins de défauts comme des traces de terre, de meurtrissures ou des débuts de germination.*

CRÈME A LA BANANE

Moyen — Très facile — Abordable

POUR 5 A 6 PERSONNES
CUISSON :
30 minutes env.
INGRÉDIENTS : 1 banane
100 g de sucre semoule
1 pincée de sucre vanillé
1 gousse de vanille
3 œufs entiers
+3 jaunes
1 noisette de beurre
1 cuill. à soupe de rhum
1/2 litre de lait écrémé

1 - Versez le lait dans une casserole, ajoutez la gousse de vanille fendue, portez à ébullition. Puis ôtez le récipient du feu, couvrez, et laissez infuser quelques minutes la vanille dans le lait.

2 - Mettez les œufs entiers et les jaunes dans une terrine, ajoutez le sucre semoule, la pincée de sucre vanillé, et fouettez la préparation jusqu'à ce qu'elle blanchisse.

3 - Versez dessus le lait chaud (après avoir retiré la gousse de vanille) en fouettant le mélange.

4 - Épluchez la banane, et écrasez-la soigneusement à la fourchette pour la réduire en purée.

5 - Incorporez cette purée de bananes à la préparation, ajoutez un peu de rhum. Remuez soigneusement le tout.

6 - Beurrez très légèrement un moule à hauts bords et garnissez-le de la crème. Disposez ce moule dans un récipient allant au four, rempli d'eau chaude, en veillant à ce que ce dernier soit d'une hauteur au moins égale au moule contenant la crème, et ce afin que la crème puisse entièrement cuire au bain-marie.

7 - Placez le tout au four et mettez à cuire doucement une trentaine de minutes.

8 - Quand la crème est cuite, laissez-la refroidir complètement avant de la démouler sur un plat de service.

VOS NOTES PERSONNELLES

Ecrire . . . .

Acheter . . . .

Téléphoner . . . .

Menu

**TIMBALES DE LÉGUMES
EN SAUCE TOMATE**
(voir recette p. 250)

CANETON AUX NAVETS
(voir recette ci-contre)

SOUFFLÉ AU GRAND MARNIER
(voir recette p. 144)

TOUT SAVOIR SUR...

LE NAVET

*Ce légume est produit en France surtout dans deux départements, le Vaucluse et la Loire-Atlantique. Le navet possède un taux de glucides supérieur aux autres légumes, et sa teneur en vitamine C, en potassium et en calcium n'est pas négligeable. A signaler toutefois que certaines personnes le digèrent mal. Toute l'année, les marchés sont approvisionnés en navets avec une pointe en hiver. Les variétés que l'on trouve sont principalement **le long et demi-long** qui est présent à la vente au printemps et en été et **le rond** qui est un légume d'automne et d'hiver. Choisissez des navets propres et sains, sans marques de blessures. Il doit être entier, non fendu, sans traces de terre. Les navets nouveaux sont vendus, au printemps, en bottes avec leurs feuilles.*

CANETON AUX NAVETS

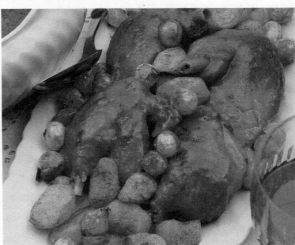

**POUR 4
A 5 PERSONNES
CUISSON : 1 h env.
INGRÉDIENTS :**
1 canard
750 g de navets
1/2 l. de vin blanc sec
1 tablette
de conc. de volaille
3 cuill. à soupe d'huile
1 noix de beurre
60 g de saindoux
1 cuill. à soupe de farine
150 g d'oignons blancs
Thym, laurier, sel, poivre
1 noisette
de conc. de tomates

1 - Découpez le caneton en morceaux, salez-le, et faites-le revenir à la cocotte dans le mélange de beurre et d'huile sur feu assez vif.

2 - Quand la volaille est bien dorée de toutes parts, ôtez les morceaux du récipient et réservez-les.

3 - Versez la farine en pluie dans la graisse de cuisson, et laissez-la blondir 2 à 3 minutes, en tournant constamment à la cuillère de bois.

4 - Mouillez alors avec le vin blanc et 1 verre de bouillon (que vous obtiendrez en faisant dissoudre la demi-tablette de concentré de volaille dans 1 verre d'eau bouillante). Ajoutez un petit bouquet garni, salez légèrement, poivrez au moulin, et délayez dans la sauce un peu de concentré de tomates. Replacez les morceaux de caneton dans la cocotte, et laissez cuire à couvert 1 heure environ.

5 - Pendant ce temps, épluchez les navets, coupez-les en quartiers, et mettez-les à blanchir 10 minutes à l'eau bouillante salée. Puis égouttez-les soigneusement sur du papier absorbant, et faites-les dorer à la poêle avec les petits oignons blancs dans un peu de saindoux.

6 - Quand le caneton est cuit, dressez les morceaux sur un plat de service chaud, entourez-le de la garniture d'oignons et de navets, et présentez la sauce en saucière.

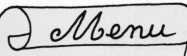

Menu

PETITS BEIGNETS AUX POINTES D'ASPERGES

Long — Facile — Abordable

**POUR 4
A 5 PERSONNES**
CUISSON : 20 minutes
INGRÉDIENTS :
1 boîte de pointes
d'asperges
125 g de farine
7 cuill. à soupe d'huile
1 œuf entier et 2 blancs
1 jus de citron
1 bouquet de persil
Sel, poivre
1 bain de friture

MINI-RECETTE

ESCALOPES ERMITAGE

POUR 4 PERSONNES
CUISSON : 30 minutes
INGRÉDIENTS : 4 escalopes
250 g de champignons, 40 g de beurre
2 jaunes d'œufs, 1 petit pot de crème fraîche
1 grand verre de vin blanc sec, sel, poivre

1 - Faites fondre une grosse noix de beurre dans une poêle, et saisissez-y les escalopes à feu vif après les avoir salées et poivrées.
2 - Laissez cuire la viande 5 minutes sur chaque face, puis disposez les escalopes sur le plat de service.
3 - Débarrassez les champignons de leur pied terreux, lavez-les soigneusement. Séchez-les sur du papier absorbant, puis détaillez-les en lamelles.
4 - Faites sauter ces champignons dans la graisse de cuisson de la viande. Salez et poivrez légèrement.
5 - Lorsque les champignons ont blondis, déglacez avec le vin blanc. Laissez cuire 2 minutes, puis ajoutez la crème fraîche. Faites réduire 2 minutes à feu vif.
6 - Dans un petit bol, battez les 2 jaunes d'œufs au fouet, avec un peu de sauce bouillante, puis versez ce mélange dans la poêle hors du feu, en remuant le tout à la cuiller de bois. Rectifiez si nécessaire l'assaisonnement.
7 - Nappez de cette sauce brûlante les escalopes sur le plat de service et servez immédiatement.

---

1 - Versez 125 g de farine dans un saladier. Faites un puits au milieu, et mettez-y 1 œuf et 1,5 dl d'eau tiède. Délayez le tout à la spatule de façon à obtenir une pâte légère. Laissez reposer 2 heures.
2 - Ouvrez la boîte de pointes d'asperges, égouttez les pointes, et laissez-les sécher sur du papier absorbant. Puis disposez-les dans un plat creux.
3 - Arrosez les pointes d'asperges de 6 cuillerées à soupe d'huile, du jus du citron. Parsemez de persil haché. Salez légèrement, poivrez. Laissez mariner 1/2 heure environ.
4 - Après que la pâte a reposé, battez les 2 blancs d'œufs en neige très ferme, et incorporez-les à la pâte à beignets.
5 - Égouttez les pointes d'asperges avec précaution, puis trempez-les dans la pâte à beignets avant de les plonger dans le bain d'huile bouillante à l'aide d'une fourchette de table.
6 - Dès que les beignets sont dorés, sortez-les au fur et à mesure avec une écumoire et mettez-les à égoutter sur du papier absorbant.
7 - Disposez les beignets sur un plat de service, entourez-les de petits bouquets de persil, et servez aussitôt.

LE TRUC DU CHEF

POUR LES PETITS BEIGNETS AUX POINTES D'ASPERGES : en saison, n'hésitez pas à confectionner cette recette avec des pointes d'asperges fraîches. C'est incomparablement meilleur. Vous ferez alors cuire les pointes 20 minutes dans de l'eau salée.

VOS NOTES PERSONNELLES

Ecrire . . . .

. . . .

Acheter . . . .

. . . .

Téléphoner . . . .

Menu

TERRINE DE PINTADE
EN CROÛTE
(voir recette p. 301)
BROCHETTES DE FOIE
AUX ENDIVES
(voir recette p. 131)
DÉLICE À LA PRALINE
(voir recette ci-contre)

TOUT SAVOIR SUR...

L'ENDIVE

C'est vers 1850 que le jardinier du jardin botanique de Bruxelles, le premier, a mis au point la culture de cette salade. Comme les autres végétaux, l'endive renferme des vitamines, notamment PP et des sels minéraux. L'endive a une valeur calorique très faible. De septembre à juin, elle est présente sur les marchés. Le nord de la France et la Belgique fournissent la quasi-totalité de la demande. Trois catégories ont été définies suivant les normes européennes : **catégorie extra** (étiquette rouge), le chicon doit être ferme et sans défaut, la pointe bien fermée. Aucune coloration verdâtre ne doit exister et la longueur du chicon ne doit pas dépasser 17 cm. **Catégorie I** (étiquette verte), le chicon doit être ferme, mais quelques légers défauts sont acceptés. La longueur ne doit pas dépasser 20 cm. La troisième catégorie supporte des légumes légèrement ouverts. Recherchez toujours des légumes frais, sans taches de maladies ou de meurtrissures, et débarrassés de traces de terre.

DÉLICE A LA PRALINE

**POUR 6 PERSONNES
CUISSON :
6 à 8 minutes
INGRÉDIENTS :
150 g de pralines
1 génoise toute prête
3 meringues
de boulanger
200 g de sucre semoule
250 g de beurre
8 jaunes d'œufs
1 sachet d'amandes
effilées
1 pincée de sel**

1 - Pilez grossièrement les pralines, ajoutez-leur les meringues concassées, et mélangez le tout.

2 - Versez 1 verre d'eau dans une casserole, ajoutez le sucre semoule et faites fondre sur feu doux, jusqu'à la première ébullition. Mettez alors sur feu vif et laissez bouillir 2 à 3 minutes pour obtenir un sirop "au filet".

3 - Cassez les œufs, mettez les jaunes dans un saladier, et battez-les avec 1 pincée de sel. Versez sur les jaunes le sirop bouillant peu à peu, en battant constamment au fouet.

4 - Travaillez le beurre dans une jatte à la cuillère de bois pour obtenir une crème onctueuse. Incorporez cette crème à la préparation précédente, en fouettant énergiquement. Prélevez une quantité suffisante de crème pour masquer le gâteau. Réservez. Ajoutez alors le mélange pralines-meringues au reste de crème. Travaillez délicatement le tout pour ne pas broyer la meringue.

5 - Coupez la génoise transversalement en trois disques d'égale épaisseur. Posez le disque inférieur sur un plat de service, enduisez-le à la spatule de la moitié de la crème, couvrez avec le disque du milieu, renouvelez l'opération, puis disposez le troisième disque sur le tout. Appliquez la crème que vous avez réservée sur le dessus et les côtés du gâteau. Parsemez avec les amandes effilées que vous aurez fait légèrement griller pour les rendre plus croustillantes. Mettez 1 heure environ au réfrigérateur avant de servir.

VOS NOTES PERSONNELLES

Ecrire . . . .
. . . .
Acheter . . . .
. . . .
Téléphoner . . . .

1 AVRIL

Menu

ŒUFS POCHÉS BÉNÉDICTINE
(voir recette p. 195)

**BAR EN CROÛTE
À LA MARQUIS**
(voir recette ci-contre)

MARQUISE AU CHOCOLAT
(voir recette ci-dessous)

MINI-RECETTE

MARQUISE
AU CHOCOLAT

POUR 6 À 8 PERSONNES
1 NUIT AU RÉFRIGÉRATEUR
CUISSON : 5 minutes
INGRÉDIENT : 250 g de chocolat
200 g de beurre, 200 g de sucre en poudre
6 œufs, 1 verre à liqueur de Grand Marnier

1 - Dans une petite casserole, faites fondre le chocolat et le sucre dans 1/3 de verre d'eau, sur feu doux. Puis retirez du feu.
2 - Mettez le beurre dans une terrine, et travaillez-le en pommade à la cuiller de bois.
3 - Cassez les œufs, réservez les blancs dans un saladier, et ajoutez les jaunes au beurre en pommade. Mélanger bien puis versez le Grand Marnier. Travaillez bien le tout.
4 - Fouettez les blancs d'œufs en neige très ferme, jusqu'à ce qu'ils collent au fouet, et incorporez délicatement ces blancs battus au mélange beurre-jaunes d'œufs.
5 - Ajoutez alors, peu à peu, la sauce chocolat, pour réaliser une préparation homogène.
6 - Beurrez un papier blanc, et tapissez-en le fond et les parois d'un moule à charlotte. Versez la préparation et mettez au réfrigérateur durant une nuit.
7 - Le lendemain, au moment de servir, démoulez délicatement la marquise sur un plat de service, et servez immédiatement.

BAR EN CROÛTE
A LA MARQUIS

POUR 6 PERSONNES
CUISSON : 1 h env.
INGRÉDIENTS :
1 bar de 1,2 kg
2 v. de vin blanc sec
1 carotte, 1 oignon
1 branche de céleri,
1 citron
1 bouquet garni,
1 jaune d'œuf
100 g de beurre,
35 g de farine
250 g de champignons
2 sachets de crevettes
1 bloc de feuilleté surgelé
Sel, poivre

1 - Demandez à votre poissonnier de vider le bar et de retirer l'arête centrale.
2 - Préparez un court-bouillon dans une poissonnière avec 1 litre d'eau, le vin blanc, l'oignon et la carotte coupés en rondelles, la branche de céleri. Aromatisez d'un bouquet garni, salez, poivrez, et laissez frémir le liquide 15 à 20 minutes.
3 - Mettez le poisson à pocher à feu très doux 4 à 5 minutes. Puis couchez-le sur un grand plat et ôtez délicatement la peau.
4 - Confectionnez un roux blond en faisant fondre 60 g de beurre dans une casserole. Ajoutez la farine, et tournez à la cuillère de bois 2 à 3 minutes, jusqu'à ce que la farine prenne couleur. Mouillez ce roux avec 1/2 litre de court-bouillon, tournez au fouet, et laissez cuire doucement 15 minutes.
5 - Lavez les champignons, détaillez-les en fines lamelles, et faites-les revenir à la poêle avec 40 g de beurre pendant quelques minutes sur feu vif. Arrosez les champignons d'un jus de citron en fin de cuisson. Salez, poivrez, et ajoutez-les à la sauce. Incorporez également les sachets de crevettes décortiquées.
6 - Lorsque la pâte a dégelé le temps nécessaire, étalez-la au rouleau, en lui donnant une dimension telle qu'elle puisse emprisonner entièrement le poisson.
7 - Fourrez l'intérieur du poisson de champignons et de crevettes prélevées dans la sauce. Puis entourez complètement le bar de la pâte feuilletée, en donnant grossièrement à l'enveloppe la forme du bar. A la pointe du couteau, tracez de légères incisions pour figurer la tête, les écailles et la queue.
8 - Badigeonnez la pâte d'un jaune d'œuf battu, et mettez à four chaud sur une plaque 25 à 30 minutes. Servez le reste de sauce chaude en saucière.

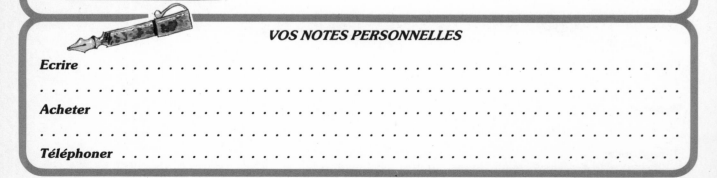

VOS NOTES PERSONNELLES

Ecrire . . . .

. . . .

Acheter . . . .

. . . .

Téléphoner . . . .

Menu

QUENELLES DE SAUMON NANTUA
(voir recette ci-contre)

PAVÉS DE JAMBON AUX POMMES
(voir recette ci-dessous)

POIRES BELLE HÉLÈNE
(voir recette p. 259)

MINI-RECETTE

PAVÉS DE JAMBON AUX POMMES

POUR 4 PERSONNES
CUISSON : 30 minutes
INGRÉDIENTS :
1 tranche de jambon de 400 g
1 kg de pommes, 1 noix de beurre
2 cuillerées à soupe d'huile, poivre

1 - Epluchez les pommes, coupez-les en quartiers, éliminez la queue et les pépins, et détaillez les quartiers en fines lamelles.
2 - Mettez les fruits dans une casserole avec 1 verre d'eau, et laissez cuire doucement 25 à 30 minutes à couvert.
3 - Faites chauffer le mélange de beurre et d'huile dans une poêle, coupez une tranche de jambon d'environ 2 cm d'épaisseur en quatre, et mettez ces pavés à dorer quelques minutes sur feu moyen. Poivrez.
4 - Quand les pommes ont cuit le temps indiqué, passez la préparation au mixer pour obtenir une compote bien homogène.
5 - Dressez les steaks de jambon sur un plat de service, entourez avec la compote de fruits et servez immédiatement.

QUENELLES DE SAUMON NANTUA

 Moyen — Facile — Cher

POUR 6 PERSONNES
CUISSON :
35 minutes env.
INGRÉDIENTS :
700 g de saumon
200 g de mie de pain
200 g de beurre
2 œufs
30 g de farine
70 cl de lait
2 dl de crème fraîche
50 g de beurre
d'écrevisses
Sel, poivre

1 - Coupez la chair du saumon en petits morceaux, et passez-la au mixer.
2 - Faites tremper la mie de pain dans 20 centilitres de lait, puis essorez-la légèrement et mettez-la dans un récipient aux parois épaisses. Travaillez à la spatule jusqu'à obtenir une panade qui se détache des parois.
3 - Mélangez dans une terrine le poisson, la panade refroidie et les œufs entiers. Salez, poivrez, ajoutez peu à peu 150 g de beurre réduit en pommade. Travaillez longuement cette préparation pour obtenir une pâte lisse et homogène.
4 - Divisez cette pâte en petites boules, et roulez-les sur une planche à pâtisserie farinée pour obtenir des boudins de 8 à 10 centimètres de long. Rangez-les au fur et à mesure dans un plat creux beurré.
5 - Couvrez-les d'eau bouillante et laissez pocher 8 à 10 minutes. Égouttez-les sur du papier absorbant.
6 - Confectionnez une sauce comme suit : faites fondre 50 g de beurre dans une casserole. Ajoutez la farine, et remuez le tout sur feu doux 2 à 3 minutes à la cuillère de bois. Versez alors le demi-litre de lait porté préalablement à ébullition, sans cesser de tourner. Laissez cuire doucement la sauce 10 minutes environ. Passé ce temps, ajoutez la crème fraîche et le beurre d'écrevisses. Salez légèrement, poivrez.
7 - Disposez les quenelles dans un plat allant au four, nappez-les de sauce, et mettez à four moyen 15 à 20 minutes. Servez immédiatement dans le plat de cuisson.

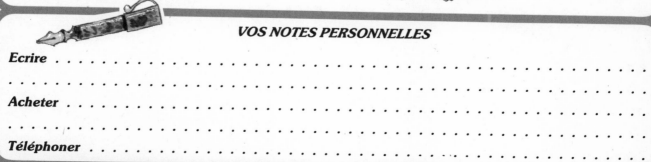

VOS NOTES PERSONNELLES

Ecrire . . . .

Acheter . . . .

Téléphoner . . . .

MINI-RECETTE

CANARD AUX PETITS LÉGUMES

POUR 5 À 6 PERSONNES
CUISSON : 1 h 1/2
INGRÉDIENTS : 1 canard de 2 kg
3 boîtes 1/2 de petits pois
500 g de petits oignons
250 g de poitrine fumée, 50 g de beurre
2 cuillerées à soupe d'huile, thym, laurier
Sel, poivre

1 - Choisissez un beau canard d'environ 2 kg et faites-le vider, flamber brider par votre volailler.

2 - Placez la volaille dans un grand plat allant au four, badigeonnez-la avec un peu de beurre fondu, salez, poivrez, et mettez à four moyen pendant 1 h.

3 - Pendant ce temps, coupez la poitrine fumée en petits dés, et, dans une cocotte, faites-les revenir dans un peu d'huile et de beurre mélangés.

4 - Epluchez les petits oignons, ajoutez-les aux lardons et laissez-les blondir quelques minutes.

5 - Lorsque lard et oignons ont bien pris couleur, ouvrez les boîtes de petits pois (de préférence des extra-fins) et versez-en le contenu (avec le jus) dans la cocotte. Laissez mijoter quelques minutes à feu doux, avec un peu de thym et de laurier, le récipient découvert.

6 - 5 minutes avant la fin de la cuisson du canard, ajoutez à la volaille le contenu de la cocotte.

7 - Laissez le plat à four doux et, lorsque le temps s'est écoulé, placez le canard dans un grand plat de service creux et entourez-le de sa garniture de légumes.

ASPIC DE SOLE TRUFFÉ

Long — Délicat — Cher

POUR 6 PERSONNES
CUISSON : 20 minutes
INGRÉDIENTS :
600 g de filets de sole
1 carotte, 1 échalote
1 v. de vin blanc
1 truffe en boîte
1 sachet de crevettes décortiquées
100 g de champignons
1 sachet de gelée instantanée
Sel, poivre

1 - Confectionnez un court-bouillon avec 2 verres d'eau salée, le vin blanc, la carotte et l'échalote en rondelles. Poivrez et laissez frémir le liquide 10 minutes environ.

2 - Pendant ce temps, préparez la gelée en vous conformant aux indications portées sur le sachet, et tenez le produit liquide au bain-marie. Lavez les champignons et séparez les têtes des queues.

3 - Plongez les filets de sole dans le court-bouillon, et laissez-les à feu doux 3 à 4 minutes, en fonction de leur épaisseur.

4 - Mettez à cuire les têtes de champignons dans un peu de liquide de court-bouillon, 5 minutes environ. Egouttez.

5 - Coulez environ 1 cm de gelée dans un moule du genre « moule à manqué », ou dans de petits moules individuels. Laissez prendre puis réalisez un décor avec quelques fines rondelles de truffe et des têtes de champignons. Fixez le tout d'une nouvelle couche de gelée.

6 - Enduisez de gelée quelques lamelles de truffe, des crevettes décortiquées, et quelques chapeaux de champignons, et appliquez-les sur le pourtour du moule. Disposez au centre les filets de sole en étoile, garnissez les intervalles de crevettes, parures de truffes, et recouvrez le tout de gelée.

7 - Mettez au réfrigérateur 2 heures avant de démouler l'aspic sur un plat de service, entouré du reste de gelée hachée.

VOS NOTES PERSONNELLES

Ecrire . . . .

. . . .

Acheter . . . .

. . . .

Téléphoner . . . .

Menu

CROUSTADES DE FRUITS DE MER
(voir recette p. 281)

SELLE D'AGNEAU BEAUPRÉ
(voir recette ci-dessous)

PROFITEROLES
(voir recette ci-contre)

Boisson conseillée :
UN SAINT-AMOUR

MINI-RECETTE

SELLE D'AGNEAU BEAUPRÉ

POUR 6 À 8 PERSONNES
CUISSON : 50 minutes environ
INGRÉDIENTS : 1 selle de 1,7 kg
1,5 kg d'épinards, 4 belles tomates
2 gousses d'ail
2 cuillerées à soupe d'huile
50 g de beurre, laurier, persil
Sel, poivre

1 - Epluchez les gousses d'ail, divisez-les en éclats, et piquez-en la selle en divers endroits.

2 - Salez, poivrez la viande, placez-la dans un plat allant au four, enduisez-la d'un peu d'huile, aromatisez d'un peu de laurier, et mettez à cuire 50 minutes à four chaud. Versez, à mi-cuisson, 1 verre d'eau chaude dans le fond du plat.

3 - Pendant la cuisson de la selle, triez les épinards, lavez-les, coupez le gros des queues, et mettez les légumes à cuire 15 minutes dans un grand récipient d'eau bouillante salée. Puis, égouttez-les soigneusement et tenez-les au chaud dans une casserole sur feu doux, avec une belle noix de beurre.

4 - Lavez les tomates, essuyez-les, coupez-les par le milieu, salez les.

5 - Peu vant la fin de la cuisson de la viande, passez les tomates à la poêle sur feu vif dans une noix de beurre.

6 - Dressez la selle d'agneau sur un plat de service chaud, disposez tout autour, en alternant, épinards en branches et demi-tomates, saupoudrez ces dernières d'un fin hachis de persil, et nappez les épinards du jus de cuisson de la viande.

PROFITEROLES

Long Délicat Abordable

POUR 6 PERSONNES
CUISSON : 20 minutes
INGRÉDIENTS :
1/2 l de glace à la vanille
130 g de beurre
1 cuillerée à soupe
de sucre en poudre
4 œufs
150 g de farine tamisée
250 g de chocolat
1 verre de lait
1 cuillerée à soupe
de Grand Marnier
1 pincée de sel

1 - Mettez dans une casserole 1/4 de litre d'eau, 80 g de beurre, le sucre en poudre, la pincée de sel. Faites bouillir.

2 - Dès l'ébullition, ôtez du feu et versez d'un seul coup la farine. Mélangez soigneusement avec une spatule en bois jusqu'à obtenir une pâte en boule.

3 - Incorporez à cette pâte les œufs un par un, en tournant énergiquement entre chaque œuf.

4 - Beurrez une plaque de four, et disposez à la cuillère de grosses noix de pâte. Mettez à four chaud 20 minutes environ. Les choux doivent gonfler et prendre une belle coloration dorée.

5 - Pendant ce temps, préparez la sauce chocolat en faisant fondre dans une casserole 250 g de chocolat dans 1 verre de lait. Ajoutez 50 g de beurre et la cuillerée de Grand Marnier. Lorsque la sauce devient onctueuse, conservez-la chaude au bain-marie. Lorsque les choux sont cuits et refroidis, ouvrez-les aux 2/3 de leur hauteur sans détacher complètement le chapeau. Agrandissez la cavité avec les doigts et introduisez, avec une petite cuillère, de la glace à la vanille. Placez au fur et à mesure les choux fourrés de glace au réfrigérateur.

6 - Présentez le dessert, soit monté en pyramide sur un grand plat de service, soit en disposant quelques choux dans l'assiette de chaque convive. Nappez avec la sauche au chocolat bien chaude.

VOS NOTES PERSONNELLES

Ecrire . . . .

Acheter . . . .

Téléphoner . . . .

Menu

OMELETTE AUX HERBES
(voir recette p. 184)

BOULETTES GRILLÉES AUX TOMATES
(voir recette ci-dessous)

POGNE À LA GUYOT
(voir recette ci-contre)

MINI-RECETTE

BOULETTES GRILLÉES AUX TOMATES

POUR 4 PERSONNES
CUISSON : 8 minutes
INGRÉDIENTS : 1 oignon
600 g de bœuf haché, 2 échalotes
2 gousses d'ail, 1 bouquet de persil
1 œuf, 1 pincée de paprika
1 cuillerée à soupe d'huile
1 branche de thym, 4 tomates, sel, poivre

1 - Pelez l'oignon et les échalotes. Épluchez-les et hachez-les finement. Lavez et hachez 2 ou 3 brins de persil.
2 - Dans un saladier, mélangez la viande hachée avec l'oignon, l'échalote et le persil hachés. Cassez un œuf, émiettez un peu de thym, ajouter 1 pincée de paprika, 1 cuillerée à soupe d'huile. Salez, poivrez au moulin. Malaxez intimement le tout.
3 - A l'aide de vos mains, façonnez 4 boulettes légèrement aplaties, et faites-les saisir à la plaque, sur feu très vif. Laissez les boulettes 3 à 4 minutes de chaque côté selon le degré de cuisson désiré. Puis dressez-les sur un plat de service, et tenez au chaud quelques instants.
4 - Lavez et essuyez les tomates, coupez-les en deux par le milieu, et passez-les à la plaque chaude, côté pulpe quelques instants. Puis retournez-les, disposez dessus un fin hachis de persil et d'ail.
5 - Entourez les boulettes avec les tomates, et servez immédiatement.

POGNE A LA GUYOT

Long · Facile · Abordable

POUR 4
A 5 PERSONNES
CUISSON : 35 minutes
INGRÉDIENTS :
300 g de farine
3 œufs, 150 g de beurre
1/2 verre de lait
20 g de levure
de boulanger
100 g de sucre semoule
1 v. à liqueur de rhum
50 g de sucre cristallisé
1 pincée de sucre vanillé
1 pincée de sel

1 - Préparez le levain dans un bol, la veille de la cuisson, en délayant la levure dans le lait tiède. Ajoutez-y 75 g de farine. Mélangez bien et laissez reposer.
2 - Versez le reste de la farine dans un saladier, ajoutez-y le sucre semoule, le beurre en pommade, 4 œufs battus en omelette, les pincées de sucre vanillé et de sel.
3 - Travaillez cette pâte à la main, ajoutez le rhum, puis le levain. Lorsque la pâte devient souple et élastique, mettez-la en boule et placez-la dans une terrine farinée. Recouvrez d'un torchon et laissez doubler de volume dans un endroit tiède. Puis travaillez la pâte à nouveau à la main pour la faire retomber, et gardez-la au réfrigérateur jusqu'au lendemain.
4 - Le lendemain, beurrez une plaque à four, et disposez-y la pâte en couronne.
5 - Battez le jaune d'œuf restant et, à l'aide d'un pinceau, badigeonnez-en la pâte. En vous servant d'un couteau pointu, ou d'une paire de ciseaux, confectionnez un décor en exécutant des entailles peu profondes, en croix, sur la surface de la pâte.
6 - Mettez à cuire à four chaud 35 minutes. 10 minutes avant la fin de la cuisson, saupoudrez le gâteau avec le sucre cristallisé. Servez tiède.

VOS NOTES PERSONNELLES

Ecrire . . . .

. . . .

Acheter . . . .

. . . .

Téléphoner . . . .

Menu

SALADE D'ENDIVES AU MAIGRE
(voir recette ci-dessous)

COQUELET EN CRAPAUDINE
(voir recette p. 177)

FLAN AU CITRON
(voir recette ci-contre)

MINI-RECETTE

SALADE D'ENDIVES AU MAIGRE

POUR 4 À 5 PERSONNES
INGRÉDIENTS : 5 endives
1 pomme, 6 noix, 30 g de gruyère
3 petits suisses 0 % matière grasse
3 cuillerées à soupe de lait écrémé
1 pointe de paprika, sel, poivre

1 - Coupez le pied des endives au ras, éliminez les feuilles brunâtres ou flétries qui recouvrent les légumes, et lavez-les en les passant à l'eau courante. Essuyez-les en les pressant dans un torchon. Fendez-les en quatre aux trois quarts en partant du sommet, et débitez-les en tronçons.

2 - Pelez la pomme, coupez-la en quatre, et débarrassez-les du cœur et des pépins. Puis détaillez les quartiers en fines lamelles.

3 - Cassez quelques noix, dégagez les cerneaux, et pilez-en la chair grossièrement.

4 - Coupez un morceau de gruyère en très petits dés.

5 - Mettez les petits suisses dans un saladier, et mélangez-les au fouet avec le lait écrémé. Salez, poivrez, ajouter une bonne pointe de paprika.

6 - Versez dans le saladier les divers ingrédients de la salade, et mélangez-les bien avec les petits suisses. Servez aussitôt.

FLAN AU CITRON

POUR 6 PERSONNES
CUISSON : 45 minutes
INGRÉDIENTS : 2 citrons
50 g de farine, 6 œufs
3/4 l de lait écrémé
200 g de sucre semoule
1 sachet de sucre vanillé
1 pincée de sel

1 - Versez le lait dans une casserole, ajoutez le sucre vanillé, une pincée de sel, et portez le liquide à ébullition. Puis ôtez du feu.

2 - Fouettez vivement dans une terrine le sucre semoule et les œufs, jusqu'à ce que le mélange blanchisse. Incorporez alors la farine et mélangez soigneusement.

3 - Versez le lait bouillant sur la préparation en continuant de mélanger au fouet, passez au chinois, et aromatisez avec le zeste râpé finement des 2 citrons.

4 - Garnissez de cette préparation un moule à bords hauts, placez ce moule dans un récipient allant au four et rempli d'eau bouillante (l'eau doit atteindre un bon milieu de la hauteur du moule), et mettez à cuire au bain-marie 45 minutes à four doux.

5 - Lorsque le flan est cuit, laissez-le refroidir, et servez dans le plat de cuisson en découpant à la cuillère à soupe.

LE TRUC DU CHEF

POUR LA SALADE D'ENDIVES AU MAIGRE : choisissez des endives de forme régulière, bien formées, c'est-à-dire possédant une partie terminale aiguë et fermée. Evitez les légumes présentant une coloration verdâtre.

POUR LE FLAN AU CITRON : le temps de cuisson d'un flan peut sensiblement varier selon les fours. Vérifiez que le flan est cuit en piquant avec une fine lame de couteau, qui doit ressortir sèche.

VOS NOTES PERSONNELLES

Ecrire . . . .

Acheter . . . .

Téléphoner . . . .

Menu

ŒUFS FARCIS LATOUR
(voir recette ci-contre)

**FILET DE PORC
À LA MARINADE**
(voir recette p. 229)

GÂTEAU DE RIZ CAROLINE
(voir recette ci-dessous)

MINI-RECETTE

GÂTEAU DE RIZ CAROLINE

POUR 6 À 8 PERSONNES :
CUISSON : 1 h
INGRÉDIENTS : 1 litre de lait
250 de riz, 1/2 gousse de vanille,
240 g de sucre, 100 g de beurre, 4 œufs
100 g de raisins secs
2 verres à liqueur de Xerès

1 - Mettez les raisins secs dans un bol et arrosez-les avec le Xerès. Laissez macérer.
2 - Versez le riz dans une casserole avec 1 litre d'eau froide. Portez à ébullition, laissez 1 minute, puis égouttez le riz dans une passoire en le passant à l'eau froide.
3 - Dans une casserole, faites bouillir le lait avec la gousse de vanille fendue et 1 pincée de sel. Ajoutez le riz et laissez cuire à feu doux 20 à 25 minutes jusqu'à ce que le riz ait entièrement absorbé le lait.
4 - Cassez les œufs, et incorporez-les au riz tiédi. Ajoutez le beurre, 150 g de sucre, et les raisins avec le Xerès. Mélangez bien le tout.
5 - Dans une petite casserole, préparez un caramel blond en faisant chauffer le reste du sucre et 2 cuillerées à soupe d'eau. Versez ce caramel sur le fond et les parois d'un moule à brioche.
6 - Remplissez le moule de la préparation au riz, en le tassant bien dans le récipient. Placez le moule au bain-marie, dans un contenant rempli d'eau chaude, l'eau devant arriver à mi-hauteur du moule. Mettez à four chaud 1/2 heure environ.
7 - Lorsque le flan est cuit, laissez-le refroidir, et démoulez-le sur un plat de service.

ŒUFS FARCIS LATOUR

POUR 4 PERSONNES
CUISSON : 35 minutes
INGRÉDIENTS : 6 œufs
80 g de champignons
60 g de blanc
de poulet cuit
60 g de jambon
30 g de beurre
2 cuillerées à soupe
de crème fraîche
1 cuill. à soupe de porto
1 feuille d'oseille
1 branche de persil
20 g de gruyère râpé
Sel, poivre

1 - Faites durcir les œufs 12 à 15 minutes à l'eau bouillante. Refroidissez-les sous l'eau froide, écalez-les, et coupez-les en deux dans le sens de la longueur, en veillant bien à ne pas abîmer les blancs. Ôtez les jaunes.
2 - Coupez le pied terreux des champignons, passez-les rapidement à l'eau courante, séchez-les sur du papier absorbant. Puis hachez-les finement.
3 - Hachez également ensemble le poulet, le jambon, l'oseille et le persil.
4 - Mettez 30 g de beurre à fondre dans une casserole, et jetez-y les champignons hachés. Laissez revenir sur feu doux 3 minutes, puis ajoutez le hachis de viande et d'herbes. Remuez, laissez encore 2 à 3 minutes sur le feu, salez et poivrez.
5 - En fin de cuisson, incorporez une cuillerée de porto, un peu de crème fraîche. Tournez bien cette farce hors du feu, et ajoutez-y les jaunes d'œufs écrasés.
6 - Garnissez les demi-blancs d'œufs de cette préparation, parsemez le dessus d'une pincée de gruyère râpé, et mettez à four chaud 4 à 5 minutes. Servez immédiatement.

LE TRUC DU CHEF

POUR LES ŒUFS FARCIS LATOUR : pour une présentation plus prestigieuse, on peut commander quelques petites barquettes de feuilleté chez le pâtissier, et les garnir également de farce. On tiendra compte de l'importance des ingrédients en conséquence. Nous vous recommandons pour accompagner cette excellente entrée un vin de sancerre.

VOS NOTES PERSONNELLES

Ecrire . . . .
. . . .

Acheter . . . .

Téléphoner . . . .

7 AVRIL

Menu

PISSENLITS AU LARD
(voir recette p. 216)

**FOIE DE VEAU
AUX COURGETTES**
(voir recette ci-contre)

MOUSSE À LA VAUDOISE
(voir recette p. 203)

TOUT SAVOIR SUR...

LA COURGETTE

La courgette est traditionnellement un légume du midi de la France que l'on trouve pratiquement toute l'année à la vente, avec une période d'abondance en été. En hiver, ces légumes nous arrivent d'Italie, d'Espagne ou d'Afrique du Nord. D'une faible valeur calorique, la courgette contient entre autres de la vitamine C et du potassium. Elle est très appréciée des personnes qui suivent un régime amaigrissant, et de plus, elle se digère très facilement. Dans les diverses variétés proposées à la vente, préférez des légumes allongés, fermes et lourds. Les normes européennes ont déterminé trois catégories : **Catégorie I** *(étiquette verte), accepte de légers défauts.* **Catégorie II** *(étiquette jaune), supporte des défauts plus apparents.* **Catégorie III** *(étiquette grise), tolère des traces de terre. Ce légume est, pendant sa pleine saison, bon marché mais augmente quand il s'agit de produits d'importation.*

FOIE DE VEAU AUX COURGETTES

POUR 4 PERSONNES
CUISSON :
30 minutes env.
INGRÉDIENTS :
4 tranches de foie
1 kg de courgettes
3 échalotes
3 gousses d'ail
1 citron
1 noisette de beurre
1 cuill. à soupe d'huile
Quelques brins
de ciboulette
1 petit bouquet de persil
Thym, laurier
Sel, poivre

1 - Faites chauffer dans une sauteuse le mélange de beurre et d'huile, et mettez-y à dorer les tranches de foie de veau, après les avoir salées et poivrées. Laissez-les cuire 5 minutes sur chaque face.

2 - Pendant ce temps, épluchez les courgettes à l'aide d'un couteau économe, et détaillez-les en fines lamelles.

3 - Quand les tranches de foie ont pris couleur, ôtez-les de la sauteuse et réservez-les au chaud. Jetez les rondelles de courgettes dans la graisse de cuisson, ajoutez les échalotes hachées, les gousses d'ail pilées, un peu de thym et de laurier émietté. Arrosez avec le jus d'un beau citron, salez et poivrez, et laissez cuire 20 à 25 minutes, récipient couvert.

4 - Passé ce temps, disposez les tranches de foie sur un plat de service chaud, et entourez la viande de la garniture de courgettes. Hachez sur le tout un peu de persil et de ciboulette, et servez aussitôt.

LE TRUC DU CHEF

POUR LA MOUSSE À LA VAUDOISE : pour éviter que le chocolat ne brûle, même légèrement lors de sa cuisson, ce qui nuirait à la saveur de ce dessert, faites-le fondre au bain-marie. Placez la petite casserole contenant le mélange chocolat-beurre dans une grande remplie d'eau, que vous mettrez sur feu moyen.
Pour cette recette, point n'est besoin d'utiliser du chocolat surfin. Le chocolat à cuire, dit aussi « de ménager » convient parfaitement.

VOS NOTES PERSONNELLES

Ecrire . . . .

Acheter . . . .

Téléphoner . . . .

101

Menu

ŒUFS BROUILLÉS AUX ÉPINARDS
(voir recette p. 345)

FILETS DE MAQUEREAUX ROSKILDE
(voir recette ci-dessous)

FEUILLETÉ À L'ORANGE
(voir recette ci-contre)

MINI-RECETTE

FILETS DE MAQUEREAUX ROSKILDE

POUR 4 PERSONNES
CUISSON : 10 minutes
INGRÉDIENTS : 4 maquereaux
2 verres d'huile, 2 citrons
4 cornichons au vinaigre, 1 gousse d'ail
1 cuillerée à soupe de moutarde
1 jaune d'œuf
1 cuillerée à café de concentré de tomates
1 pincée d'estragon en poudre
Cerfeuil, ciboulette, sel, poivre

1 - A l'aide d'un petit couteau pointu, levez délicatement les filets de maquereaux, lavez-les, et séchez-les.
2 - Préparez une marinade dans un plat creux avec 1 verre d'huile, le jus de 1/2 citron, 1 pincée d'estragon en poudre. Salez et poivrez. Laissez les filets 1/2 heure.
3 - Confectionnez une mayonnaise. Lorsque la mayonnaise est montée, ajoutez-lui le jus de 1/2 citron, les cornichons coupés en minces rondelles, un fin hachis de cerfeuil et de ciboulette, la gousse d'ail hachée. Incorporez le reste de moutarde, et colorez la mayonnaise d'une cuillerée à café de concentré de tomates.
4 - Sortez les filets de poisson de la marinade, égouttez-les sur du papier absorbant, et disposez-les sur une grille de four tapissée de papier aluminium. Mettez au gril, et laissez 3 minutes de chaque côté.
5 - Disposez les filets sur un plat de service, entourés de quartiers de citron et de petits bouquets de cerfeuil. Présentez la mayonnaise à part, en saucière.

FEUILLETÉ A L'ORANGE

Moyen   Facile   Abordable

POUR 6 PERSONNES
CUISSON :
30 minutes environ
INGRÉDIENTS : 3 oranges
1 bloc de feuilleté surgelé
70 g de beurre
100 g de sucre semoule
40 morceaux de sucre
1 œuf entier
+ 1 jaune d'œuf
50 g de poudre d'amandes
1 verre de lait
1 pet. v. de Gd Marnier
1 cuillerée à soupe
de sucre glace

1 - Laissez dégeler le bloc de pâte à température ambiante en vous conformant aux indications portées sur l'emballage (environ 2 h 30).
2 - Quand la pâte est prête à l'emploi, étalez-la au rouleau, et tapissez-en un moule à tarte préalablement beurré.
3 - Piquez le fond de la pâte à la fourchette, recouvrez le tout de papier alu pour éviter que les bords ne s'affaissent, et mettez à cuire 20 minutes à four moyen.
4 - Préparez une crème comme suit : versez dans une casserole le sucre semoule, ajoutez l'œuf entier et le jaune, le lait et la poudre d'amandes. Aromatisez avec un peu de Grand Marnier, battez bien le tout et laissez quelques instants sur feu doux. Au premier frémissement, incorporez 50 g de beurre en parcelles, et ôtez du feu.
5 - Épluchez les oranges et détaillez-les en fines rondelles. Faites un sirop dans une casserole avec les morceaux de sucre et 1/4 de litre d'eau, sur feu moyen, puis plongez les rondelles d'oranges. Laissez sur le feu quelques minutes jusqu'à évaporation complète de l'eau.
6 - Quand la pâte feuilletée a cuit le temps prescrit, garnissez-la de la crème, puis répartissez au mieux les rondelles d'orange. Saupoudrez le tout de sucre glace et remettez à four moyen 8 à 10 minutes.
7 - Passé ce temps, démoulez le feuilleté sur un plat de service, et servez tiède ou froid.

VOS NOTES PERSONNELLES

Ecrire . . . .
. . . .
Acheter . . . .
. . . .
Téléphoner . . . .

Menu

SALADE À L'ANDALOUSE
(voir recette ci-contre)

CANETTE AUX POMMES
(voir recette p. 287)

CRÈME ARLEQUIN
(voir recette p. 227)

TOUT SAVOIR SUR...

LES VINS DU LANGUEDOC-ROUSSILLON

Le vignoble s'étend de Montpellier à l'Espagne, le long de la côte méditerranéenne. C'est la plus vaste région viticole de France. Elle produit des vins de consommation courante, dont les principaux sont : **les corbières.** *Ce sont des V.D.Q.S. (Vins Délimités de Qualité Supérieure). Les rouges, à l'arôme très agréable, conviennent parfaitement à l'accompagnement de viandes et de gibiers. Les rosés se marient avec les charcuteries et les volailles, et les blancs avec les produits de la mer.* **Les minervois** *: ce sont des V.D.Q.S., les rouges sont d'un beau grenat, fruités et délicats.* **Les fitous** *sont A.O.C. (Appellation d'Origine Contrôlée). Ce sont des vins rouges qui possèdent du corps et supportent bien le vieillissement. Le Languedoc-Roussillon produit également* **la blanquette de Limoux** *qui est un excellent mousseux, et des vins doux que l'on consomme en apéritif comme* **le banyuls, le rivesaltes, le grenache.**

SALADE A L'ANDALOUSE

Moyen   Facile   Abordable

**POUR 6 PERSONNES
INGRÉDIENTS :**
150 g de riz
2 poivrons
2 tomates 2 œufs
50 g d'olives noires
50 g d'olives vertes farcies
1 boîte de queues de langoustines
1 cœur de laitue
2 cuil. café de moutarde
3 cuil. à s de vinaigre
9 cuil. à s d'huile d'olive
2 gousses d'ail
1 gros oignon blanc
Sel, poivre

1 - Faites bouillir une grande casserole d'eau salée.

2 - Lavez le riz à l'eau froide, et jetez-le dans l'eau bouillante. Laissez-le cuire de 15 à 20 minutes, en fonction de la variété, puis égouttez-le dans une passoire après l'avoir passé sous l'eau froide.

3 - Passez les poivrons à la flamme, ou sous le gril, pour en griller la peau, puis ôtez la fine pellicule qui les recouvre. Ouvrez-les, épépinez-les, et taillez-les en lanières.

4 - Lavez la laitue, égouttez les feuilles, et séchez-les dans un torchon.

5 - Ouvrez la boîte de queues de langoustines, égouttez-les. Faites durcir les œufs 10 à 12 minutes à l'eau bouillante.

6 - Dans un grand saladier, mettez le riz, les poivrons, les tomates coupées en quartiers, les feuilles de laitue, les langoustines, et les œufs durs coupés en rondelles. Ajoutez-y l'oignon et l'ail haché, les olives. Mêlez le tout délicatement.

7 - Dans un bol, confectionnez une vinaigrette comme suit : délayez la moutarde dans le vinaigre, salez et poivrez. Versez ensuite l'huile par cuillerée, en tournant bien entre chacune. La sauce doit avoir un aspect crémeux.

8 - Versez la vinaigrette sur la salade, remuez et servez.

VOS NOTES PERSONNELLES

Ecrire . . . .
. . . .
Acheter . . . .
. . . .
Téléphoner . . . .

TOUT SAVOIR SUR...

LE FILET DE BŒUF

Le filet est un muscle long qui se situe sur la partie dorsale arrière du bœuf, dans un morceau que l'on appelle l'aloyau. Il contient des vitamines, notamment PP et des sels minéraux comme le phosphore. C'est une viande maigre, sans aucun déchet. C'est le morceau de la viande de bœuf, prisé par excellence en raison de son goût délicat et de sa grande tendreté. C'est également le morceau le plus cher. La viande doit apparaître à la coupe d'un rouge vif. C'est dans le filet que sont réalisés les rosbifs, les tournedos et les chateaubriands. Les bouchers les présentent parfois tout préparés, c'est-à-dire bardés. Dans ce cas, 10 % du poids en barde est accepté. Par personne, comptez 160 g de viande pour une portion convenable.

TOURNEDOS A LA SAUCE ARMAGNAC

POUR 4 PERSONNES
CUISSON : 20 minutes
INGRÉDIENTS :
4 tournedos
700 g de cèpes
2 échalotes
2 gousses d'ail
1 branche de persil
1 petit verre d'armagnac
5 cl de crème fraîche
1 cuillerée à café
de conc. de tomates
4 cuill. à soupe d'huile
1 noisette de beurre
Sel, poivre

1 - Otez le pied terreux des cèpes, passez rapidement les champignons sous l'eau courante, et séchez-les soigneusement avec du papier absorbant. Détaillez-les en épaisses lamelles.

2 - Faites chauffer 3 cuillerées à soupe d'huile dans une sauteuse, et mettez-y les champignons à dorer. Remuez de temps en temps à la spatule de bois, et laissez cuire une douzaine de minutes. Salez et poivrez.

3 - Pendant ce temps, faites chauffer sur feu vif un peu d'huile et de beurre dans une poêle, et faites-y saisir les tournedos après les avoir salés et poivrés. Laissez la viande cuire de 2 à 4 minutes sur chaque face selon que vous la désirez saignante ou à point.

4 - Passé ce temps, versez l'armagnac et flambez. Puis sortez les tournedos de la poêle et réservez-les au chaud sur un plat de service.

5 - Hors du feu, incorporez la crème fraîche à la sauce de cuisson, ajoutez un peu de concentré de tomates. Remettez la poêle sur le feu jusqu'à ébullition, et nappez les tournedos de cette sauce.

6 - Pelez les échalotes et les gousses d'ail, lavez le persil, et hachez ensemble ces trois ingrédients. Parsemez les champignons de ce hachis, versez-les dans un plat creux de service, et servez avec la viande.

VOS NOTES PERSONNELLES

Ecrire . . . .

Acheter . . . .

Téléphoner . . . .

Menu

SALADE DE CRESSON AUX MOULES
(voir recette ci-dessous)
CONTRE-FILET RÔTI AUX LÉGUMES
(voir recette p. 190)
BABA STANISLAS
(voir recette ci-contre)

BABA STANISLAS

Long — Facile — Abordable

POUR 5 A 6 PERSONNES
CUISSON : 30 minutes
INGRÉDIENTS :
220 g de farine, 3 œufs
290 g de sucre
en poudre
2/3 de verre de lait
12 g de levure
de boulanger
100 g de beurre
60 g de raisins secs
1 v. à liqu. de vodka
1 v. à liqu. de rhum
Sel

1 - Versez le rhum dans un petit bol, et mettez-y les raisins secs à tremper 1 heure.

2 - Chauffez légèrement le lait, versez-le dans un verre, et faites-y dissoudre la levure.

3 - Placez la farine dans une terrine, faites un puits, et mettez-y les œufs, le lait, 40 g de sucre, 1 pincée de sel. Mélangez bien le tout à la spatule.

4 - Ajoutez à cette pâte 80 g de beurre préalablement fondu, mais froid, les raisins secs (réservez le rhum), et travaillez-la longuement. Couvrez la terrine d'un linge et laissez reposer la pâte 2 heures dans un endroit tiède.

5 - Passé ce temps, pétrissez quelques instants la pâte, et disposez-la dans un moule à baba généreusement beurré (le moule doit être rempli aux 2/3 environ). Laissez reposer à nouveau 1/2 heure la pâte, recouverte d'un linge, puis mettez à cuire à four moyen 25 minutes.

6 - Pendant ce temps, préparez un sirop dans une casserole avec le reste de sucre et 2 verres d'eau. Portez à ébullition, ôtez le récipient du feu, et ajoutez le rhum et la vodka.

7 - Quand le gâteau est cuit, démoulez-le encore chaud sur un plat de service creux et arrosez-le avec le sirop chaud. Attendez le complet refroidissement du baba avant de servir.

LE TRUC DU CHEF

POUR LE BABA STANISLAS : afin que le gâteau s'imbibe au maximum de sirop, versez celui-ci en plusieurs fois, en attendant une dizaine de minutes entre chaque opération. Vous pouvez également servir avec ce dessert une crème anglaise que vous disposerez au centre du baba.

MINI-RECETTE

SALADE DE CRESSON AUX MOULES

POUR 4 À 5 PERSONNES
CUISSON : 5 minutes
INGRÉDIENTS : 1 botte de cresson
500 g de moules
1 pomme, 1 carotte
1 échalote, 1 branche de persil
1 gousse d'ail, thym, laurier
1/2 jus de citron
1 cuillerée à soupe de vinaigre
4 cuillerée à soupe d'huile
1 cuillerée à café de moutarde, sel, poivre

1 - Dans un faitout, confectionnez un peit court-bouillon avec 1 verre d'eau salée, le vinaigre, la carotte et l'échalote coupées en rondelles fines, l'ail pilé, 1 branche de persil, un peu de thym et de laurier. Laissez frémir quelques minutes à découvert.

2 - Triez les moules, lavez-les, et jetez dans le court-bouillon. Couvrez le récipient et attendez 2 à 3 minutes que les coquillages s'ouvrent.

3 - Nettoyez et triez les feuilles de cresson, lavez-les et séchez-les.

4 - Pelez la pomme, coupez-la en quatre, ôtez le cœur et les pépins, et râpez les quartiers à la râpe gros trou.

5 - Dans un grand saladier, confectionnez une sauce en délayant la moutarde dans 1/2 jus de citron. Salez légèrement, poivrez, et versez l'huile cuillerée par cuillerée, en tournant constamment.

6 - Otez les moules de leur coquille, et mettez-les dans le saladier. Ajoutez le cresson, la pomme râpée, mélangez délicatement le tout.

VOS NOTES PERSONNELLES

Ecrire . . . .

Acheter . . . .

Téléphoner . . . .

12 AVRIL

Menu

QUENELLES DE LÉGUMES
(voir recette ci-contre)

*COURGETTES FARCIES
SAINTE-BAUME*
(voir recette p. 241)

TOURTE AUX POIRES
(voir recette p. 243)

TOUT SAVOIR SUR...

LE POIREAU

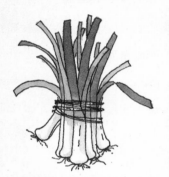

Le poireau est peu calorique et se digère très facilement. La sagesse populaire l'a surnommé « le balai de l'intestin », ce qui explique que certaines personnes ayant des problèmes intestinaux le recherchent. Bien pourvu en vitamines C et PP, il contient également du phosphore, du sodium et du calcium. Présent toute l'année sur les marchés, avec une période d'abondance d'octobre à avril, il est représenté par trois grandes variétés : les poireaux d'été — « Géant de Saulx », « Gros long du Midi » — sont des légumes importants. Les poireaux d'automne — « Gennevilliers », « Carentan » — sont plutôt courts, avec un feuillage sombre. Les poireaux d'hiver « Bleu de Solaise », « Liège » sont des légumes courts. Trois catégories ont été définies, suivant les normes européennes. Elles correspondent à des critères de qualité et d'aspect. Catégorie I (étiquette verte), catégorie II (étiquette jaune), catégorie III (étiquette grise). Dans tous les cas, choisissez des légumes au feuillage brillant, ferme et craquant.

QUENELLES
DE LÉGUMES

**POUR 4 PERSONNES
CUISSON :**
30 minutes environ
INGRÉDIENTS :
2 poireaux
1 cœur de céleri
250 g d'épinards
2 carottes
1 tranche de mie de pain
1/2 v. de lait écrémé
1 noisette de beurre
1 œuf entier, 2 jaunes
1 cuill. à soupe de farine
3 tomates,
1 gousse d'ail
1 cuill. à soupe d'huile
Thym, laurier
Sel, poivre

1 - Plongez les tomates quelques instants dans de l'eau bouillante, mondez-les et concassez-les grossièrement. Versez cette purée dans une petite casserole, ajoutez 1 cuillerée à soupe d'huile, 1 gousse d'ail pilée, 1 verre d'eau. Aromatisez d'un peu de thym et de laurier, salez, poivrez, et laissez cuire doucement 30 minutes.

2 - Pelez les carottes, lavez soigneusement les épinards, les blancs de poireaux, le cœur de céleri. Hachez tous ces légumes ensemble.

3 - Faites chauffer 1 noisette de beurre dans une casserole, et mettez-y ce hachis de légumes à suer sur feu doux 15 minutes environ, en remuant de temps en temps à la cuillère de bois. Salez et poivrez. Les légumes ne doivent plus comporter d'eau de végétation.

4 - Passé ce temps, ôtez le récipient du feu et ajoutez aux légumes 1 œuf entier, 2 jaunes et 1 tranche de mie de pain préalablement trempée dans du lait, puis essorée. Mélangez soigneusement le tout pour obtenir une pâte homogène, et laissez cuire quelques instants à feu doux.

5 - Confectionnez à la main des petits boudins de cette préparation aux légumes. Roulez-les dans un peu de farine, et plongez-les délicatement dans de l'eau salée frémissante. Laissez cuire 10 minutes environ.

6 - Quand les quenelles sont cuites, égouttez-les, dressez-les sur un plat de service, et présentez la sauce à part, en saucière.

VOS NOTES PERSONNELLES

Ecrire . . . .

. . . .

Acheter . . . .

. . . .

Téléphoner . . . .

Menu

GÂTEAU AU CHOU-FLEUR
(voir recette p. 261)

**BLANQUETTE DE VEAU
À L'ANCIENNE**
(voire recette ci-contre)

GÂTEAU FRONTENAC
(voir recette ci-dessous)

MINI-RECETTE

GÂTEAU FRONTENAC

POUR 8 PERSONNES
CUISSON : 30 minutes environ
INGRÉDIENTS : 120 g de farine
260 g de sucre en poudre, 6 œufs
30 g de cacao en poudre
200 g de beurre
125 g de chocolat à croquer
100 g de crème fraîche
1 petit verre de Grand Marnier

1 - Mettez 4 jaunes d'œufs dans un saladier (réservez les blancs). Ajoutez 130 g de sucre, et travaillez le tout à la cuiller de bois jusqu'à ce que le mélange blanchisse. Incorporez alors 60 g de beurre fondu, le cacao, et la farine. Mélangez bien.
2 - Battez les blancs en neige ferme, et incorporez-les délicatement à la préparation. Versez le tout dans un moule à manqué beurré, et mettez à four moyen 30 minutes.
3 - Préparez la crème : cassez 2 œufs dans une casserole, et faites chauffer au bain-marie. Ajoutez 130 g de sucre que vous aurez préalablement fait fondre avec 2 cuillerées à soupe d'eau et mettez sur feu très doux en mélangeant constamment à la cuiller de bois. Otez du feu, et laissez refroidir sans cesser de remuer. Puis incorporez 140 g de beurre en pommade, et ajouter le Grand Marnier.
4 - Quand le gâteau est cuit, divisez-le en trois disques égaux. Etalez la crème, en la répartissant, sur le premier et le deuxième disque, puis reformez le gâteau.
5 - Faites fondre le chocolat au bain-marie, dans une petite casserole, puis ajoutez-y la crème fraîche. Mélangez bien.
6 - Etalez cette préparation sur le dessus et les côtés du gâteau puis placez 10 min. au réfrigérateur.

BLANQUETTE DE VEAU A L'ANCIENNE

**POUR 5
A 6 PERSONNES
CUISSON : 1 h 10
INGRÉDIENTS :**
1,5 kg de poitrine
500 g de champignons
150 g d'oignons blancs
2 cuill. à soupe de farine
1 cuill. à soupe
de crème fraîche
70 g de beurre
1 jaune d'œuf
1 oignon, 4 carottes
4 gousses d'ail
1 jus de citron
Clous de girofle, thym
1 pincée de sucre
Laurier, sel, poivre

1 - Mettez la poitrine de veau en tranches dans une grande casserole d'eau salée. Portez à ébullition, écumez soigneusement, et ajoutez 1 oignon piqué de 1 clou de girofle, les carottes épluchées et fendues en quatre, un peu de thym et de laurier, les gousses d'ail. Laissez cuire 1 h à 1 h 10 sur feu doux.
2 - Pendant ce temps, épluchez les oignons blancs, et faites-les cuire 1/4 d'heure dans une noix de beurre avec 1 pincée de sucre, 1 pincée de sel et 1 verre d'eau. Réservez.
3 - Débarrassez les champignons de leur pied terreux, lavez-les, et faites-les cuire avec 1 jus de citron, 1 noix de beurre, 1 pincée de sel et 1 verre d'eau pendant 5 minutes.
4 - Dans une cocotte, faites fondre le beurre, ajoutez la farine, et laissez cuire 1 minute à feu très doux.
5 - Après cuisson de la blanquette, mouillez le roux que vous avez confectionné avec 1 litre du jus de cuisson de la viande. Portez à ébullition en mélangeant au fouet, ajoutez la crème fraîche puis, hors du feu, le jaune d'œuf.
6 - Disposez les morceaux de veau dans un plat creux, couvrez avec les oignons et les champignons. Passez la sauce au chinois dessus. Mélangez délicatement avant de servir.

VOS NOTES PERSONNELLES

Ecrire . . . .
. . . .
Acheter . . . .
. . . .
Téléphoner . . . .

14 AVRIL

Menu

PLATEAU DE CRUDITÉS
(voir recette ci-dessous)

LAPIN À LA SLOVEN
(voir recette p. 242)

BRIOCHE À L'ANTILLAISE
(voir recette ci-contre)

BRIOCHE A L'ANTILLAISE

Rapide — Très facile — Pas cher

POUR 4 PERSONNES
CUISSON : 20 minutes
INGRÉDIENTS : 3 œufs
8 tranches
de pain brioché
1/4 de litre de lait
100 g de sucre semoule
100 g de beurre
5 cl de rhum

1 - Faites chauffer 1/4 de litre de lait avec 50 g de sucre dans une casserole, et versez-le dans un plat creux. Dans un autre plat, battez 3 œufs en omelette.

2 - Faites fondre le beurre dans une poêle à feu moyen.

3 - Trempez les tranches de pain brioché dans le lait, de façon à les en imprégner, sans qu'elles se cassent, puis passez-les dans l'œuf battu sur les deux faces.

4 - Lorsque le beurre est mousseux, placez les tranches ainsi trempées dans la poêle, et faites cuire le temps qu'elles soient dorées sur les deux faces.

5 - Disposez au fur et à mesure les tranches cuites dans un plat que vous pouvez maintenir au chaud, et saupoudrez-les de sucre au fur et à mesure. Lorsque les tranches sont toutes dorées, faites chauffer le rhum dans une petite casserole. Dès qu'il est brûlant, versez sur le dessert et flambez. Servez immédiatement.

MINI-RECETTE

PLATEAU DE CRUDITÉS

POUR 4 À 5 PERSONNES
INGRÉDIENTS : 3 œufs, 2 tomates
1/2 concombre, 2 carottes moyennes
1/4 de céleri-rave, 1/4 de chou rouge
1 citron, 2 cuillerées à café de moutarde
6 cuillerées à soupe d'huile
1 échalote, 1 gousse d'ail, ciboulette
Cerfeuil, sel, poivre

1 - Faites durcir les œufs 12 à 15 minutes à l'eau bouillante. Puis passez-les sous l'eau froide. Écalez-les. Coupez-les en deux.

2 - Épluchez le concombre, coupez-le en fines rondelles, et mettez-le à dégorger 15 minutes environ dans une passoire, avec 1 bonne pincée de sel.

3 - Épluchez les carottes, le céleri-rave, et râpez ces deux légumes séparément.

4 - Ôtez le trognon du chou rouge, et détaillez-le en minces lanières.

5 - Lavez les tomates, essuyez-les avec un torchon, et coupez-les en rondelles.

6 - Dans un grand bol, pressez le jus du citron, ajoutez la moutarde, salez, poivrez, remuez bien. Puis versez tout en tournant les 6 cuillerées d'huile. Incorporez à cette sauce 1 gousse d'ail pilée, l'échalote hachée, un petit hachis de cerfeuil et de ciboulette.

7 - Placez les demi-œufs salés et poivrés au milieu d'un grand plat de service rond, disposez, sans les mélanger, toutes les crudités (passez les rondelles de concombre dégorgées à l'eau courante avant de les égoutter sur un linge). Servez à part la sauce en saucière.

LE TRUC DU CHEF

POUR LE PLATEAU DE CRUDITÉS : vous pouvez également présenter chaque sorte de crudités dans un ravier. Cela permet aux convives de se servir plus facilement. Pour cette recette, veillez à ce que les ingrédients soient d'une parfaite fraîcheur.

POUR LE LAPIN À LA SLOVEN : choisissez un lapin à la chair bien rosée, peu grasse, à l'exception d'un peu de graisse sur le râble. Recherchez des animaux pesant entre 1,5 et 2 kg. Ce sont les meilleures.

VOS NOTES PERSONNELLES

Ecrire . . . .

. . . .

Acheter . . . .

. . . .

Téléphoner . . . .

Menu

SOUFFLÉ AUX FOIES DE CANARD
(voir recette ci-contre)

HARENGS À L'AIGRE
(voir recette p. 185)

PAIN DE MARRONS
(voir recette p. 303)

TOUT SAVOIR SUR...

LE HARENG

Le hareng, qui se déplace en bancs, est pêché de l'océan Arctique au golfe de Gascogne. On le trouve à l'étal du poissonnier de juillet à février, avec une période d'abondance qui va d'août à octobre. Cette période correspond à l'époque où les mâles contiennent de la laitance et les femelles des œufs, donnant au poisson une qualité gustative recherchée. Ce hareng possède un corps fuselé, un dos gris-bleu, un ventre argenté. La chair, demi-grasse, se digère parfaitement bien. Riche en vitamines (B6, C, PP) en éléments minéraux (calcium, phosphore, potassium), elle est recommandée aux enfants. Choisissez un poisson à la peau brillante, ferme mais élastique sous la pression du doigt. Les ouïes doivent être bien rouges, l'œil à l'aspect vivant. L'odeur qui se dégage du poisson doit rappeler la marée, sans la moindre trace d'ammoniac. Le hareng est un poisson bon marché. On calcule que la part de déchets est d'environ 40 %.

SOUFFLÉ AUX FOIES DE CANARD

Moyen — Facile — Abordable

POUR 4 A 5 PERSONNES
CUISSON : 40 minutes
INGRÉDIENTS : 4 œufs
180 g de foies de canard
75 g de farine
100 g de beurre
1/2 litre de lait
1 cuill. à soupe de cognac
1 gousse d'ail
1 branche de persil
Sel, poivre

1 - Hachez les foies de canard crus, salez et poivrez-les, et mélangez-les à un fin hachis d'ail et de persil. Ajoutez un peu de cognac, remuez bien le tout. Réservez.

2 - Faites fondre 75 g de beurre dans une petite casserole, versez la farine en pluie, et tournez ce mélange quelques instants à la cuillère de bois, sur feu doux.

3 - Chauffez le lait, et versez-le peu à peu sur la préparation en remuant constamment pour éviter l'apparition de grumeaux. Salez, poivrez, et laissez frémir le liquide quelques minutes en continuant de tourner, jusqu'à ce que la sauce épaississe. Vous devez obtenir une béchamel onctueuse.

4 - Cassez les œufs, réservez les blancs, et mettez les jaunes dans un saladier. Battez-les légèrement et ajoutez les foies de canard.

5 - Versez la béchamel refroidie sur cette préparation, et mélangez soigneusement le tout.

6 - Fouettez énergiquement les blancs d'œufs en neige très ferme, dans une jatte ou un saladier, jusqu'à ce qu'ils collent au fouet.

7 - Incorporez peu à peu, et délicatement, ces blancs à la préparation aux foies, et versez le tout dans un moule à soufflé préalablement beurré.

8 - Mettez à cuire à four moyen 30 minutes, et servez immédiatement dans le moule de cuisson.

VOS NOTES PERSONNELLES

Ecrire . . . .

Acheter . . . .

Téléphoner . . . .

Menu

SALADE CLAUDINE
(voir recette ci-dessous)

**ÉPAULE D'AGNEAU
AUX LÉGUMES DU JARDIN**
(voir recette ci-contre)

CRÈME GLACÉE PLANTEUR
(voir recette p. 234)

Boisson conseillée :
UN BORDEAUX ROUGE

MINI-RECETTE

SALADE CLAUDINE

**POUR 4 À 5 PERSONNES
INGRÉDIENTS :** 1 concombre
2 tomates, 1 pomme
2 tranches de jambon
150 g de fromage blanc maigre, 1 citron
2 échalotes, 1 branche de céleri
1 gousse d'ail, estragon, persil, sel, poivre

1 - Epluchez le concombre, coupez-le en fines rondelles, et placez-les dans une passoire avec une bonne pincée de gros sel. Laissez dégorger quelques minutes.
2 - Lavez les tomates, essuyez-les avec un torchon, coupez-les en quartiers. Salez-les légèrement au sel fin.
3 - Epluchez la pomme, coupez-la en quatre, débarrassez-la du cœur et des pépins. Détaillez les quartiers en fines lamelles. Arrosez-les d'un peu de citron pour éviter le noircissement.
4 - Epluchez soigneusement la branche de céleri afin d'ôter toutes les parties fibreuses. Coupez-la en petits tronçons.
5 - Egouttez les échalotes et l'ail. Hachez l'échalote, pilez l'ail.
6 - Enlevez le gras de jambon, puis roulez les tranches et découpez-les en fines lanières.
7 - Mettez le fromage blanc dans un saladier, battez-le au fouet pour bien l'aérer. Ajoutez le jus de citron. Poivrez.
8 - Versez alors dans le saladier, tous les ingrédients de la salade après avoir pris soin, pour les rondelles de concombre, de les sécher sur du papier absorbant. Ciselez sur le tout un peu de persil et d'estragon. Mélangez délicatement. Placez la salade au réfrigérateur quelques instants avant de servir.

ÉPAULE D'AGNEAU AUX LÉGUMES DU JARDIN

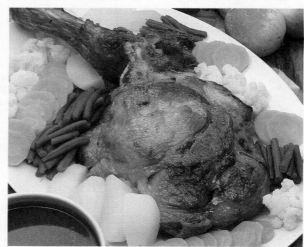

**POUR 4
A 5 PERSONNES
CUISSON :** 1 heure
INGRÉDIENTS :
1 épaule de 1,5 kg
1/2 chou-fleur
300 g de carottes
100 g de navets
500 g de haricots verts
3 gousses d'ail
Thym, laurier
Sel, poivre

1 - Epluchez les gousses d'ail, divisez-les en éclats et, en vous servant d'un petit couteau pointu, piquez l'épaule d'ail. Salez, poivrez la viande, et émiettez un peu de thym et de laurier. Mettez à cuire 1 heure à four chaud dans un récipient creux dans lequel vous aurez versé préalablement 1 bon verre d'eau chaude. Arrosez la viande de temps en temps du jus de cuisson. Ajoutez un peu d'eau en cours de cuisson si, du fait de l'évaporation, il venait à en manquer.
2 - Pendant ce temps, épluchez les carottes et les navets, divisez le chou-fleur en petits bouquets, cassez les extrémités des haricots verts, et lavez soigneusement ces légumes.
3 - Faites cuire séparément, à l'eau bouillante salée, les différents légumes en comptant 20 minutes pour les haricots verts et les navets coupés en quartiers, 25 à 30 minutes pour le chou-fleur et les carottes coupées en épaisses rondelles.
4 - Egouttez soigneusement les légumes cuits.
5 - Quand l'épaule d'agneau est cuite, dressez-la sur un grand plat de service, et entourez-la au mieux, en alternant, des différents légumes. Présentez la sauce en saucière, et servez immédiatement.

VOS NOTES PERSONNELLES

Ecrire . . . .
. . . .
Acheter . . . .
. . . .
Téléphoner . . . .

TOUT SAVOIR SUR...

LES FROMAGES DE CHÈVRE

*Les fromages de chèvre contiennent des vitamines B2 et PP ainsi que du calcium et du phosphore en quantité intéressante. Trois types de fromages, différenciés par leur procédé de fabrication, sont présents sur le marché toute l'année. Ce sont **les fromages séchés** : représentés par les crottins, comme les « chavignols », que l'on consomme plus ou moins secs. **Les fromages affinés,** aux formes très diverses comme les pyramides, tronquées ou non, ont les appellations de « Valençay » ou de « Pouligny » ; les bûches, comme le fameux « Sainte-Maure », est traversé de sa paille. D'autres fromages, produits surtout dans le Poitou, ont la forme de camembert... **Les fromages blancs frais :** sont presque toujours moulés et égouttés, parfois séchés et recouverts de cendre de bois. L'appellation « fromage de chèvre » est, de par la réglementation, réservée au fromage fabriqué uniquement avec du lait de chèvre. La dénomination « mi-chèvre » s'applique à des fromages réalisés avec du lait de chèvre et de vache. Un bon chèvre ne doit jamais piquer ni être trop salé. Sa pâte doit être serrée et blanche.*

SAINT-HONORÉ

Long · Délicat · Abordable

POUR 7 A 8 PERSONNES
CUISSON :
40 minutes environ
INGRÉDIENTS :
300 g de farine
8 œufs entiers + 1 jaune
155 g de beurre
2 feuilles de gélatine
3/4 litre de lait
40 g de Maïzena
1 gousse de vanille
1 v. de liqu. de rhum
Sel

1 - Préparez la pâte du fond en mélangeant du bout des doigts 150 g de farine, 75 g de beurre ramolli, 1 pincée de sel. Faites un puits et ajoutez 1 jaune d'œuf et 1/4 de verre d'eau. Laissez reposer en boule 20 minutes, puis étalez la pâte au rouleau sur 1/2 cm d'épaisseur. Disposez-la sur une plaque beurrée, et découpez une galette d'environ 25 cm de diamètre. Piquez à la fourchette.

2 - Confectionnez une pâte à choux comme suit : faites bouillir dans une casserole 1/4 de litre d'eau avec 80 g de beurre, 1 cuillère à soupe de sucre, 1 pincée de sel. Dès l'ébullition, retirez du feu et versez d'un seul coup 150 g de farine. Mélangez à la spatule, et incorporez un à un 4 œufs entiers.

3 - Mettez cette pâte dans une poche à douille, et disposez-en une partie en spirale sur la galette de pâte. Avec le reste, confectionnez une vingtaine de petits choux, directement sur la plaque beurrée.

4 - Mettez à cuire à four moyen 30 minutes, mais retirez les choux au bout de 15 à 20 minutes.

5 - Préparez un caramel blond avec 130 g de sucre et 1/4 de verre d'eau. Trempez-y les choux, et disposez-les côte à côte au bord du gâteau, une fois celui-ci cuit.

6 - Préparez la crème comme suit : faites chauffer le lait avec la vanille. Mélangez 4 jaunes d'œufs (réservez les blancs) avec 150 g de sucre et la Maïzena. Versez le lait chaud sur ce mélange, et mettez le tout à bouillir 1 minute, en tournant. Puis, hors du feu, incorporez la gélatine préalablement trempée dans de l'eau froide et le rhum.

7 - Fouettez les blancs en neige et ajoutez-les à la crème. Garnissez le gâteau de cette préparation, coulez le reste du caramel sur les choux. Servez froid.

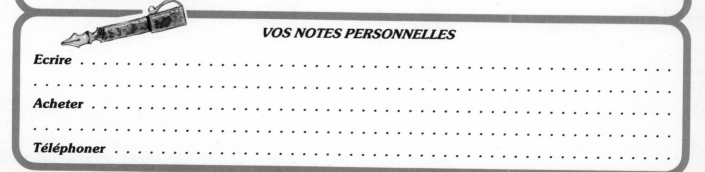

VOS NOTES PERSONNELLES

Ecrire . . . .
. . . .
Acheter . . . .
. . . .
Téléphoner . . . .

OMELETTE SOUFFLÉE AU ROQUEFORT

Moyen — Facile — Abordable

POUR 4 PERSONNES
CUISSON :
15 minutes environ
INGRÉDIENTS : 8 œufs
100 g de roquefort
1 cuillerée à soupe
de crème fraîche
25 g de beurre
Sel, poivre

Menu

OMELETTE SOUFFLÉE AU ROQUEFORT
(voir recette ci-contre)
ROUGETS AU FENOUIL
(voir recette p. 160)
ANANAS AU CARAMEL EN BEIGNETS
(voir recette p. 252)

TOUT SAVOIR SUR...

LE ROUGET

On le reconnaît, comme son nom l'indique, à sa couleur rouge vif sur le dos, rosée sur le ventre. Il mesure une vingtaine de centimètres et est proposé à la vente de février à août. Par la qualité exceptionnelle de sa chair, il est considéré comme un des meilleurs poissons que l'on trouve dans le commerce. Peu gras, il est d'une digestibilité parfaite et, de plus, contient des vitamines (A, B 2) et des éléments minéraux (phosphore, potassium, sodium) qui le font conseiller aux enfants et aux convalescents. Plusieurs espèces sont proposées aux ménagères. Les principaux sont : **le rouget de roche**, très apprécié, mais cher et commercialisé de février à juin. **Le rouget barbet**, plus petit, est également très recherché. **Le rouget du Sénégal**, petit, aux couleurs plus ternes, est moins prisé que les deux autres, mais il est aussi moins cher. Quel que soit votre choix, exigez un poisson toujours très frais. Pour cela, le corps doit être ferme mais élastique sous la pression du doigt, les ouïes rouge sombre, la peau brillante et l'œil remplissant bien la cavité orbitale. Comptez par personne 230 g compte tenu des déchets.

1 - Cassez les œufs et séparez les blancs des jaunes dans deux récipients différents, en utilisant 6 jaunes et 8 blancs.
2 - Mélangez les jaunes avec la crème fraîche, et ajoutez-y le roquefort préalablement écrasé à la fourchette. Salez légèrement, poivrez. Travaillez le tout à la spatule de bois afin que la préparation soit bien homogène.
3 - Fouettez les blancs en neige très ferme au fouet ou, mieux encore, au mixer.
4 - Incorporez délicatement les blancs en neige à la préparation au roquefort.
5 - Beurrez largement un plat allant au four, versez-y le mélange, et lissez la surface à la spatule ou avec le dos d'une cuillère.
6 - Mettez à cuire à four chaud 15 minutes, et servez aussitôt l'omelette soufflée dans son plat de cuisson.

LE TRUC DU CHEF

POUR L'OMELETTE SOUFFLÉE AU ROQUEFORT : vous obtiendrez un meilleur mélange des jaunes et des blancs en neige en incorporant d'abord 2 à 3 cuillerées de blancs dans les jaunes, avant d'incorporer le reste en une seule fois.
Choisissez de préférence, pour cette recette, un roquefort bien persillé, et de consistance onctueuse. L'omelette soufflée n'en sera que meilleure.

VOS NOTES PERSONNELLES

Ecrire . . . .

. . . .

Acheter . . . .

. . . .

Téléphoner . . . .

Menu

PÂTÉ AU DINDONNEAU EN GELÉE
(voir recette p. 283)

CANNELLONIS FARCIS
(voir recette ci-contre)

BROCHETTE AMIRAL
(voir recette ci-dessous)

MINI-RECETTE

BROCHETTES AMIRAL

POUR 6 PERSONNES
CUISSON : 5 à 6 minutes
INGRÉDIENTS : 2 bananes
2 oranges, 1 ananas, 2 pommes
1 citron, 1 cuillerée à café de cannelle
1 verre à liqueur de curaçao
1 sachet de sucre vanillé

1 - Coupez l'ananas en rondelles épaisses, épluchez-les, et ôtez la partie centrale fibreuse. Détaillez les rondelles en gros cubes, et placez ceux-ci dans un saladier.

2 - Epluchez les bananes, coupez-les en rondelles aussi hautes que larges, et mettez-les avec l'ananas.

3 - Epluchez les oranges, et séparez-les en quartiers. Epluchez les pommes, coupez-les en quatre, enlevez le cœur et les pépins. Ajoutez ces morceaux de fruits à ceux du saladier.

4 - Pressez le jus d'un citron, et versez-le sur les fruits.

5 - Arrosez avec le curaçao, mettez la cuillerée à café de cannelle. Remuez délicatement le tout et laissez macérer 1/2 heure environ.

6 - Garnissez 6 brochettes de ces fruits, en les alternant, et saupoudrez-les avec le sucre vanillé.

7 - Placez les brochettes sur un barbecue aux braises bien rouges, et retournez-les au bout de 3 minutes. Lorsque le sucre est caramélisé, retirez du feu et servez immédiatement.

CANNELLONIS FARCIS

POUR 6 PERSONNES
CUISSON : 1 h 1/2
INGRÉDIENTS :
400 g de farine
5 œufs, 100 g de beurre
200 g de bœuf haché
200 g de veau haché
1 oignon, 2 gousses d'ail
50 g de lard maigre
1 tablette de conc. de bouillon
Thym, laurier, persil
Mie de pain
Parmesan râpé
1 boîte de sauce tomate
Sel, poivre

1 - Versez la farine sur une planche à pâtisserie. Creusez un puits et cassez-y 4 œufs. Mélangez en ajoutant un peu d'eau. Vous devez obtenir une pâte ferme, mais élastique. Laissez-la reposer 2 à 3 heures dans un endroit frais.

2 - Dans une cocotte, faites revenir le lard coupé en petits dés dans du beurre, puis les oignons hachés. Ajoutez les viandes, l'ail pilé. Laissez cuire quelques instants à feu vif en remuant bien. Salez, poivrez, et mouillez avec 1 verre de bouillon. Aromatisez avec un peu de thym et de laurier. Mettez sur feu doux environ 1 heure.

3 - En fin de cuisson, ajoutez hors du feu 2 tranches de pain de mie trempées dans un peu de bouillon, le dernier œuf et du persil haché. Mélangez bien cette farce.

4 - Étalez la pâte au rouleau, et découpez à l'aide d'une roulette de pâtissier des rectangles d'environ 6 x 8 cm. Plongez ces morceaux de pâte dans de l'eau bouillante salée, et laissez-les cuire 25 minutes. Puis passez-les à l'eau froide, et égouttez-les sur un torchon.

5 - Disposez un petit rouleau de farce sur chaque rectangle de pâte, ainsi qu'un peu de parmesan râpé. Roulez la pâte en fermant bien sur les côtés.

6 - Rangez les cannellonis dans un plat beurré allant au four. Recouvrez-les de sauce tomate, de parmesan, et placez quelques noisettes de beurre.

7 - Laissez gratiner environ 1/4 d'heure. Servez brûlant.

VOS NOTES PERSONNELLES

Ecrire . . . .

. . . .

Acheter . . . .

. . . .

Téléphoner . . . .

20 AVRIL

Menu

ROULEAUX IMPÉRIAUX
(voir recette p. 132)

POULET AU CURRY
(voir recette ci-dessous)

GLACE AUX MARRONS
(voir recette ci-contre)

MINI-RECETTE

POULET AU CURRY

POUR 4 À 5 PERSONNES
CUISSON : 1 h
INGRÉDIENTS : 1 poulet de 1,5 kg
2 oignons, 2 tomates, 1 poivron
3 gousses d'ail, 1 cuillerée à soupe de curry
4 cuillerées à soupe d'huile, thym
1 pincée de poivre de cayenne
Sel, poivre gris

1 - Videz le poulet, récupérez le foie, le cœur et le gésier. Coupez le poulet en morceaux.
2 - Dans une cocotte, faites revenir ces morceaux dans l'huile. Salez, poivrez.
3 - Pendant ce temps, plongez les tomates dans de l'eau bouillante, et mondez-les. Epluchez les oignons et l'ail, hachez-les. Otez les pépins du poivron et détaillez-les en fines lanières.
4 - Lorsque les morceaux de poulet sont bien dorés, retirez-les de la cocotte et réservez-les.
5 - Dans la graisse de cuisson, faites blondir les poivrons et les oignons hachés, pendant quelques instants, puis ajoutez les tomates coupées en morceaux, la cuillerée à soupe de curry, l'ail pilé, un peu de thym, et une pincée de poivre de cayenne. Mouillez d'1/2 verre d'eau, remuez bien, et laissez le poulet mijoter dans la sauce sur feu doux 1/2 heure.
6 - Dressez les morceaux de poulet dans un plat creux. Nappez-les de la sauce à l'indienne, et servez très chaud. La garniture la plus classique de ce plat : du riz.

GLACE AUX MARRONS

POUR 6
A 8 PERSONNES
CUISSON : 20 minutes
2 h en SORBETIÈRE
INGRÉDIENTS : 3/4 l
de lait
1/2 boîte de purée
de marrons
300 g de sucre
en poudre
6 jaunes d'œufs
1 gousse de vanille

1 - Faites bouillir dans une casserole le lait avec le sucre et la gousse de vanille.
2 - Cassez les œufs, mettez les jaunes dans un saladier et versez dessus peu à peu le lait bouillant, après avoir ôté la gousse de vanille, sans cesser de battre.
3 - Versez cette crème dans une casserole, placez le récipient sur feu doux, et tournez avec une cuillère de bois jusqu'à ce que le mélange épaississe. Lorsque la préparation nappe la cuillère, retirez du feu et laissez refroidir.
4 - Ouvrez la boîte de purée de marrons, et, dans un récipient, travaillez-la à la fourchette afin de la rendre bien lisse. Incorporez cette purée à la crème refroidie et fouettez la préparation jusqu'à ce qu'elle devienne très homogène.
5 - Versez alors en sorbetière et laissez 2 heures.
6 - Quand la glace est prise, remplissez-en un moule en métal à hauts bords, en tassant bien la glace dans le moule. Placez le dessert dans la partie la plus froide du réfrigérateur.
7 - Au moment de servir, démoulez la glace sur un plat de service et consommez aussitôt.

LE TRUC DU CHEF

POUR LA GLACE AUX MARRONS : on peut décorer ce dessert et le rendre prestigieux en plaçant sur la glace quelques marrons glacés entiers.
A la saison des marrons, vers la fin novembre, on peut parfaitement préparer soi-même une purée en les faisant cuire à l'eau.

VOS NOTES PERSONNELLES

Ecrire . . . .

. . . .

Acheter . . . .

Téléphoner . . . .

Menu

BEIGNETS AU FROMAGE BLANC
(voir recette ci-contre)
BOULETTES À LA PURÉE DE CHOU-FLEUR
(voir recette p. 153)
TARTE À LA RHUBARBE
(voir recette ci-dessous)

MINI-RECETTE

TARTE À LA RHUBARBE

POUR 6 PERSONNES
CUISSON : 40 minutes
INGRÉDIENTS : 750 g de rhubarbe
220 g de farine, 1 œuf entier
4 abricots, 3 blancs d'œufs
250 g de sucre semoule
150 g de sucre glace
100 g de beurre

1 - Préparez une pâte brisée comme suit : versez la farine dans un saladier, ajoutez l'œuf entier, 75 g de beurre, 1 pincée de sel. Pétrissez soigneusement le tout avec un peu d'eau pour faciliter l'opération. Formez la pâte en boule, farinez, et laissez reposer 1 heure.
2 - Lavez la rhubarbe, épluchez-la, afin d'ôter les parties filandreuses, et coupez les tiges en petits morceaux.
4 - Après que la pâte ait reposé le temps convenable, étalez-la au rouleau, et tapissez-en un moule à tarte préalablement beurrée. Mettez à cuire 20 minutes à four moyen.
4 - Mettez les morceaux de rhubarbe et les abricots dénoyautés et coupés en quartiers dans une casserole avec le sucre semoule, et laissez sur feu doux une vingtaine de minutes en remuant de temps en temps.
5 - Garnissez la pâte précuite de la compote de fruits, montez les blancs d'œufs en neige avec 150 g de sucre glace, et recouvrez la compote de ces blancs. Mettez au four chaud une dizaine de minutes, le temps pour les blancs de dorer et de meringuer. Servez tiède ou froid.

BEIGNETS AU FROMAGE BLANC

 Moyen   Très facile Abordable

POUR 5
A 6 PERSONNES
CUISSON :
10 minutes environ
INGRÉDIENTS :
200 g de farine
200 g de fromage blanc
5 œufs
1 gousse d'ail
Cerfeuil
Ciboulette
Sel, poivre
1 bain de friture

1 - Pelez la gousse d'ail, lavez un petit bouquet de cerfeuil et de ciboulette, et hâchez ensemble finement ces trois ingrédients.
2 - Versez la farine dans une terrine, faites un puits, et mettez-y les jaunes d'œufs (réservez les blancs). Ajoutez le hachis d'ail et de fines herbes, 1 pincée de sel. Mélangez soigneusement le tout.
3 - Égouttez le fromage blanc si nécessaire, écrasez-le à la fourchette, salez, poivrez, et amalgamez-le à la pâte.
4 - Battez énergiquement les blancs d'œufs dans un saladier, en vous servant d'un fouet ou mieux, d'un mixer, afin d'obtenir une neige très ferme.
5 - Incorporez délicatement, peu à peu, ces blancs montés à la pâte.
6 - Confectionnez des petites boules de pâte avec une cuillère, et plongez-les dans le bain d'huile bouillante. Laissez cuire les beignets 4 à 5 minutes, en les retournant à mi-cuisson, et sortez-les lorsqu'ils sont bien gonflés et dorés, à l'aide d'une écumoire. Mettez-les à égoutter sur du papier absorbant.
7 - Dressez les beignets sur un plat de service, et servez immédiatement.

LE TRUC DU CHEF

POUR LES BEIGNETS AU FROMAGE BLANC : afin de pas trop mouiller la pâte, choisissez de préférence du fromage blanc moulé au fromage vendu en pot, qui est très peu égoutté et de consistance molle. Utilisez pour le bain de friture, une huile d'arachide n'ayant pas déjà servie pour d'autres beignets.

VOS NOTES PERSONNELLES

Ecrire . . . .

. . . .

Acheter . . . .

. . . .

Téléphoner . . . .

22 AVRIL

RAIE AU GRATIN

Menu

SOUPE À LA TOMATE
(voir recette p. 247)

RAIE AU GRATIN
(voir recette ci-contre)

BANANES FLAMBÉES
(voir recette p. 152)

TOUT SAVOIR SUR...

LA RAIE

Ce grand poisson, aux nageoires pectorales très développées que l'on appelle « ailes », est proposé à la vente presque toute l'année, avec une période favorable en hiver. Sa chair, peu grasse, est très estimée. Sa facilité de digestion, sa teneur en vitamines (B 1, B 2) et en éléments minéraux (phosphore, magnésium) en font un aliment intéressant, particulièrement pour les enfants. De nombreuses variétés de raies sont proposées à la vente, toujours en morceaux. Les plus courantes sont : la raie bouclée, grand poisson pouvant dépasser 1 mètre d'envergure et dont le dos gris-jaune est armé d'une série d'épines appelées « boucles ». C'est l'espèce la plus appréciée. La raie ponctuée, plus petite, possède sur sa face dorsale des taches. Le pocheteau noir à la couleur sombre, peut atteindre 2 mètres. Choisissez un poisson à la chair ferme mais élastique. Une odeur sans relent d'ammoniac doit s'en dégager. La peau doit être luisante.

**POUR 5
A 6 PERSONNES
CUISSON : 1 heure
INGRÉDIENTS :**
2 kg de raie
1 litre de lait
1 citron
2 échalotes
60 g de beurre
30 g de farine
100 g de gruyère râpé
50 g de chapelure
Thym, laurier
Sel, poivre

1 - Faites tremper la raie 20 minutes environ dans une casserole remplie d'eau froide.

2 - Dans un grand récipient, confectionnez un court-bouillon avec 2 litres d'eau, 1/2 litre de lait, le citron lavé et brossé coupé en rondelles, les échalotes hachées. Ajoutez un peu de thym et de laurier, salez, poivrez.

3 - Brossez soigneusement la peau des morceaux de raie, et plongez le poisson dans le court-bouillon. Portez à ébullition et laissez pocher hors du feu 10 à 15 minutes selon l'épaisseur des morceaux.

4 - Pendant ce temps préparez une sauce Béchamel comme suit : faites fondre 30 g de beurre dans une casserole, ajoutez 30 g de farine en pluie, et tournez le mélange 2 à 3 minutes à la cuillère de bois sur feu doux, sans que la farine prenne couleur. Versez alors le 1/2 litre de lait restant, après l'avoir fait bouillir, en tournant constamment. Laissez cuire à feu doux 5 minutes environ à découvert, salez légèrement, poivrez. Puis, hors du feu, incorporez la moitié du gruyère râpé.

5 - Lorsque la raie est cuite, sortez-la avec précaution du court-bouillon, grattez la peau noire et disposez les morceaux dans un plat allant au four, préalablement beurré. Recouvrez-les de la béchamel. Parsemez avec le reste de fromage râpé, saupoudrez avec la chapelure, disposez quelques noisettes de beurre.

6 - Mettez à cuire à four chaud 15 minutes, puis 5 minutes sous le gril afin de colorer la préparation. Servez dans le plat de cuisson.

VOS NOTES PERSONNELLES

Ecrire . . . .

. . . .

Acheter . . . .

. . . .

Téléphoner . . . .

Menu

PETITS OIGNONS GLACÉS
(voir recette p. 149)

ROSBIF EN JARDINIÈRE
(voir recette ci-dessous)

DÉLICE GLACÉ AUX POMMES
(voir recette ci-contre)

Boisson conseillée :
UN CÔTES DU RHÔNE

MINI-RECETTE

ROSBIF EN JARDINIÈRE

POUR 6 PERSONNES
CUISSON : 35 minutes
INGRÉDIENTS : 1 kg de rosbif
500 g de carottes, 250 g de navets
150 g de petits oignons
250 g de champignons
2 cœurs de laitues, 1 noix de beurre
1 feuille de laurier, sel, poivre

1 - Faites préparer par votre boucher (barder, ficeler) un rosbif dans le faux-filet ou le rumsteak.

2 - Epluchez carottes et navets, et taillez-les en bâtonnets. Pelez les petits oignons.

3 - Dégagez le cœur de deux laitues, séparez les feuilles et lavez-les.

4 - Nettoyez les champignons puis détaillez-les en lamelles.

5 - Faites fondre 1 Noix de beurre dans une cocotte, et mettez-y les carottes, champignons, petits oignons à blondir. Lorsque les légumes ont pris couleur, mouillez d'un verre d'eau, et ajoutez-y la salade. Salez et poivrez. Laissez cuire à couvert, à feu doux, 30 à 35 minutes. 15 minutes à la fin de la cuisson, ajoutez les navets.

6 - Pendant ce temps, placez le rosbif dans un plat allant au four, et laissez-le cuire à four très chaud 20 à 30 minutes selon le goût. Quand la viande est cuite, découpez-la en tranches minces, et disposez-les sur un long plat de service. Entourez le rosbif de la jardinière de légumes. Déglacez le fond du plat de cuisson d'un bon verre d'eau et nappez la viande de cette sauce salée et poivrée.

DÉLICE GLACÉ AUX POMMES

Facile   Long   Cher

POUR 4
A 5 PERSONNES
CUISSON : 1 h env.
INGRÉDIENTS :
5 pommes
1/4 de litre
de lait écrémé
50 g de sucre semoule
1 pincée de sucre vanillé
6 morceaux de sucre
2 œufs entiers
2 jaunes d'œufs
1 noisette de beurre
1/2 citron
1 pincée de cannelle

1 - Epluchez les pommes, coupez-les en quatre, ôtez le cœur et les pépins, et détaillez chaque quartier en lamelles.

2 - Mettez les fruits dans une casserole avec le sucre semoule, 1/2 verre d'eau, le sucre vanillé et la cannelle, et laissez cuire 20 minutes sur feu doux.

3 - Passé ce temps, passez cette préparation au moulin à légumes ou mieux, au mixer.

4 - Cassez dans un saladier 2 œufs entiers. Ajoutez-y 2 jaunes et battez le tout comme pour une omelette. Incorporez alors la purée de pommes.

5 - Mettez le lait dans une casserole, portez à ébullition, et versez-le sur la préparation précédente. Remuez bien le tout.

6 - Beurrez légèrement un moule, et garnissez-le du mélange. Placez ce moule dans un récipient allant au four, rempli d'eau chaude aux trois-quarts de la hauteur du moule, et mettez à cuire au bain-marie à four doux 40 minutes.

7 - Quand la crème est cuite, laissez-la refroidir complètement et mettez-la à glacer 1 heure au réfrigérateur.

8 - Quelques instants avant de servir, confectionnez un caramel avec 6 morceaux de sucre, le jus de citron et 3 cuillerées à soupe d'eau. Démoulez la crème sur un plat de service, arrosez-la de caramel au citron, et servez aussitôt.

VOS NOTES PERSONNELLES

Ecrire . . . .
. . . .
Acheter . . . .
. . . .
Téléphoner . . . .

Menu

TOURTE FAÇON BERNARD
(voir recette ci-contre)

FOIE DE VEAU À L'AIGRE
(voir recette p. 164)

CHARLOTTE À LA GRAFFIN
(voir recette p. 127)

Boisson conseillée :
UN SAINT-AMOUR

TOUT SAVOIR SUR...

LE BEAUJOLAIS

Le vignoble, long de 55 km, large de 13, d'une superficie de 22 000 hectares, comprend 9 crus. **Brouilly** *: vin tendre et fruité.* **Côte de Brouilly** *: riche et capiteux, sa robe est rouge rubis.* **Morgon** *: vin charnu et vigoureux, au bouquet particulier dû au sol schisteux de son ère de production.* **Chiroubles** *: léger et très fruité.* **Fleurie** *: léger, au bouquet très prononcé.* **Moulin-à-vent** *: délicat et distingué, il vieillit particulièrement bien.* **Chénas** *: vin corsé et généreux, à la couleur rubis.* **Juliénas** *: riche et charpenté, il se conserve bien.* **Saint-Amour** *: vin d'une grande finesse, à la robe d'un beau rouge rubis. Outre ces crus, le Beaujolais est particulièrement connu pour ses fameux « primeurs » commercialisés sous les appellations « beaujolais » et « beaujolais villages ». Les beaujolais doivent être bus frais, à une température voisine de 12°. Toutefois, les moulin-à-vent et juliénas ayant quelques années de bouteille se dégusteront chambrés. Tous ces vins se marient parfaitement avec les charcuteries, les viandes blanches, les fromages. Certains crus charpentés s'accordent parfaitement aux viandes rouges et aux gibiers.*

TOURTE FAÇON BERNARD

Long — Facile — Abordable

POUR 5 A 6 PERSONNES
CUISSON : 1 h env.
INGRÉDIENTS : 2 tomates
500 g de jambon blanc
250 g de champignons de Paris
6 échalotes
1 gousse d'ail
1/2 v. de vin blanc sec
1 v. à liqu. de cognac
1 jaune d'œuf
1 bloc de feuilleté surgelé
1 noix de beurre
Sel, poivre

1 - Laissez dégeler le bloc de pâte feuilletée en vous conformant aux indications portées sur l'emballage (il faut environ 3 heures à température ambiante).
2 - Débarrassez les champignons de leur pied terreux, lavez-les, séchez-les sur du papier absorbant, et détaillez-les en fines lamelles.
3 - Hachez grossièrement le jambon avec les échalotes. Faites fondre une belle noix de beurre dans une sauteuse, et mettez ces ingrédients à blondir quelques minutes sur feu moyen, en y ajoutant les champignons.
4 - Plongez quelques instants les tomates dans de l'eau bouillante, mondez-les et concassez-les grossièrement.
5 - Ajoutez cette purée de tomates fraîches au contenu de la sauteuse, la gousse d'ail pilée, mettez quelques instants sur feu vif, et mouillez avec le vin blanc et le cognac. Salez, poivrez, et laissez mijoter une dizaine de minutes à découvert.
6 - Étalez la pâte au rouleau en lui donnant les dimensions suffisantes pour tapisser la tourtière et faire couvercle.
7 - Beurrez légèrement la tourtière, tapissez-la d'une moitié de la pâte en faisant dépasser légèrement les bords, et garnissez-la de la préparation. Recouvrez du restant de pâte, soudez soigneusement les bords avec le bout des doigts préalablement mouillés.
8 - Battez un jaune d'œuf, badigeonnez-en le couvercle, et mettez à cuire à four moyen 30 à 35 minutes. Servez chaud ou tiède.

VOS NOTES PERSONNELLES

Ecrire . . . .

Acheter . . . .

Téléphoner . . . .

GRATIN D'ÉPINARDS AUX ŒUFS DURS

Moyen — Très facile — Pas cher

POUR 4 PERSONNES
CUISSON : 35 minutes
INGRÉDIENTS :
1 kg d'épinards
4 œufs
50 g de gruyère râpé
50 g de chapelure
40 g de beurre
1 cuill. à soupe d'huile
Sel, poivre

TOUT SAVOIR SUR...

LA LOTTE

Ce poisson, appelé également baudroie, est commun dans presque toutes les mers. Il possède une tête énorme et plate, avec une mâchoire inférieure importante, et un corps en forme de fuseau. A l'étal, la lotte est toujours préparée sans la tête, et la peau entièrement retirée. Sa chair, d'une grande finesse, est très recherchée. Elle se digère très bien et possède des vitamines (A, PP) et des éléments minéraux (phosphore, potassium) qui en font un aliment apprécié, à l'égal de la viande. A la vente, le corps de la lotte est débité en tronçons, ne donnant que peu de déchets mais d'un prix relativement élevé. Les queues de lotte sont meilleur marché. Recherchez un poisson à la chair ferme et élastique, à la couleur blanche, dépourvu de la moindre odeur d'ammoniac.

1 - Triez les épinards, enlevez les mauvaises feuilles, ôtez les queues des feuilles. Lavez les légumes soigneusement, à plusieurs eaux, avant de les faire cuire dans une grande quantité d'eau salée (environ 3 litres d'eau) pendant une dizaine de minutes.

2 - Faites durcir les œufs 12 à 15 minutes dans de l'eau bouillante. Puis passez-les sous l'eau froide et écalez-les.

3 - Après 10 minutes de cuisson, égouttez les épinards, laissez-les tiédir puis, avec vos mains, pressez-les fortement pour en extraire le maximum d'eau.

4 - Huilez légèrement un plat allant au four, étalez-y les épinards, en ménageant des emplacements pour y déposer les œufs durs entiers. Poivrez.

5 - Parsemez de gruyère râpé et de chapelure, répartissez quelques noisettes de beurre, et mettez à gratiner à four chaud pendant 15 minutes.

6 - Servez brûlant, dès la sortie du four, dans le plat de cuisson.

LE TRUC DU CHEF

POUR LE GRATIN D'ÉPINARDS AUX ŒUFS DURS : cette classique recette devient plus savoureuse encore si l'on ajoute quelques feuilles d'oseille hachées aux épinards.

On peut, bien entendu réaliser cette recette avec des épinards en boîte, ce qui élimine une fastidieuse préparation. Il faut en ce cas choisir des épinards en branche, car les épinards hachés sont d'assez médiocre qualité.

VOS NOTES PERSONNELLES

Ecrire . . . .
. . . .
Acheter . . . .
. . . .
Téléphoner . . . .

Menu

SALADE AU BLEU
(voir recette ci-dessous)
**LANGUE DE VEAU
À LA CHAMBIGE**
(voir recette p. 221)
**OMELETTE SOUFFLÉE
AUX POIRES**
(voir recette ci-contre)

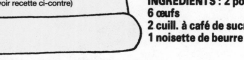

OMELETTE SOUFFLÉE AUX POIRES

Rapide   Très facile   Pas cher

**POUR 4 PERSONNES
CUISSON :**
15 minutes environ
INGRÉDIENTS : 2 poires
6 œufs
2 cuill. à café de sucre
1 noisette de beurre

1 - Pelez les poires, coupez-les en quartiers, et ôtez le cœur et les pépins. Détaillez chaque quartier en lamelles.
2 - Mettez les fruits dans une poêle avec 1 noisette de beurre, et faites-les sauter rapidement à feu vif.
3 - Cassez les œufs dans une terrine, en réservant 2 blancs dans un autre récipient. Battez ces œufs en omelette en y ajoutant 1 cuillerée à café de sucre.
4 - Montez les blancs d'œufs en neige très ferme au fouet ou mieux, au mixer, avec 1 cuillerée à café de sucre. Incorporez délicatement cette préparation à l'omelette.
5 - Beurrez légèrement une poêle, mettez sur feu moyen, et versez l'omelette. Remuez le centre de la préparation à la spatule de bois afin d'accélérer la coagulation des œufs. Laissez cuire ainsi quelques minutes.
6 - En fin de cuisson, disposez les lamelles de poire sur l'omelette, le temps pour les fruits de chauffer légèrement, puis faites glisser l'omelette sur un plat de service chaud. Repliez-la, et servez immédiatement.

MINI-RECETTE

SALADE AU BLEU

POUR 6 PERSONNES
INGRÉDIENTS : 1 scalore
100 g de bleu d'Auvergne
3 échalotes, quelques noix
1 petite gousse d'ail, 100 g de champignons
2 cuillerées à soupe de vinaigre
8 cuillerées à soupe d'huile
1 cuillerée à café de moutarde
Sel, poivre

1 - Otez les feuilles défraîchies ou jaunies d'une belle scarole, lavez soigneusement la salade, et séchez-la dans un torchon.
2 - Débarrassez les champignons de leur pied terreux, lavez-les à l'eau courante, et séchez-les sur du papier absorbant. Puis, détaillez-les en fines lamelles.
3 - Cassez quelques noix, et concassez-en grossièrement les cerneaux.
4 - Confectionnez une vinaigrette comme suit : délayez la moutarde dans le vinaigre, dans le saladier, salez, poivrez, et versez l'huile peu à peu en tournant constamment à la cuiller.
5 - Ecrasez le fromage, et joignez-le à la sauce. Ajoutez les échalotes hachées et la gousse d'ail pilée, et remuez soigneusement le tout pour obtenir une pâte homogène.
6 - Versez alors les feuilles de salade, les champignons en lamelles, et les noix dans le saladier, et remuez longuement le tout avant de servir.

LE TRUC DU CHEF

POUR L'OMELETTE SOUFFLÉE AUX POIRES : pour la confection de l'omelette, vous pouvez complètement éliminer la matière grasse en utilisant une poêle avec un revêtement anti-adhésif « Teflon ».
Parmi les bonnes variétés de poires à retenir, on peut citer la « beurré hardy » à chair juteuse et sucrée ; la « williams » au parfum caractéristique.

VOS NOTES PERSONNELLES

Ecrire . . . .
. . . .
Acheter . . . .
. . . .
Téléphoner . . . .

Menu

GRATINÉE À LA CHAMPSAUR
(voir recette p. 324)

**CÔTES DE MOUTON
À L'EMBRUNAISE**
(voir recette ci-contre)

BRIOCHE
(voir recette ci-dessous)

MINI-RECETTE

BRIOCHE

**POUR 5 À 6 PERSONNES
CUISSON : 30 minutes environ
INGRÉDIENTS : 280 g de farine
150 g de beurre, 3 œufs
3 cuillerées à café de sucre
10 g de levure de boulanger
1/2 verre de lait**

1 - Faites tiédir le lait dans une petite casserole, et délayez-y la levure.
2 - Mettez 1 verre de farine dans une terrine, et versez dessus le lait tiède. Travaillez bien ce mélange et, lorsque la pâte est formée, roulez-la en boule, farinez-la, et laissez-la doubler de volume dans un endroit tiède pendant 20 minutes environ.
3 - Pendant ce temps, mettez le reste de la farine dans un grand saladier, faites un puits, et ajoutez les œufs, le sucre et 1 pincée de sel. Pétrissez et travaillez cette pâte élastique en la frappant sur un marbre ou sur une surface lisse. Puis ajoutez le beurre en pommade, et le levain. Laissez reposer au frais 1 h 30 à 2 h. Divisez ensuite la pâte obtenue en deux parties, dans les proportions 1/4 – 3/4.
4 - Beurrez un moule à brioche à côtes, et garnissez- le du gros morceau de pâte. A l'aide de la main, ménagez une cavité au milieu. Donnez à la pâte restante la forme d'une poire. Placez la partie pointue dans la cavité, et laissez le tout lever pendant 3 heures.
5 - Passé ce temps, faites cuire à four moyen 30 minutes.

CÔTES DE MOUTON A L'EMBRUNAISE

Rapide   Très facile   Abordable

**POUR 4 PERSONNES
CUISSON : 20 minutes
INGRÉDIENTS : 4 côtes
2 oignons
2 gousses d'ail
1 cuillerée à soupe
de conc. de tomates
1 cuill. à soupe
de moutarde
Thym, laurier
1 pincée d'estragon
1 noix de beurre
1 cuill. à soupe d'huile
Sel, poivre**

1 - Faites chauffer le mélange de beurre et d'huile dans une sauteuse, et couchez-y les côtes de mouton après les avoir salées et poivrées. Laissez saisir la viande quelques instants sur chaque face.
2 - Pendant ce temps, épluchez 2 gros oignons, et hachez-les grossièrement.
3 - Lorsque la viande a pris couleur, sortez les côtes de la sauteuse et réservez au chaud.
4 - Jetez le hachis d'oignons dans la graisse de cuisson de la viande, et laissez blondir les légumes à feu doux.
5 - Délayez le concentré de tomates dans 1 verre d'eau, et mouillez-en les oignons. Aromatisez avec l'ail pilé, un peu de thym, de laurier et d'estragon. Salez et poivrez légèrement. Laissez cuire une dizaine de minutes sur feu doux, à découvert.
6 - Délayez la moutarde au fouet, dans un bol, avec un peu de sauce prélevée dans la sauteuse, puis reversez le tout dans le récipient. Laissez encore quelques instants, mais la sauce ne doit pas bouillir.
7 - Disposez la viande sur un plat de service et nappez-la de la sauce. Servez de préférence avec une garniture de haricots blancs.

LE TRUC DU CHEF

POUR LA GRATINÉE À LA CHAMPSAUR : si l'on veut rendre la soupe plus nutritive, on peut ajouter au bouillon une tablette de concentré de volaille ou de bœuf.
Ne choisissez pas du gruyère déjà râpé. Emincez vous-même un morceau de gruyère en copeaux. Cela permet le « filage » que l'on recherche.

VOS NOTES PERSONNELLES

Ecrire . . . .
. . . .
Acheter . . . .
. . . .
Téléphoner . . . .

Menu

**FONDS D'ARTICHAUDS
À L'ORANGE**
(voir recette ci-contre)
**PALETTE DE PORC
AUX LENTILLES**
(voir recette p. 197)
CRÈME AU CAFÉ
(voir recette p. 206)

FONDS D'ARTICHAUTS À L'ORANGE

Moyen — Très facile — Abordable

POUR 4
A 5 PERSONNES
CUISSON :
40 minutes environ
INGRÉDIENTS :
4 artichauts
3 oranges
1 cuill. à soupe de sucre
3 gousses d'ail
2 cuill. à soupe d'huile
Laurier
Sel, poivre

TOUT SAVOIR SUR...

LA PALETTE DE PORC

*La palette de porc est un muscle d'environ 2 kilos qui donne une viande particulièrement tendre et goûteuse. Relativement maigre, elle a toutefois une valeur calorique assez importante. Elle contient, entre autres, des vitamines PP et du calcium. Sur les marchés, elle est présentée sous trois dénominations dues à des préparations différentes. **La palette fraîche** est vendue telle que prélevée de l'animal. **La palette demi-sel** a subi un traitement au sel. **La palette fumé** a subi une préparation de fumage. La palette fraîche doit être d'une couleur rose intense. La graisse, bien blanche, dénote un animal qui a été bien nourri. Evitez les viandes blanches, molles, à l'aspect humide. La palette demi-sel a une teinte grisâtre, causée par la préparation au sel, mais, à la coupe, la teinte de la viande doit être rose.*

1 - Mettez les artichauts à cuire 30 minutes à l'eau bouillante salée en veillant à ce que le liquide baigne suffisamment le cœur des légumes.
2 - Pendant ce temps, épluchez les oranges, divisez-les en quartiers, et coupez chaque quartier en deux.
3 - Après 30 minutes de cuisson des artichauts, mettez-les à égoutter et à refroidir dans une passoire, puis ôtez les feuilles et la barbe pour ne conserver que les cœurs.
4 - Détaillez les cœurs en lanières, mélangez-les aux morceaux d'orange, et mettez le tout à revenir à la poêle dans un peu d'huile. Saupoudrez le tout avec le sucre et laissez ainsi 3 à 4 minutes sur feu vif en ajoutant les gousses d'ail hachées. Donnez quelques tours de poivre au moulin, et aromatisez d'un peu de laurier émietté.
5 - Quand la préparation a pris couleur, versez-la dans un plat de service creux, et laissez refroidir avant de servir.

LE TRUC DU CHEF

POUR LES FONDS D'ARTICHAUTS À L'ORANGE : pour cette recette, choisissez de préférence des artichauts au fond charnu, tels que les « camus » de Bretagne ou les « macau » du Sud-Ouest de la France.

POUR LA CRÈME AU CAFÉ : vous pouvez décorer, et augmenter la richesse de ce dessert, en plaçant sur la crème des petits grains de café en sucre.

Choisissez de préférence, pour incorporer au lait, du café soluble plutôt que du café traditionnel moulu.

VOS NOTES PERSONNELLES

Ecrire . . . .
. . . .
Acheter . . . .
. . . .
Téléphoner . . . .

29 AVRIL

GATEAU DE GRONINGUE

Menu

SALADE MÈRE GUILLAUME
(voir recette ci-dessous)

*ROUGETS-GRONDINS
AU PASTIS*
(voir recette p. 181)

GÂTEAU DE GRONINGUE
(voir recette ci-contre)

**POUR 4
A 5 PERSONNES
CUISSON : 1 heure
INGRÉDIENTS :**
250 g de sucre
en poudre
125 g de beurre
250 g de farine
4 œufs
1 petit verre de lait
1/2 sachet de levure
100 g d'amandes effilées
100 g de raisins
de Smyrne
Le zeste de 1/2 citron

MINI-RECETTE

SALADE MÈRE GUILLAUME

**POUR 4 À 5 PERSONNES
INGRÉDIENTS :** 1 cœur de scarole
1 livre d'endives, 2 pommes
1 jus de citron, 100 g de cerneaux de noix
150 g de poitrine fumée
2 cuillerées à café de moutarde
5 cuillerées à soupe d'huile
1 noisette de beurre
2 cuillerées à soupe de vinaigre
1 jaune d'œuf dur, sel, poivre

1 - Lavez les salades. Séchez-les dans un torchon. Coupez les feuilles de scarole en lanières, et détaillez les endives en tronçons, après les avoir fendues en quatre.

2 - Épluchez les pommes, coupez-les en quatre, ôtez le cœur et les pépins. Puis coupez les quartiers en fines lamelles. Mettez ces dernières dans un bol, et arrosez-les d'un jus de citron pour les empêcher de noircir.

3 - Dans un grand saladier, délayez la moutarde dans le vinaigre, salez et poivrez. Puis incorporez une à une, en tournant régulièrement, les cuillerées d'huile. Lorsque la sauce est bien liée (elle doit avoir une apparence crémeuse), écrasez dedans le jaune d'œuf à la fourchette. Mélangez bien.

4 - Mettez dans le vinaigre les salades coupées, les dés de pomme et les cerneaux de noix.

5 - Coupez la poitrine fumée en petis dés, et faites-les revenir à la poêle, dans une noisette de beurre.

6 - Mélangez délicatement la salade, versez dessus les lardons rissolés, et servez aussitôt.

1 - Dans un bol, écrasez le beurre à la fourchette pour le rendre crémeux.
2 - Cassez les œufs dans un saladier, ajoutez-y le sucre, et remuez longuement à la cuillère en bois ou au fouet jusqu'à ce que le mélange blanchisse.
3 - A cette préparation, incorporez le lait et la farine en tournant constamment afin de réaliser une pâte homogène. Prenez la précaution d'ajouter la farine par petites quantités pour éviter l'apparition de grumeaux.
4 - A cette pâte, joignez le beurre en pommade, le zeste de citron, les raisins de Smyrne, et enfin la levure. Mélangez soigneusement le tout.
5 - Beurrez un moule à bords hauts, versez-y le mélange, et mettez à four doux pendant 1 heure.
6 - Démoulez le gâteau sur un plat de service et servez-le tiède ou froid, selon vos préférences.

LE TRUC DU CHEF

POUR LES ROUGETS-GRONDINS AU PASTIS : au lieu d'arroser de pastis les poissons avant cuisson, on peut faire flamber les rougets à la sortie du four. Versez alors le pastis préalablement chauffé, et flambez.
On trouve assez communément les rougets-grondins à l'étal des poissonniers mais les périodes d'abondance (c'est-à-dire où ces poissons sont les plus avantageux à l'achat) se situent pendant les quatre premiers et les quatre derniers mois de l'année. Le grondin gris, de coloration grisâtre, est le plus fréquent. Le rouge, plus souvent appelée rouget-grondin, est parfois confondu à tort avec le vrai rouget (ou rouget-barbet).

VOS NOTES PERSONNELLES

Ecrire . . . .

Acheter . . . .

Téléphoner . . . .

BOULETTES AU CHOU VERT

Moyen — Facile — Abordable

POUR 6 PERSONNES
CUISSON : 1 heure
INGRÉDIENTS :
1 chou vert
400 g de bœuf haché
200 g de chair
à saucisse
1 gros oignon
2 tranches de mie
de pain
1/2 verre de lait
1 œuf
40 g de beurre
1 v. de vin blanc sec
Persil
Sel, poivre

1 - Epluchez l'oignon, lavez un petit bouquet de persil. Hachez-les ensemble finement.
2 - Faites tremper la mie de pain dans le lait.
3 - Coupez le trognon du chou, détachez délicatement les feuilles, lavez-les, et faites-les blanchir 10 minutes à l'eau bouillante salée.
4 - Dans un saladier, mélangez les viandes de bœuf et de porc, ajoutez le hachis d'oignon et de persil, la mie de pain trempée dans le lait et essorée, 1 œuf entier. Salez, poivrez généreusement au moulin, et malaxez bien le tout.
5 - Égouttez soigneusement les feuilles de chou blanchies sur du papier absorbant.
6 - A l'aide de vos mains, confectionnez 6 boulettes avec la farce, et entourez chacune d'elles avec 2 ou 3 feuilles de chou, selon la taille des feuilles. Ficelez les préparations ainsi obtenues.
7 - Faites fondre le beurre dans une cocotte à feu vif, et mettez-y les boulettes, jusqu'à ce que le chou prenne couleur des deux faces.
8 - Mouillez alors avec 1 bon verre de vin blanc sec, laissez réduire 2 minutes à découvert, ajoutez 2 verre d'eau, couvrez, et laissez cuire doucement pendant 1 heure.
9 - Dressez aussitôt les boulettes au chou sur un plat de service et servez.

TOUT SAVOIR SUR...

LE CHOU

*De tout temps, ce gros, ce beau légume a été apprécié pour ses qualités énergétiques et vermifuges. On s'en servait même en cataplasme afin de résorber certaines douleurs. Il est particulièrement riche en vitamine C et en calcium et potassium. Le chou est présent toute l'année sur les marchés. Trois groupes différencient les diverses variétés. Les **pointus** : de forme conique, de couleur claire, ils sont en vente principalement au printemps. Les **ronds lisses** : en forme de sphère, de couleur verte, on les vend surtout en automne-hiver. Les **ronds frisés** : aux feuilles cloquées de couleur verte, présents en automne-hiver. Le chou rouge qui est un «rond lisse» est présent quasiment toute l'année. Deux catégories classent les légumes suivant des critères d'apparence plus que de qualité. **Catégorie I** (étiquette verte), **Catégorie II** (étiquette jaune).*

VOS NOTES PERSONNELLES

Ecrire . . . .
. . . .
Acheter . . . .
. . . .
Téléphoner . . . .

1 MAI

Menu

ÉCLAIRS AU CHEDDAR
(voir recette ci-contre)

**ÉMINCÉ DE BŒUF
AU GINGEMBRE**
(voir recette p. 178)

APFELSTRUDEL
(voir recette ci-dessous)

Boisson conseillée :
UN JULIÉNAS

MINI-RECETTE
APFELSTRUDEL

**POUR 8 PERSONNES
CUISSON : 50 minutes
INGRÉDIENTS : 250 g de farine
1 œuf, 1 kg de pommes, 50 g de sucre
100 g de raisins secs, 125 g de beurre
1/2 verre à liqueur de rhum
1 pincée de cannelle en poudre
5 cuillerées à soupe de chapelure
1/2 cuillerée à café de vinaigre
1 bon décilitre d'eau, sel**

1 - Creusez un puits au milieu de la farine.
2 - Dans une casserole, faites fondre à feu doux la moitié du beurre.
3 - Dans un saladier, cassez l'œuf, ajouter le vinaigre, le beurre fondu, l'eau que vous aurez fait tiédir au préalable, et une pincée de sel. Battez bien le tout.
4 - Versez le mélange obtenu dans le puits de la farine, et pétrissez jusqu'à l'obtention d'une pâte élastique, mais qui ne colle pas. Mettez en boule, recouvrez d'un linge, et laissez reposer 40 minutes.
5 - Pendant ce temps, épluchez les pommes, coupez-les en tranches fines, et saupoudrez-les d'un peu de sucre.
6 - Etendez la pâte au rouleau en lui donnant la forme d'un rectangle et l'épaisseur d'une feuille de papier.
7 - Badigeonnez la pâte de beurre fondu.
8 - Répartissez dessus, les fines tranches de pommes, la chapelure, le sucre qui reste, les raisins secs, la pincée de cannelle en poudre. Arrosez avec le rhum.
9 - Roulez la pâte en emprisonnant bien la garniture et placez le tout sur une plaque beurrée. Arrosez de beurre fondu et mettez à four moyen 50 minutes environ. Durant la cuisson, arrosez à nouveau.
10 - A la sortie du four, nappez d'un peu de beurre, saupoudrez de sucre glace.

ÉCLAIRS AU CHEDDAR

Moyen · Facile · Abordable

**POUR 5
A 6 PERSONNES
CUISSON :
30 minutes environ
INGRÉDIENTS :
180 g de farine
150 g de fromage
de Cheddar
200 g de beurre
7 œufs
20 cl de crème fraîche
Sel**

1 - Faites bouillir dans une casserole 1/4 de litre d'eau. Ajoutez 80 g de beurre coupé en parcelles et 1 pincée de sel. Au premier bouillon, ôtez le récipient du feu et versez 150 g de farine d'un seul coup. Mélangez vivement à la spatule de bois pour obtenir une pâte homogène.
2 - Incorporez un à un 4 œufs entiers, puis 50 g de cheddar râpé.
3 - Beurrez une plaque à four et, à l'aide d'une poche à douille, déposez des boudins de pâte de 10 cm environ de long. Cassez 1 œuf, battez le jaune, et badigeonnez-en au pinceau les boudins de pâte. Mettez à cuire à four chaud 20 minutes. La pâte doit gonfler et dorer.
4 - Pendant ce temps, faites fondre 50 g de beurre dans une casserole, puis versez la farine. Tournez quelques instants sur feu doux, à la cuillère de bois, et ajoutez la crème fraîche. Laissez cuire très doucement 15 minutes.
5 - Passé ce temps, incorporez hors du feu le reste du cheddar râpé, le reste du beurre et 2 jaunes d'œufs (réservez les blancs). Salez, poivrez.
6 - Fouettez les 2 blancs d'œufs en neige, et incorporez-les délicatement à la préparation.
7 - Quand les boudins de pâte sont cuits, fendez-les sur toute leur longueur et, à l'aide d'une poche à douille, fourrez-les de la crème au fromage.
8 - Replacez les éclairs sur la plaque du four, laissez quelques instants à feu moyen. Servez très chaud.

 VOS NOTES PERSONNELLES

Ecrire . . . .

Acheter . . . .

Téléphoner . . . .

2 MAI

BŒUF BRAISÉ AUX CAROTTES

Menu

VELOUTÉ DE POISSON AU CREVETTES
(voir recette p. 225)

BŒUF BRAISÉ AUX CAROTTES
(voir recette ci-contre)

ROULÉ AUX FRAISES
(voir recette p. 220)

 Long — Très facile — Abordable

POUR 6 PERSONNES
CUISSON : 2 h 30
INGRÉDIENTS :
1 kg de carottes
1 kg de gîte à la noix
2 oignons
1 gousse d'ail
1 noix de beurre
1 cuill. à soupe d'huile
Thym
Ciboulette
Cerfeuil
Laurier
Sel, poivre

TOUT SAVOIR SUR...

LE GÎTE À LA NOIX

Le gîte à la noix est un muscle situé en arrière de la cuisse du bœuf. Cette partie de l'animal fournit une chair assez maigre et relativement peu calorique par rapport aux autres morceaux. Elle contient, entre autres, des vitamines PP, du calcium et du phospore. Suivant la découpe, les bouchers proposent des viandes à rôtir et à griller pour réaliser des steacks et des rosbifs, des viandes à braiser pour la confection des ragoûts, et des viandes à bouillir pour les pot-au-feu. A la coupe, la viande doit avoir une couleur rouge vif, un grain serré. La couverture de graisse doit être blanche ou jaune très pâle. Notez que, quelle que soit la préparation, le gîte à la noix est une viande assez ferme, mais qui a du goût. Les tranches fines sont donc recommandées. Comptez par convive environ 150 g de viande.

1 - Faites chauffer dans une cocotte le mélange de beurre et d'huile, et mettez-y le rôti de bœuf à dorer.

2 - Pendant ce temps, épluchez les carottes et les oignons. Détaillez les carottes en épaisses rondelles.

3 - Quand la viande est bien saisie sur toutes ses faces, ajoutez carottes et oignons, et laissez blondir les légumes quelques instants.

4 - Mouillez avec 1 verre d'eau, aromatisez d'une gousse d'ail pilée, d'un peu de thym et de laurier, salez, poivrez, et laissez mijoter à couvert 2 heures. Ajoutez un peu d'eau bouillante en cours de cuisson si nécessaire.

5 - Quand la viande est cuite, coupez-la en tranches, et dressez ces dernières sur un plat de service. Entourez-les de la garniture de carottes, nappez avec la sauce, saupoudrez les légumes d'un fin hachis de cerfeuil et de ciboulette, et servez aussitôt.

LE TRUC DU CHEF

POUR LE VELOUTÉ DE POISSON AUX CREVETTES : ajoutez, en fin de cuisson, un hachis de cerfeuil et d'estragon au velouté, qui le parfumera délicieusement.

POUR LE ROULÉ AUX FRAISES : pour avoir le maximum de chance de voir le gâteau se rouler convenablement, sans se fendiller, opérez le plus rapidement possible dès la sortie du four.

VOS NOTES PERSONNELLES

Ecrire . . . .

Acheter . . . .

Téléphoner . . . .

CHARLOTTE A LA GRAFFIN

Moyen   Facile   Abordable

POUR 6 PERSONNES
INGRÉDIENTS : 3 œufs
24 biscuits à la cuillère
1/2 litre de glace vanille
30 g de beurre
2 cuill. de sucre glace
100 g de chocolat
à croquer
2 cuillerées à soupe
de café moulu

MINI-RECETTE

SALADE AMSTERDAM

POUR 5 À 6 PERSONNES
CUISSON : 15 minutes
INGRÉDIENTS : 1 batavia
125 g de gouda - 1/2 betterave cuite
1 oignon, 3 œufs
2 cuillerées à café de moutarde forte
2 cuillerées à soupe de vinaigre
8 cuillerées à soupe d'huile
1 pointe de paprika, sel, poivre

1 - Mettez à cuire les œufs 15 minutes à l'eau bouillante. Ecalez-les, et réservez.
2 - Otez les feuilles flétries ou jaunies de la batavia, coupez le trognon, et lavez soigneusement les feuilles à plusieurs eaux. Puis séchez-les dans un torchon.
3 - Epluchez l'oignon et coupez-le en fines rondelles. Détaillez la betterave en petits dés.
4 - Râpez le morceau de gouda à la râpe gros trous.
5 - Dans un grand saladier, préparez une sauce comme suit : délayez 2 cuillerées à café de moutarde forte dans le vinaigre. Salez, poivrez, ajouter une pointe de paprika, et versez l'huile peu à peu en tournant constamment à la cuiller. Cessez l'opération dès que la sauce prend une consistance crémeuse.
6 - Coupez les feuilles de salade verte en lanières, et mettez-les dans le saladier. Ajoutez les petits dés de betteraves, le fromage râpé, et mélangez le tout.
7 - Détaillez les œufs durs en tranches, et disposez-les au mieux, avec les rondelles d'oignon, sur le dessus de la salade. Hachez un peu de persil sur le tout avant de servir.

1 - Préparez un café fort en mettant 2 cuillerées à soupe de café moulu dans un bol, arrosez-le avec 2 tasses à café d'eau bouillante, et couvrez.
2 - Séparez les blancs des jaunes de 3 œufs et placez-les respectivement dans deux récipients.
3 - Cassez 100 g de chocolat en petits morceaux dans une petite casserole et faites-le fondre au bain-marie en plaçant celle-ci dans une casserole plus grande contenant de l'eau chaude et placée sur feu doux.
4 - Lorsqu'il est fondu, ajoutez-y 30 g de beurre puis, hors du feu, les jaunes d'œufs. Laissez refroidir. A l'aide d'un batteur ou d'un fouet, battez les blancs en neige jusqu'à ce qu'ils soient bien fermes, et incorporez-les délicatement au mélange après les avoir sucrés de deux cuillerées de sucre glace.
5 - Filtrez le café, sucrez-le normalement et versez-le dans une écuelle.
6 - Prenez un moule à charlotte, trempez les biscuits dans le café et disposez-les verticalement, côté bombé tout autour de la paroi intérieure du moule. Dans le fond, placez des fragments de biscuit.
7 - Versez à l'intérieur la moitié de la mousse au chocolat, la glace à la vanille légèrement ramollie, puis l'autre moitié de mousse au chocolat. Recouvrez avec des biscuits trempés, tassez la charlotte en posant une assiette sur le dessus, et placez-la au freezer du réfrigérateur 2 heures au moins avant de démouler.

VOS NOTES PERSONNELLES

Ecrire . . . .
. . . .
Acheter . . . .
. . . .
Téléphoner . . . .

TOUT SAVOIR SUR...

LA POITRINE
DE VEAU

La poitrine de veau se situe à l'emplacement du sternum de l'animal. C'est une pièce de viande cartilagineuse, avec des parties alternées grasses et maigres. Cette viande, riche en protides, est moins calorique que la viande de bœuf. Elle comporte, entre autres, des vitamines PP, du phosphore et du potassium. Cette viande doit avoir une couleur blanche ou rose pâle. La graisse doit être blanc très clair. La poitrine peut être vendue soit avec os, elle est alors destinée aux blanquettes et aux ragoûts, soit désossée pour réaliser une poitrine de veau farcie.

POITRINE DE VEAU
PRINTANIÈRE

POUR 4 PERSONNES
CUISSON : 1 h 40
INGRÉDIENTS :
1 kg de poitrine
250 g de petits oignons
2 gousses d'ail
500 g de carottes
250 g de navets
1 boîte de petits pois
3 cuill. à soupe d'huile
1 noix de beurre
1 cuill. à soupe de farine
1 cuill. à café de sucre
1 tablette de bouillon
de volaille
Bouquet garni
Sel, poivre

1 - Faites chauffer le mélange de beurre et d'huile dans une cocotte, et mettez-y à dorer les tranches de poitrine de veau salées et poivrées. Laissez quelques minutes sur chaque face.
2 - Pendant ce temps, épluchez les oignons blancs, les carottes et les navets. Taillez les carottes et les navets en petits quartiers.
3 - Quand la viande est convenablement dorée, ôtez les morceaux de la cocotte, réservez, et jetez les petits légumes dans la graisse de cuisson. Laissez prendre quelques minutes sur feu modéré.
4 - Versez alors la farine en pluie, 1 cuillerée à café de sucre semoule, et tournez 2 à 3 minutes le tout à la cuillère de bois, le temps pour la farine de colorer légèrement.
5 - Mouillez avec environ 1 litre d'eau, salez légèrement, poivrez, aromatisez des gousses d'ail pilées et d'un bouquet garni, et agrémentez d'une tablette de concentré de bouillon de volaille. Replacez la viande dans le récipient, couvrez, et laissez mijoter environ 1 heure.
6 - Passé ce temps, découvrez le récipient, ajoutez le contenu de la boîte de petits pois, et prolongez la cuisson de 15 à 20 minutes, le temps pour la sauce de réduire convenablement. Servez aussitôt dans un grand plat creux.

VOS NOTES PERSONNELLES

Ecrire . . . .

. . . .

Acheter . . . .

. . . .

Téléphoner . . . .

MINI-RECETTE

ROSBIF À LA PURÉE DE CAROTTES

POUR 6 PERSONNES
CUISSON : 30 minutes
INGRÉDIENTS : 1 kg de carottes
1 rosbif de 1 kg
2 gousses d'ail
50 g de beurre
2 cuillerées à soupe de crème fraîche
2 cuillerées à café de moutarde
Sel, poivre

1 - Epluchez les gousses d'ail, divisez-les en éclats, et piquez-en le rosbif en divers endroits. Puis frottez la viande de poivre et de thym émietté, et mettez-la dans un plat allant au four. Disposez dessus quelques noisettes de beurre, et faites cuir à four chaud une trentaine de minutes (un peu plus ou un peu moins selon que vous désirez la viandre saignante ou à point).

2 - Pelez les carottes, coupez-les en rondelles, et faites-les cuire 30 minutes à l'eau bouillante salée.

3 - Passé ce temps, égouttez les légumes, et passez-les au mixer pour les réduire en mousse. Ajoutez 1 noix de beurre, la crème fraîche, et remuez soigneusement le tout dans une casserole, sur feu très doux. Laissez réduire pour épaissir la mousse.

4 - Détaillez la viande en tranches fines, salez-la, et disposez-la sur un plat de service. Entourez-la de la mousse de carotte.

5 - Déglacez le plat de cuisson du rosbif avec 1 bon verre d'eau, salez légèrement, poivrez, incorporez 2 cuillerées à café de moutarde, et présentez en saucière.

AVOCATS AU CRABE
(voir recette ci-contre)
ROSBIF À LA PURÉE DE CAROTTES
(voir recette ci-dessous)
DÉLICE GLACÉ AUX POMMES
(voir recette p. 117)

AVOCATS AU CRABE

Moyen   Facile   Abordable

POUR 4 PERSONNES
INGRÉDIENTS : 4 avocats
1 boîte de crabe
1 jaune d'œuf
1 cuillerée à café de moutarde
1 citron
1 dl d'huile
1 bouquet de persil
1 pincée de poivre de Cayenne
Sel

1 - Ouvrez la boîte de crabe et mettez les morceaux à égoutter.

2 - Confectionnez une mayonnaise en mettant dans un grand bol le jaune d'œuf, la moutarde et 1 pincée de sel. Tournez à la fourchette ou au fouet en versant régulièrement un mince filet d'huile. Lorsque la mayonnaise est montée, incorporez le jus d'un demi-citron et 1 bonne pincée de poivre de Cayenne.

3 - Ouvrez les avocats en deux dans le sens de la longueur, et ôtez le noyau. A l'aide d'une petite cuillère, et en prenant bien soin de ne pas crever la peau (il ne faut pas creuser trop loin), évidez les moitiés d'avocat. Détachez la chair à l'aide d'une petite « cuillère ronde à racines » (comme pour les boules de melon). Versez dessus le jus du demi-citron, afin que la chair ne noircisse pas.

4 - Mêlez les dés d'avocat à la mayonnaise, et remplissez de ce mélange les demi-avocats. Saupoudrez le dessus de persil haché très fin.

5 - Placez au réfrigérateur 1/2 heure avant de servir.

LE TRUC DU CHEF

POUR LES AVOCATS AU CRABE : dans les boîtes de crabe se mêlent souvent à la chair des petits morceaux de cartilage. Retirez-les soigneusement afin de ne pas compromettre le plaisir de la dégustation.

Les avocats sont importés de divers pays chauds, Afrique noire, Antilles, Israël. Au dire des connaisseurs, les avocats d'Israël possèdent la chair la plus fine. Mais quelle que soit la provenance, choisissez des fruits mûrs à point, c'est-à-dire souples au toucher.

VOS NOTES PERSONNELLES

Ecrire . . . .
. . . .
Acheter . . . .
. . . .
Téléphoner . . . .

Menu

**TIMBALES DE LÉGUMES
EN SAUCE TOMATE**
(voir recette p. 250)

GAMBAS GRILLÉES AU SEL
(voir recette ci-dessous)

BAKLAVA
(voir recette ci-contre)

Moyen · Facile · Abordable

MINI-RECETTE

GAMBAS GRILLÉES AU SEL

**POUR 6 PERSONNES
CUISSON : 20 minutes
INGRÉDIENTS :** 2 douzaines de gambas
1 verre de gros sel, 1 jaune d'œuf
15 cl d'huile, 2 cuillerées à soupe de vinaigre
1 cuillerée à soupe de moutarde
1 gousse d'ail, ciboulette, persil
1 pointe de cayenne, sel fin, poivre

1 - Les gambas (crevettes géantes) étant généralement vendues congelées, laissez-les une bonne heure à température ambiante avant de les utiliser.
2 - Versez 1 bon verre de gros sel dans une grande poêle, mettez sur feu vif, et laissez chauffer jusqu'à ce que le gros sel devienne brûlant.
3 - Disposez alors au mieux les gambas sur ce lit de gros sel, et laissez-les griller 6 à 8 minutes de chaque côté.
4 - Pendant ce temps, confectionnez une mayonnaise bien relevée comme suit : mettez dans un grand bol le jaune d'œuf, un peu de sel et de poivre. Versez l'huile en filet en tournant constamment à la cuiller de bois ou, mieux, au fouet. Lorsque la mayonnaise est montée, incorporez-lui 2 cuillerées à soupe de vinaigre, 1 cuillerée à soupe de moutarde, la gousse d'ail pilée, un hachis de persil et de ciboulette. Ajoutez une bonne pointe de cayenne, remuez bien le tout. Versez en saucière.
5 - Quand les gambas sont bien grillées, disposez-les au mieux sur un grand plat de service, accompagnez de la sauce en saucière, et servez immédiatement.

BAKLAVA

**POUR 6 PERSONNES
CUISSON : 20 minutes
INGRÉDIENTS :**
30 g de beurre
1 bloc de pâte feuilletée surgelée
100 g de cerneaux de noix
100 g de pistaches (non salées)
3 cuillerées à soupe de chapelure
6 cuill. à soupe de sucre
6 cuill. à soupe de miel
1/2 citron

1 - Laissez dégeler le bloc de pâte feuilletée à température ambiante en vous conformant aux indications portées sur l'emballage (environ 2 heures).
2 - Étalez la pâte au rouleau aussi finement que possible, et découpez des rectangles d'environ 6 × 12 cm.
3 - Concassez les noix et les pistaches ensemble, et ajoutez-y la chapelure et la moitié du sucre. Mélangez bien le tout dans un bol, puis incorporez 3 cuillerées à soupe de miel.
4 - Mettez le beurre dans une petite casserole, et faites-le fondre sur feu très doux. Badigeonnez-en les rectangles de pâte.
5 - Beurrez une plaque de four, et disposez-y les petits gâteaux réalisés avec 5 rectangles empilés les uns sur les autres, une bonne couche de la préparation aux noix et au miel, puis à nouveau 5 rectangles. Dessinez un quadrillage à la pointe du couteau sur le dessus, et mettez à cuire à four chaud 20 minutes environ.
6 - Pendant ce temps, préparez un sirop en mettant dans une casserole 3 cuillerées à soupe de miel, le reste du sucre en poudre, le jus du demi-citron et 2 cuillerées à soupe d'eau. Faites chauffer sur feu moyen, et mélangez la préparation en imprimant à la casserole un mouvement circulaire.
7 - Quand les gâteaux sont cuits, disposez-les sur un plat, arrosez-les largement de sirop chaud, et laissez refroidir. Au moment de servir, disposez au mieux les baklavas en pyramide sur un plat de service.

VOS NOTES PERSONNELLES

Ecrire . . . .

. . . .

Acheter . . . .

. . . .

Téléphoner . . . .

Menu

SALADE AUX GERMES DE SOJA
(voir recette p. 9)

BROCHETTES DE FOIE AUX ENDIVES
(voir recette ci-dessous)

POIRES EN CROÛTE
(voir recette ci-contre)

Boisson conseillée :
UN LIRAC

MINI-RECETTE

BROCHETTES DE FOIE AUX ENDIVES

POUR 4 PERSONNES
CUISSON : 40 minutes
INGRÉDIENTS : 1 kg d'endives
600 g de génisse, 40 g de beurre
Thym, laurier, sel, poivre

1 - Enlevez les mauvaises feuilles des endives, coupez la base, et lavez-les à l'eau courante.
2 - Plongez les endives dans une grande casserole d'eau salée et faites-les cuire à petits bouillons pendant 15 minutes.
3 - Lorsque les légumes sont cuits, ôtez-les délicatement du liquide de cuisson à l'aide d'une écumoire, et laissez-les égoutter dans une passoire.
4 - Faites fondre le beurre dans une cocotte sur feu vif, et faites-y revenir les endives sur toutes leurs faces.
5 - Pendant ce temps, coupez le foie en petits cubes. Brossez soigneusement les citrons sous l'eau chaude (il faut des citrons non traités au diphényl), et coupez-les en quartiers.
6 - Préparez 4 brochettes et enfilez alternativement morceaux de foie et quartiers de citron. Salez et poivrez la viande, et parsemez dessus un peu de thym et de laurier émietté.
7 - Placez les brochettes sous le gril, et laissez de 6 à 10 minutes selon que vous aimez le foie rosé ou bien cuit, en tournant les brochettes à mi-cuisson.
8 - Présentez les brochettes dans un plat de service long, et disposez tout autour, la garniture d'endives.

POIRES EN CROÛTE

POUR 6 PERSONNES
CUISSON : 25 minutes
INGREÈDIENTS : 6 belles poires
220 g de farine, 110 g de beurre, 1 œuf
100 g de raisins secs
6 cuillerées à café de crème fraîche
1 petit pot de gelée de groseilles
1 verre à liqueur de calvados

1 - Préparez une pâte brisée en mélangeant dans un saladier la farine, l'œuf entier, le beurre. Ajoutez 1 pincée de sel et travaillez bien le tout, avec un peu d'eau. Formez la pâte en boule, farinez-la et laissez reposer 1 heure.
2 - Pendant ce temps, épluchez les poires, et, à l'aide d'un petit couteau, creusez une cheminée pour ôtez le cœur et les pépins.
3 - Étalez au couteau la pâte sur une planche à pâtisserie, et découpez des carrés de dimensions telles qu'ils puissent enrober complètement chaque poire.
4 - Placez chaque fruit au centre de la pâte, et remplissez les cavités de quelques raisins secs, d'un peu de gelée de groseilles, d'une cuillerée de crème fraîche. Mouillez d'une goutte de calvados.
5 - Rabattez les bords de la pâte sur les poires ainsi garnies, en les masquant complètement. Soudez les bords à l'aide d'un peu de farine et d'eau.
6 - Battez le jaune d'œuf et, en vous servant d'un pinceau, badigeonnez la pâte.
7 - Placez les poires en croûte dans un plat allant au four, et mettez à cuire à feu moyen 25 minutes.
8 - Servez ce dessert, chaud, tiède ou froid selon vos goûts.

LE TRUC DU CHEF

POUR LES POIRES EN CROÛTE : afin de rendre ce dessert plus attractif, décorez la pâte à l'aide de la pointe d'un couteau, en quadrillant par exemple celle-ci. Veillez à ne pas traverser la pâte lors de cette opération, qui doit être menée avant le badigeonnage à l'œuf.

VOS NOTES PERSONNELLES

Ecrire . . . .
. . . .
Acheter . . . .
. . . .
Téléphoner . . . .

Menu

ROULEAUX IMPÉRIAUX
(voir recette ci-contre)
CÔTE DE BŒUF À LA MOELLE
(voir recette p. 12)
PÊCHES MELBA
(voir recette ci-dessous)

ROULEAUX IMPÉRIAUX

 Moyen   Facile   Abordable

POUR 6 PERSONNES
CUISSON :
35 minutes environ
INGRÉDIENTS :
1 jaune d'œuf
1 petite boîte de crabe
250 g de filet de porc
200 g de blanc
de poulet
1 boîte de germes de soja
2 échalotes
1 sachet
de champignons noirs
1 paqu. de galettes de riz
2 cuill. à soupe d'huile
Sel, poivre, persil
1 bain de friture

1 - Mettez les champignons noirs à tremper une vingtaine de minutes dans de l'eau tiède.

2 - Hachez ensemble la viande de porc et le poulet, salez et poivrez, et faites revenir ce hachis dans une sauteuse avec un peu d'huile.

3 - Égouttez les champignons noirs, pelez les échalotes, hachez grossièrement ces ingrédients et ajoutez-les à la viande. Laissez cuire le tout quelques minutes en remuant de temps en temps à la cuillère de bois.

4 - Ouvrez les boîtes de crabe et de germes de soja, passez le contenu à l'eau et laissez égoutter soigneusement.

5 - Lorsque le contenu de la sauteuse a pris couleur, ôtez le récipient du feu et incorporez-y le crabe, les germes de soja, le jaune d'œuf et un peu de persil haché. Remuez soigneusement le tout pour obtenir une farce homogène.

6 - Disposez les galettes de riz dans un torchon préalablement plongé dans de l'eau bouillante et laissez quelques minutes, le temps pour les galettes de perdre leur raideur.

7 - Garnissez les galettes de la farce et roulez-les de manière à obtenir des boudins d'environ 15 cm de long sur 3 cm de diamètre.

8 - Plongez délicatement les rouleaux dans un bain d'huile bouillante, laissez quelques minutes, le temps que la pâte prenne une belle coloration dorée, et sortez les rouleaux à l'aide d'une écumoire. Mettez-les à égoutter sur du papier absorbant, dressez-les sur un plat de service et servez immédiatement.

MINI-RECETTE

PÊCHES MELBA

POUR 6 PERSONNES
CUISSON : 15 minutes
INGRÉDIENTS : 6 belles pêches
1/4 de glace vanille
100 g de sucre en poudre
8 cuillerées à soupe de gelée de groseilles
1 petit pot de crème fraîche
1 sachet de sucre vanillé
1 sachet d'amandes effilées

1 - Plongez les pêches quelques instants dans de l'eau bouillante, puis pelez-les, coupez-les en deux, et ôtez les noyaux.

2 - Mettez dans une casserole le sucre en poudre et 3 verres d'eau. Portez à ébullition et plongez-y les fruits. Laissez pocher sur feu moyen une dizaine de minutes. Puis laissez refroidir.

3 - Placez la gelée de groseilles dans une petite casserole avec un peu d'eau, et remuez sur feu doux, pour rendre la gelée liquide. Laissez refroidir.

4 - Versez la crème fraîche dans un saladier, ajoutez 2 glaçons pilés et le sucre vanillé, et fouettez vigoureusement le tout pour obtenir une chantilly.

5 - Placez dans des coupes individuelles une demi-pêche, puis une boule de glace, et recouvrez de l'autre moitié de pêche. Arrosez de sirop de groseilles puis, à l'aide d'une poche à douille, surmontez le tout de chantilly. Saupoudrez d'amandes effilées grillées et servez aussitôt.

VOS NOTES PERSONNELLES

Ecrire . . . .

Acheter . . . .

Téléphoner . . . .

Menu

SALADE AU MAÏS
ET AU CRABE
(voir recette p. 282)

BOUDIN NOIR AUX REINETTES
(voir recette ci-contre)

CAKE À L'ANCIENNE
(voir recette ci-dessous)

BOUDIN NOIR AUX REINETTES

Moyen — Très facile — Abordable

POUR 4 PERSONNES
CUISSON : 20 minutes
INGRÉDIENTS :
700 g de boudin
1 kg de pommes reinettes
70 g de beurre
2 échalotes
Sel
Poivre

1 - Pelez les pommes reinettes, coupez-les en quatre. Ôtez le cœur et les pépins, puis détaillez chaque quartier en trois.
2 - Faites fondre dans une grande poêle 40 g de beurre sur feu vif, et jetez-y les morceaux de pommes. Remuez de temps en temps à la spatule, et laissez dorer les tranches de pommes une dizaine de minutes. Salez très légèrement, poivrez.
3 - Pendant ce temps, coupez le boudin en 4 morceaux égaux, piquez-le en divers endroits pour éviter qu'il n'éclate à la cuisson.
4 - Faites fondre 30 g de beurre dans une poêle, sur feu moyen, et couchez-y les morceaux de boudin. Faites-les bien dorer sur toutes leurs faces, puis laissez-les cuire environ 10 minutes sur feu doux.
5 - Épluchez les échalotes, hachez-les finement et joignez-les au boudin 5 minutes avant la fin de la cuisson.
6 - Dressez les morceaux de boudin sur un plat de service préalablement chauffé, entourez-les des tranches de pommes dorées, et servez immédiatement.

MINI-RECETTE

CAKE À L'ANCIENNE

POUR 6 À 8 PERSONNES
CUISSON : 1 heure
INGRÉDIENTS : 220 g de beurre
1 zeste de citron, 150 g de fruits confits
150 g de raisins de Corinthe
2 verres à liqueur de rhum
1 sachet de levure
175 g de sucre en poudre, 250 g de farine

1 - Brossez soigneusement un petit citron à l'eau chaude. Découpez et râpez-en le zeste. Lavez les raisins secs, coupez les fruits confits en petits dés. Mettez le tout à macérer dans le rhum.
2 - Dans un saladier, travaillez le beurre en pommade, ajoutez le sucre. Mélangez bien pour obtenir une préparation onctueuse.
3 - Incorporez les œufs entiers, un par un, additionnez d'une pincée de sel. Tournez soigneusement à la cuiller de bois.
4 - Versez ensuite la farine et la levure, remuez jusqu'à obtenir une pâte lisse. Ajoutez enfin les fruits qui macèrent dans le rhum.
5 - Beurrez un moule à cake, puis chemisez-le, c'est-à-dire garnissez-en le fond et les parois de papier sulfurisé, également beurré.
6 - Versez la pâte, et mettez au four pendant 1 heure. Laissez le cake à four très chaud 20 minutes, et à four moyen durant le reste de la cuisson.
7 - Au bout d'une heure, sortez le gâteau du four et laissez-le refroidir entièrement avant de démouler.

LE TRUC DU CHEF

POUR LE BOUDIN NOIR AUX REINETTES : le boudin noir est soit vendu au mètre, et coupé à la demande, soit présenté sous forme de saucisses individuelles. Si vous avez la chance de trouver cette excellente spécialité régionale du Centre qu'est le boudin aux châtaignes, n'hésitez pas à vous en procurer.

VOS NOTES PERSONNELLES

Ecrire . . . .
. . . .
Acheter . . . .
. . . .
Téléphoner . . . .

10 MAI

Menu

SALADE TIVOLI
(voir recette ci-dessous)

COQ À LA BIÈRE
(voir recette ci-contre)

POIRES BOURDALOUE
(voir recette p. 6)

MINI-RECETTE

SALADE TIVOLI

POUR 6 PERSONNES
CUISSON : 5 minutes
INGRÉDIENTS : 1 laitue, 2 tomates
1 boîte de macédoine de légumes
3 pommes, 250 g de filets de cabillaud
1 citron, 2 cuillerées à café de moutarde
1 dl d'huile, 100 g de crème fraîche
1 jaune d'œuf, sel, poivre

1 - Lavez les filets de cabillaud et faites-les cuire 5 minutes à l'eau salée. Le liquide doit frémir dans bouillir. Puis égouttez le poisson, ôtez les éventuelles arêtes qui pourraient demeurer en émiettant les filets.
2 - Epluchez les pommes, coupez-les en quatre, enlevez le cœur et les pépins. Détaillez les quartiers en fines lamelles.
3 - Lavez le cœur de la laitue, détachez-en les feuilles et séchez-les dans un torchon.
4 - Coupez les tomates en quartiers. Salez-les.
5 - Ouvrez la boîte de macédoine de légumes. Egouttez la macédoine, après l'avoir passée à l'eau. Puis mettez-la à sécher sur un torchon.
6 - Confectionnez une mayonnaise comme suit : mettez le jaune d'œuf dans un grand bol. Ajoutez la moutarde, salez et poivrez, versez ensuite l'huile en filet mince, en tournant constamment à la cuiller ou au fouet. Incorporez la crème fraîche en fin d'opération, puis le jus du citron.
7 - Tapissez un grand saladier des feuilles de laitue. Puis versez la macédoine, les lamelles de pommes, le poisson, et les quartiers de tomate. Coulez dessus la mayonnaise à la crème fraîche. Mélangez délicatement le tout, et placez quelques instants au réfrigérateur avant de servir.

COQ A LA BIÈRE

Long   Facile   Abordable

POUR 6
A 8 PERSONNES
CUISSON : 2 heures
INGRÉDIENTS :
1 coq moyen
500 g de champignons
2 gros oignons
4 gousses d'ail
50 g de beurre
5 cuill. à soupe d'huile
2 cuill. à soupe de farine
1 bouteille de bière 75 cl
Thym, laurier
Sel, poivre

1 - Placez le coq, que vous aurez fait découper en morceaux par votre volailler, dans une grande cocotte, avec le beurre et l'huile. Laissez dorer longuement les morceaux à feu moyen, en les retournant de temps à autre afin de bien les saisir. Salez, poivrez.
2 - Épluchez les champignons en ôtant la partie sableuse du pied, et lavez-les à l'eau courante pour éliminer la terre.
3 - Épluchez les oignons et les gousses d'ail.
4 - Lorsque les morceaux de coq ont pris une belle teinte dorée, ajoutez les oignons coupés en quatre. Laissez ces légumes quelques instants revenir dans le gras de cuisson.
5 - Versez la farine sur la viande et les légumes, remuez à la cuillère de bois. Laissez la farine prendre couleur.
6 - Mouillez avec la bière, et grattez bien le fond du récipient avec la cuillère afin que le roux n'attache pas. Ajoutez l'ail haché, le thym et le laurier. Laissez cuire 1 h 1/2. En fin de cuisson, découvrez la cocotte et faites mijoter quelques minutes afin que la sauce réduise un peu.
7 - Coupez les champignons en morceaux, et faites-les sauter à la poêle avec une pointe d'huile et 20 g de beurre.
8 - Sortez les morceaux de coq, disposez-les dans une autre cocotte, passez dessus la sauce à la passoire fine. Ajoutez les champignons dorés. Laissez mijoter encore quelques instants. Servez très chaud.

VOS NOTES PERSONNELLES

Ecrire . . . .
. . . .
Acheter . . . .
. . . .
Téléphoner . . . .

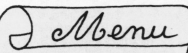

Menu

POIVRONS À L'ATHÉNIENNE
(voir recette ci-dessous)

**ROGNONS DE VEAU
FAÇON PRINCE**
(voir recette p. 26)

BEIGNETS PRINCE-EDOUARD
(voir recette ci-contre)

MINI-RECETTE

POIVRONS
À L'ATHÉNIENNE

POUR 5 À 6 PERSONNES
CUISSON : 25 minutes
INGRÉDIENTS : 5 poivrons
250 g de petits oignons
1 verre de vin blanc sec, 4 tomates, 1 citron
1 cuillerées de concentré de tomates
1 verre d'huile d'olive
4 gousses d'ail, thym, laurier, sel, poivre

1 - Fendez les poivrons en deux, dans le sens de la longueur, débarrassez-les de leurs pépins, puis détaillez-les en lanières.
2 - Plongez les tomates quelques instants dans l'eau bouillante, mondez-les, et concassez-les grossièrement.
3 - Epluchez les petits oignons. Epluchez les gousses d'ail et pilez-les.
4 - Dans une cocotte, faites chauffer l'huile à feu moyen, et mettez à revenir doucement les poivrons pendant quelques minutes, en remuant de temps en temps à la cuiller de bois.
5 - Ajoutez la purée de tomates fraîches, la cuillerée à soupe de concentré de tomates, les petits oignons, l'ail pilé. Aromatisez d'un peu de thym et de laurier, salez et poivrez. Mouillez avec le vin blanc et le jus du citron.
6 - Laissez cuire doucement cette préparation à découvert pendant une vingtaine de minutes, en remuant de temps en temps à la cuiller de bois.
7 - Après cuisson, versez le contenu de la cocotte dans un plat creux, laissez refroidir, puis mettez les poivrons dans la partie basse du réfrigérateur. Servez frais.

BEIGNETS PRINCE-EDOUARD

POUR 4 PERSONNES
CUISSON :
20 à 30 minutes
INGRÉDIENTS :
100 g de farine
50 g de beurre
20 g de sucre
3 œufs, 1 citron
1/2 v. à liqu. de bourbon
1 pincée de sel
1 bain de friture

1 - Mettez dans une casserole 2 dl d'eau. Ajoutez le beurre, le sucre et la pincée de sel. Portez à ébullition.
2 - Lorsque le mélange bout, ôtez le récipient du feu et versez d'un seul coup la farine.
3 - Tournez vivement à la spatule afin de mêler au mieux la farine à la préparation, puis remettez sur le feu en remuant constamment pour que la pâte épaississe.
4 - Retirez alors la casserole du feu et laissez refroidir 1 minute la pâte.
5 - Cassez un œuf entier, mêlez-le à la pâte, puis procédez de même pour les deux autres.
6 - Brossez à l'eau chaude le citron, séchez-le, puis râpez finement le zeste dans la pâte. Aromatisez avec le bourbon.
7 - Chauffez le bain de friture, et lorsque l'huile est bouillante, coupez de petits morceaux de pâte à la petite cuillère et plongez-les dans le bain. Lorsqu'ils sont bien dorés d'un côté, retournez-les.
8 - Retirez-les de la friture avec une écumoire, et égouttez-les sur du papier absorbant.
9 - Dressez les beignets en pyramide sur un plat de service. Saupoudrez-les de sucre en poudre. Servez chaud.

VOS NOTES PERSONNELLES

Ecrire . . . .
. . . .
Acheter . . . .
. . . .
Téléphoner . . . .

Menu

PETITS CHOUX AU FROMAGE
(voir recette p. 74)

RÔTI DE DINDONNEAU BONNE FEMME
(voir recette ci-contre)

BLANCS D'ŒUFS A LA CRÈME COGNAC
(voir recette p. 301)

TOUT SAVOIR SUR...

LA CAROTTE

La carotte est très prisée des personnes suivant un régime amaigrissant car elle est peu calorique. Riche en carotène, elle favorise la croissance et l'acuité visuelle. Ses propriétés antidiarrhéiques sont bien connues des mères ayant de très jeunes enfants. Elle contient, entre autres, de la vitamine E, et est d'une digestion très facile. Sur les marchés, on trouve au printemps des carottes nouvelles, vendues en bottes avec leurs fanes. Grâce aux légumes de garde, on trouve des carottes toute l'année. Les variétés les plus connues sont la « Nantaise » et la « Carentan ». Choisissez des carottes fermes et bien colorées. Evitez les petites carottes ainsi que les trop grosses. Une carotte fraîche doit être exempte de flétrissures et, lorsqu'on la rompt, se casser d'un coup avec un bruit sec. Trois catégories définies par les normes européennes sont commercialisées, correspondant à des critères de qualité et d'aspect. **Catégorie extra** (étiquette rouge), **catégorie I** (étiquette verte), **catégorie II** (étiquette jaune).

RÔTI DE DINDONNEAU BONNE FEMME

Long — Facile — Abordable

POUR 5 A 6 PERSONNES
CUISSON : 1 h 30
INGRÉDIENTS :
1 rôti de 1 kg
250 g de carottes
2 oignons
1 branche de céleri
2 gousses d'ail
1 v. de vin blanc sec
2 cuill. à soupe d'huile
1 pincée d'estragon
Thym, laurier
Sel, poivre

1 - Faites chauffer un peu d'huile dans une cocotte, et mettez-y à dorer le rôti après l'avoir salé et poivré.

2 - Pendant ce temps, pelez les carottes et les oignons, et détaillez-les en rondelles.

3 - Épluchez la branche de céleri à l'aide d'un couteau économe, et détaillez-la en tronçons.

4 - Quand la viande est colorée de toutes parts, ajoutez-lui les légumes et laissez-les blondir quelques minutes.

5 - Mouillez alors avec 1 bon verre de vin blanc sec, ajoutez les gousses d'ail pilées, aromatisez d'une pincée d'estragon en poudre et d'un peu de thym et de laurier. Salez légèrement, donnez quelques tours de moulin à poivre, et laissez mijoter à couvert une bonne heure. Surveillez la cuisson de temps en temps, et complétez éventuellement le mouillement avec un peu d'eau chaude.

6 - Quand la viande est cuite, coupez-la en fines tranches que vous disposerez au mieux sur un grand plat de service chaud. Entourez-la de la garniture, nappez la viande de la sauce et servez immédiatement.

LE TRUC DU CHEF

POUR LE RÔTI DE DINDONNEAU BONNE FEMME : vous pouvez ajouter au dindonneau quelques petits morceaux de poitrine fumée taillés dans le maigre, ce qui communiquera à l'ensemble du plat un excellent fumet. En saison, n'hésitez pas à réaliser ce plat avec des carottes nouvelles, il n'en sera que plus délicieux.

VOS NOTES PERSONNELLES

Ecrire . . . .

. . . .

Acheter . . . .

. . . .

Téléphoner . . . .

MINI-RECETTE

PÊCHES À LA CARDINAL

POUR 6 PERSONNES
2 h au frais
INGRÉDIENTS :
6 belles pêches mûres mais fermes
250 g de sucre, 1/2 gousse de vanille
1 jus de citron, 120 g de gelée de groseilles

1 - Faites bouillir de l'eau dans une grande casserole.
2 - Plongez-y les pêches 30 secondes, sans enlever la casserole du feu.
3 - Montez les pêches avec précaution, afin de les laisser intactes, et placez-les dans un grand compotier.
4 - Mettez le sucre, le jus de citron et la vanille avec 1/2 litre d'eau. Portez à ébullition une bonne minute. Réservez 1 verre de ce sirop.
5 - Plongez délicatement les fruits dans le sirop. Laissez cuire 8 à 10 minutes, et faites refroidir les pêches dans le sirop.
6 - Couvrez hermétiquement le compotier et laissez environ 2 heures au frais. A noter que vous pouvez réduire ce temps, sans dommage pour la recette, en plaçant 1/2 heure le compotier dans la partie basse du réfrigérateur.
7 - Dans une petite casserole, chauffez légèrement la gelée de groseilles, que vous aurez allongée du verre de sirop mis en réserve à cet effet.
8 - Au moment de servir, arrosez les pêches avec le sirop à la gelée de groseilles. Servez les pêches à la cardinal soit présentées dans le compotier, soit individuellement dans des coupes, chaque pêche recouverte d'une bonne cuillerée de sirop. Vous pouvez saupoudrer d'amandes effilées.

ŒUFS A LA CONDÉ

Long   Facile   Pas cher

POUR 4 PERSONNES
CUISSON : 20 minutes
INGRÉDIENTS : 4 œufs
4 belles tomates
4 tranches
de pain de mie
1 noisette de beurre
Ciboulette
Persil
Sel, poivre

1 - Lavez les tomates, séchez-les avec un torchon, et découpez un large chapeau à chacune d'elles, côté queue. Puis, à l'aide d'une petite cuillère, évidez les fruits sans trop creuser, afin de ne pas entamer la peau.
2 - Beurrez légèrement un plat allant au four, disposez-y les tomates, salez et poivrez l'intérieur, et mettez à cuire à four très chaud une dizaine de minutes.
3 - Faites bouillir une grande casserole d'eau. Posez les œufs dans un panier métallique, genre panier à friture, plongez le panier dans l'eau bouillante, laissez ainsi 5 minutes les œufs, puis trempez-les aussitôt à l'eau froide.
4 - Passez les œufs sous l'eau froide, tout en les conservant tièdes, et écalez-les précautionneusement (ils sont mollets).
5 - Grillez les tranches de pain de mie sur leurs deux faces.
6 - Sur un plat de service, disposez les tranches grillées, surmontez-les des tomates, et introduisez, dans chaque fruit, un œuf mollet entier. Salez légèrement, et parsemez le tout d'un hachis de persil et de ciboulette. Servez chaud.

LE TRUC DU CHEF

POUR LES ŒUFS À LA CONDÉ : pour éviter que les tomates ne s'affaissent durant la cuisson, veillez à préchauffer le four à la température maximum avant de les faire cuire.

Choisissez pour cette recette, des tomates de gros calibre (il faut pouvoir y introduire les œufs entiers), et bien fermes au toucher. N'hésitez pas à acheter des fruits encore un peu verts côté queue.

VOS NOTES PERSONNELLES

Ecrire . . . .
. . . .
Acheter . . . .
. . . .
Téléphoner . . . .

14 MAI

ASPIC DE FOIE GRAS

Menu

ASPIC DE FOIE GRAS
(voir recette ci-contre)

**CÔTELETTES D'AGNEAU
À LA BOURDIN**
(voir recette p. 72)

CRÊPES AUX POMMES
(voir recette ci-dessous)

Boisson conseillée :
UN CHIROUBLES

POUR 6 PERSONNES
CUISSON : 15 minutes
INGRÉDIENTS : 1 œuf
1 petite truffe en boîte
1 v. à liqu. de madère
6 tranches de foie gras
1 sachet de gelée
instantanée
1 branche d'estragon

MINI-RECETTE
CRÊPES
AUX POMMES

POUR 6 À 8 PERSONNES
CUISSON : 1 heure
INGRÉDIENTS : 500 g de pommes
250 g de farine tamisée, 3 œufs
4 dl de lait, 50 g de sucre en poudre
50 g de beurre
1 verre de liqueur de calvados
1 pincée de sel

1 - Dans un saladier, préparez la pâte à crêpes en mélangeant la farine, les œufs, 3 cuillerées à soupe de sucre en poudre. Ajoutez peu à peu le lait, puis une pincée de sel et une noix de beurre. Mélangez bien le tout, puis battez au fouet pour obtenir une pâte lisse et homogène. Laissez reposer 1 heure.

2 - Pendant ce temps, épluchez les pommes. Coupez-les en 4, ôtez les pépins, puis détaillez les quartiers en fines lamelles.

3 - Mettez 2 bonnes noix de beurre dans une casserole, faites-les fondre à feu doux, puis versez les lamelles de pommes dans le beurre chaud. Saupoudrez de 2 cuillerées à café de sucre. Faites rissoler quelques instants afin d'obtenir une marmelade. Retirez la casserole du feu, ajoutez le calvados, et laissez refroidir les pommes.

4 - Incorporez cette marmelade de fruits dans la pâte, après que celle-ci ait reposé, en mélangeant délicatement.

5 - Mettez une poêle sur feu vif, graissez-la légèrement au beurre et, à la louche, prélevez la quantité de pâte aux pommes suffisante pour faire une bonne crêpe. Empilez les crêpes cuites les unes sur les autres, en les saupoudrant à chaque fois d'un peu de sucre. Servez aussitôt.

1 - Faites durcir l'œuf à l'eau bouillante 12 à 15 minutes. Passez-le sous l'eau froide, écalez-le (seul le blanc est utilisé).

2 - Préparez la gelée en vous conformant aux indications portées sur le sachet, en y ajoutant le verre à liqueur de madère. Tenez la gelée liquide, au bain-marie.

3 - Faites bouillir une petite casserole d'eau salée, et jetez-y les feuilles d'estragon. Laissez 1 à 2 minutes, égouttez l'estragon, et passez sous l'eau froide.

4 - Ouvrez la boîte de truffe et détaillez la truffe en lamelles.

5 - Dans un petit moule rond, du genre moule à manqué, coulez une légère couche de gelée, et disposez à plat quelques lamelles de truffe, de blanc d'œuf, et des feuilles d'estragon pour constituer un décor. Laissez prendre la gelée. Puis versez une autre fine couche de gelée et laissez prendre.

6 - Appliquez sur le pourtour du moule des lamelles de truffe, des découpes de blanc d'œuf et des feuilles d'estragon enduites de gelée.

7 - Disposez au mieux les tranches de foie gras (une au centre, les autres tout autour, par exemple), garnissez les intervalles de quelques bâtonnets de truffe découpés dans une rondelle, et recouvrez le tout de gelée.

8 - Placez l'aspic 2 heures au réfrigérateur, puis démoulez-le sur un plat de service entouré du reste de gelée hachée.

VOS NOTES PERSONNELLES

Ecrire . . . .
. . . .
Acheter . . . .
. . . .
Téléphoner . . . .

Menu

PÂTÉ DE LAPIN MONTSABERT
(voir recette ci-dessous)

FILET DE PORC DES ILES
(voir recette p. 54)

**GLACE PLOMBIÈRE
AU KIRSCH**
(voir recette ci-contre)

GLACE PLOMBIÈRE AU KIRSCH

POUR 5
A 6 PERSONNES
CUISSON : 15 minutes
2 H EN SORBETIÈRE
INGRÉDIENTS :
1/2 litre de lait
150 g de sucre semoule
1/2 gousse de vanille
1 pincée de sucre vanillé
1 zeste de citron
5 jaunes d'œufs
4 cuillerée à soupe
de crème fraîche
2 v. à liqu. de kirsch
250 g de fruits confits

MINI-RECETTE

PÂTÉ DE LAPIN MONTSABERT

POUR 8 À 10 PERSONNES
CUISSON : 2 h
INGRÉDIENTS : 1 lapin
300 g de porc maigre haché
250 g de chair à saucisses, 1 œuf
1 petite boîte de pelures de truffes
1 verre à liqueur de cognac
1 pincée d'estragon séché
Noix de muscade râpée
1 sachet de gelée instantanée
Bardes de lard, sel, poivre

1 - Faites désosser entièrement le lapin par votre volailler. Coupez la chair en petits morceaux. Hachez finement le foie.

2 - Mettez dans un grand saladier le lapin en morceaux, le foie haché, et les viandes de porc. Ajoutez le contenu de la petite boîte de truffes, jus compris, l'œuf entier, le cognac. Aromatisez d'un peu d'estragon, de noix de muscade râpée, salez, poivrez et mélangez soigneusement le tout.

3 - Tapissez une terrine de bardes de lard, puis remplissez-la de la préparation. Tassez bien le tout, et quadrillez le dessus de fines lanières découpées dans une barde de lard.

4 - Couvrez la terrine et placez-la dans un un bain-marie. Mettez à cuire à four moyen 2 heures environ. Laissez ensuite refroidir le pâté, en disposant une petite planchette de bois surmontée d'un poids pour presser.

5 - Préparez un peu de gelée en vous conformant aux instructions portées sur le sachet, et coulez-en une couche sur la préparation. Laissez prendre quelques temps au froid avant de servir.

1 - Coupez les fruits en très petits dés dans un bol, arrosez-les avec le kirsch, et laissez macérer environ 1 heure.

2 - Versez le lait dans une casserole, ajoutez la demi-gousse de vanille, la pincée de sucre vanillé, le zeste de citron. Portez à ébullition.

3 - Cassez les œufs, mettez les jaunes dans une jatte, ajoutez le sucre semoule, et battez le tout jusqu'à ce que le mélange blanchisse.

4 - Versez peu à peu sur les œufs battus le lait bouillant (après avoir ôté la gousse de vanille et le zeste de citron) tout en continuant à battre.

5 - Versez cette crème dans une casserole, placez le récipient sur feu doux, et tournez à la cuillère de bois quelques minutes, en évitant l'ébullition, jusqu'à ce que la crème épaississe. Puis ôtez du feu et laissez refroidir.

6 - Incorporez alors la crème fraîche, les dés de fruits confits et le kirsch, mélangez bien le tout, et mettez en sorbetière environ 2 heures.

7 - Quand la glace est prise, remplissez-en un moule métallique en tassant bien la glace. Placez le tout dans le compartiment à glace du réfrigérateur pendant 1 heure.

8 - Démoulez la glace plombière sur un plat de service, et servez immédiatement avec un accompagnement de crêpes dentelle.

VOS NOTES PERSONNELLES

Ecrire . . . .

. . . .

Acheter . . . .

. . . .

Téléphoner . . . .

HACHIS PARMENTIER

Menu

**BEIGNETS
AU FROMAGE BLANC**
(voir recette p. 115)

HACHIS PARMENTIER
(voir recette ci-contre)

MERINGUES
(voir recette p. 71)

**POUR 5
A 6 PERSONNES
CUISSON : 30 minutes
INGRÉDIENTS : 1,5 kg de
pommes de terre
200 g de bœuf haché
200 g de veau haché
2 échalotes
1 gousse d'ail
2 v. de lait écrémé
1 branche de persil
1 œuf entier
1 jaune d'œuf
20 g de beurre
50 g de gruyère râpé
Sel, poivre**

TOUT SAVOIR SUR...

LA POMME DE TERRE

*La pomme de terre, avec son apparition en France au XVIIIe siècle, a fait disparaître la famine. C'est certainement le légume qui se prête aux préparations les plus diverses. Contrairement aux idées reçues, son pouvoir calorique est relativement faible, trois fois moins que la viande de bœuf. La pomme de terre contient de façon intéressante de la vitamine C et du potassium. Présente toute l'année sur les marchés, les principales variétés sont : **Bintje** : chair blanc jaune, plutôt farineuse, elle représente près de 80 % du marché. C'est également la moins chère. **B.F. 15** : forme allongée, chair jaune. **Belle de Fontenay** : chair jaune soutenu, c'est une des meilleures pommes de terre. **Roseval** : peau rouge, chair jaune avec des traces rosées. **Rosa** : peau rose, chair jaune. Choisissez des pommes de terre ayant une peau lisse, des «yeux» peu marqués, entières et sans blessures ni zones vertes. Refusez les légumes germés.*

1 - Epluchez les pommes de terre, coupez-les en morceaux et mettez-les à cuire 15 minutes dans de l'eau bouillante salée.

2 - Salez et poivrez les viandes de bœuf et de veau, et faites-les cuire dans une casserole avec 1/2 verre d'eau, à couvert, une vingtaine de minutes.

3 - Pelez les échalotes et la gousse d'ail, hachez-les finement et ajoutez ce hachis à la viande.

4 - Lorsque les pommes de terre sont cuites, égouttez-les et pressez-les en purée. Ajoutez le lait, 20 g de beurre et 1 œuf entier. Mélangez bien le tout pour obtenir une préparation homogène.

5 - Incorporez à la viande cuite, hors du feu, 1 jaune d'œuf et un fin hachis de persil.

6 - Etalez la moitié de la purée dans un plat allant au four, légèrement beurré, recouvrez du hachis de viande, et terminez par le reste de la purée. Parsemez avec le gruyère râpé, et mettez à gratiner à four chaud 10 à 15 minutes. Servez dans le plat de cuisson.

LE TRUC DU CHEF

POUR LE HACHIS PARMENTIER : pour une purée incomparablement meilleure (ceci vaut pour toutes les recettes), mettez les pommes de terre à cuire à la vapeur, dans un panier, au lieu de les plonger directement dans l'eau. Elles cuiront parfaitement sans se gorger d'eau. Inutile pour cette recette d'acheter des pommes de terre de qualité supérieure, la bintje convient parfaitement.

VOS NOTES PERSONNELLES

Ecrire . . . .
. . . .
Acheter . . . .
. . . .
Téléphoner . . . .

Menu

RILLETTES D'OIE
(voir recette ci-contre)

TOURNEDOS ROSSINI
(voir recette p. 274)

SALADE DES ISLES
(voir recette ci-dessous)

MINI-RECETTE

SALADE DES ISLES

POUR 6 PERSONNES
1 HEURE AU RÉFRIGÉRATEUR
INGRÉDIENTS : 2 bananes
1 petit ananas, 1 mangue, 1 citron vert
1 sachet de sucre vanillé
100 g de sucre roux
1 petit pot de crème fraîche
1/3 de verre de rhum

1 - Versez le sucre roux, le sucre vanillé, le rhum, dans une petite casserole avec 1 verre d'eau, et mettez sur feu moyen quelques minutes pour confectionner un sirop. Puis laissez refroidir.
2 - Pendant ce temps, fendez l'ananas en quatre, épluchez-le, ôtez la partie centrale fibreuse, et détaillez chaque quartier en fines lamelles.
3 - Epluchez la mangue, retirez le noyau central, et coupez la pulpe en petits dés.
4 - Pelez les bananes, et coupez-les en rondelles.
5 - Placez tous ces fruits dans un saladier, arrosez-les avec le jus d'un citron vert, puis avec le sirop. Incorporez le contenu d'un petit pot de crème fraîche, et remuez soigneusement le tout en procédant délicatement pour ne pas abîmer les morceaux de fruits.
6 - Placez le saladier au réfrigérateur, et laissez glacer le dessert environ 1 heure avant de servir.

RILLETTES D'OIE

CUISSON : 5 heures
INGRÉDIENTS :
1 kg de viande d'oie
1 kg de lard de poitrine
1 kg de maigre de porc
300 g de saindoux
1 gros oignon
6 échalotes
1 v. à liqu. de cognac
Thym, laurier
Sel, poivre

1 - Hachez grossièrement en gros dès, mais séparément, le lard de poitrine, la viande maigre de porc et la chair de l'oie.
2 - Dans une grande cocotte, placez le lard de poitrine avec une noix de saindoux, et laissez fondre à feu doux.
3 - Ajoutez le maigre de porc, mettez à feu vif afin que la viande rissole. Lorsqu'elle a pris une belle couleur dorée, baissez l'intensité du feu et joignez le reste du saindoux et la viande d'oie.
4 - Epluchez l'oignon et les échalotes, mettez dans la cocotte ces légumes entiers, aromatisez d'un peu de thym et de laurier. Laissez cuire à feu doux à couvert 5 heures, en remuant de temps en temps à la cuillère de bois.
5 - 30 minutes environ avant la fin de la cuisson, ajoutez une bonne pincée de gros sel, poivrez au moulin et versez le petit verre à liqueur de cognac.
6 - Quand la cuisson est terminée, retirez le bouquet garni, l'oignon et les échalotes, et laissez tiédir les rillettes.
7 - Remplissez-en des pots de grès, en veillant à ce que la chair de l'oie soit bien recouverte, sur le dessus, d'une couche de saindoux. Couvrez les pots d'un papier sulfurisé et cerclez d'un élastique.

LE TRUC DU CHEF

POUR LES RILLETTES D'OIE : pour la confection de cette recette, choisissez de préférence une petite oie bien en chair, et demandez à votre volailler de la désosser. Cela vous facilitera grandement la tâche.

POUR LA SALADE DES ISLES : les amateurs de noix de coco pourront râper un petit morceau de ce fruit qui parfumera délicieusement la salade.

VOS NOTES PERSONNELLES

Ecrire . . . .
. . . .

Acheter . . . .
. . . .

Téléphoner . . . .

18 MAI

Menu

**PETITS BEIGNETS
AUX POINTES D'ASPERGES**
(voir recette p. 92)
**BROCHETTES D'AGNEAU
EN VERDURE**
(voir recette ci-contre)
FONDUE BERNOISE
(voir recette ci-dessous)

MINI-RECETTE

FONDUE BERNOISE

POUR 6 PERSONNES
CUISSON : 10 minutes
INGRÉDIENTS : 1/2 verre de lait
300 g de chocolat à croquer
40 g de beurre fin
1 boîte d'ananas de 1 kg
500 g de brioche
500 g de génoise bien fraîche
250 g de petits choux vides
5 cl de rhum, 3 bananes

1 - Pelez 3 bananes, et coupez-les en rondelles d'un centimètre d'épaisseur dans un bol. Arrosez-les avec 5 cl de rhum, et laissez-les macérer.

2 - Egouttez les tranches d'ananas dans une passoire.

3 - Dans une jolie casserole pouvant être servie à table, versez le demi-verre de lait. Faites chauffer à feu doux, ajouter 300 g de chocolat coupé en petits morceaux, remuez à la spatule de bois. Lorsque le chocolat est fondu, incorporez-y 40 g de beurre, mélangez bien jusqu'à ce que vous obteniez une crème onctueuse et brillante.

4 - Découpez la génoise et la brioche en petits cubes, dressez-les sur des plats ainsi que les petits choux vides.

5 - Coupez chaque tranche d'ananas en 6 quartiers, et dispoez-les dans une coupe. Présentez aussi les rondelles de bananes de la même façon.

6 - Dressez la casserole de crème au chocolat au centre de la table, sur un réchaud à alcool ou électrique réglé à température douce. Chaque convive trempera biscuits ou fruits dans la crème, à l'aide d'une fourchette à fondue par exemple.

BROCHETTES D'AGNEAU EN VERDURE

POUR 4 PERSONNES
CUISSON : 35 minutes
INGRÉDIENTS :
400 g d'épaule
2 rognons
4 oignons, 1 citron
1 poivron, 3 laitues
1 verre d'huile
1/2 livre
de champignons
Thym, laurier
Sel, poivre

1 - Préparez une marinade dans un plat creux avec le verre d'huile, un peu de thym et de laurier, du sel et du poivre au moulin.

2 - Coupez la viande d'agneau en gros cubes, les rognons en tranches épaisses, et mettez cette viande dans l'huile aromatisée 1 heure environ.

3 - Pendant ce temps, débarrassez les champignons de leur pied terreux, passez-les rapidement à l'eau courante, et séchez-les à l'aide de papier absorbant. Puis faites-les blondir très légèrement à la poêle avec 1 cuillerée d'huile, pour éviter qu'ils cassent en les embrochant.

4 - Épluchez les oignons et coupez-les en quatre.

5 - Passez le poivron à la flamme, ôtez la fine peau qui le recouvre et coupez-le en carrés, après avoir retiré les pépins.

6 - Coupez le trognon des laitues, lavez-les feuille par feuille, et mettez les salades à cuire à l'eau bouillante salée 15 à 20 minutes. Puis égouttez-les dans une passoire en pressant délicatement avec la main afin qu'elles rendent leur trop-plein d'eau.

7 - Confectionnez les brochettes en enfilant alternativement viande et légumes, après avoir placé la viande sur du papier absorbant pour que ne subsiste qu'une fine pellicule d'huile. Saupoudrez la viande d'un peu de thym et de laurier émietté. Placez sous le gril (ou au barbecue) 10 à 15 minutes selon que l'on désire la viande saignante ou pas.

8 - Replacez la salade cuite dans la casserole, et faites-la réchauffer avec 1 cuillerée d'huile de la marinade et le jus d'un citron.

9 - Présentez dans des plats de service différents les brochettes et leur garniture de salade cuite.

VOS NOTES PERSONNELLES

Ecrire . . . .
. . . .
Acheter . . . .
. . . .
Téléphoner . . . .

TOURTE AU BLEU

Moyen Facile Abordable

POUR 5
A 6 PERSONNES
CUISSON : 30 minutes
INGRÉDIENTS :
30 g de beurre
1 bloc de pâte feuilletée
surgelée
250 g de bleu d'Auvergne
2 cuillerées de farine
20 cl de crème fraîche
20 cl de fromage blanc
5 œufs entiers
1 jaune
Sel, poivre

Menu

TOURTE AU BLEU
(voir recette ci-contre)

**ESCALOPES DE VEAU
ERMITAGE**
(voir recette p. 92)

FLAN GOURINOIS
(voir recette ci-dessous)

MINI-RECETTE

FLAN
GOURINOIS

POUR 4 À 5 PERSONNES
CUISSON : 45 minutes
INGRÉDIENTS : 125 g de pruneaux
125 g de raisins secs
2 verres à liqueur de rhum
250 g de sucre en poudre, 6 œufs
3/4 de litre de lait
1 gousse de vanille, 10 morceaux de sucre

1 - Lavez soigneusement les pruneaux et les raisins secs et séchez-les.
2 - Placez-les dans un récipient creux, arrosez-les de rhum, et laissez macérer 2 à 3 heures.
3 - Mettez dans une petite casserole, 10 morceaux de sucre avec un peu d'eau, sur feu moyen, et faites un caramel doré.
4 - Versez ce caramel dans un moule à bords hauts, et imprimez au moule un mouvement tournant afin de bien répartir le caramel, sur le fond et les bords.
5 - Chauffez le lait avec la gousse de vanille fendue en deux. Faites bouillir quelques instants et laissez refroidir.
6 - Dans un saladier, cassez les œufs, ajouter le sucre en poudre et remuez énergiquement jusqu'à ce que le mélange blanchisse. Versez alors le lait, après avoir retiré la vanille, et tournez le mélange à la cuillère de bois. Ajoutez une pincée de sel.
7 - Placez les pruneaux et les raisins secs macérés dans le moule caramélisé, et versez dessus le mélange au lait.
8 - Mettez à four moyen pendant 40 minutes.
9 - lorsque le flan est cuit, laissez-le refroidir, et démoulez dans un plat de service.

1 - Mettez à dégeler à température ambiante le bloc de pâte feuilletée surgelée en vous conformant aux indications portées sur l'emballage. Il faut normalement 2 bonnes heures pour une pâte prête à l'emploi.

2 - Mettez le bleu d'Auvergne dans un saladier et écrasez-le à la fourchette.

3 - Ajoutez alors le fromage blanc, la crème fraîche, mélangez bien le tout, puis incorporez un à un les 5 œufs entiers. Battez au fouet pour obtenir une crème homogène. Salez légèrement, poivrez.

4 - Lorsque la pâte est prête à l'emploi, mettez le bloc sur une planche à pâtisserie, farinez-le, et étalez-le au rouleau de façon à obtenir deux carrés, chacun de la dimension du moule à tarte.

5 - Beurrez généreusement le moule, tapissez-le avec l'un des carrés de pâte, et versez-y la préparation au fromage.

6 - Étalez-la régulièrement à la fourchette, et recouvrez-la du carré de pâte restant. Soudez bien les rebords en pinçant régulièrement ensemble les deux couches avec vos doigts. Servez-vous des chutes de pâte pour constituer un décor sur le dessus de la tourte, en les découpant à la roulette de pâtissier.

7 - Battez un jaune d'œuf et badigeonnez-en la tourte au pinceau. Mettez à four chaud et laissez cuire 25 à 30 minutes. Servez immédiatement dans le moule de cuisson.

VOS NOTES PERSONNELLES

Ecrire . . . .

. . . .

Acheter . . . .

. . . .

Téléphoner . . . .

TOUT SAVOIR SUR...

LE MERLAN

Le merlan est un poisson pêché dans l'Atlantique Nord. Son corps allongé mesure 30 à 40 cm de long, sa couleur est blanc brillant. C'est un poisson maigre, à la chair tendre, qui se digère très facilement. Sa teneur en vitamines C et PP, ainsi qu'en calcium, fer, phosphore et potassium en fait un aliment recommandé aux enfants. Le merlan est présent presque toute l'année sur les marchés. Choisissez un poisson au corps ferme et élastique sous la pression du doigt. Les yeux doivent être bombés et remplir la cavité orbitale. Les ouïes rouge sombre et luisantes. Le merlan est d'un prix très abordable. Compte tenu des déchets, prévoyez une part de 220 g par convive.

SOUFFLÉ AU GRAND MARNIER

Moyen — Délicat — Abordable

POUR 4 A 5 PERSONNES
CUISSON : 30 minutes
INGRÉDIENTS : 1 orange
1/3 de litre de lait
30 g de crème de riz
90 g de sucre en poudre
30 g de beurre
6 œufs
2 pet. v. de Gd Marnier
2 cuillerées à soupe de sucre glace

1 - Brossez soigneusement l'orange à l'eau chaude. Ôtez le zeste de la moitié du fruit.
2 - Réservez 1 verre de lait, et versez le restant dans une casserole. Ajoutez 70 g de sucre en poudre, le zeste d'orange, et faites bouillir le lait. Retirez le zeste. Baissez le feu.
3 - Dans un bol, délayez la crème de riz dans le verre de lait que vous avez réservé, et versez cette préparation dans le lait bouillant. Remuez quelques instants au fouet en attendant que le mélange épaississe. Ôtez alors du feu.
4 - Ajoutez le beurre et les jaunes de 4 œufs, en continuant de remuer. Laisser refroidir.
5 - Dans un saladier, battez en neige le blanc des 6 œufs avec 1 cuillerée à soupe de sucre en poudre. Cessez l'opération dès que les blancs collent parfaitement au fouet.
6 - Incorporez délicatement ces blancs à la préparation, en veillant bien à ce que celle-ci soit parfaitement refroidie. Ajoutez le Grand Marnier.
7 - Beurrez un moule à soufflé et versez-y le mélange. Mettez à four chaud et laissez cuire 25 minutes.
8 - Dès la sortie du four, saupoudrez le soufflé de sucre glace et servez-le sans le démouler.

VOS NOTES PERSONNELLES

Ecrire . . . .

Acheter . . . .

Téléphoner . . . .

21 MAI

CHICORÉE FRISÉE AUX FOIES DE VOLAILLE

Rapide — Très facile — Abordable

**POUR 5
A 6 PERSONNES
CUISSON : 5 minutes
INGRÉDIENTS :**
1 chicorée frisée
100 g de foies
de volaille
1 belle noix de beurre
6 cuill. à soupe d'huile
3 cuillerées à soupe
de vinaigre
1 échalote
Sel, poivre

1 - Lavez la salade à plusieurs eaux. Éliminez les mauvaises feuilles, mettez à égoutter, puis séchez la frisée dans un torchon. Placez-la dans un grand saladier.

2 - Faites fondre le beurre dans une poêle à feu vif, et faites-y raidir les foies légèrement salés. Puis baissez le feu et laissez cuire 2 à 3 minutes.

3 - Passé ce temps, sortez les foies de la poêle et disposez-les sur la salade. Arrosez le tout avec les 6 cuillerées à soupe d'huile.

4 - Versez le vinaigre dans la graisse de cuisson, remuez à la spatule de bois pour bien décoller les sucs qui adhéreraient au fond du récipient. Salez et poivrez. Laissez bouillir doucement quelques instants.

5 - Épluchez l'échalote, hachez-la finement et, hors du feu, incorporez-la au contenu de la poêle. Versez ce mélange chaud sur la salade, mélangez bien le tout. Servez immédiatement.

Menu

**CHICORÉE FRISÉE AUX
FOIES DE VOLAILLES**
(voir recette ci-contre)

CANETON AUX NAVETS
(voir recette p. 91)

CHARLOTTE AU CHOCOLAT
(voir recette p. 75)

Boisson conseillée :
UN FLEURIE

TOUT SAVOIR SUR...

LE VINAIGRE

Laissez une bouteille de vin, à demi-vide, sans la boucher, quelques semaines, vous obtiendrez du vinaigre. En effet, un microbe s'y est développé, transformant l'alcool éthylique en acide acétique. Quatre procédés industriels sont employés pour fabriquer du vinaigre. **Le procédé orléanais** *: de grands tonneaux, avec un des fonds ouvert et contenant déjà du vinaigre, sont chauffés à 30°. On ajoute alors du vin, au 3/4 du tonneau, et au bout d'un certain temps on soutire du vinaigre. L'opération recommence.* **Le procédé Pasteur** *: dans un liquide alcoolisé quelconque, on ajoute du phosphate de potassium.* **Le procédé par déplacement de liquide** *: une solution d'alcool coule sur des copeaux de hêtre ensemencés de bactéries acétiques.* **Fermentation par culture immergée** *: des bactéries acétiques sont immergées dans une solution alcoolique. Les différents vinaigres que l'on trouve sur le marché sont réalisés à base de vin, de cidre ou d'alcool.*

LE TRUC DU CHEF

POUR LA CHICORÉE FRISÉE : on trouve, chez les volaillers, des foies de poulets vendus au kilo, séparément des volailles. A la saison de l'oie, n'hésitez pas à confectionner cette recette avec 1 ou 2 foies d'oie coupés en morceaux. Le résultat est succulent.

POUR LA CHARLOTTE AU CHOCOLAT : pour décorer ce gâteau et en rehausser encore la saveur, coulez un caramel blond sur les biscuits.

VOS NOTES PERSONNELLES

Ecrire . . . .

. . . .

Acheter . . . .

. . . .

Téléphoner . . . .

145

PENTECÔTE

Menu

TRUITES EN GELÉE
(voir recette ci-contre)

PINTADE FARCIE DUPARC
(voir recette ci-dessous)

TARTE À L'ORANGE
(voir recette p. 183)

Boisson conseillée :
UN ROSÉ DE PROVENCE

MINI-RECETTE

PINTADE FARCIE DUPARC

POUR 4 À 5 PERSONNES
CUISSON : 1 heure 10
INGRÉDIENTS : 1 belle pintade
250 g de petits oignons, 3 échalotes
3 feuilles d'estragon, 60 g de mie de pain
1/2 verre de lait
1 cuillerée à soupe de crème fraîche
150 g de jambon blanc
150 g de jambon fumé, 50 g de beurre
1 verre de vin blanc sec
1 petit verre de cognac
1 petite boîte pelures de truffes
Sel, poivre

1 - Préparez la farce en mélangeant, dans un saladier, les jambons hachés avec le foie et le cœur de la pintade, les échalotes et l'estragon hachés, la mie de pain trempée dans du lait et essorée, les pelures de truffes, jus y compris, la cuillerée de crème fraîche, le cognac. Salez et poivrez. Incorporez 1 noix de beurre, et malaxez.
2 - Remplissez l'intérieur de la pintade de cette farce, et recousez l'orifice.
3 - Faites fondre 30 g de beurre dans une cocotte, et mettez-y la pintade et les petits oignons à dorer. Salez, poivrez, et retournez la volaille sur toutes ses faces afin qu'elle colore bien de partout.
4 - Quand la pintade est dorée, mouillez avec le vin, couvrez, et laissez cuire 1 heure.
5 - Dressez la pintade sur un plat de service, entourée pommes vapeur persillées. Servez la sauce en saucière.

TRUITES EN GELÉE

 Moyen   Délicat   Abordable

POUR 6 PERSONNES
CUISSON :
20 minutes environ
INGRÉDIENTS : 6 truites
1/2 l de vin blanc sec
2 carottes, 2 échalotes
1 sachet de gelée
instantanée
1 bouquet garni,
4 citrons
1 branche d'estragon
1 bouquet de persil
Sel, poivre

1 - Préparez un court-bouillon avec le vin blanc, 1 litre d'eau, 1 carotte et les échalotes coupées en fines rondelles, le bouquet garni. Salez, poivrez, et laissez frémir le liquide 15 minutes environ. Puis, laissez tiédir.
2 - Ébarbez, videz, lavez les poissons, et plongez-les dans le liquide. Laissez pocher à eau à peine frémissante 6 à 7 minutes. Ôtez-les avec précaution du court-bouillon, épongez-les avec du papier absorbant, et retirez la peau en ménageant la tête et la queue.
3 - Passez au tamis 3 verres de court-bouillon, faites chauffer le liquide dans une casserole, et délayez-y la gelée en tenant compte des proportions indiquées sur le sachet. Faites bouillir, tournez avec une cuillère de bois, et ôtez le récipient du feu.
4 - Épluchez 1 belle carotte, détaillez-la en fines rondelles. Faites-les cuire 8 à 10 minutes à l'eau bouillante salée. Égouttez-les. Lavez et séchez quelques feuilles d'estragon.
5 - Étalez un peu de gelée sur un plat de service, couchez-y les poissons en les disposant au mieux et placez sur les truites, en alternant, rondelles de carotte et feuilles d'estragon. Arrosez le corps des poissons de gelée à l'aide d'une cuillère, par couches successives, en plaçant entre chacune les truites au réfrigérateur. Veillez à ne pas déplacer le décor de carotte et d'estragon.
6 - Laissez quelques instants au froid afin que la gelée se solidife parfaitement, décorez le plat de persil, demi-citrons, gelée hachée, avant de servir.

VOS NOTES PERSONNELLES

Ecrire . . . .

. . . .

Acheter . . . .

. . . .

Téléphoner . . . .

PENTECÔTE

Menu

SOUFFLÉ AUX CŒURS D'ARTICHAUTS
(voir recette p. 352)

CHEVREAU À L'ANCIENNE
(voir recette ci-dessous)

GÂTEAU GLACÉ PRÉSIDENT
(voir recette ci-contre)

Boisson conseillée :
UN GRAVES

MINI-RECETTE

CHEVREAU À L'ANCIENNE

POUR 5 À 6 PERSONNES
CUISSON : 1 h 15
INGRÉDIENTS : 1,5 kg de chevreau
2 dl de vin blanc sec
1 kg de pommes de terre
4 gousses d'ail, 3 oignons
5 cuillerées à soupe d'huile d'olive
1 cuillerée à soupe de farine
Romarin, thym, laurier, sel, poivre

1 - Pelez les oignons, et coupez-les en rondelles.
2 - Faites chauffer l'huile dans un faitout, et mettez-y à revenir le chevreau coupé en morceaux, après l'avoir salé et poivré.
3 - Lorsque la viande est bien dorée, sortez-la du récipient et réservez. Jetez les rondelles d'oignon dans la graisse de cuisson et laissez-les blondir sur feu doux.
4 - Versez alors 1 bonne cuillerée de farine, tournez quelques instants à la cuiller de bois, puis mouillez avec le vin blanc et 3/4 de litre d'eau froide. Ajoutez les gousses d'ail pilées, un peu de romarin, de thym, et de laurier. Replacez la viande, salez, poivre généreusement au moulin, et laissez cuire à couvert 1 bonne heure.
5 - Epluchez les pommes de terre, coupez-les en quartiers, 30 minutes avant la fin de la cuisson, ajoutez-les à la viande. Terminez la cuisson à découvert afin que la sauce réduise convenablement. Rectifiez l'assaisonnement en sel si nécessaire.
6 - Versez le ragoût dans un grand plat creux de service, et servez immédiatement.

GÂTEAU GLACÉ PRÉSIDENT

Long · Facile · Abordable

POUR 6 PERSONNES
3 H AU RÉFRIGÉRATEUR
INGRÉDIENTS :
1 génoise
1/2 l de glace au chocolat
1/2 l de glace plombière
1 pet. pot de crème fraîche
10 morceaux de sucre
1 sachet de sucre vanillé
1 v. à liqu. de kirsch
Quelques fruits confits

1 - Façonnez une génoise toute prête, en taillant un peu dans les bords si besoin est pour l'adapter très exactement au diamètre d'un moule à manqué. Puis coupez le gâteau transversalement en deux disques d'épaisseur égale.
2 - Confectionnez un sirop dans une petite casserole avec les morceauxx de sucre et 1 verre d'eau. Aromatisez avec le kirsch, et laissez frémir le liquide quelques minutes.
3 - Tapissez le fond du moule avec la glace au chocolat, recouvrez d'un disque de génoise, imbibez-le de·sirop, puis disposez la glace plombière sur le biscuit. Recouvrez le tout du deuxième disque que vous imbiberez de la même façon.
4 - Tassez soigneusement le gâteau en tapant le fond du moule sur un plan de travail recouvert d'un torchon, et placez le moule dans le bac à glaçons du réfrigérateur pendant 3 heures minimum.
5 - Avant de servir, confectionnez une chantilly en fouettant énergiquement dans un saladier la crème fraîche avec le sucre vanillé et 1 glaçon pilé.
6 - Démoulez le gâteau en le retournant sur un plat de service, réalisez un décor de chantilly à la poche à douille, agrémentez de fruits confits, et servez aussitôt.

VOS NOTES PERSONNELLES

Ecrire . . . .
. . . .
Acheter . . . .
. . . .
Téléphoner . . . .

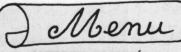

Menu

OMELETTE SOUFFLÉE AU ROQUEFORT
(voir recette p. 112)

POT-AU-FEU À L'ANCIENNE
(voir recette ci-dessous)

GLACE AU CURAÇAO
(voir recette ci-contre)

MINI-RECETTE

POT-AU-FEU À L'ANCIENNE

POUR 6 PERSONNES
CUISSON : 3 heures
INGRÉDIENTS : 500 g de gîte-noix
300 g de jarret de veau
250 g de poitrine fumée
1 queue de cochon
800 g de plat-de-côtes
1 os à moelle, 500 g de poireaux
500 g de carottes, 1 branche de céleri
2 oignons, 4 clous de girofle
2 gousses d'ail, thym, laurier
gros sel, poivre

1 - Dans une grande marmite remplie d'eau froide, mettez le gîte à la noix et le plat-de-côtes. Ajoutez une bonne poignée de gros sel et laissez cuire à découvert 1 heure.
2 - Passé ce temps, mettez avec le bœuf le veau, la poitrine fumée, et la queue de cochon. Laissez cuire de nouveau 1 heure, en écumant soigneusement.
3 - Epluchez les carottes et coupez-les en épaisses rondelles.
4 - Epluchez les oignons et piquez-les de clous de girofle.
5 - Lavez soigneusement les poireaux et fendez-les en deux.
6 - Plongez tous ces légumes dans la marmite, avec l'ail pilé, le céleri, le bouquet garni, et l'os à moelle. Poivrez au moulin.
7 - Lorsque le pot-au-feu est cuit, disposez les légumes avec une partie du bouillon dans un légumier, et les viandes dans un grand plat creux. Servez immédiatement.

GLACE AU CURAÇAO

Long Facile Abordable

POUR 5 A 6 PERSONNES
CUISSON : 15 minutes
2 H EN SORBETIÈRE
INGRÉDIENTS :
1/2 litre de lait
200 g de sucre
1/2 gousse de vanille
5 jaunes d'œufs
1 pincée de sucre vanillé
1 cuillerée à soupe de crème fraîche
1 orange
1 v. à liqu. de curaçao
50 g de raisins de Smyrne

1 - Brossez soigneusement le zeste de l'orange à l'eau chaude, séchez le fruit et râpez-en le zeste.
2 - Faites macérer les raisins secs dans le curaçao pendant 1 heure.
3 - Faites bouillir le lait dans une petite casserole avec la 1/2 gousse de vanille.
4 - Cassez les œufs, mettez les jaunes dans une jatte, versez le sucre et battez le tout jusqu'à ce que la préparation blanchisse. Puis versez peu à peu le lait bouillant, tout en continuant à battre (ôtez auparavant la gousse de vanille).
5 - Versez cette crème dans une casserole, mettez sur feu doux, et tournez à la cuillère de bois quelques minutes pour que le mélange épaississe (évitez l'ébullition). Retirez alors du feu et laissez refroidir.
6 - Incorporez à la crème le zeste râpé, les raisins dans leur liquide (réservez-en une douzaine) et 1 cuillerée à soupe de crème fraîche.
7 - Versez cette préparation en sorbetière pendant 2 heures. Puis mettez la glace dans un moule métallique en la tassant bien. Placez le tout dans le compartiment à glace du réfrigérateur pendant 1 heure.
8 - Démoulez la glace sur un plat de service, et décorez le dessus avec les raisins de Smyrne que vous aurez réservés.

VOS NOTES PERSONNELLES

Ecrire . . . .
. . . .
Acheter . . . .
. . . .
Téléphoner . . . .

 **Menu**

PETITS OIGNONS GLACÉS
(voir recette ci-contre)

LAPIN AU CIDRE
(voir recette p. 4)

MADELEINES DE COMMERCY
(voir recette ci-dessous)

MINI-RECETTE

MADELEINES DE COMMERCY

POUR 20 MADELEINES MOYENNES
CUISSON : 6 à 12 minutes
INGRÉDIENTS : 3 œufs
150 g de sucre en semoule
125 g de beurre, 150 g de farine
1/2 sachet de levure
Le zeste de 1/citron

1 - Râpez le zeste du citron.
2 - Cassez les œufs, réservez les blancs, et mettez les jaunes dans un saladier.
3 - Ajoutez aux jaunes le sucre en poudre et travaillez longuement ce mélange jusqu'à ce qu'il blanchisse.
4 - Dans une petite casserole, faites fondre le beurre très lentement.
5 - Incorporez au mélange jaune d'œufs-sucre, le beurre fondu, le zeste de citron, et la farine, peu à peu. Mélangez bien le tout.
6 - Dans une jatte, montez les blancs en neige jusqu'à ce qu'ils collent au fouet.
7 - Mêlez délicatement ces blancs en neige à la préparation, et ajoutez la levure.
8 - Beurrez légèrement des petits moules à madeleines, et remplissez chacun d'eux de pâte, sans que cette pâte dépasse le bord du moule.
9 - Mettez au four, à température moyenne, pendant 6 à 12 minutes, suivant la taille des moules choisis. Aussitôt cuites, démoulez les madeleines et laissez-les refroidir.

PETITS OIGNONS GLACÉS

 Moyen — Très facile — Pas cher

POUR 5 A 6 PERSONNES
CUISSON :
30 minutes environ
INGRÉDIENTS :
3 tomates
400 g de petits oignons de Paris
100 g de champignons de Paris
1 noix de concentré de tomates
4 cuill. à soupe d'huile
1 v. de vin blanc sec
1 gousse d'ail
1/2 citron
Thym, laurier
Sel, poivre

1 - Plongez les tomates quelques instants dans de l'eau bouillante, mondez-les et concassez-les grossièrement.
2 - Débarrassez les champignons de leur pied terreux, lavez-les à l'eau courante et séchez-les sur du papier absorbant. Puis détaillez-les en fines lamelles.
3 - Mettez dans une casserole les tomates concassées, les champignons, l'huile, le jus d'un demi-citron, la gousse d'ail pilée. Mouillez avec le vin blanc dans lequel vous aurez préalablement délayé une forte noix de concentré de tomates, aromatisez d'un peu de thym et de laurier, salez, poivrez, et portez le tout à ébullition.
4 - Pendant ce temps, épluchez soigneusement les petits oignons blancs, et mettez-les à cuire dans la sauce. Laissez cuire ainsi 15 à 20 minutes à couvert.
5 - Passé ce temps, découvrez le récipient et laissez mijoter encore quelques minutes à découvert, le temps pour la sauce de réduire convenablement.
6 - Versez ensuite la préparation dans un plat de service creux, laissez refroidir, puis mettez environ 1 heure dans la partie haute du réfrigérateur avant de servir.

LE TRUC DU CHEF

POUR LES MADELEINES : une variante à cette recette consiste à ajouter à la pâte, des amandes pilées.

Lors de l'achat de moules à madeleines, assurez-vous que ces moules sont bien creux en leur centre, car c'est la différence entre les bords bien cuits du gâteau et le centre moelleux qui donne la saveur du gâteau.

VOS NOTES PERSONNELLES

Ecrire . . . .

Acheter . . . .

Téléphoner . . . .

25 MAI

Menu

PÂTÉ AU DINDONNEAU
(voir recette p. 283)

**BOULETTES DE VIANDE
AUX NAVETS**
(voir recette ci-contre)

MOKA DE RIO
(voir recette p. 8)

TOUT SAVOIR SUR...

LE CAFÉ

*Le café a fait son apparition en France au XVIIe siècle. Actuellement, la consommation moyenne par Français et par an est de 5 kilos, c'est dire l'intérêt porté à ce produit. Le café est reconnu pour favoriser l'activité physiologique et psychique. Deux grandes catégories se partagent le marché : **les cafés traditionnels**, comprenant les cafés en grains verts (à torréfier soi-même), ou grillés vendus en vrac ou en paquets, mais également les cafés moulus et conditionnés en paquets généralement sous vide. **Les cafés solubles**, qui représentent actuellement 20 % du marché, mais dont la vente ne cesse d'augmenter. Pratiquement tous les types de café sont proposés décaféinés. Les deux variétés de café existantes sont l'arabica et le robusta. **L'arabica** est la variété la plus répandue dans le monde. Elle est produite principalement par les pays d'Amérique du Sud. **Le robusta**, cultivé surtout en Afrique, est généralement vendu en mélange avec l'arabica. A noter que l'arabica est de qualité supérieure mais que le robusta est moins cher et plus riche en caféine.*

BOULETTES DE VIANDE AUX NAVETS

Moyen · Facile · Abordable

POUR 4 PERSONNES
CUISSON : 30 minutes
INGRÉDIENTS :
200 g de bœuf haché
200 g de veau haché
2 tr. de mie de pain
1/2 verre de lait
1 gros oignon
2 gousses d'ail
2 œufs, 50 g de riz
3 cuill. à soupe de farine
800 g de navets
1 dl d'huile
50 g de beurre
2 cuillerées à soupe
de crème fraîche
1 pincée de sucre
Sel, poivre

1 - Mettez le riz à cuire dans un peu d'eau salée 15 minutes.

2 - Épluchez et hachez finement l'oignon et les gousses d'ail ensemble. Faites tremper la mie de pain dans le lait.

3 - Épluchez les navets, coupez-les en fins quartiers et mettez-les à cuire 1/4 heure dans de l'eau bouillante salée. Puis égouttez-les, passez-les au mixer. Incorporez le beurre, la crème fraîche, 1 pincée de sucre. Réservez au chaud.

4 - Lorsque le riz est cuit, égouttez-le, passez-le sous l'eau froide et, dans un grand saladier, mélangez-le intimement avec les viandes de bœuf et de veau, la mie de pain essorée, l'oignon et l'ail hachés. Cassez 2 œufs sur cette préparation, salez et poivrez, et malaxez bien le tout.

5 - Confectionnez avec ce mélange, à l'aide de vos mains farinées, 8 boulettes légèrement aplaties. Passez-les dans la farine et mettez-les à la poêle, dans l'huile très chaude. Laissez cuire une dizaine de minutes, en retournant les boulettes à mi-cuisson.

6 - Mettez les boulettes à égoutter sur du papier absorbant, puis dressez-les sur un plat de service. Servez avec la purée de navets chaude.

VOS NOTES PERSONNELLES

Ecrire . . . .

Acheter . . . .

Téléphoner . . . .

 **Menu**

GOUGÈRES
(voire recette ci-contre)

FOIE DE PORC SOUBISE
(voir recette p. 20)

FLAN AUX FRAISES
(voir recette ci-dessous)

MINI-RECETTE

FLAN AUX FRAISES

POUR 6 PERSONNES
CUISSON : 45 minutes
INGRÉDIENTS : 350 g de farine
1 litre de lait, 8 œufs
200 g de sucre semoule, 1 gousse de vanille
1 pincée de sel

1 - Lavez soigneusement les fraises, séchez-les sur du papier absorbant, équeutez-les. Puis coupez chaque fruit en quatre morceaux.
2 - Versez le lait dans une casserole, ajoutez la gousse de vanille fendue, 1 pincée de sel. Portez le liquide à ébullition, puis ôtez le récipient du feu.
3 - Cassez les œufs dans un saladier. Ajoutez le sucre semoule, et battez vigoureusement jusqu'à ce que le mélange blanchisse.
4 - Versez alors le lait bouillant sur les œufs (après avoir retiré la gousse de vanille). Remuez soigneusement la préparation à la cuiller de bois.
5 - Garnissez de cette préparation un moule à bords relevés (un moule à charlotte par exemple), et ajoutez-y les petits quartiers de fraise.
6 - Placez le moule dans un récipient à hauts bords, rempli d'eau chaude, et mettez à cuire au bain-marie, à four doux, pendant 45 minutes.
7 - Passé ce temps, laissé refroidir le flan dans son moule, puis démoulez-le sur un plat à dessert, juste avant de servir.

GOUGÈRES

POUR 6 PERSONNES
CUISSON : 30 minutes
INGRÉDIENTS :
150 g de farine
100 g de beurre
5 œufs
120 g de gruyère râpé
Sel, poivre

1 - Mettez dans une casserole 1/4 de litre d'eau, 80 g de beurre, 1 pincée de sel. Faites bouillir.
2 - Dès l'ébullition, ôtez le récipient du feu et versez d'un seul coup toute la farine. Mélangez soigneusement à la spatule de bois et remettez sur feu doux. Continuez de tourner jusqu'à ce que la pâte se mette en boule et ne colle plus à la casserole. Retirez alors du feu.
3 - Cassez les œufs un à un et incorporez-les à la pâte en remuant énergiquement. Ajoutez ensuite les 3/4 du gruyère râpé. Poivrez.
4 - Beurrez une plaque à four et, à l'aide d'une poche à douille, déposez sur la plaque des petites couronnes de pâte.
5 - Parsemez ces couronnes du gruyère râpé restant et laissez cuire à four moyen une trentaine de minutes.
6 - Quand les gougères sont cuites et bien dorées, disposez-les sur un plat de service chaud et servez immédiatement.

LE TRUC DU CHEF

**POUR LES GOUGÈRES : à défaut de poche à douille, on peut se servir tout simplement d'une petite cuiller pour déposer la pâte en couronne sur la plaque.
Tous les fromages à pâte pressée cuite conviennent pour cette recette. Vous choisirez, selon vos goûts, entre l'emmental, le comté, ou encore le beaufort.**

VOS NOTES PERSONNELLES

Ecrire . . . .
. . . .
Acheter . . . .
. . . .
Téléphoner . . . .

Menu

COUPES DE FRUITS DE MER
(voir recette p. 53)

DAURADE AU FENOUIL
(voir recette p. 24)

BANANES FLAMBÉES
(voir recette ci-contre)

TOUT SAVOIR SUR...

LA DAURADE

La daurade est pêchée en Méditerranée et également en Atlantique. C'est un poisson à chair maigre et ferme qui contient, entre autres, de la vitamine PP ainsi que du fer et du phosphore. Trois sortes de daurades sont proposées à la vente, quasiment toute l'année. **La daurade royale** : *c'est un superbe poisson des eaux méditerranéennes, pouvant dépasser 50 cm, au corps jaune argenté. On le reconnaît à une sorte de croissant jaune d'or situé entre les yeux.* **La daurade rose** : *cette espèce abonde surtout en Atlantique et possède une belle couleur rosée. Plus petite que la royale, elle ne dépasse pas 40 cm.* **La daurade grise** : *pêchée en Méditerranée et en Atlantique est de couleur gris argenté et de taille similaire à la daurade rose. Choisissez un poisson à l'aspect brillant, à l'œil bombé remplissant bien la cavité orbitale. Les ouïes doivent être rouge vif. A noter que la daurade royale est la plus chère. Compte tenu des déchets, prévoyez 220 g par personne.*

BANANES FLAMBÉES

Long — Facile — Pas cher

POUR 4 PERSONNES
CUISSON :
10 minutes environ
INGRÉDIENTS : 4 bananes
200 g de farine
1 œuf
2 cuill. à soupe d'huile
75 g de sucre en poudre
2 pet. verres de rhum
1 pincée de sel
1 bain de friture

1 - Versez la farine dans une terrine, faites un puits, et mettez-y l'œuf, 2 cuillerées à soupe d'huile, 1 cuillerée à soupe de sucre, 1 pincée de sel. Mélangez le tout et incorporez peu à peu de l'eau tiède jusqu'à l'obtention d'une pâte à beignets souple et pas trop fluide. Laissez reposer 2 heures.

2 - Quand la pâte a reposé le temps convenable, pelez les bananes, fendez-les en deux, et enrobez chaque demi-banane de pâte avant de les plonger dans le bain d'huile bouillante.

3 - Laissez les beignets cuire et dorer 3 à 4 minutes, retirez-les du bain avec une écumoire, et mettez-les à égoutter sur du papier absorbant.

4 - Disposez les bananes sur un plat de service chaud, saupoudrez-les de sucre et arrosez-les avec le rhum préalablement chauffé dans une petite casserole. Flambez devant les convives et servez immédiatement.

LE TRUC DU CHEF

POUR LES COUPES DE FRUITS DE MER : vous pouvez, à titre décoratif, colorer légèrement la mayonnaise en rose en lui incorporant une noisette de concentré de tomates.

POUR LES BANANES FLAMBÉES : évitez pour la confection de ces beignets des bananes tigrées, parfaitement mûres pour la dégustation telle, mais qui manqueraient de tenue à la cuisson.

VOS NOTES PERSONNELLES

Ecrire . . . .

. . . .

Acheter . . . .

. . . .

Téléphoner . . . .

MINI-RECETTE

SOUFFLÉ AUX POMMES

POUR 4 à 5 PERSONNES
CUISSON : 40 minutes
INGRÉDIENTS : 40 g de farine
1/4 de litre de lait
70 g de beurre, 4 œufs, 2 pommes
1 verre à liqueur de curaçao
1 pincée de sel
2 cuillerées de marmelade d'abricot

1 - Mettez le beurre dans une casserole, tournez-le afin qu'il devienne crémeux. Ajoutez le sucre, puis incorporez la farine et la pincée de sel. Délayez cette préparation avec le lait.
2 - Mettez à feu doux et remuez sans cesse pour obtenir une pâte bien lisse. Au premier soupçon d'ébullition, ôtez la casserole du feu. Laissez tiédir.
3 - Incorporez les jaunes d'œufs à la pâte.
4 - Battez les blancs en neige et incorporez-les à la pâte, ajoutez le curaçao.
5 - Pelez les pommes, coupez-les en quartiers, et laissez-les cuire doucement à la poêle, dans une noix de beurre. Lorsqu'elles sont cuites, ajoutez une bonne cuillerée de sucre en poudre.
6 - Prenez un moule à soufflé. Beurrez-le largement. Versez la moitié de la pâte. Placez-y la marmelade de pommes à laquelle vous aurez mélangé les 2 cuillerées de marmelade d'abricot.
7 - Recouvrez avec le reste de la pâte et mettez le soufflé à four moyen durant 40 minutes, environ.
8 - Servez immédiatement à la sortie du four après avoir saupoudré le gâteau de sucre.

BOULETTES A LA PURÉE DE CHOU-FLEUR

Moyen — Très facile — Abordable

POUR 4 PERSONNES
CUISSON :
40 minutes environ
INGRÉDIENTS :
1 chou-fleur
300 g de steak haché
300 g de veau haché
3 échalotes
2 jaunes d'œufs
1 noix de beurre
1 cuill. à soupe d'huile
1 pincée de paprika
Persil, thym
Sel, poivre

1 - Mélangez dans un saladier les viandes hachées de bœuf et de veau. Ajoutez les échalotes finement hachées, un peu de persil et les jaunes d'œufs. Incorporez un peu de thym émietté, une cuillerée d'huile, une pincée de paprika, salez, poivrez, et mélangez soigneusement le tout à la cuillère de bois.
2 - Divisez le chou-fleur en petits bouquets, lavez le légume et mettez-le à cuire 25 minutes à l'eau bouillante salée.
3 - Pendant ce temps, façonnez des boulettes à l'aide de vos mains légèrement mouillées, et mettez-les à cuire à la plaque, sur feu vif, 7 à 8 minutes de chaque côté.
4 - Quand le chou-fleur est cuit, égouttez-le, et passez-le à la moulinette à légumes pour le réduire en purée. Versez cette purée dans une casserole et laissez-la réchauffer doucement avec une noix de beurre.
5 - Lorsque les boulettes sont cuites, dressez-les sur un plat de service chaud, disposez tout autour la purée de chou-fleur, et servez aussitôt.

POUR LES BOULETTES À LA PURÉE DE CHOU-FLEUR : afin de rendre la purée de chou-fleur plus légère, vous pouvez lui incorporer un peu de lait écrémé. Pour la confection de la purée de chou-fleur, vous pouvez tolérer un légume qui se présente avec un grain desserré et de légères brûlures dues au soleil. Cela n'affectera en rien la saveur du plat.

VOS NOTES PERSONNELLES

Ecrire . . . .

Acheter . . . .

Téléphoner . . . .

FÊTE DES MÈRES

Menu

CROÛTES AU FOIE DE VEAU
(voir recette ci-contre)

GIGOT BRAISÉ À L'ANCIENNE
(voir recette ci-dessous)

COUPE GLACÉE ÉQUATEUR
(voir recette p. 246)

Boisson conseillée :
UN CÔTE-ROTIE

MINI-RECETTE

GIGOT BRAISÉ À L'ANCIENNE

POUR 8 À 10 PERSONNES
CUISSON : 3 h environ
INGRÉDIENTS : 1 gigot de 2,5 kg
150 g de poitrine fumée
2 carottes, 1 oignon
1/2 bouteille de vin blanc sec
50 g de beurre
1 noix de concentré de tomates
1 tablette concentré de volailles
2 gousses d'ail, persil, thym, laurier
Sel, poivre

1 - Frottez le gigot de sel et de poivre, et mettez-le à revenir dans une grande cocotte avec 50 g de beurre.
2 - Épluchez les carottes et l'oignon, et coupez-les en fines rondelles.
3 - Détaillez la tranche de poitrine fumée en petits cubes.
4 - Ajoutez ces ingrédients à la viande et laissez-les dorer quelques minutes.
5 - Mouillez alors avec le vin blanc et 2 verres de bouillon de volaille que vous obtiendrez en faisant dissoudre la tablette dans l'eau bouillante. Ajoutez les gousses d'ail pilées, un peu de persil, du thym et du laurier. Délayez une noix de concentré de tomates, salez et poivrez très légèrement.
6 - Couvrez hermétiquement la cocotte, et mettez à cuire 3 heures à four chaud.
7 - Passé ce temps, dressez le gigot sur un plat de service, présentez la sauce en saucière, et accompagnez de pommes de terre sautées, que vous saupoudrerez d'un fin hachis d'ail et de persil.

CROÛTES AU FOIE DE VEAU

Moyen   Facile   Cher

POUR 4 PERSONNES
CUISSON : 30 minutes
INGRÉDIENTS :
350 g de foie
250 g de champignons de Paris
70 g de beurre
10 cl de madère
2 dl de crème fraîche
1 cuill. à soupe de farine
1 jaune d'œuf
1 pincée d'estragon
4 croûtes de bouchées
Sel, poivre

1 - Lavez les champignons, séchez-les, et détaillez-les en fines lamelles. Puis mettez-les à revenir à la poêle avec 1 noix de beurre.
2 - Coupez le morceau de foie en dés réguliers et, quand les champignons commencent à prendre couleur, ajoutez la viande aux légumes. Laissez cuire quelques minutes. Salez et poivrez, égouttez avec une écumoire, et réservez.
3 - Mouillez la poêle avec le madère, incorporez la crème fraîche, et laissez cuire doucement 4 à 5 minutes à découvert.
4 - Faites fondre 40 g de beurre dans une petite casserole, versez la farine en pluie, et laissez blondir 2 à 3 minutes sur feu modéré en tournant à la cuillère de bois. Puis versez sur ce roux le contenu de la poêle. Mélangez bien et ôtez du feu.
5 - Ajoutez à la préparation 1 jaune d'œuf, agrémentez d'une pincée d'estragon en poudre, et remettez sur feu très doux 2 à 3 minutes en tournant constamment à la cuillère de bois. Remettez foie et champignons dans la sauce. Laissez chauffer quelques instants.
6 - Placez les croûtes sur une plaque de four, garnissez-les de la préparation et mettez à four moyen environ 10 minutes. Servez aussitôt.

VOS NOTES PERSONNELLES

Ecrire . . . .

Acheter . . . .

Téléphoner . . . .

Menu

ŒUFS BROUILLÉS AUX CHAMPIGNONS
(voir recette p. 276)

NOIX DE VEAU AUX PRUNEAUX
(voir recette ci-dessous)

GÂTEAU MONTBOUCHARD
(voir recette ci-contre)

Boisson conseillée :
UN MÉDOC

MINI-RECETTE

NOIX DE VEAU AUX PRUNEAUX

POUR 6 PERSONNES
CUISSON : 1 h 40
INGRÉDIENTS : 1 rôti de 1,2 kg
300 g de pruneaux
6 échalotes, 1 feuille de laurier
1 brin de thym
2 verres de vin blanc sec
1 cuillerée à soupe de crème fraîche
1 noix de beurre
2 cuillerées à soupe d'huile
1 cuillerée à soupe de farine
Sel, poivre

1 - Mettez la veille les pruneaux à tremper dans de l'eau froide.
2 - Faites chauffer dans une cocotte le mélange d'huile et de beurre, et mettez-y à dorer le rôti après l'avoir salé et poivré. Laissez-le ainsi une quinzaine de minutes en le retournant de temps en temps.
3 - Quand la viande a pris couleur, retirez-la du récipient et jetez-y les échalotes hachées et la cuillerée à soupe de farine. Laissez blondir sur feu doux quelques minutes en tournant régulièrement la préparation à la cuiller de bois.
4 - Mouillez alors avec le vin blanc, aromatisez d'un peu de thym et de laurier, et laissez mijoter à couvert environ 1 heure.
5 - Passé ce temps, ajoutez les pruneaux à la viande, et terminez la cuisson (une vingtaine de minutes) à découvert.
6 - Découpez le rôti de veau en tranches fines. Entourez la viande des pruneaux.
7 - Incorporez une bonne cuillerée de crème fraîche dans la sauce, portez à ébullition, et versez en saucière. Servez aussitôt.

GÂTEAU A LA MONTBOUCHARD

Moyen   Facile   Abordable

POUR 6
A 8 PERSONNES
CUISSON :
5 minutes environ
INGRÉDIENTS : 1 génoise
100 g de sucre
en poudre
1 boîte de purée de
marrons vanillée
250 g de fondant
1 pincée de vanille
en poudre
12 noix

1 - Versez 1/2 verre d'eau dans une casserole. Ajoutez 100 g de sucre semoule, et faites fondre le sucre sur feu doux. Puis augmentez l'intensité du feu et laissez bouillir 4 à 5 minutes pour obtenir un sirop « au boulé ».
2 - Mettez la purée de marrons dans une jatte, ajoutez le sirop et travaillez soigneusement le tout.
3 - Concassez les noix et ajoutez-les à la préparation précédente.
4 - Coupez transversalement la génoise toute prête en trois disques égaux. Disposez le disque inférieur sur un plat de service, tartinez-le de la moitié de la purée de marrons, recouvrez avec le disque du milieu, procédez de même en réservant un peu de purée de marrons pour la décoration finale. Mettez en place le disque supérieur.
5 - Faites chauffer le fondant sur feu doux dans une casserole avec une pincée de vanille, en le travaillant à la spatule.
6 - Appliquez le fondant sur tout le gâteau à la spatule métallique. Décorez avec le reste de purée de marrons à la poche à douille, et placez 1 bonne heure au réfrigérateur avant de servir.

LE TRUC DU CHEF

POUR LE GÂTEAU À LA MONTBOUCHARD : le sirop « au boulé » se vérifie en prenant entre le pouce et l'index préalablement mouillés un peu de sirop, et en les plongeant rapidement dans l'eau froide. Le sirop se roule en boule entre les doigts.

VOS NOTES PERSONNELLES

Ecrire . . . .
. . . .

Acheter . . . .
. . . .

Téléphoner . . . .

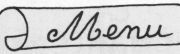

Menu

POTAGE AUX POIS FRAIS
((voir recette ci-contre))
**NOIX DE VEAU
À LA DUPLESSIS**
(voir recette p. 69)
**PETITS GÂTEAUX
AUX AMANDES**
(voir recette ci-dessous)

POTAGE AUX POIS FRAIS

Moyen — Très facile — Abordable

**POUR 4
A 5 PERSONNES
CUISSON : 45 minutes
INGRÉDIENTS :**
1 kg de pois
1 poireau
1 carotte
2 petits oignons blancs
1 cœur de laitue
150 g de poitrine fumée
10 cl de crème fraîche
1 pincée de sucre
Thym, laurier, cerfeuil
Quelques tranches
de pain
50 g de beurre
Sel, poivre

1 - Ecossez les petits pois. Epluchez la carotte et les petits oignons, et coupez la carotte en fines rondelles.
2 - Lavez 1 beau cœur de laitue, après l'avoir effeuillé. Lavez le poireau et n'en conservez que le blanc.
3 - Coupez la tranche de poitrine fumée en petits dés.
4 - Faites fondre 50 g de beurre dans un faitout, jetez-y les lardons à dorer, puis ajoutez la laitue, le blanc de poireau coupé en rondelles, la carotte, les petits oignons et 1 pincée de sucre. Laissez suer ces légumes dans le beurre quelques minutes sur feu doux, en les remuant de temps en temps à la cuillère de bois.
5 - Versez dans le faitout 2 litres d'eau, salez et poivrez, et mettez-y les petits pois. Aromatisez d'un peu de thym et de laurier, et laissez cuire doucement à couvert 35 à 40 minutes.
6 - En fin de cuisson, hors du feu, incorporez au potage 10 cl de crème fraîche, versez en soupière, et ciselez sur le liquide un petit bouquet de cerfeuil haché. Servez avec quelques tranches de pain passées au gril.

MINI-RECETTE

PETITS GÂTEAUX AUX AMANDES

**POUR 6 À 8 PERSONNES
CUISSON : 20 minutes environ
INGRÉDIENTS : 250 g de farine**
250 g de poudre d'amandes
40 g de sucre semoule, 3 œufs
150 g de miel
5 cuillerées à soupe d'huile
1/4 de verre de lait
1 noix de beurre
1 sachet d'amandes effilées
1 pincée de sel

1 - Cassez les œufs, et séparez les blancs des jaunes dans deux saladiers.
2 - Ajoutez aux blancs le sucre en poudre, et montez-les au fouet en neige très ferme.
3 - Mélangez les jaunes d'œufs et le miel, puis ajoutez l'huile, la poudre d'amandes, le lait, la farine en pluie, et 1 pincée de sel. Travaillez soigneusement le tout avant d'incorporer délicatement les blancs en neige.
4 - Beurrez de petits moules à tarte individuels, et garnissez-les de la pâte. Parsemez le dessus d'amandes effilées, et mettez à four doux une vingtaine de minutes.
5 - Après cuisson, laissez tiédir les petits gâteaux avant de les démouler. Servez tiède ou froid.

LE TRUC DU CHEF

POUR LE POTAGE AUX POIS FRAIS : les pois à écosser sont de conservation difficile, aussi est-il recommandé de les acheter le jour même de leur utilisation. Pour juger de leur fraîcheur, un signe indiscutable : sur une simple pression des doigts, la cosse doit s'ouvrir facilement.

VOS NOTES PERSONNELLES

Ecrire . . . .

. . . .

Acheter . . . .

. . . .

Téléphoner . . . .

31 MAI

Menu

PETITS FEUILLETÉS AU ROQUEFORT
(voir recette p. 70)
TRIPES À LA MODE DE CAEN
(voir recette ci-contre)
ANANAS AU CARAMEL EN BEIGNETS
(voir recette p. 252)

TOUT SAVOIR SUR...

L'ANANAS

C'est un très beau fruit qui nous vient des tropiques et que l'on trouve sur les marchés presque toute l'année. Il est riche en vitamines C et B, ainsi qu'en potassium. De plus, ses fibres facilitent le transit intestinal. Les deux principales variétés que l'on trouve sur les marchés sont : **Le smooth cayenne**, qui nous arrive d'Afrique. C'est le leader. Gros fruit sucré, très juteux, sa pulpe est jaune. **Le queen** provient de l'île Maurice et de la Réunion. C'est un fruit plus petit et moins sucré que le précédent. **Le red spanish**, importé de Cuba, est de qualité inférieure aux précédents. Pour savoir si un ananas est mûr, il faut vérifier qu'il est lourd en main, qu'il est d'une belle coloration jaune orangé sur plus de la moitié du fruit et qu'il est odorant. Deux catégories, suivant les normes européennes, classifient ce fruit : **catégorie extra** (étiquette rouge) ce sont uniquement des «smooth cayenne», sans défauts et pesant au minimum 1,1 kg **Catégorie I** (étiquette verte), quelques défauts sont acceptés.

TRIPES A LA MODE DE CAEN

POUR 6 PERSONNES
CUISSON : 3 heures
INGRÉDIENTS :
1,2 kg de gras-double
2 pieds de veau
1 1/2 l de cidre sec
1 verre de calvados
8 carottes
4 poireaux
300 g d'oignons
2 gousses d'ail
100 g de beurre
Clous de girofle
Thym, laurier
Sel, poivre au moulin

1 - Demandez à votre tripier de couper le gras-double en gros carrés, et les pieds de veau en morceaux, sans les désosser.
2 - Epluchez les carottes, les oignons et l'ail. Coupez les carottes et les oignons en grosses rondelles.
3 - Ôtez la partie verte des poireaux. Lavez soigneusement les blancs et fendez-les en quatre.
4 - Dans une cocotte fermant bien, mettez le beurre, les légumes, le gras-double et les pieds de veau. Salez, poivrez largement au moulin. Ajoutez les aromates : thym, laurier, 2 à 3 clous de girofle.
5 - Mouillez avec le petit verre de calvados puis avec le cidre sec, et couvrez hermétiquement.
6 - Mettez la cocotte sur feu doux, et laissez la préparation mijoter environ 3 heures.
7 - Servez la viande dans un légumier, baignant dans sa sauce au cidre, après avoir pris la précaution d'ôter les morceaux d'os des pieds de veau.
8 - Présentez comme garniture des pommes de terre en robe de chambre.

LE TRUC DU CHEF

POUR LES FEUILLETÉS AU ROQUEFORT : la confection d'une pâte feuilletée «maison» est une opération longue et assez difficile. Si vous ne vous estimez pas suffisamment experte en la matière, achetez de la pâte surgelée, prête à l'emploi.

VOS NOTES PERSONNELLES

Ecrire . . . .

Acheter . . . .

Téléphoner . . . .

Menu

SALADE MONTPENSIER
(voir recette p. 263)

CANNELLONIS FARCIS
(voir recette p. 113)

TARTE CITRON
(voir recette ci-contre)

TOUT SAVOIR SUR...

LE CITRON

Ce fruit que l'on trouve toute l'année sur les marchés est bien connu pour sa haute teneur en vitamine C. Les citrons commercialisés proviennent de cultures françaises mais également de pays du bassin méditerranéen, ainsi que des U.S.A. Parmi les nombreuses variétés, citons : **Verna limoni** *: jaune vif, très juteux, il nous arrive d'Espagne de février à juillet.* **Interdonati ou speciali** *: il provient d'Italie. C'est un fruit sans pépins et à la peau fine.* **Eureka et Lisbon limoni** *: ces fruits juteux provenant de Californie sont très acides.* **Le citron vert** *ou « lime » est un fruit de petite taille, peu commercialisé. Achetez des fruits dépourvus de traces suspectes, entiers, ayant une belle couleur. Pour des raisons de conservation, presque tous les citrons commercialisés sont traités au diphényl. L'indication de ce traitement doit être obligatoirement mentionnée sur le fruit ou son conditionnement. Bien que le diphényl ne soit toxique qu'à haute dose, brossez soigneusement le fruit à l'eau froide si vous devez utiliser le zeste.*

TARTE AU CITRON

Moyen — Très facile — Abordable

**POUR 4
A 6 PERSONNES
CUISSON : 40 minutes
INGRÉDIENTS :**
200 g de farine
4 œufs
130 g de beurre
250 g de sucre
3 citrons
20 g de fécule
1 v. à liqu. de gin
1 pincée de sel

1 - Préparez la pâte brisée en mélangeant dans un saladier la farine, 1 œuf entier, 100 g de beurre et 1 pincée de sel. Ajoutez 1/2 verre d'eau pour faciliter le mélange, 1 cuillerée à soupe de sucre, et pétrissez bien le tout.

2 - Laissez-la reposer quelques instants, puis étalez-la au rouleau.

3 - Beurrez un moule à tarte, garnissez-le de la pâte, tapissez l'intérieur d'une feuille de papier alu, et faites cuire à four chaud 15 minutes. Puis, éliminez le papier et finissez de cuire l'intérieur pendant 5 minutes.

4 - Pendant ce temps, extrayez le jus de 3 citrons et râpez le zeste de l'un d'entre eux. Réservez.

5 - Préparez une crème en mettant dans une casserole 3 jaunes d'œufs (réservez les blancs), 150 g de sucre, 2 cuillerées à soupe d'eau. Mélangez sur feu doux et ajoutez le zeste et le jus des citrons.

6 - Lorsque le mélange est bien homogène, mouillez d'un petit verre d'eau, puis versez la fécule et délayez-la dans la préparation. Ajoutez 30 g de beurre que vous aurez fait fondre, au préalable, au bain-marie. Parfumez avec le gin.

7 - Laissez cette préparation sur feu doux en remuant sans arrêt, afin que la crème épaississe. Au premier bouillon, ôtez du feu.

8 - Battez les blancs d'œufs en neige avec 4 cuillerées de sucre.

9 - Sur le fond de pâte cuite, et refroidie, versez la crème au citron. Recouvrez cette crème avec les œufs en neige, en égalisant à la spatule.

10 - Mettez à four chaud 20 minutes. Servez froid.

VOS NOTES PERSONNELLES

Ecrire . . . .

Acheter . . . .

Téléphoner . . . .

2 JUIN

Menu

SALADE BAVAROISE
(voir recette ci-contre)

MOUSSAKA
(voir recette p. 50)

DÉLICE GLACÉ À L'ORANGE
(voir recette ci-dessous)

Boisson conseillée :
UN CHINON

MINI-RECETTE

DÉLICE GLACÉ À L'ORANGE

POUR 6 À 8 PERSONNES
CUISSON : 55 minutes
INGRÉDIENTS : 2 oranges
150 g de beurre
100 g de sucre en poudre
60 g de farine, 4 œufs
200 g de poudre d'amandes
1/2 verre à liqueur de rhum
200 g de sucre glace

1 - Pressez le jus des 2 oranges, rapez le reste d'une orange.
2 - Mettez 130 g de beurre dans une terrine et travaillez-le en pommade à la fourchette. Incorporez peu à peu le sucre en poudre, et travaillez bien le tout.
3 - Ajoutez la poudre d'amandes, le zeste râpé, la moitié du jus d'orange, et le rhum.
4 - Cassez les œufs, réservez les blancs dans un saladier, et ajouter les jaunes un à un à la préparation, ainsi que la farine en pluie. Mélangez bien.
5 - Fouettez les blancs d'œufs en neige et incorporez-les délicatement à la pâte.
6 - Beurrez un moule à manqué, tapissez-en le fond d'un rond de papier sulfurisé, et versez-y la préparation. Mettez à four doux 55 minutes.
7 - Pendant ce temps, préparez le glaçage en mélangeant peu à peu le sucre glace avec le reste de jus d'orange.
8 - Lorsque le gâteau est cuit, démoulez-sur une grille, et laissez-le refroidir. Puis recouvrez-le du glaçage en vous servant d'une spatule métallique à lame souple.

SALADE BAVAROISE

Moyen   Facile   Abordable

POUR 6 PERSONNES
INGRÉDIENTS :
1 concombre
6 pommes de terre
100 g de bœuf bouilli
5 œufs
2 pommes fruit
3 paires de francfort
100 g de noisettes
2 cuillerée à café de moutarde
1 cuillerée à soupe de vinaigre
1 dl d'huile
100 g de crème fraîche
Sel, poivre

1 - Faites cuire les pommes de terre à l'eau bouillante 20 minutes. Puis laissez-les tiédir, épluchez-les et coupez-les en rondelles.
2 - Épluchez le concombre, coupez-le en rondelles et placez ces dernières dans une passoire. Salez d'une bonne pincée de gros sel et laissez dégorger 15 minutes.
3 - Plongez les saucisses de Francfort dans de l'eau frémissante et faites-les cuire 10 minutes.
4 - Faites durcir 4 œufs 10 minutes à l'eau bouillante, écalez-les et coupez-les en quatre. Épluchez les oignons et détaillez-les en rondelles.
5 - Pelez les pommes et coupez-les en petits cubes.
6 - Coupez le bœuf bouilli en petits morceaux.
7 - Confectionnez une mayonnaise comme suit : mettez dans un grand bol le jaune d'œuf, la cuillerée de vinaigre, la moutarde, salez et poivrez. Versez l'huile en filet en tournant à la cuillère ou au fouet. En fin d'opération, incorporez la crème fraîche à la mayonnaise.
8 - Dans un grand saladier, placez tous les ingrédients préparés, y compris les rondelles de concombre dégorgées (il faut les passer sous l'eau froide et les sécher sur du papier absorbant). Ajoutez-y les noisettes.
9 - Versez la mayonnaise sur la salade, mêlez le tout et servez.

VOS NOTES PERSONNELLES

Ecrire . . . .
. . . .
Acheter . . . .
. . . .
Téléphoner . . . .

Menu

KOULIBIAC AUX CHOUX
(voir recette p. 7)

ROUGETS AU FENOUIL
(voir recette ci-contre)

FLAN AUX CERISES
(voir recette ci-dessous)

MINI-RECETTE

FLAN AUX CERISES

POUR 6 PERSONNES
CUISSON : 45 minutes
INGRÉDIENTS : 300 g de cerises
2009 g de farine
3/4 de litre de lait écrémé
6 œufs, 150 g de sucre semoule
1/2 gousse de vanille

1 - Lavez les cerises, équeutez-les, dénoyautez-les (réservez quelques beaux fruits pour le décor), et coupez-les chacunes en quatre morceaux.
2 - Versez le lait dans une casserole, ajoutez la 1/2 gousse de vanille, et une pincée de sel. Portez le liquide et ébullition et ôtez le récipient du feu.
3 - Mettez le sucre semoule dans une terrine, ajoutez les œufs, et fouettez jusqu'à ce que le mélange blanchisse. Puis ajoutez la farine et mélangez soigneusement.
4 - Versez alors le lait bouillant sur la préparation, en continuant de mélanger au fouet. Passez le tout au chinois avant d'incorporer les morceaux de fruits.
5 - Garnissez de cette préparation un moule à bords relevés, placez le moule, dans un récipient allant au four rempli d'eau chaude (le liquide doit dépasser le milieu de la hauteur du moule) et mettez à cuire au bain-marie, à four doux, pendant 45 minutes.
6 - Laissez refroidir le flan dans son moule, puis démoulez-le sur un plat de service. Décorez-le avec les fruits entiers que vous avez réservés, avant de servir.

ROUGETS AU FENOUIL

Moyen   Très facile   Cher

POUR 4 PERSONNES
CUISSON : 25 minutes
INGRÉDIENTS : 4 rougets
2 branches de fenouil
2 citrons
1 v. de vin blanc sec
2 gousses d'ail
1 pointe de cayenne
1 jaune d'œuf
1 dl d'huile d'olive
Sel, poivre

1 - Videz et lavez les rougets, et séchez-les sur du papier absorbant.
2 - Tapissez un plat allant au four avec le fenouil, et couchez-y les poissons salés et poivrés à l'intérieur.
3 - Pressez le jus des citrons et arrosez-en les poissons. Ajoutez le vin blanc et 5 cuillerées d'huile d'olive. Mettez à four chaud 20 à 25 minutes en arrosant les poissons de temps en temps avec le jus de cuisson.
4 - Pendant ce temps, préparez une rouille comme suit : épluchez les gousses d'ail et pilez-les dans un mortier. Ajoutez 1 forte pointe de cayenne, 1 pincée de sel et le jaune d'œuf. Versez alors l'huile d'olive en mince filet et tournez la préparation à la cuillère ou au fouet, comme pour une mayonnaise. Mettez en saucière.
5 - Quand les poissons sont cuits, rangez-les sur un plat de service chaud et présentez la rouille en même temps. Vous pouvez accompagner ce plat de pommes vapeur ou mieux, d'un riz sauté.

LE TRUC DU CHEF

POUR LE KOULIBIAC AU CHOUX : pour que le chou soit plus moelleux, faites-le blanchir quelques minutes dans de l'eau bouillante salée avant de le hacher et de le faire revenir dans le beurre.

POUR LES ROUGETS AU FENOUIL : cette recette est à réaliser avec de vrais rougets (appelés souvent rougets-barbets). Il ne faut pas confondre ces poissons avec les grondins rouges, parfois dénommés « rougets-grondins ».

VOS NOTES PERSONNELLES

Ecrire . . . .

Acheter . . . .

. . . .

Téléphoner . . . .

Menu

ESCARGOTS À LA BOURGUIGNONNE
(voir recette ci-contre)

POULET FARCI AUX POMMES
(voir recette ci-dessous)

GLACE AUX MARRONS
(voir recette p. 114)

MINI-RECETTE

POULET FARCI AUX POMMES

POUR 4 À 5 PERSONNES
CUISSON : 1 h environ
INGRÉDIENTS : 1 poulet
1,2 kg de pommes
1 cuillerée à soupe d'huile
1 citron, sel, poivre

1 - Epluchez la moitié des pommes, coupez-les en quatre, débarrassez-les du cœur et des pépins, et détaillez-les en lamelles. Mettez ces lamelles dans un récipient creux, arrosez du jus de citron, et laissez macérer quelques instants.

2 - Hachez ensemble le foie, le cœur, et le gésier de la volaille.

3 - Salez et poivrez l'intérieur de la volaille, emplissez-la des lamelles de pommes et des abats hachés, le tout mélangé, et recousez soigneusement l'orifice avec du fil afin de bien emprisonner la farce.

4 - Disposez le poulet dans un plat allant au four, badigeonnez-le d'huile, versez dans le fond du plat 1 verre d'eau chaude. Salez et poivrez, et mettez à cuire à four chaud 1 h à 1 h 20 en fonction de la taille du poulet. Veillez à arroser de temps en temps la volaille du jus de cuisson, afin qu'elle ne dessèche pas.

5 - Epluchez les pommes que vous avez réservés, coupez-les en quartiers, ôtez le cœur et les pépins, et détaillez chaque quartier en deux. 20 à 25 minutes avant la fin de la cuisson du poulet, entourez-le des morceaux de pommes et laissez la cuisson aller à son terme. Servez dans le plat de cuisson.

ESCARGOTS À LA BOURGUIGNONNE

Long   Facile   Abordable

POUR 4 PERSONNES
CUISSON : 90 minutes
INGRÉDIENTS :
4 douz. d'escargots de Bourgogne
1/2 bouteille de vin blanc sec
2 carottes, 1 oignon
3 échalotes
8 gousses d'ail
Thym, laurier
Persil, gros sel, sel
Poivre au moulin
1/2 livre de beurre

1 - Faites dégorger les escargots pendant 2 heures dans du gros sel.

2 - Lavez-les ensuite à grande eau et plongez-les dans un court-bouillon composé d'eau, du vin blanc, des carottes, oignons, 2 échalotes émincées, 2 gousses d'ail et du bouquet garni.

3 - Laissez cuire à feu moyen pendant 90 minutes.

4 - Lorsque les escargots sont cuits, égouttez-les, laissez-les refroidir et sortez-les de leur coquille.

5 - Lavez-les ainsi que les coquilles à l'eau chaude salée. Essuyez-les.

6 - Préparez la farce : faites un hachis avec l'ail pilé, l'échalote, le persil. Mélangez avec le beurre. Salez, poivrez.

7 - Mettez au fond de chaque coquille un peu de farce, replacez-y l'escargot et rebouchez la coquille de farce.

8 - Placez les escargots ainsi préparés dans un plat allant au four, avec un peu d'eau chaude au fond, et laissez cuire 5 minutes. Servir brûlant.

LE TRUC DU CHEF

POUR LES ESCARGOTS À LA BOURGUIGNONNE : si l'on veut s'épargner la très longue préparation et cuisson des escargots, lorsque achetés vivants, sachez que l'on trouve dans tous les rayons d'épicerie, des escargots en boîte, au naturel. Ces boîtes sont généralement accompagnées d'un filet contenant le nombre de coquilles nécessaires. Il suffit alors de les farcir.

VOS NOTES PERSONNELLES

Ecrire . . . .

Acheter . . . .

Téléphoner . . . .

Menu

COQUES À LA MAYONNAISE
(voir recette ci-contre)

ROSBIF EN JARDINIÈRE
(voir recette p. 117)

POIRES À LA BONDURANT
(voir recette p. 22)

Boisson conseillée :
UN ROSÉ DE PROVENCE

TOUT SAVOIR SUR...

LA COQUE

C'est un petit coquillage extrêmement commun que l'on pêche dans le sable ou la vase des plages de Bretagne et de Normandie. La coque n'est pas « élevée » comme la moule mais reste un coquillage sauvage. La taille et la teinte de la coquille varient suivant la provenance. La coloration peut aller du blanc-gris au brun rouille en passant par le bleu acier. La taille n'est pas un critère de qualité. Quant à la couleur les « connaisseurs » préfèrent les coquillages bleutés. La meilleure période se situe pendant la saison froide, d'octobre à avril. Les coques doivent être de première fraîcheur. Assurez-vous donc que les coquillages ne s'ouvrent pas et que l'odeur qui s'en dégage rappelle la marée. Il est intéressant de noter que la valeur calorique de la coque est très faible ce qui la fait apprécier des personnes suivant un régime amaigrissant. Elle contient par contre des sels minéraux tels que calcium, phosphore, magnésium. C'est un aliment recherché pour les enfants et les convalescents.

COQUES A LA MAYONNAISE

Moyen · Très facile · Pas cher

POUR 6 PERSONNES
CUISSON :
15 minutes environ
INGRÉDIENTS :
1 kg de coques
1 carotte, 2 échalotes
1 gousse d'ail
1 v. de vin blanc sec
1 noisette de beurre
1 cuillerée à café
de moutarde
1 jaune d'œuf
1 verre d'huile
1/2 citron
Thym, laurier
3 tomates
Sel, poivre

1 - Pelez la carotte et les échalotes, et coupez-les en fines rondelles.
2 - Faites fondre une noisette de beurre dans un faitout, et jetez-y les légumes. Ajoutez la gousse d'ail pilée, un peu de thym et de laurier, et laissez suer les légumes quelques minutes.
3 - Mouillez avec 1 bon verre de vin blanc sec et laissez cuire à découvert 10 minutes.
4 - Passé ce temps, jetez les coques dans le récipient, couvrez, et maintenez sur feu vif quelques instants, le temps pour les coquillages de s'ouvrir. Égouttez les coques et laissez-les refroidir.
5 - Préparez une mayonnaise en mettant dans un bol la moutarde, le jaune d'œuf, un peu de sel et de poivre. Remuez ce mélange, puis versez l'huile en mince filet sans cesser de tourner. En fin d'opération, ajoutez le jus d'un demi-citron.
6 - Séparez les coques de leur coquille et répartissez-les dans des coupes individuelles. Décorez avec des rondelles de tomates, et nappez le tout de mayonnaise avant de servir.

LE TRUC DU CHEF

POUR LE ROSBIF JARDINIÈRE : lorsque la viande est cuite, laissez-la reposer une dizaine de minutes avant de la découper. Elle n'en sera que plus tendre.
Outre le faux-filet et le rumsteak, on peut faire tailler un rosbif dans le filet (coûteux, mais tendre), ou la tranche.

VOS NOTES PERSONNELLES

Ecrire . . . .

Acheter . . . .

Téléphoner . . . .

Menu

MINI-RECETTE
PISSALADIÈRE CASSIDAINE

POUR 5 À 6 PERSONNES
CUISSON : 55 minutes
INGRÉDIENTS : 700 g de pâte à pain
1 kg d'oignons
1 boîte d'anchois allongés
50 g d'olives noires
9 cuillerées à soupe d'huile d'olive
1 cuillerée à soupe de farine
Sel, poivre

1 - Pétrissez la pâte à pain en y incorporant peu à peu 3 cuillerées à soupe d'huile d'olive. Puis roulez la pâte en boule, farinez-la, et laissez-la reposer 1 heure.
2 - Pendant ce temps, épluchez les oignons, et détaillez-les en fines lamelles.
3 - Faites chauffer 5 cuillerées à soupe d'huile d'olive dans une cocotte, et mettez-y les oignons à revenir sur feu très doux. Salez, poivrez au moulin et laissez cuire environ 25 minutes en remuant de temps en temps, à la cuiller de bois.
4 - Aplatissez la pâte au rouleau à pâtisserie, en lui donnant une épaisseur de 1/2 cm et de couper une galette de 25 cm de diamètre. Relevez les bords en les pinçant. Conservez les chutes de pâte.
5 - Huilez une plaque de four, et déposez-y la galette de pâte.
6 - Déposez la moitié des filets d'anchois sur la pâte puis recouvrez-les avec les oignons.
7 - Découpez des lanières de pâtes et garnissez-en la préparation en croisillons. Dans chaque losange, décorez avec des morceaux d'anchois et des olives noires.
8 - Mettez à cuire à four moyen une trentaine de minutes. Servez chaud ou tiède.

OMELETTE A L'ORANGE

Moyen   Très facile   Abordable

POUR 4 PERSONNES
CUISSON : 20 minutes
INGRÉDIENTS : 8 œufs
2 oranges
1 zeste de citron
1 cuillerée à soupe de crème fraîche
1 cuillerée à soupe de sucre vanillé
1 cuillerée à soupe de sucre semoule
20 g de beurre
1 v. à liqu. de rhum

1 - Brossez soigneusement un citron (non traité au diphényle) à l'eau chaude, essuyez-le, et râpez-en finement le zeste.
2 - Épluchez les oranges et détaillez-les en rondelles.
3 - Faites fondre 1 noix de beurre dans une sauteuse, et mettez-y les rondelles d'oranges à revenir. Saupoudrez-les avec un peu de sucre vanillé et laissez-les prendre couleur sur feu vif environ 1 minute sur chaque face. Ôtez du feu et réservez au chaud dans un récipient.
4 - Cassez les œufs dans une jatte et battez-les avec le sucre semoule. Incorporez le zeste de citron râpé, le rhum et la crème fraîche. Mélangez bien le tout.
5 - Faites chauffer 1 noix de beurre dans une grande poêle, et versez-y la préparation. Remuez vivement au centre de la poêle avec une spatule de bois afin de hâter la coagulation, et laissez cuire sur feu moyen 2 à 3 minutes.
6 - En fin de cuisson, faites glisser l'omelette sur un plat de service chaud, disposez au mieux les rondelles d'oranges, et repliez l'omelette. Servez immédiatement.

LE TRUC DU CHEF

POUR LE COQ AU VIN À LA GARREAU : ce plat est encore meilleur s'il est préparé la veille et réchauffé le lendemain.
Il est difficile de se procurer dans le commerce un coq de petite taille. N'hésitez pas à utiliser une poule, bien dégraissée, pour un résultat tout à fait comparable.

VOS NOTES PERSONNELLES

Ecrire . . . .

Acheter . . . .

Téléphoner . . . .

Menu

RATATOUILLE FROIDE
(voir recette ci-contre)

FOIE DE VEAU À L'AIGRE
(voir recette ci-dessous)

**CRÊPES SOUFFLÉES
AU GRAND MARNIER**
(voir recette p. 53)

MINI-RECETTE

FOIE DE VEAU
À L'AIGRE

POUR 4 PERSONNES
CUISSON : 30 minutes
INGRÉDIENTS : 4 tranches de foie
150 g de poitrine fumée
6 échalotes, 30 g de beurre
1/2 verre de vinaigre de vin
1 noisette de concentré de tomates
Sel, poivre

1 - Salez et poivrez les tranches de foie de veau, farinez-les légèrement, et faites-les sauter avec 1 belle noix de beurre et 1 cuillerée d'huile dans une grande poêle 3 minutes sur chaque face. Puis réservez les tranches sur une assiette.

2 - Détaillez la poitrine fumée en dés, et mettez-les à rissoler doucement avec 1 belle noix de beurre dans une grande poêle.

3 - Pelez les échalotes, hachez-les, et ajoutez-les au contenu de la poêle.

4 - Délayez 1 noisette de concentré de tomates dans 1/2 verre de bon vinaigre de vin, et déglacez la poêle avec ce mélange.

5 - Dressez les tranches de foie sur un plat de service chaud, nappez-les de la sauce, entourez la viande de pommes vapeur persillées, et servez aussitôt.

RATATOUILLE FROIDE

**POUR 4
A 5 PERSONNES
CUISSON : 1 h 1/4
INGRÉDIENTS :
250 g de courgettes
250 g d'aubergines
250 g de tomates
3 poivrons moyens
3 oignons
3 gousses d'ail
3 cuillerée à soupe
d'huile d'olive
Thym, laurier
Sel, poivre**

1 - Pelez les aubergines et coupez-les en rondelles de 1 cm d'épaisseur environ. Lavez les courgettes, coupez les extrémités et détaillez-les également en rondelles.

2 - Ouvrez les poivrons en deux, videz-les de leurs graines, et faites-en de fines lamelles.

3 - Passez les tomates à l'eau bouillante et pelez-les.

4 - Épluchez les oignons et coupez-les en fines rondelles. Hachez finement les gousses d'ail.

5 - Dans une cocotte, faites revenir doucement dans l'huile d'olive, les aubergines, les courgettes, les poivrons et les oignons. Remuez régulièrement.

6 - Lorsque ces légumes ont pris couleur, ajoutez les tomates coupées en morceaux, l'ail, le thym et le laurier. Mélangez bien le tout. Salez et poivrez.

7 - Couvrez la cocotte et laissez cuire à feu doux pendant environ 1 heure.

8 - Passé ce temps, laissez mijoter à découvert pendant 15 minutes afin que le trop-plein d'eau des légumes s'évapore et que votre ratatouille réduise convenablement.

9 - Versez la ratatouille dans un grand plat en terre à bords relevés, laissez refroidir, et placez-le dans la partie basse du réfrigérateur.

VOS NOTES PERSONNELLES

Ecrire . . . .
. . . .
Acheter . . . .
. . . .
Téléphoner . . . .

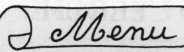

Menu

SOUPE À L'EMMENTAL
(voir recette p. 25)

**BROCHETTES DE ROGNONS
AUX HERBES**
(voir recette ci-contre)

MOUSSE DE POMMES GLACÉE
(voir recette cidessous)

MINI-RECETTE

MOUSSE DE POMMES GLACÉE

POUR 6 À 8 PERSONNES
CUISSON : 15 minutes
1 HEURE AU RÉFRIGÉRATEUR
INGRÉDIENTS : 1 kg de pommes
1 jus de citron
1 pincée de cannelle

1 - Epluchez les fruits, coupez-les en quatre, et débarrassez les quartiers du cœur et des pépins.
2 - Dans une casserole, coupez les quartiers en lamelles, ajoutez-y 1 verre d'eau, et mettez sur feu vif, le récipient couvert.
3 - Dès l'ébullition, diminuez l'intensité du feu, ajoutez la pincée de cannelle, et remuez soigneusement en vous servant d'une cuiller de bois.
4 - En fin de cuisson, versez dans la compote de pommes le jus de 1/2 citron, et laissez refroidir.
5 - Lorsque la préparation est froide, passez-la au mixer pour la rendre bien aérée et mousseuse.
6 - Versez alors la mousse dans un compotier, et placez-le dans la partie haute du réfrigérateur pendant 1 heure, avant de servir.

BROCHETTES DE ROGNONS AUX HERBES

POUR 4 PERSONNES
CUISSON :
12 minutes environ
INGRÉDIENTS :
600 g de rognons
200 g de champignons
4 oignons moyens
4 petites tomates
2 poivrons
2 cuill. à soupe d'huile
Thym, laurier
1 gousse d'ail
1 pincée de paprika
Sel, poivre

1 - Préparez les rognons (de génisse par exemple), ôtez la membrane qui les entoure, coupez-les en deux, dénervez et enlevez la partie blanchâtre de l'intérieur. Salez-les et poivrez-les.
2 - Lavez les champignons, et ne conservez que les chapeaux. Séchez-les sur du papier absorbant.
3 - Pelez les oignons et coupez-les en deux par le milieu.
4 - Lavez les tomates, essuyez-les et coupez-les en deux.
5 - Lavez les poivrons, coupez-les en deux dans le sens de la longueur, débarrassez-les de la queue et des pépins. Coupez-les en gros carrés.
6 - Versez 2 cuillerées à soupe d'huile dans une terrine, ajoutez la gousse d'ail pilée, la pincée de paprika, émiettez un peu de thym et de laurier.
7 - Mettez la viande et les légumes dans cette préparation, remuez délicatement le tout pour que ces ingrédients s'imprègnent légèrement d'huile et des aromates.
8 - Piquez sur 4 brochettes, en alternant, les morceaux de rognons et les légumes. Placez ces brochettes sur une grille du four et mettez au gril 12 minutes environ.
9 - Servez immédiatement avec un peu de riz blanc.

Menu

GRATIN AU FENOUIL
(voir recette ci-dessous)

POULET AU CURRY
(voir recette p. 114)

CLAFOUTIS D'UZERCHE
(voir recette ci-contre)

MINI-RECETTE

GRATIN AU FENOUIL

POUR 4 PERSONNES
CUISSON : 1 h 20
INGRÉDIENTS :
1 kg de cœurs de fenouil
4 belles tomates
3 gousses d'ail
1/4 verre d'huile d'olive
50 g de gruyère râpé
Thym, laurier, sel, poivre

1 - Otez les feuilles jaunies ou abîmées des cœurs de fenouil, sectionnez au ras du trognon et des branchettes, et mettez-les à cuire 1 heure à l'eau bouillante salée, récipient couvert.

2 - Pendant ce temps, plongez les tomates dans de l'eau bouillante quelques secondes, puis épluchez-les et concassez-les grossièrement.

3 - Quand les cœurs de fenouil ont cuit le temps indiqué, égouttez-les soigneusement, pressez-les légèrement pour en faire sortir un maximum d'eau, et coupez-les en deux.

4 - Disposez les demi-cœurs de fenouil dans un plat allant au four, ajoutez la purée de tomates fraîches, agrémentez des gousses d'ail pilées et d'un peu de thym et de laurier émiettés, poivrez, versez un bon filet d'huile sur le tout, et parsemez avec le gruyère râpé. Laissez environ 20 minutes à four chaud. En fin de cuisson, donnez un coup de gril pour bien colorer le gratin. Servez dans le plat de cuisson.

CLAFOUTIS D'UZERCHE

Moyen   Très facile   Pas cher

POUR 5
A 6 PERSONNES
CUISSON : 30 minutes
INGRÉDIENTS :
500 g de cerises
3 œufs
200 g de farine
120 g de sucre
1/4 de litre de lait
80 g de beurre
1 pincée de sel

1 - Lavez et équeutez les cerises. Égouttez-les sur un linge ou sur du papier absorbant.

2 - Cassez les œufs dans un saladier, ajoutez-y 100 g de sucre et la pincée de sel. Remuez bien le tout au fouet jusqu'à ce que le mélange blanchisse.

3 - Incorporez peu à peu la farine en pluie tout en tournant à la spatule en bois.

4 - Faites fondre au bain-marie 30 g de beurre, et versez-le dans la préparation.

5 - Ajoutez le 1/4 de litre de lait. Travaillez longuement pour obtenir une pâte fluide et sans grumeaux.

6 - Beurrez largement un plat allant au four et disposez-y les cerises. Coulez sur les fruits la pâte réalisée et parsemez l'ensemble, en surface, de quelques noisettes de beurre.

7 - Mettez à cuire à four chaud pendant 30 minutes.

8 - Lorsque le clafoutis est cuit, saupoudrez-le d'un peu de sucre et servez-le tiède ou froid.

LE TRUC DU CHEF

POUR LE CLAFOUTIS D'UZERCHE : les cerises parfumeront davantage le clafoutis si on leur conserve leur noyau.

On peut employer diverses variétés de cerises pour la confection du clafoutis, telles les anglaises ou les montmorency. Mais la qualité la plus appréciée est certainement la « marmotte » qui est un fruit, à maturité, de couleur pourpre très foncé.

VOS NOTES PERSONNELLES

Ecrire . . . .

. . . .

Acheter . . . .

. . . .

Téléphoner . . . .

TOUT SAVOIR SUR...

LE MERLU

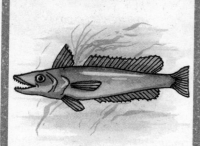

Le merlu ou colin est un beau poisson pêché sur les côtes, de la mer du Nord au golfe de Gascogne, ainsi qu'en Méditerranée. De forme allongée, il peut dépasser 1 m de long et peser une douzaine de kilos. La finesse de la chair du merlu est très appréciée des connaisseurs, de plus sa valeur calorique est faible. Elle renferme des vitamines C et PP ainsi que du calcium, du fer et du potassium. Exception faite des mois de juin et juillet, le merlu est présent toute l'année sur les marchés. Il est vendu soit en darnes pour les gros poissons, soit à la pièce pour les «merluchons» ou «colinots». Pour être frais, le merlu doit avoir des ouïes rouge foncé. Les yeux bombés et humides doivent remplir la cavité orbitale. L'odeur qui s'en dégage doit rappeler la marée, sans le moindre relent d'ammoniac. Sachez enfin qu'à la coupe, la part de déchets est d'environ 30 %.

VOL-AU-VENT DUCHESSE

Rapide Facile Abordable

POUR 3 PERSONNES
TEMPS DE CUISSON :
15 minutes
INGRÉDIENTS :
1 croûte de vol-au-vent
2 blancs de poulet cuits
125 g de champignons de Paris
1/2 boîte de quenelles de veau
1 dl de crème fraîche
2 verres de bouillon de volaille
25 g de farine
35 g de beurre
2 jaunes d'œufs
Noix de muscade
Sel, poivre

1 - Faites fondre le beurre lentement dans une casserole, saupoudrez avec la farine, et remuez à feu doux en incorporant le bouillon froid de volaille. Salez, poivrez, râpez un peu de noix de muscade. Laissez épaissir durant 5 minutes de cuisson.

2 - Coupez les pieds sableux des champignons. Lavez-les, séchez-les, émincez-les et faites-les revenir dans un peu de beurre.

3 - Ouvrez la boîte de quenelles, égouttez-les, coupez-les en petits morceaux. Agissez de même pour les blancs de poulet.

4 - Versez dans la casserole de la préparation au bouillon les champignons, les quenelles et les blancs de poulet. Remuez et laissez bouillir.

5 - Placez la croûte vide à four chaud.

6 - Versez dans la casserole et mélangez la crème fraîche et les jaunes d'œufs. Remuez lentement en évitant de faire bouillir.

7 - Au moment de passez à table, sortez la croûte chaude du four et garnissez-la de la préparation. Replacez son couvercle.

LE TRUC DU CHEF

POUR LE VOL-AU-VENT DUCHESSE : ne pelez surtout pas le chapeau des champignons de Paris. Cette peau communique une grande partie de son arôme au champignon.
Il est inutile de confectionner vous-même la croûte du vol-au-vent. Commandez-la chez votre pâtissier. Le prix de cette croûte est relativement modique et son achat vous évitera une perte de temps inutile.

VOS NOTES PERSONNELLES

Ecrire . . . .
. . . .
Acheter . . . .
. . . .
Téléphoner . . . .

Menu

MINI-RECETTE

GIGOT AU BOUILLON DE LÉGUMES

POUR 8 À 10 PERSONNES
CUISSON : 1 h 30
INGRÉDIENTS : 1 gigot
750 g de poireaux
500 g de carottes
250 g de navets, 3 gousses d'ail
1 branche de céleri
750 g de pommes de terre
1 bouquet garni

1 - Epluchez les carottes et les navets, et taillez les navets en quatre et les carottes en épaisses rondelles.

2 - Lavez soigneusement les poireaux à l'eau courante.

3 - Versez 5 litres d'eau dans un grand récipient, portez à ébullition, et jetez-y tous ces légumes. Salez au gros sel, et aromatisez d'un bouquet garni et d'une petite branche de céleri.

4 - Epluchez les gousses d'ail, divisez-les en éclats, et piquez-en le gigot en divers endroits. Puis plongez le gigot dans le liquide bouillant, et lassez-cuire à raison de 15 minutes de cuisson par livre de viande.

5 - 20 minutes avant la fin de la cuisson de la viande, ajoutez les pommes de terre épluchées au contenu du récipient.

6 - Dressez le gigot sur un grand plat de service, entourez-le de sa garniture de légumes, et servez aussitôt.

TARTE AU FROMAGE BLANC

 Long Facile Abordable

POUR 5 A 6 PERSONNES
CUISSON : 30 minutes
INGRÉDIENTS :
75 g de beurre
1 pincée de sel
250 g de farine
350 g de fromage blanc
5 œufs
2 cuill. à soupe de farine
140 g de sucre en poudre
1 v. de lait, 1 citron
30 g de sucre roux en poudre

1 - Faites une pâte brisée en mélangeant dans un saladier 220 g de farine, 1 œuf entier, 75 g de beurre. Ajoutez une bonne pincée de sel. Versez un peu d'eau pour faciliter le mélange et pétrissez bien le tout.

2 - Formez cette pâte en boule, farinez-la, et laissez reposer une bonne heure.

3 - Pendant ce temps, cassez les 4 œufs restants, réservez les blancs et mettez les jaunes dans une jatte. Ajoutez le fromage blanc et mélangez soigneusement le tout.

4 - Lorsque la crème est homogène, incorporez-y le zeste d'un citron râpé, le lait, 2 cuillerées à soupe de farine et 120 g de sucre en poudre. Remuez bien.

5 - Dans un saladier, montez les blancs d'œufs en neige en les fouettant énergiquement avec une cuillerée à soupe de sucre en poudre. Mêlez délicatement ces blancs à la préparation au fromage blanc.

6 - Étalez la pâte brisée au rouleau et garnissez-en un moule à tarte préalablement beurré. Garnissez la pâte de la préparation, et mettez à four chaud pendant une trentaine de minutes. Le gâteau est cuit à point lorsque la garniture est bien gonflée et sa couleur dorée.

7 - Démoulez la tarte sur un plat de service, laissez-la refroidir, puis saupoudrez-la de sucre roux avant de servir.

VOS NOTES PERSONNELLES

Ecrire . . . .
. . . .
Acheter . . . .
. . . .
Téléphoner . . . .

MINI-RECETTE

CARRÉ D'AGNEAU AUX CÈPES

POUR 4 PERSONNES
CUISSON : 40 minutes
INGRÉDIENTS : 1 carré de 1 kg
1 kg de cèpes
2 gousses d'ail
1 noix de beurre
2 cuillerées à soupe d'huile
1 petit bouquet de persil
6 échalotes, sel, poivre

1 - Pelez les gousses d'ail, divisez-les en éclats, et piquez-en le carré en divers endroits. Salez et poivrez la viande, frottez-la avec quelques feuilles d'estragon, enduisez-la d'huile, et mettez-la à cuire 25 minutes à four chaud. Ajoutez un peu d'eau chaude en cours de cuisson, et arrosez la viande de temps en temps.
2 - Eliminez les pieds terreux des cèpes, lavez les champignons à l'eau courante, et séchez-les sur du papier absorbant. Puis détaillez-les en lamelles.
3 - Faites chauffer 1 noix de beurre dans une poêle sur feu vif, et mettez-y les cèpes à revenir quelques minutes. En fin de cuisson, parsemez d'un fin hachis d'échalotes et de persil. Salez et poivrez.
4 - Dressez le carré d'agneau sur un plat de service, entourez la viande avec la garniture de cèpe, présentez la sauce en saucière, et servez aussitôt.

CRÊPES AU GRUYÈRE

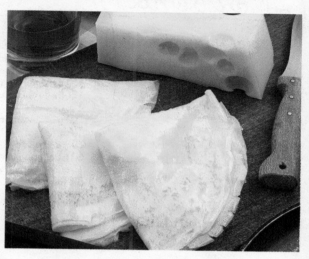

POUR 6 A 8 PERSONNES
CUISSON : 20 minutes
INGRÉDIENTS :
250 g de farine
3 œufs
4 dl de lait
100 g de beurre 1/2 sel
1 v. à liqu. de kirsch
250 g de gruyère
Sel, poivre

1 - Versez la farine dans un saladier, faites un puits et mettez-y les 3 œufs, 1 noix de beurre fondu et 1 pincée de sel.
2 - Mélangez bien le tout à la cuillère en bois, puis versez le lait préalablement tiédi, petit à petit. Mélangez constamment jusqu'à obtenir une pâte lisse et homogène. Aromatisez alors avec un peu de kirsch, et laissez reposer pendant 1 heure cette pâte à crêpes.
3 - Pendant ce temps, détaillez le gruyère en lamelles très fines ou, mieux encore, râpez-le.
4 - Quand la pâte est prête à l'emploi, placez une poêle de diamètre moyen sur feu vif, enduisez-la de beurre, et disposez à la louche la quantité de pâte nécessaire pour faire une crêpe fine.
5 - Laissez cuire la crêpe d'un côté, quelques instants, puis retournez-la à la spatule (faites-la sauter si vous avez le « coup de main »). Parsemez alors la face cuite d'un peu de gruyère râpé, et disposez 2 ou 3 petites parcelles de beurre. Poivrez légèrement, et laissez encore quelques instants, le temps pour le fromage et le beurre de fondre.
6 - Pliez la crêpe, faites-la glisser sur un plat de service maintenu au chaud, et procédez de même jusqu'à épuisement de la pâte.

LE TRUC DU CHEF

POUR LES CRÊPES AU GRUYÈRE : toutes les variétés de fromages à pâtes cuites conviennent pour la confection de ces crêpes. On pourra ainsi choisir, en fonction de ses goûts, de l'emmental (français ou suisse), du comté, du beaufort.

VOS NOTES PERSONNELLES

Ecrire . . . .
. . . .

Acheter . . . .

Téléphoner . . . .

Menu

VELOUTÉ AUX ASPERGES
(voir recette ci-contre)

**GALETTES DE VIANDE
À LA SEMOULE**
(voir recette p. 86)

GÂTEAU AUX MIRABELLES
(voir recette ci-dessous)

MINI-RECETTE

GÂTEAU
AUX MIRABELLES

**POUR 6 PERSONNES
CUISSON : 40 minutes
INGRÉDIENTS : 4 œufs**
500 g de mirabelles, 250 g de farine
180 g de sucre semoule
200 g de fromage blanc
1 verre de liqueur d'eau-de-vie
50 g de beurre
1 sachet de levure chimique
1 sachet d'amandes effilées
1 pincée de sel

1 - Lavez délicatement les mirabelles et séchez-les soigneusement sur un torchon.
2 - Cassez les œufs dans une terrine, ajoutez le sucre semoule, 1 pincée de sel, et battez le tout au fouet jusqu'à ce que le mélange blanchisse.
3 - Incorporez alors la farine en pluie, la levure et le petit verre d'eau-de-vie, et travaillez longuement le tout à l'aide d'une spatule en bois.
4 - Ajoutez à cette pâte le fromage blanc, les amandes effilées, et mélangez bien pour obtenir une préparation homogène.
5 - Beurrez un moule à manqué, recouvrez le fond d'une mince couche de pâte, et disposez dessus la moitié des mirabelles. Coulez alors le reste de la pâte, et posez sur le gâteau le reste de fruits, en les enfonçant légèrement. Parsemez de petites noisettes de beurre, et mettez à cuire 40 minutes à four moyen.
6 - Passé ce temps, démoulez le gâteau sur un plat de service. Servez tiède ou froid.

VELOUTÉ AUX ASPERGES

Moyen   Facile   Abordable

**POUR 5 A 6 PERSONNES
CUISSON : 40 minutes
INGRÉDIENTS :**
600 g de poireaux
1 boîte de pointes
d'asperges
200 g de pommes
de terre
60 g de beurre
60 g de farine tamisée
15 cl de crème fraîche
Cerfeuil, persil
Sel, poivre

1 - Epluchez les pommes de terre et coupez-les en tranches.
2 - Coupez les feuilles vertes des poireaux pour ne garder que le blanc. Fendez les poireaux en quatre, lavez-les soigneusement à l'eau courante.
3 - Ouvrez la boîte de pointes d'asperges, égouttez les légumes.
4 - Versez 1 litre 1/2 d'eau dans un récipient, mettez-y les pommes de terre et les poireaux, salez, et laissez cuire 1/2 heure. En fin de cuisson, ajoutez les pointes d'asperges, passez tous les légumes à la moulinette ou mieux, au mixer, puis réincorporez cette crème de légumes au liquide de cuisson. Poivrez légèrement.
5 - Mettez dans une grande casserole 60 g de beurre, et laissez fondre doucement, sans qu'il y ait coloration. Versez alors la farine en pluie et mélangez bien le tout 4 à 5 minutes, en remuant constamment à la spatule de bois, sur feu très doux pour éviter que la farine roussisse. Laissez refroidir.
6 - Versez le potage bouillant sur le roux blanc. Mélangez soigneusement à la cuillère de bois afin d'obtenir un liquide parfaitement lisse. Laissez cuire ainsi quelques minutes à petits bouillons, et ôtez le récipient du feu.
7 - Incorporez alors la crème fraîche, parsemez le velouté d'un hachis de cerfeuil et de persil, et servez en soupière.

VOS NOTES PERSONNELLES

Ecrire . . . .
. . . .
Acheter . . . .
. . . .
Téléphoner . . . .

GÂTEAU DES TROIS ÉPIS

Moyen — Très facile — Abordable

**POUR 6
A 8 PERSONNES
CUISSON : 25 minutes
INGRÉDIENTS :**
50 g de farine
125 g de sucre
en poudre
50 g de crème de riz
4 œufs
100 g de beurre
1 v. à liqu. de framboise
1 zeste de citron
1 pincée de sel

Menu

GAZPACHO SÉVILLAN
(voir recette p. 257)

*ROULADES DE JAMBON
À LA PURÉE DE LÉGUMES*
(voir recette p. 37)

GÂTEAU DES TROIS ÉPIS
(voir recette ci-contre)

TOUT SAVOIR SUR...

LA PRUNE

La prune est un fruit que l'on rencontre sur les marchés pendant une période relativement courte allant de fin juin à septembre. Riche en vitamines B1 et B2, elle est peu calorique. A la commercialisation, les différentes variétés sont réparties en deux grandes familles : les japonaises et les européennes. **Les japonaises :** elles couvrent 70 % du marché. Ce sont, entre autres, «golden japan» fruit doré et sucré, «methley» fruit violet, «allo» fruit orangé. **Les européennes :** «reine-claude», fruit vert ou doré de bonne qualité, «mirabelle» petit fruit très parfumé, «quetsche» fruit violet, très sucré. Achetez des fruits entiers, propres et sains. Les normes européennes ont défini trois catégories : **catégorie extra** *(étiquette rouge)* fruits parfaits, **catégorie I** *(étiquette verte)* quelques très légers défauts, **catégorie II** *(étiquette jaune)* quelques défauts de surface. Choisissez toujours des fruits mûrs, bien colorés, à l'aspect sain et propre.

1 - Brossez soigneusement le citron et râpez-en finement le zeste.
2 - Cassez les œufs, réservez les blancs, et mettez les jaunes dans un saladier. Ajoutez le sucre en poudre et mélangez jusqu'à ce que la préparation blanchisse.
3 - Ajoutez le zeste de citron, le verre à liqueur d'eau-de-vie de framboise puis, peu à peu, la farine en pluie et la crème de riz.
4 - Faites fondre le beurre au bain-marie dans une petite casserole, et versez-le dans la préparation. Ajoutez une pincée de sel et travaillez bien le tout pour obtenir une pâte homogène.
5 - Dans un saladier, montez les blancs en fouettant vigoureusement, et incorporez délicatement ces blancs à la préparation.
6 - Beurrez un moule à charlotte, saupoudrez le beurre de sucre, et garnissez le moule de la pâte. Mettez à cuire à four chaud 20 minutes.
7 - Quand le gâteau est cuit, laissez-le refroidir un peu avant de le démouler sur un plat de service. Saupoudrez-le d'un peu de sucre. Servez tiède ou froid.

LE TRUC DU CHEF

POUR LE GAZPACHO SÉVILLAN : si vous aimez bien épicé, vous pouvez ajouter à la préparation un peu de poivre rouge de cayenne, comme il est d'usage en Andalousie.

POUR LE GÂTEAU DES TROIS ÉPIS : ce gâteau est parfois difficile à démouler. Pour faciliter cette opération, tapissez l'intérieur du moule de papier sulfurisé beurré.

VOS NOTES PERSONNELLES

Ecrire . . . .

. . . .

Acheter . . . .

. . . .

Téléphoner . . . .

15 JUIN

Menu

TERRINE DE DINDE PISTACHÉE
(voir recette p. 85)
STEACK TARTARE
(voir recette ci-contre)
POMMES AU FOUR EN CHEMISE
(voir recette ci-dessous)

MINI-RECETTE

POMMES AU FOUR EN CHEMISE

POUR 6 PERSONNES
CUISSON : 20 à 30 minutes
INGRÉDIENTS : 6 belles pommes
6 noisettes de beurre
30 g de sucre semoule
100 g de raisins secs
6 cuillerées à café de rhum
1 pincée de cannelle
100 g de fromage blanc maigre
2 cuillerées à soupe de lait écrémé

1 - Epluchez les pommes, et évidez-les pour enlever tous les pépins.
2 - Beurrez légèrement un plat allant au four, et disposez-y les pommes en coupant légèrement leur base afin qu'elles se tiennent bien droites.
3 - Dans la cavité que vous aurez ménagée à l'intérieur de chaque pomme, placez une noisette de beurre, une petite poignée de raisins secs, une cuillerée à café de sucre en poudre, une pincée de cannelle et la cuillerée à café de rhum. Saupoudrez légèrement les bords de chaque pomme avec un peu de sucre.
4 - Mettez le plat à four doux et laissez cuire les pommes 20 à 30 minutes.
5 - Pendant ce temps, battez le fromage blanc avec un peu de lait pour le rendre onctueux.
6 - Quand les fruits sont cuits, placez-les dans de petites coupes individuelles, et servez-les chaudes ou tièdes en les nappant avec le fromage blanc battu.

STEAKS TARTARE

Rapide   Très facile   Abordable

POUR 4 PERSONNES
PAS DE CUISSON
INGRÉDIENTS :
600 g de viande crue hachée
4 jaunes d'œufs
4 oignons moyens
1 pt pot de câpres
4 cuill. de moutarde forte
Huile, vinaigre
Sauce ketchup et Worcestershire
Persil
Sel, poivre au moulin

POUR LA PRÉSENTATION :

1 - Répartissez également la viande hachée dans 4 assiettes.
2 - Cassez les œufs, en séparant les blancs des jaunes. Conservez les jaunes dans une demi-coquille d'œuf que vous placerez au milieu de la boulette légèrement aplatie de viande hachée.
3 - Hachez le persil et les oignons.
4 - Disposez régulièrement autour de la viande le persil, les câpres, les oignons.
5 - Présentez à vos convives les assiettes garnies et disposez sur la table le moulin à poivre, le sel, la moutarde, l'huile, le vinaigre et les sauces ketchup et Worcestershire.

POUR LA PRÉPARATION :

1 - Mélangez le jaune d'œuf à la viande, salez, poivrez.
2 - Ajoutez les câpres, la moutarde, le persil, l'oignon haché, très peu d'huile, un filet de vinaigre. Un peu de sauce ketchup ou de Worcestershire (ou un peu des deux) selon vos goûts.
3 - Goûtez et rectifiez si besoin l'assaisonnement.

LE TRUC DU CHEF

POUR LE STEAK TARTARE : le classique petit filet de vinaigre peut être remplacé par un peu de jus de citron. C'est original et délicieux.
Pour le steak tartare, la viande ne supporte pas la médiocrité. Il faut donc de la viande de toute première qualité. Choisissez des morceaux dans le faux-filet ou le rumsteak.

VOS NOTES PERSONNELLES

Ecrire . . . .

. . . .

Acheter . . . .

. . . .

Téléphoner . . . .

Menu

**SOUFFLÉ AUX FOIES
DE CANARD**
(voir recette p. 109)
**CERVELLES D'AGNEAU
AUX ÉPINARDS**
(voir recette ci-contre)
COMPOTE AUX TROIS FRUITS
(voir recette p. 13)

CERVELLES D'AGNEAU AUX ÉPINARDS

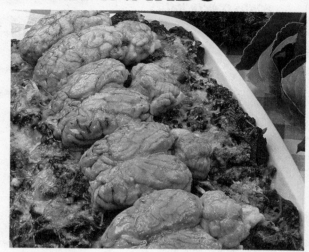

**POUR 4 PERSONNES
CUISSON : 1 h env.
INGRÉDIENTS :**
1 kg d'épinards
4 cervelles d'agneau
1 carotte
1 oignon
1 dl de vinaigre blanc
60 g de beurre
15 g de farine
1/4 l de lait écrémé
50 g de chapelure
Thym, laurier, persil
Sel, poivre

TOUT SAVOIR SUR...

LA CERVELLE DE MOUTON

La cervelle de mouton contient en proportion intéressante des vitamines B ainsi que du phosphore et du fer. C'est donc un aliment recommandé aux enfants. A la vente, il est proposé des cervelles de mouton ou d'agneau. La cervelle d'agneau, plus petite que celle du mouton, est également d'une plus grande finesse gustative. Choisissez toujours des cervelles entières et fermes au toucher, bien bombées avec un aspect brillant et humide. Ne vous souciez pas de la couleur qui varie du rose au rouge, ainsi que d'éventuelles marques grises, cela n'affecte en rien les qualités du produit. Prévoyez une cervelle de mouton ou deux cervelles d'agneau par personne.

1 - Confectionnez un court-bouillon dans une casserole avec 1 litre d'eau, la carotte et l'oignon coupés en fines rondelles, un peu de persil, de thym et de laurier. Salez, poivrez, et laissez frémir le liquide 1/2 heure. Laissez ensuite tiédir. Ajoutez le vinaigre.

2 - Lavez soigneusement les cervelles à l'eau froide, et ôtez les membranes et le sang qui les recouvrent. Plongez-les dans le court-bouillon tiède, portez le liquide à ébullition, et laissez cuire à petits bouillons 8 à 10 minutes. Laissez-les refroidir dans le court-bouillon, puis mettez-les à égoutter.

3 - Triez les épinards, supprimez les feuilles flétries ou jaunies, coupez les grosses tiges. Lavez-les à plusieurs eaux et mettez-les à bouillir à l'eau bouillante salée 5 minutes après la reprise de l'ébullition. Puis égouttez-les dans une passoire et pressez-les entre vos mains pour bien les essorer.

4 - Faites fondre 40 g de beurre dans une casserole, ajoutez la farine, et laissez cuire quelques instants à feu doux en tournant à la cuillère de bois. Versez alors le lait froid peu à peu, tout en continuant de remuer la préparation. Salez et poivrez légèrement, faites cuire à feu doux 12 à 15 minutes.

5 - Mélangez les épinards et la sauce blanche dans un plat allant au four. Parsemez de chapelure, disposez quelques noisettes de beurre. Placez les cervelles sur les légumes, et mettez à cuire à four moyen 15 minutes.

VOS NOTES PERSONNELLES

Ecrire . . . .
. . . .
Acheter . . . .
. . . .
Téléphoner . . . .

Menu

FONDS D'ARTICHAUTS JARDINIERS
(voir recettef ci-dessous)

MATELOTTE D'ANGUILLES
(voir recette p. 38)

FLAN AUX POIRES
(voir recette ci-contre)

FLAN AUX POIRES

Moyen   Très facile   Abordable

POUR 6 PERSONNES
CUISSON : 45 minutes
INGRÉDIENTS :
4 belles poires
1 l 1/2 de lait écrémé
12 œufs
1 gousse de vanille
300 g de sucre
1 pincée de sel

MINI-RECETTE

FONDS D'ARTICHAUTS JARDINIERS

POUR 4 PERSONNES
CUISSON : 45 minutes
INGRÉDIENTS : 4 beaux artichauts
1 boîte de 1/2 de macédoine de légumes
2 tranches de jambon d'York
1 cœur de laitue, 4 tomates
Persil, 1 jaune d'œuf
2 cuillerées à café de moutarde
1 cuillerée à café de vinaigre
1 dl d'huile, 1 jus de citron
Sel, poivre

1 - Faites cuire les artichauts à l'eau bouillante salée environ 45 minutes.
2 - Pendant ce temps, confectionnez une mayonnaise. Lorsque la mayonnaise est bien montée, aromatisez-la d'un jus de citron et d'un hachis de persil.
3 - Dans un saladier, mélangez la mayonnaise avec la macédoine, et ajoutez-y le jambon préalablement haché grossièrement. Remuez bien le tout.
4 - Lorsque les artichauts sont cuits, égouttez-les et débarrassez-les de leurs feuilles et de la « barbe », pour n'en conserver que les cœurs.
5 - Lavez le cœur de laitue, tapissez un plat de service à l'aide des feuilles, et placez dessus les cœurs d'artichauts. Garnissez-les d'une bonne cuillerée de macédoine. Entourez le tout des tomates évidées et garnies également de macédoine. Placez quelques instants au réfrigérateur avant de servir.

1 - Pelez les poires, coupez-les en quatre, ôtez le cœur et les pépins. Puis coupez la pulpe en petits dés.
2 - Versez le lait dans une casserole, ajoutez la gousse de vanille fendue, 1 pincée de sel, et faites bouillir. Retirez alors la casserole du feu.
3 - Cassez les œufs dans un saladier, ajoutez le sucre et battez le tout comme pour une omelette.
4 - Versez le lait bouillant sur les œufs après avoir ôté la gousse de vanille. Remuez à la cuillère de bois pour bien mélanger le tout.
5 - Remplissez de cette préparation un moule à hauts bords, genre moule à charlotte, et ajoutez-y les petits dés de poires.
6 - Préparez un bain-marie pour la cuisson du flan en plaçant le moule dans un récipient allant au four et contenant de l'eau chaude.
7 - Mettez alors à four doux pendant 45 minutes environ.
8 - Passé ce temps, assurez-vous de la bonne cuisson du flan en introduisant une lame de couteau pointu. La lame doit ressortir pratiquement sèche si le flan est cuit à point.
9 - Laissez refroidir le flan dans son moule, puis démoulez-le sur un plat de service.

LE TRUC DU CHEF

POUR LA MATELOTTE D'ANGUILLE : afin de donner au plat, la meilleure présentation, faites cuire quelques écrevisses (10 minutes à l'eau bouillante) et disposez-les autour du plat.
Pour la confection de cette recette, préférez une grosse anguille à deux ou trois moyennes.

VOS NOTES PERSONNELLES

Ecrire . . . .
. . . .
Acheter . . . .
. . . .
Téléphoner . . . .

Menu

**SALADE DE CHOU-FLEUR
AUX NOISETTES**
(voir recette p. 27)

**GIGOT D'AGNEAU
EN CROÛTE**
(voir recette ci-contre)

GÂTEAU DE JUTLAND
(voir recette p. 57)

TOUT SAVOIR SUR...

LES VINS ROUGES
DE BORDEAUX

Le vignoble bordelais, aux «châteaux» connus dans le monde entier, s'étend sur 100 000 ha. Il produit, à lui seul, le tiers des vins fins français. Ce sont tous des vins d'Appellation d'Origine Contrôlée (A.O.C.). Trois grandes familles les représentent : **les médoc et les graves,** *les vignobles sont situés sur la rive gauche de la Gironde et de la Garonne qui donnent des vins racés. Ce sont les appellations : médoc, haut-médoc, graves, saint-estèphe, pauillac, listrac, moulis, margaux, saint-julien.* **Le Libournais,** *situé au confluent de la Dordogne et de l'Isle, cette région comporte trois grands noms : saint-émilion, pomerol et fronsac.* **Les bordeaux et côtes-de-bordeaux,** *vins très agréables à boire, ils sont de consommation plus courante que les précédents. Ce sont, entre autres, les côtes-de-bordeaux, les côtes-de-Bourg, les côtes-de-blaye. Le vin rouge de Bordeaux doit se déguster autour de 12, 13° pour les vins jeunes et de consommation courante et 16, 17° pour les vins vieux.*

GIGOT D'AGNEAU
EN CROÛTE

**POUR 8
A 10 PERSONNES
CUISSON : 1 h 30 env.
INGRÉDIENTS : 1 gigot
500 g de farine
350 g de beurre
1 jaune d'œuf
2 gousses d'ail
Sel, poivre**

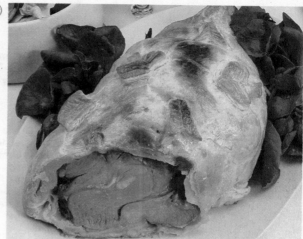

1 - Mettez la farine sur une planche à pâtisserie, faites un puits au milieu et versez peu à peu 2 verres d'eau. Ajoutez une bonne pincée de sel et pétrissez.

2 - Lorsque vous avez obtenu une pâte lisse et ferme, étalez-la en cercle, au rouleau, en donnant une épaisseur plus importante au centre que sur les bords.

3 - Disposez 250 g de beurre coupé en morceaux au milieu de la pâte, puis rabattez les bords afin de bien emprisonner le beurre.

4 - Étendez alors la pâte en un rectangle de 1 cm d'épaisseur environ, trois fois plus long que large. Pliez la bande en trois, et faites pivoter d'un quart de tour. Allongez à nouveau selon les mêmes mesures, et repliez en trois. Laissez reposer une vingtaine de minutes. Recommencez deux fois la même opération avec, chaque fois, un repos de la pâte. Chaque fois que vous allongez et pliez la pâte en trois, vous réalisez 1 tour. L'opération complète de feuilletage en comporte 6.

5 - Épluchez les gousses d'ail, détaillez-les en éclats, et piquez-en le gigot en divers endroits. Salez, poivrez-le, mettez-le dans un plat allant au four préalablement beurré. Faites cuire à four très chaud (comptez 10 minutes par livre).

6 - Lorsque la viande est cuite, étendez une dernière fois la pâte feuilletée, et disposez en son milieu le gigot refroidi. Enduisez-le généreusement de beurre et recouvrez-le entièrement de la pâte, en laissant simplement le manche apparent.

7 - Étendez les chutes de pâte restantes, découpez-les à la roulette de pâtissier, et décorez l'enveloppe de feuilleté à votre gré. Battez le jaune d'œuf et, avec un pinceau, badigeonnez la pâte. Placez le gigot en croûte à four moyen 20 à 25 minutes, le temps pour la pâte de cuire et de prendre une belle couleur dorée. Servez immédiatement.

VOS NOTES PERSONNELLES

Ecrire . . . .
. . . .
Acheter . . . .
. . . .
Téléphoner . . . .

19 JUIN

Menu

VELOUTÉ AU TURBOT
(voir recette ci-contre)

PINTADE AUX CHOUX
(voir recette p. 60)

GÂTEAU À LA VIENNOISE
(voir recette p. 89)

Boisson conseillée :
UN CÔTES DU RHÔNE

TOUT SAVOIR SUR...

LE TURBOT

C'est un poisson plat, de couleur brun-gris sur sa face supérieure et blanc sur sa face inférieure. C'est le plus large des poissons plats. Il peut atteindre 70 cm et peser près de 10 kg. Il possède une chair maigre blanche et ferme, très estimée des connaisseurs. Aussi riche en protides que la viande de bœuf, la chair du turbot se digère très bien. La meilleure saison pour ce poisson se situe d'avril à juillet. Achetez-le toujours très frais. Pour cela, assurez-vous que la peau est gluante et brillante, que l'œil est humide et que la face inférieure porte des traces de coupures. C'est la preuve qu'il a été saigné sitôt pêché, ce qui rend la chair plus savoureuse. Les poissonniers, outre les grosses pièces, vendent également des « turbotins » d'un poids voisin du kilo. Par personne, comptez environ 300 g car les déchets atteignent 50 %.

VELOUTÉ AU TURBOT

Moyen   Facile   Cher

**POUR 5
A 6 PERSONNES
CUISSON :
50 minutes environ
INGRÉDIENTS :**
1 turbot de 800 g
1 oignon
1 carotte
1 poireau
2 clous de girofle
1 petit bouquet de persil
1/2 v. de vin blanc sec
2 jaunes d'œufs
60 g de beurre
75 g de farine tamisée
15 cl de crème fraîche
1 bouquet garni
Sel, poivre

1 - Faites lever les filets de turbot par votre poissonnier. Conservez la tête et les arêtes.

2 - Pelez l'oignon, piquez-le de clous de girofle, épluchez la carotte et coupez-la en fines rondelles. Lavez soigneusement le poireau et n'en conservez que le blanc.

3 - Versez 1 litre 1/2 d'eau dans un faitout, jetez-y les légumes et les parures de poisson. Ajoutez le vin blanc, le bouquet garni. Salez, poivrez légèrement. Portez le liquide à ébullition, et laissez frémir 40 minutes à couvert.

4 - Passez le liquide au tamis fin, replacez-le dans le faitout, et mettez-y à pocher les filets de turbot bien épluchés pendant 5 à 6 minutes. Lorsqu'ils sont cuits, passez-les à la moulinette et incorporez cette purée de poisson au liquide de cuisson.

5 - Faites fondre 60 g de beurre dans une casserole, et versez la farine en pluie. Mélangez quelques minutes sur feu très doux à la cuillère de bois.

6 - Prélevez 2 à 3 verres de liquide bouillant du faitout, et versez-les sur le roux blanc. Délayez bien au fouet, laissez cuire quelques minutes et reversez le tout dans le potage au poisson.

7 - Laissez encore cuire 3 à 4 minutes puis, hors du feu, incorporez la crème fraîche et les jaunes d'œufs. Servez en soupière avec un fin hachis de persil.

VOS NOTES PERSONNELLES

Ecrire . . . .

Acheter . . . .

Téléphoner . . . .

Menu

*TERRINE AUX FOIES
DE VOLAILLE*
(voir recette p. 19)
*COQUELET EN CRAPAUDINE
AUX ÉPINARDS*
(voir recette ci-contre)
MACRODES
(voir recette ci-dessous)

MINI-RECETTE

MACRODES

POUR 8 À 10 PERSONNES
CUISSON : 20 minutes environ
INGRÉDIENTS : 1 kg de dattes
1 kg de semoules en moyenne
1 petit pot de miel
1 orange, 1 zeste de citron
Noix de muscade râpée
2 cuillerées à soupe de sucre
1 cuillerée à café de bicarbonate
1 pincée de sel, 1 bain d'huile

1 - Passez la semoule à la poêle sur feu assez vif, par petites quantités, et retirez-la au fur et à mesure dès que la plus légère fumée apparaît. Laissez refroidir.
2 - Dénoyautez et hachez finement les dattes.
3 - Versez la semoule dans un grand saladier, et ajoutez 2 cuillerées à soupe de sucre, le jus d'une orange, 1 verre d'huile, 1 cuillerée à café de bicarbonate, 1 pincée de sel. Aromatisez d'un peu de noix de muscade râpée et du zeste d'un citron finement râpé. Pétrissez cette pâte en ajoutant un peu d'eau tiède pour faciliter l'opération.
4 - Etalez cette pâte au rouleau pour former un rectangle d'environ 1 cm d'épaisseur, puis divisez en deux rectangles égaux.
5 - Etalez le hachis de dattes sur l'un des rectangles, et recouvrez du restant de la pâte. Découpez cette préparation en losanges de 4 cm de côté environ.
6 - Plongez les losanges dans le bain de friture, lorsqu'ils sont bien dorés, sortez-les et mettez-les à égoutter.
7 - Dressez les macrobes en pyramide sur un plat de service après les avoir plongés dans du miel chauffé dans une casserole.

COQUELET EN CRAPAUDINE

Moyen   Très facile   Abordable

POUR 4 PERSONNES
CUISSON : 40 minutes
INGRÉDIENTS :
1 coquelet de 800 g
2 échalotes
3 gousses d'ail
1 oignon
2 citrons
3 cuill. à soupe d'huile
1 kg d'épinards
1 noisette de beurre
Thym, laurier
Sel, poivre

1 - Fendez le coquelet en deux et aplatissez-le bien, le ventre faisant charnière.
2 - Pelez l'oignon et les échalotes, les gousses d'ail, hachez ces légumes, pressez le jus des citrons, et mettez tous ces ingrédients dans un grand plat creux. Ajoutez l'huile, un peu de thym et de laurier émiettés. Salez et poivrez le coquelet, et mettez-le à mariner dans cette préparation 1 heure environ.
3 - Passé ce temps, égouttez la volaille et mettez-la à griller sur une plaque à feu vif. Laissez ainsi 10 minutes de chaque côté, puis encore autant à feu plus doux.
4 - Pendant ce temps, faites bouillir une grande casserole d'eau salée, et jetez-y les épinards triés et lavés. Laissez cuire 5 minutes à découvert. Égouttez-les, pressez-les dans vos mains pour les débarrasser de leur trop-plein d'eau, et mettez-les à réchauffer dans une casserole avec une noisette de beurre, quelques instants, sur feu doux. Poivrez légèrement.
5 - Lorsque la volaille est cuite, dressez-la sur un plat de service, entourée de sa garniture d'épinards. Servez aussitôt.

VOS NOTES PERSONNELLES

Ecrire . . . .
. . . .
Acheter . . . .
. . . .
Téléphoner . . . .

Menu

TOUT SAVOIR SUR...

LE FAUX-FILET

Le faux-filet ou «contre-filet» est un muscle qui, comme son nom l'indique, est voisin du filet. Il est situé dans la partie dorsale du bœuf nommé «aloyau». Comme toutes les viandes, le faux-filet est riche en protides. Il contient également des vitamines PP ainsi que du potassium. Choisissez une viande «persillée», c'est-à-dire finement striée de graisse. Cela donne toute sa saveur et son moelleux à ce morceau. La couleur doit être d'un beau rouge vif et non tirant sur le brun. La viande de bœuf est traditionnellement reconnue de qualité supérieure de l'automne à l'hiver. Le faux-filet comporte très peu de déchets, une portion de 150 à 160 g par personne est raisonnable.

ÉMINCÉ DE BŒUF
AU GINGEMBRE

Moyen — Très facile — Abordable

**POUR 4 PERSONNES
CUISSON : 30 minutes
INGRÉDIENTS : 2 oignons
600 g de faux filet
de bœuf
3 tomates
1 noix de conc. tomates
5 cuill. à soupe d'huile
1 pincée de gingembre
Sel, poivre**

1 - Pelez les oignons et détaillez-les en fines rondelles.
2 - Faites chauffer 2 cuillerées d'huile dans une sauteuse, et mettez-y les oignons à blondir.
3 - Plongez les tomates quelques instants dans de l'eau bouillante, épluchez-les et concassez-les grossièrement.
4 - Quand les oignons ont pris couleur, ajoutez la purée de tomates fraîches, mouillez d'un demi-verre d'eau, et délayez 1 bonne noix de concentré de tomates. Salez, poivrez, et agrémentez d'une forte pincée de gingembre. Laissez mijoter doucement 15 à 20 minutes.
5 - Découpez la viande en fines lamelles. Dans une poêle, mettez l'huile et faites-y sauter la viande. Poivrez et salez en fin de cuisson.
6 - Dans un plat de service, disposez la viande cuite et nappez-la de la sauce au gingembre. Servez aussitôt.

LE TRUC DU CHEF

POUR LES BLINIS : pour obtenir des blinis du diamètre désiré, utilisez des petites poêles. Opérez sur deux feux pour diminuer de moitié le temps de travail. Servez, en même temps que les blinis, de la crème fraîche. C'est classique et délicieux.

On trouve dans le commerce des boîtes de caviar rouge de 125 et 250 g, mais aussi en petits ots individuels de 30 g à 50 g.

VOS NOTES PERSONNELLES

Ecrire . . . .

. . . .

Acheter . . . .

. . . .

Téléphoner . . . .

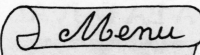

Menu

SALADE GRENOBLOISE
(voir recette ci-dessous)

PINTADE AU CÉLERI
(voir recette p. 81)

PAMPLEMOUSSES AU FOUR
(voir recette ci-contre)

PAMPLEMOUSSES AU FOUR

Rapide   Très facile   Pas cher

POUR 6 PERSONNES
CUISSON : 20 minutes
INGRÉDIENTS :
3 pamplemousses
2 oranges
6 cuill. à café de sucre
6 petits fruits confits

MINI-RECETTE

SALADE GRENOBLOISE

POUR 5 À 6 PERSONNES
CUISSON : 20 minutes
INGRÉDIENTS : 100 g de gruyère
150 g de cerneaux de noix
100 g de champignons
1 livre de haricots verts
1 gros oignon, 2 œufs
2 cuillerées à café de moutarde
2 cuillerées à soupe de vinaigre
6 cuillerées à soupe d'huile
Persil, sel, poivre

1 - Faites durcir les œufs, écalez-les coupez-les en rondelles.
2 - Lavez soigneusement les haricots verts à l'eau courante, et faites-les cuire à l'eau bouillante salée 15 à 20 minutes. Lorsque les haricots sont cuits à point, versez-les dans une passoire et passez-les à l'eau froide.
3 - Nettoyez les champignons, puis détaillez-les en lamelles.
4 - Coupez le gruyère en petits dés. Epluchez l'oignon et coupez-le en rondelles.
5 - Placez tous ces ingrédients dans un grand saladier, ainsi que les cerneaux de noix, en réservant quelques rondelles d'œuf et d'oignon pour la décoration.
6 - Dans un grand bol, confectionnez une vinaigrette comme suit : délayez la moutarde dans le vinaigre, salez et poivrez. Puis incorporez l'huile en tournant constamment la sauce. La vinaigrette doit avoir un aspect crémeux.
7 - Versez cette vinaigrette sur la salade, ciselez dessus un petit bouquet de persil, et mêlez le tout délicatement.

1 - Pressez les deux oranges pour en extraire le jus.
2 - Coupez les pamplemousses en deux. Avec un petit couteau pointu, détachez la chair de la pulpe. Ôtez les pépins.
3 - Replacez les moitiés de fruits dans leur peau.
4 - Préchauffez quelques minutes à four chaud.
5 - Rangez les fruits dans un plat allant au four et arrosez-les de jus d'orange. Saupoudrez-les de sucre en poudre à raison d'une cuillerée à café par demi-pamplemousse.
6 - Mettez le plat au four et laissez cuire pendant 10 minutes environ.
7 - 5 minutes avant de retirer les pamplemousses du four, allumez le gril afin que le sucre déposé sur les fruits se caramélise.
8 - Servez les pamplemousses chauds sortant du four, en déposant, à titre décoratif, un petit fruit confit en leur centre.

LE TRUC DU CHEF

POUR LES PAMPLEMOUSSES AU FOUR : les pamplemousses (ou pomelos) appartiennent à la famille du cédrat dont ils sont une forme améliorée, tant au point de vue de l'aspect que des qualités gustatives. Le pamplemousse commun possède une peau rugueuse, épaisse, sa pulpe est assez acide et renferme des pépins. La meilleure variété à conseiller est la « marsh seedless » dont la teinte vire légèrement à l'orangé.

VOS NOTES PERSONNELLES

Ecrire . . . .
. . . .
Acheter . . . .
. . . .
Téléphoner . . . .

23 JUIN

BŒUF FROID A LA DUVAL

Moyen — Très facile — Abordable

POUR 4 PERSONNES
CUISSON : 20 minutes
INGRÉDIENTS :
400 g de bœuf cuit
8 carottes, 6 navets
4 cornichons
4 œufs durs
Ciboulette
Estragon, persil
2 cuillerées à café
de moutarde
1 cuillerée à soupe
de vinaigre
3 cuillerées à soupe
d'huile de tournesol
Sel, poivre

1 - Epluchez les carottes et les navets. Coupez les carottes en tranches épaisses et les navets en huit. Faites-les cuire 20 minutes à l'eau bouillante salée. Puis égouttez et laissez refroidir.

2 - Confectionnez des œufs durs en les faisant cuire à l'eau bouillante 12 à 15 minutes.

3 - Lavez le persil, l'estragon et la ciboulette, et hachez finement ces trois herbes ensemble.

4 - Dans un grand saladier, préparez une vinaigrette comme suit : délayez la moutarde dans 1 bonne cuillerée à soupe de vinaigre, salez et poivrez, puis ajoutez l'huile en petit filet en tournant constamment. La vinaigrette doit prendre une consistance crémeuse.

5 - Mettez dans le saladier le bœuf coupé en petits dés, le hachis d'herbes et les cornichons coupés en rondelles. Remuez le tout, puis ajoutez les carottes et les navets. Remuez à nouveau délicatement. Décorez le dessus de la préparation avec les œufs durs coupés en quatre avant de servir.

Menu

SAUCISSON EN BRIOCHE
(voir recette p. 47)

BŒUF FROID À LA DUVAL
(voir recette ci-contre)

PLATEAU DE FROMAGE

TOUT SAVOIR SUR...

LE BRIE

*C'est un fromage à pâte molle et à croûte fleurie, réalisé à partir de lait de vache entier. Le brie a la forme d'une galette, plus ou moins grande, recouverte de moisissures. Sa valeur calorique est importante, il contient 45 % de M.G. Riche en phosphore et calcium, c'est un aliment recommandé aux enfants. Différentes sortes de brie sont proposées à la vente. **Le brie de Meaux**, c'est le plus commercialisé. Son diamètre est d'environ 35 cm et son épaisseur de 2 à 3 cm. Il est présenté traditionnellement sur un paillon. Sa pâte jaune clair est très onctueuse. **Le brie de Melun** : on le considère comme le brie le plus ancien. Sa fine croûte est recouverte d'une moisissure blanche, tachetée de rouge-brun. Il est légèrement plus petit que le brie de Meaux. **Le brie de Montereau**, et le **brie de Provins** sont très proches par la qualité du brie de Melun. La pâte du brie doit être d'un beau jaune clair ou doré, onctueuse sans couler. Son goût rappelle celui de la noisette. Sa meilleure période se situe de l'automne au début de l'été.*

LE TRUC DU CHEF

POUR LE SAUCISSON EN BRIOCHE : vous choisirez, en fonction de vos goûts, du saucisson à l'ail, ou sans, fumé ou non.

POUR LE BŒUF FROID À LA DUVAL : on réalise fort bien cette recette avec toutes les viandes de pot-au-feu (gîte noix, macreuse, culotte...). Lors de la confection d'un tel plat, vous pouvez acheter plus de viande, et en réserver une partie à la confection de cette recette.

VOS NOTES PERSONNELLES

Ecrire . . . .

. . . .

Acheter . . . .

. . . .

Téléphoner . . . .

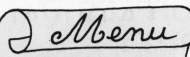

Menu

SALADE AU PAMPLEMOUSSE
(voir recette ci-dessous)

**ROUGETS GRONDINS
AU PASTIS**
(voir recette ci-contre)

GÂTEAU AU FROMAGE BLANC
(voir recette p. 76)

MINI-RECETTE

SALADE
AU PAMPLEMOUSSE

POUR 4 PERSONNES
CUISSON : 15 minutes
INGRÉDIENTS : 1 pamplemousse
250 g de champignons
2 branches de céleri
1/2 concombre, 1 cœur de laitue
2 œufs, 1 jus de citron
3 cuillerées à soupe d'huile, 1 échalote
1 gousse d'ail, 1 branche de cerfeuil
1 cuillerée à café de moutarde
Sel, poivre

1 - Nettoyez les champignons et détaillez-les en fines lamelles. Arrosez-les d'un peu de citron pour les empêcher de noircir.
2 - Epluchez le concombre et coupez-le en fines rondelles.
3 - Epluchez soigneusement les branches de céleri et coupez-les en petits tronçons.
4 - Faites durcir les œufs.
5 - Epluchez le pamplemousse, séparez-le en quartiers, et coupez chaque quartier en deux.
6 - Dans un bol, préparez une sauce comme suit : délayez un peu de moutarde dans le jus de 1/2 citron, salez, poivrez, et versez l'huile en tournant constamment à la cuiller. Hachez, échalote, ail et persil dans la sauce.
7 - Tapissez un saladier avec quelques belles feuilles de laitue, garnissez avec les ingrédients. Versez la sauce, mélangez délicatement le tout, et décorez le dessus de la salade de tranches d'œufs durs salés et poivrés.

ROUGETS-GRONDINS
AU PASTIS

Moyen   Très facile   Pas cher

POUR 4 PERSONNES
CUISSON : 25 minutes
INGRÉDIENTS :
4 beaux rougets
3 oignons
2 citrons
4 cuill. à soupe d'huile
4 cuill. de pastis
Thym, laurier
Romarin
Persil
Sel
Poivre
Ail

1 - Écaillez, videz les rougets-grondins. Lavez-les soigneusement et essuyez-les.
2 - Disposez-les dans un plat long allant au four et arrosez-les avec le pastis. Assaisonnez avec le sel, le poivre, les herbes de Provence et une petite pointe d'ail. Réservez.
3 - Faites revenir dans une casserole, avec un peu d'huile, les oignons coupés en tranches fines.
4 - Placez ce lit d'oignons sous les rougets-grondins, arrosez avec le reste d'huile (soja ou tournesol de préférence) et le jus des citrons.
5 - Mettez le plat au four, préalablement préchauffé, à température moyenne.
6 - Laissez cuire 25 minutes en arrosant de temps en temps les poissons avec le jus de cuisson.
7 - Servez après avoir parsemé les rougets-grondins de persil haché.

LE TRUC DU CHEF

POUR LA SALADE AU PAMPLEMOUSSE : veillez bien, lorsque vous épluchez le pamplemousse, a bien éliminer la peau blanchâtre qui se trouve entre le zeste et la pulpe, car cette matière possède une certaine amertume.

POUR LE GÂTEAU AU FROMAGE BLANC : pour cette recette, choisissez du fromage blanc moulé, déjà bien égoutté.

VOS NOTES PERSONNELLES

Ecrire . . . .

. . . .

Acheter . . . .

. . . .

Téléphoner . . . .

MINI-RECETTE

PETITS PAINS DE MUROL

POUR 5 À 6 PERSONNES
CUISSON : 20 minutes
INGRÉDIENTS : 250 g de farine
4 œufs, 1 dl de lai
100 g de poitrine fumée
2 tranches de jambon
3 gousses d'ail, 1 gros oignon
1 branche de persil
1 bouquet de ciboulette
5 feuilles d'oseille
Sel, poivre

1 - Dans une terrine, mélangez la farine et les œufs entiers, puis versez dessus le lait peu à peu. Remuez bien le tout à la spatule, terminez en pétrissant avec les doigts de façon à obtenir une pâte consistante et homogène.
2 - Coupez en très petits morceaux la tranche de poitrine fumée et le jambon.
3 - Epluchez et hachez finement l'oignon et les gousses d'ail.
4 - Lavez le persil, l'oseille et la ciboulette et hachez très finement.
5 - Versez tous ces ingrédients dans la pâte, salez, poivrez généreusement au moulin, et mêlez le tout avec les doigts.
6 - Confectionnez avec vos mains des boulettes de la grosseur d'une pomme, aplatissez-les légèrement.
7 - Beurrez la plaque de cuisson de votre four, déposez-y les galettes, et laissez cuire à feu moyen une vingtaine de minutes. Lorsque les petits pains sont cuits, garnissez-en un plat de service et servez immédiatement.

ŒUFS SOUFFLÉS
A LA ROUTY

Rapide   Facile   Abordable

POUR 4
A 5 PERSONNES
CUISSON : 12 minutes
INGRÉDIENTS :
5 jaunes d'œufs
8 blancs d'œufs
130 g de sucre
en poudre
1 sachet de sucre vanillé
1/2 v. à liqu. de cognac
1/2 v. à liqu. de curaçao

1 - Cassez les œufs, mettez les jaunes dans une terrine et les blancs dans un grand saladier.
2 - Versez sur les jaunes 120 g de sucre en poudre et mélangez le tout soigneusement à la cuillère de bois, jusqu'à ce que la préparation blanchisse.
3 - Ajoutez alors le sucre vanillé, le cognac et le curaçao. Remuez encore quelques instants.
4 - Montez les blancs au fouet, avec 10 g de sucre, en les battant énergiquement pour obtenir une neige très ferme, collant au fouet.
5 - Mélangez délicatement les jaunes aux blancs et versez cette préparation dans un moule à bords hauts, légèrement beurré. A l'aide d'un couteau, pratiquez une fente au milieu du récipient, sans aller jusqu'au fond. Cette opération permet une cuisson plus régulière et uniforme.
6 - Mettez le plat à four très chaud, et laissez cuire 12 minutes. Servez immédiatement dans le moule de cuisson.

LE TRUC DU CHEF

POUR LES ŒUFS SOUFFLÉS À LA ROUTY : pour faciliter la bonne intégration des jaunes et des blancs en neige, commencez par mélanger une bonne cuillerée de blancs dans les jaunes, en remuant bien le tout. Par ailleurs, ce soufflé est très instable du fait qu'il ne contient pas de la farine, et il redescend aussitôt après sa sortie du four.

VOS NOTES PERSONNELLES

Ecrire . . . .
. . . .
Acheter . . . .
. . . .
Téléphoner . . . .

Menu

**CHOUX À LA MOUSSE
DE ROQUEFORT**
(voir recette p. 41)

CANETTE AUX POMMES
(voir recette p. 287)

**TARTE À L'ORANGE
FAÇON GALAND**
(voir recette ci-contre)

Boisson conseillée :
UN CÔTE DE BEAUNE

TOUT SAVOIR SUR...

LES VINS ROUGES DE BOURGOGNE

Le vignoble bourguignon s'étire sur la rive droite de la Saône, de Dijon à Chalon-sur-Saône, sur environ 5 000 ha. Les crus de Bourgogne sont considérés parmi les plus prestigieux de France. On les classifie de la façon suivante : **la Basse Bourgogne**, *dont les blancs sont remarquables, produit des rouges de consommation courante. L'aire de production se situe uniquement dans le département de l'Yonne.* **La Haute Bourgogne**, *c'est la région des grands crus. La Haute Bourgogne se divise en trois grandes appellations :* **la Côte de Nuits**, *située au nord de Beaune, produit des vins puissants qui vieillissent harmonieusement. Ce sont les : gevrey-chambertin, clos vougeot, romanée conti, nuits-saint-georges...* **La Côte de Beaune**, *faisant suite à la Côte de Nuits, produit des vins fins et élégants. Ce sont les : aloxe-corton, beaune, pommard, meursault...* **Les Hautes-Côtes de Nuits et de Beaune**, *sur la partie est du terroir, produisent des vins comme les «passetougrains». Les vins rouges de Bourgogne se consomment chambrés, c'est-à-dire à une température voisine de 17°.*

TARTE A L'ORANGE FAÇON GALAND

Moyen — Facile — Abordable

**POUR 6 PERSONNES
CUISSON :**
30 minutes environ
INGRÉDIENTS : 5 oranges
200 g de farine
100 g de beurre fin
2 œufs
2 verres de lait
70 g de sucre semoule
100 g de poudre
d'amandes
3 cuillerées à soupe
marmelade d'abricots
150 g de sucre glace
1 zeste de citron
1 v. à liqu. Gd Marnier

1 - Confectionnez une pâte brisée en mélangeant avec vos mains la farine et le beurre en parcelles. Creusez un puits et mettez-y 1 cuillerée à soupe de sucre semoule, 1/2 verre d'eau et 1 pincée de sel. Pétrissez le tout, formez une boule, farinez, et laissez reposer 1/2 heure.

2 - Beurrez un moule à tarte, abaissez la pâte au rouleau, et garnissez-en le moule. Piquez le fond en divers endroits à la fourchette, et faites cuire à four chaud 20 minutes.

3 - Faites bouillir le lait avec le zeste de citron (non traité au diphényle).

4 - Mélangez dans une terrine les jaunes d'œufs (réservez les blancs) avec le sucre semoule, la poudre d'amandes et le verre à liqueur de Grand Marnier. Versez dessus peu à peu le lait chaud.

5 - Quand la pâte est cuite, laissez-la refroidir avant d'y verser la crème. Disposez dessus les oranges pelées et coupées en rondelles en les faisant se chevaucher. Badigeonnez les fruits avec la marmelade d'abricots légèrement chauffée et diluée avec 1 cuillerée à soupe d'eau.

6 - Montez en neige les blancs d'œufs dans un saladier, avec 100 g de sucre glace. A l'aide d'une poche à douille, décorez le dessus de la tarte de cette préparation, en la quadrillant. Saupoudrez du reste de sucre glace, et mettez à four très doux quelques minutes, le temps pour les blancs d'œufs de prendre une belle teinte dorée.

7 - Laissez refroidir la tarte avant de servir.

VOS NOTES PERSONNELLES

Ecrire . . . .
. . . .
Acheter . . . .
. . . .
Téléphoner . . . .

TOUT SAVOIR SUR...

LE PERSIL

Le persil, déjà connu des anciens qui lui attribuaient, à juste titre, de nombreuses vertus, est une plante originaire de la Méditerranée. Cette herbe est particulièrement recommandée car elle renferme, en quantité intéressante, des vitamines C et PP ainsi que du calcium, du fer, du phosphore et du manganèse. Le persil est également diurétique et dépuratif et n'est frappé d'aucune contre-indication. Sur les marchés, le persil, présent toute l'année, est vendu en petits bouquets de «persil simple» ou «double» que l'on appelle aussi «persil frisé». Quel que soit le persil que vous préférez (certains connaisseurs attribuent «au simple» plus de goût), choisissez-le toujours très frais. Les tiges doivent être raides, le feuillage bien vert, sans la moindre trace de jaunissement.

OMELETTE
AUX HERBES

Moyen   Très facile   Pas cher

POUR 4 PERSONNES
CUISSON : 20 minutes
INGRÉDIENTS : 8 œufs
4 feuilles d'oseille
4 feuilles d'épinard
Persil
Cerfeuil, ciboulette
20 g de beurre
1 cuill. à soupe d'huile
2 cuillerées à soupe
de lait écrémé
Sel, poivre

1 - Choisissez quelques petites feuilles d'oseille et d'épinard bien tendres, et lavez-les soigneusement à grande eau. Lavez également le persil, le cerfeuil et la ciboulette. Séchez toutes ces herbes sur du papier absorbant.

2 - Roulez ensemble les feuilles d'oseille et d'épinard. Détaillez-les en fines lanières. D'autre part, hachez finement les brins de persil, cerfeuil et ciboulette.

3 - Dans une poêle, faites fondre le beurre sur feu doux, et mettez-y quelques instants l'oseille et les épinards à suer.

4 - Pendant ce temps, cassez les œufs dans une jatte, ajoutez 2 cuillerées à soupe de lait, salez, poivrez, et battez le tout à la fourchette.

5 - Ôtez les légumes de la poêle, versez 1 cuillerée à soupe d'huile dans le récipient, faites chauffer, et mettez-y les œufs battus. Ajoutez dessus toutes les herbes et laissez cuire à feu doux 7 à 8 minutes.

6 - Lorsque l'omelette est cuite, faites-la glisser sur un plat de service préalablement chauffé, repliez-la, et servez aussitôt.

LE TRUC DU CHEF

POUR L'OMELETTE AUX HERBES : pendant la cuisson de l'omelette, remuez de temps en temps le centre à la spatule afin de coaguler rapidement les œufs.
Sauf mention «extra frais» portée sur certains emballages d'œufs, il est parfois difficile de reconnaître un œuf frais. Sachez toutefois qu'un œuf frais doit être lourd et, lorsqu'on agite, ne pas faire entendre un bruit de clapotis.

VOS NOTES PERSONNELLES

Ecrire . . . .
. . . .

Acheter . . . .
. . . .

Téléphoner . . . .

HARENGS A L'AIGRE

Rapide   Très facile   Pas cher

POUR 4 PERSONNES
CUISSON : 20 minutes
INGRÉDIENTS : 4 harengs
10 échalotes
1 pet. bouquet de persil
1 v. de vinaigre de vin
Quelques cornichons
1 noix de beurre
2 cuill. à soupe d'huile
1 cuillerée à soupe
de moutarde
Sel, poivre

Menu

WELSH RAREBIT
(voir recette ci-dessous)

HARENGS À L'AIGRE
(voir recette ci-contre)

GÂTEAU DE BAHIA
(voir recette p. 61)

MINI-RECETTE

WELSH RAREBIT

POUR 4 PERSONNES
CUISSON : 5 minutes
INGRÉDIENTS :
1 petite bouteille de bière brune
250 g de cheddar râpé
75 g de crème fraîche
1 cuillerée à café de moutarde
1 cuillerée à café de Worcester sauce
8 tranches de pain de mie

1 - Versez la moitié de la bière dans une caserole, mettez sur le feu et portez le liquide à ébullition.

2 - Ajoutez le fromage râpé, la cuillerée à café de moutarde forte, et la Worcester sauce.

3 - Tournez le mélange soigneusement à la cuiller de bois jusqu'à obtenir une sauce onctueuse et bien liée.

4 - Mettez alors à feu doux et incorporez la crème fraîche peu à peu. Arrêtez cette opération avant la fin si la sauce devient trop légère. Continuez à tournez le mélange quelques instants pour que la crème épaississe.

5 - Lorsque la consistance de la crème est suffisante, ôtez la casserole du feu et tartinez largement les tranches de pain de mie.

6 - Allumez votre four à « gril », et placez vos toasts sur la grille quelques minutes pour que la sauce au fromage acquière une teinte bien dorée. Servez immédiatement.

---

1 - Videz les harengs, lavez-les soigneusement, et séchez-les sur du papier absorbant. Salez et poivrez l'intérieur.

2 - Mettez à fondre le mélange de beurre et d'huile dans une grande poêle, sur feu moyen, couchez-y les poissons, et laissez-les cuire environ 5 minutes de chaque côté.

3 - Pendant ce temps, épluchez les échalotes et hachez-les grossièrement avec un petit bouquet de persil.

4 - Délayez une cuillerée à soupe de moutarde forte dans le vinaigre et réservez.

5 - Quand les poissons sont cuits, retirez-les délicatement de la poêle, et réservez-les. Jetez le hachis d'échalotes et de persil dans la graisse de cuisson, et laissez prendre couleur 2 à 3 minutes en remuant à la cuillère de bois.

6 - Mouillez alors avec le vinaigre, portez à ébullition, puis remettez les poissons dans le récipient. Ajoutez quelques cornichons coupés en rondelles, couvrez et laissez mijoter 5 à 6 minutes sur feu doux.

7 - Dressez les harengs sur un plat de service chaud, nappez-les de la sauce au vinaigre, et servez immédiatement avec un accompagnement de pommes de terre cuites à la vapeur.

VOS NOTES PERSONNELLES

Écrire . . . .

. . . .

Acheter . . . .

. . . .

Téléphoner . . . .

Menu

TOMATES À LA WANTZENAU
(voir recette p. 55)

**ESCALOPE DE DINDE
À LA VIGNON**
(voir recette ci-dessous)

SOUFFLÉ AU MARASQUIN
(voir recette ci-contre)

MINI-RECETTE

ESCALOPES DE DINDE À LA VIGNON

POUR 4 PERSONNES
CUISSON : 25 minutes
INGRÉDIENTS : 4 escalopes
2 belles tomates
250 g de champignons,
3 échalotes, 1 gousse d'ail
1/2 verre de vin blanc
1 cuillerée à soupe d'huile
Thym, laurier, persil, sel, poivre

1 - Faites chauffer l'huile dans une sauteuse, et mettez-y à dorer les escalopes, après les avoir salées et poivrées.

2 - Débarrassez les champignons de leur pied terreux, lavez-les rapidement à l'eau courante, séchez-les détaillez-les en fines lamelles.

3 - Plongez les tomates quelques instants dans de l'eau bouillante, mondez-les, concassez-les grossièrement.

4 - Ajoutez les champignons à la viande, et laissez-les blondir 2 à 3 minutes.

5 - Versez sur le tout la purée de tomates fraîches, les échalotes hachées, la gousse d'ail pilée. Mouillez avec le vin blanc, ajoutez un peu de thym et de laurier, salez légèrement, et laissez cuire à découvert, sur feu moyen, 10 minutes environ.

6 - Passé ce temps, dressez les escalopes sur un plat de service, parsemez-les d'un hachis de persil, et entourez-les de la garniture aux champignons. Vous pouvez accompagner ce plat d'un peu de riz blanc.

SOUFFLÉ AU MARASQUIN

Moyen Délicat Abordable

**POUR 4
A 5 PERSONNES**
CUISSON : 30 minutes
INGRÉDIENTS : 8 œufs
1 citron
30 g de crème de riz
1/4 de litre de lait
125 g de sucre
en poudre
50 g de beurre
1/2 v. de marasquin
2 cuill. de sucre glace

1 - Brossez soigneusement le citron à l'eau chaude, et râpez le zeste finement.

2 - Cassez les œufs et séparez les blancs des jaunes dans deux saladiers différents.

3 - Mettez le lait dans une casserole, en réservant 1/2 verre, ajoutez le zeste de citron râpé, le sucre et faites bouillir.

4 - Délayez la crème de riz dans le demi-verre de lait froid, et ajoutez ce mélange au lait bouillant. Reportez à ébullition.

5 - Battez les jaunes d'œufs, versez dessus, peu à peu, le mélange précédent. Incorporez 30 g de beurre, mélangez bien le tout et laissez refroidir avant d'ajouter le marasquin.

6 - Montez les blancs d'œufs en neige très ferme en les fouettant vivement. Lorsque les blancs collent au fouet, incorporez-les délicatement à la préparation.

7 - Beurrez un moule à soufflé, garnissez-le de cette préparation et mettez à cuire à four chaud 20 à 25 minutes.

8 - En fin de cuisson, saupoudrez le dessus du soufflé avec le sucre glace et servez aussitôt sans démouler.

LE TRUC DU CHEF

POUR LES TOMATES À LA WANTZENAU : choisissez des tomates de gros calibre, très fermes à la main, pour la bonne tenue de cette entrée.

POUR LE SOUFFLÉ AU MARASQUIN : nos proportions sont données ici pour 4 à 5 personnes. Si vous avez un plus grand nombre de convives, confectionnez plutôt deux petits soufflés qu'un grand.

VOS NOTES PERSONNELLES

Ecrire . . . .

Acheter . . . .

Téléphoner . . . .

Menu

**SAINTE-MAURE
EN PAIN BRIOCHÉ**
(voir recette ci-contre)
**POIVRONS FARCIS
FORESTIÈRE**
(voir recette p. 83)
CRÈME GLACÉE AU CACAO
(voir recette ci-dessous)

MINI-RECETTE

CRÈME GLACÉE
AU CACAO

POUR 4 PERSONNES
CUISSON : 5 minutes
INGRÉDIENTS :
150 g de cacao nature
75 g de sucre semoule
30 g de beurre
1 verre à liqueur de rhum
4 œufs
1 cuillerée à soupe de crème fraîche
50 g de sucre glace

1 - Mettez les jaunes d'œufs dans une jatte (réservez les blancs), et battez-les avec 1 cuillerée à soupe de sucre semoule jusqu'à ce que le mélange blanchisse.

2 - Versez le cacao dans une petite casserole, ajoutez 50 g de sucre semoule, 30 g de beurre, mouillez d'un demi-verre d'eau, et aromatisez avec le rhum. Laissez quelques instants sur feu doux en tournant à la cuiller, jusqu'à obtenir une crème homogène. Laissez tiédir.

3 - Incorporez alors les jaunes d'œufs battus à la crème refroidie, puis ajoutez-y délicatement les blancs d'œufs que vous aurez montés en neige très ferme avec le scure glace. Terminez par la crème fraîche.

4 - Répartissez la crème dans des coupes individuelles, mettez à glacer 1 heure au réfrigérateur, et servez avec des boudoirs.

SAINTE-MAURE
EN PAIN BRIOCHÉ

POUR 4 PERSONNES
CUISSON : 30 minutes
INGRÉDIENTS :
1/2 v. de lait
250 g de farine
10 g de levure
de boulanger
120 g de beurre
2 fromages
de chèvre longs
1 cuill. à café de sucre
3 œufs entiers
1 jaune d'œuf
Sel

1 - Préparez le levain en mettant dans une terrine 50 g de farine, la levure, et délayez avec 1/2 verre de lait tiède. Laissez lever dans un endroit tiède à 35° pendant 30 minutes, en couvrant le levain d'un peu de farine ou d'un torchon.

2 - Mettez le reste de la farine sur une planche de travail. Faites une fontaine, cassez-y 2 œufs, et ajoutez le sucre et une pincée de sel. Mélangez bien le tout, et incorporez l'œuf entier restant.

3 - Pratiquez un gros trou au milieu de la pâte, introduisez-y le levain, après que celui-ci a levé le temps nécessaire, et pétrissez longuement le tout. Ajoutez le beurre préalablement ramolli.

4 - Placez cette boule de pâte dans une terrine, farinez-la, couvrez-la d'un torchon, et laissez lever encore 2 heures dans un endroit tiède.

5 - Passé ce temps, étalez la pâte au rouleau en lui imprimant une forme carré et divisez cette surface en deux. Gardez quelques chutes de pâte pour la décoration.

6 - Placez les fromages de chèvre au centre des rectangles de pâte, emprisonnez soigneusement les fromages dans la pâte, soudez avec les doigts, et décorez avec les chutes de pâte. Badigeonnez la pâte avec un jaune d'œuf battu, et mettez à cuire 30 minutes environ à four moyen sur une plaque légèrement beurrée. Servez chaud avec un accompagnement de salade frisée.

VOS NOTES PERSONNELLES

Ecrire . . . .

Acheter . . . .

Téléphoner . . . .

Menu

BROUILLADE AUX TRUFFES
(voir recette ci-dessous)

GRATIN DE SOLES BEAUMANOIR
(voir recette p. 89)

NÈGRE EN CHEMISE
(voir recette ci-contre)

MINI-RECETTE

BROUILLADE AUX TRUFFES

POUR 6 PERSONNES
CUISSON : 15 minutes
INGRÉDIENTS : 12 œufs
1 truffe entière en boîte
60 g de beurre
3 cuillerées à soupe de crème fraîche
Sel, poivre

1 - Détaillez la truffe, d'abord en tranches, puis en bâtonnets (réservez le jus contenu dans la boîte).
2 - Faites fondre lentement 25 g de beurre dans une petite casserole, et jetez-y les bâtonnets de truffe. Laissez-les revenir doucement, sur feu doux, 5 à 6 minutes. Puis mouillez avec le jus de truffe.
3 - Cassez les œufs dans une terrine, salez, poivrez, et battez-les au fouet avec 3 cuillerées de crème fraîche.
4 - Travaillez une belle noix de beurre en pommade, et enduisez-en le fond et les parois d'une sauteuse, ou d'une casserole à fond épais.
5 - Versez, hors du feu, les œufs battus dans le récipient, ajoutez les truffes avec leur liquide de cuisson, et placez la sauteuse sur feu très doux.
6 - Tournez le mélange constamment, à la spatule de bois, en laissant les œufs coaguler lentement.
7 - Lorsque la préparation atteint une consistance crémeuse, ôtez du feu, incorporez le reste du beurre. Travaillez quelques instants à la spatule, et versez les œufs brouillés dans un plat de service creux. Servez immédiatement.

NÈGRE EN CHEMISE

POUR 6
A 8 PERSONNES
CUISSON : 1 h 30
INGRÉDIENTS : 4 œufs
250 g de sucre
en poudre
250 g de chocolat
à cuire
250 g de beurre
4 cuill. à soupe de farine
250 g de crème fraîche
1 sachet de sucre vanillé
1 cuill. à café de rhum

1 - Dans une petite casserole, faites fondre sur feu très doux ou, mieux encore, au bain-marie, le chocolat dans 1/3 de verre d'eau. Aromatisez avec le rhum. Réservez.
2 - Mettez le beurre dans une terrine et malaxez-le en pommade à la cuillère de bois. Ajoutez alors le sucre et mélangez.
3 - Incorporez à ce mélange le chocolat fondu.
4 - Cassez les œufs, réservez les blancs, et ajoutez les jaunes à la préparation. Puis versez la farine et travaillez bien le tout à la cuillère.
5 - Dans un saladier, montez les blancs en neige en fouettant énergiquement, et amalgamez-les délicatement à la préparation.
6 - Beurrez un moule à charlotte et garnissez-le du mélange. Placez le moule dans un récipient allant au four, rempli d'eau chaude, et laissez cuire au bain-marie à four moyen 1 h 20.
7 - Confectionnez une crème Chantilly en fouettant la crème fraîche dans une jatte, avec le sucre vanillé et un glaçon pilé. Réservez au réfrigérateur.
8 - Quand le gâteau est cuit, laissez-le tiédir, puis démoulez-le sur un plat de service. Laissez-le refroidir complètement.
9 - A l'aide d'une poche à douille, décorez le dessert de crème Chantilly, mettez dans la partie haute du réfrigérateur 1/2 heure et servez.

VOS NOTES PERSONNELLES

Ecrire . . . .
. . . .
Acheter . . . .
. . . .
Téléphoner . . . .

TOUT SAVOIR SUR...

LA MACREUSE

C'est une grosse masse de muscles qui se situe dans la partie haute des membres antérieurs du bœuf. Comme toutes les viandes, elles set riche en protides et bien pourvue en vitamine PP ainsi qu'en éléments minéraux tels que le calcium et le phosphore. Ces qualités en font un aliment intéressant pour les enfants et les adolescents. La macreuse est une viande maigre. Sa couleur doit être rouge vif et le grain de sa chair serré. La macreuse fournit, suivant la coupe, des morceaux pour réaliser des pot-au-feu et des plats en sauce mais également des steaks. Elle ne comporte pratiquement pas de déchets et 150 g par personne constituent une portion raisonnable.

SALADE COMPOSÉE AU RIZ

Rapide · Très facile · Pas cher

POUR 4 PERSONNES
INGRÉDIENTS :
125 g de riz
1 poivron
Quelques olives noires
1 sachet de crevettes décortiquées
50 g de raisins secs
1/2 boîte de petits pois
3 tomates, 2 œufs
Huile, vinaigre
Moutarde, persil
Sel, poivre

1 - Versez le riz en pluie dans une casserole d'eau bouillante salée après l'avoir soigneusement lavé à l'eau froide. Laissez cuire de 15 à 20 minutes selon les variétés de riz.

2 - Égouttez le riz soigneusement après l'avoir passé à l'eau froide.

3 - Faites cuire les œufs durs. Écalez-les.

4 - Lavez le poivron, et détaillez-le en fines lanières.

5 - Lavez les tomates, séchez-les et coupez-les en quartiers.

6 - Dans un grand saladier, préparez une vinaigrette comme suit : versez 1 cuillerée 1/2 de vinaigre, salez, poivrez. Remuez à la cuillère afin que le sel se dissolve bien dans le vinaigre. Ajoutez une petite cuillerée à soupe de moutarde, tournez le mélange, puis incorporez 4 cuillerées à soupe d'huile sans cesser de tourner. La sauce doit devenir crémeuse.

7 - Versez alors le riz dans le saladier. Ajoutez les crevettes décortiquées, les raisins secs, le poivron et les petits pois égouttés. Remuez la salade.

8 - Décorez la salade avec les œufs coupés en quartiers, les tomates et les olives noires. Parsemez de persil haché ou, mieux encore, de cerfeuil.

LE TRUC DU CHEF

POUR LA SALADE COMPOSÉE AU RIZ : pour obtenir de beaux grains de riz, une fois cuits, couvrez la casserole 2 à 3 minutes hors du feu, passé le temps de cuisson. Votre riz gonflera.

Pour cette recette, vous pouvez acheter du riz américain à grains longs qui est prétraité. Cela lui vaut de ne jamais coller.

VOS NOTES PERSONNELLES

Ecrire . . . .
. . . .
Acheter . . . .
. . . .
Téléphoner . . . .

Menu

CRÊPES SOUFFLÉES COMBALOU
(voir recette ci-dessous)

CONTRE-FILET RÔTI AUX LÉGUMES
(voir recette ci-contre)

GLACE À LA POIRE
(voir recette p. 84)

MINI-RECETTE

CRÊPES SOUFFLÉES COMBALOU

POUR 6 À 8 PERSONNES
CUISSON : 30 minutes
INGRÉDIENTS : 250 g de farine
4 dl de lait, 5 œufs
120 g de roquefort, 100 g de beurre, sel

1 - Préparez une pâte à crêpes dans un saladier en mélangeant la farine et 3 œufs. Versez peu à peu le lait, ajoutez 1 pincée de sel. Remuez bien le tout, puis battez au fouet pour obtenir une pâte bien lisse. Laissez reposer 1 heure.

2 - Faites fondre au bain-marie, dans une petite casserole, 50 g de beurre, et incorporez-y le roquefort préalablement écrasé à la fourchette. Vous devez obtenir une préparation homogène.

3 - Cassez les 2 œufs restants, mettez les blancs dans une terrine, et montez-les en neige très ferme en les battant énergiquement au fouet. Les blancs sont « à point » lorsqu'ils collent bien au fouet.

4 - Quand la pâte à crêpes a reposé le temps voulu, incorporez-y la préparation roquefort-beurre puis, délicatement, les œufs en neige.

5 - Faites chauffer une poêle sur feu vif, graissez-la légèrement de beurre, et prélevez à la louche la quantité nécessaire pour la confection d'une crêpe mince. Laissez cuire et « souffler » les crêpes dans la poêle, et déposez-les au fur et à mesure sur une assiette chaude.

6 - Dressez les crêpes soufflées sur un plat de service, après les avoir repliées en trois. Servez immédiatement.

CONTRE-FILET RÔTI AUX LÉGUMES

POUR 5
A 6 PERSONNES
CUISSON :
40 minutes environ
INGRÉDIENTS :
1,2 kg de contre-filet
500 g de carottes
500 g de haricots verts
2 échalotes
1 gousse d'ail
1 bouquet de persil
1 cuill. à café d'huile
1 cuillerée à soupe
de moutarde
Sel, poivre

1 - Coupez les extrémités des haricots verts, ôtez les fils s'il y a lieu, et lavez les légumes dans une bassine, à deux ou trois eaux différentes.

2 - Pelez les carottes, fendez-les en quatre et mettez-les à cuire à l'eau bouillante salée pendant 35 minutes.

3 - Faites cuire les haricots verts à part, 15 à 20 minutes selon leur finesse, le récipient découvert.

4 - Disposez le contre-filet dans un plat allant au four, piquez-le en divers endroits avec des éclats de gousse d'ail, enduisez-le d'un peu d'huile et mettez-le à four chaud 25 à 35 minutes, selon que vous aimez la viande bleue, saignante ou à point.

5 - Lorsque le contre-filet est cuit, dressez-le sur un grand plat de service, salez et poivrez-le, et versez 1 bon verre d'eau dans le plat de cuisson. Grattez soigneusement le fond à la cuillère de bois pour bien décoller les sucs de cuisson, et incorporez à la sauce 1 cuillerée de moutarde.

6 - Découpez la viande en tranches de moyenne épaisseur, disposez tout autour, en alternant, les carottes et les haricots verts égouttés, en les parsemant d'un hachis d'échalotes et de persil. Nappez la viande avec la sauce moutarde et servez aussitôt.

VOS NOTES PERSONNELLES

Ecrire . . . .

. . . .

Acheter . . . .

. . . .

Téléphoner . . . .

4 JUILLET

Menu

**ŒUFS BROUILLÉS
AUX ÉPINARDS**
(voir recette p. 345)
TÊTE DE VEAU SAUCE FORTE
(voir recette ci-contre)
**BANANES FLAMBÉES
À L'ANTILLAISE**
(voir recette ci-dessous)

MINI-RECETTE

BANANES FLAMBÉES À L'ANTILLAISE

POUR 6 PERSONNES
CUISSON : 10 minutes
INGRÉDIENTS : 6 bananes, 1 orange
40 g de beurre, 1 tasse de rhum
80 de sucre de canne roux
1/2 gousse de vanille

1 - Pelez les bananes, pressez l'orange pour en extraire le jus.
2 - Dans une poêle, faites fondre le beurre à feu moyen, et mettez-y les bananes. Laissez-les revenir quelques instants afin de leur faire prendre couleur, puis arrosez-les du jus d'orange. Laissez cuire environ 10 minutes à feu doux, en les retournant sur chaque face.
3 - En milieu de cuisson, saupoudrez les bananes avec le sucre roux de canne, et laissez le temps au sucre de caraméliser légèrement.
4 - Dans une petite casserole, faites chauffer légèrement le rhum avec la 1/2 gousse de vanille fendue.
5 - Otez alors la poêle du feu, et versez la moitié de l'alcool sur les bananes. Flambez avec une allumette. Pendant que les fruits flambent, arrosez-les du reste du rhum avec une cuiller à long manche. Servez aussitôt.

TÊTE DE VEAU EN SAUCE FORTE

Long   Facile   Abordable

**POUR 5
A 6 PERSONNES
CUISSON : 3 heures
INGRÉDIENTS :**
1 kg de tête de veau désossée et roulée
1 carotte, 1 oignon
Thym, laurier, persil
1 poignée de gros sel
1 cuillerée à soupe de moutarde
Vinaigre
9 cuill. à soupe d'huile
8 échalotes
1 gousse d'ail
1 bouquet de persil
Poivre, sel

PRÉPAREZ LE COURT-BOUILLON :

Mettez dans une cocotte la carotte et l'oignon coupés en rondelles, un 1/2 verre de vinaigre, thym, laurier, persil à volonté. Placez la tête de veau sur ce fond, versez suffisamment d'eau pour recouvrir la viande. Ajoutez une bonne poignée de gros sel, poivrez au moulin, et laissez cuire à couvert 3 heures.

PRÉPAREZ LA SAUCE FORTE :

1 - Dans un grand bol, mettez une bonne cuillerée à soupe de moutarde, 3 cuillerées à soupe de vinaigre, 1 pincée de poivre de Cayenne et 1 pincée de sel fin. Remuez soigneusement.
2 - Ajoutez, en tournant constamment le mélange, 9 cuillerées à soupe d'huile, jusqu'à obtenir une sauce d'aspect crémeux.
3 - Incorporez alors les échalotes hachées fin, la gousse d'ail pilée et un petit bouquet de persil haché. Mettez en saucière.
4 - Dressez la tête de veau sur un plat de service, entourée de petits bouquets de persil. Servez avec la sauce et des pommes vapeur.

VOS NOTES PERSONNELLES

Ecrire . . . .
. . . .
Acheter . . . .
. . . .
Téléphoner . . . .

Menu

QUENELLES DE LÉGUMES
(voir recette p. 106)

ESCALOPES ROULÉES MAGDEBURG
(voir recette ci-dessous)

SABAYON À LA SICILIENNE
(voir recette ci-contre)

SABAYON A LA SICILIENNE

Rapide   Très facile   Abordable

**POUR 5
A 6 PERSONNES
CUISSON :
15 à 20 minutes
INGRÉDIENTS :
5 jaunes d'œufs
200 g de sucre semoule
1/4 de litre de marsala
1 citron**

MINI-RECETTE

ESCALOPES ROULÉES MAGDEBURG

**POUR 4 PERSONNES
CUISSON : 50 minutes
INGRÉDIENTS : 8 escalopes de 60 g
150 g de jambon
100 g de chair à saucisses, 2 gousses d'ail
10 g de mie de pain, 1/2 verre de lait
1 verre de vin blanc sec
4 cuillerées à soupe d'huile
1 cuillerée à soupe de concentré de tomates
50 g de farine, 1 œuf, persil, sel, poivre**

1 - Confectionnez un hachis avec le jambon, un peu de persil, et l'ail.
2 - Faites tremper la mie de pain dans le lait.
3 - Dans un saladier, mélangez le hachis et la mie de pain. Ajoutez la chair à saucisses et l'œuf entier. Salez, poivrez généreusement, et malaxez bien le tout.
4 - Etalez les 8 petites escalopes, salez-les sur leur deux faces, et répartissez dessus la farce confectionnée. Roulez-les avec précaution. Ficelez-les et enrobez-les d'un peu de farine.
5 - Faites chauffer l'huile dans une cocotte, et disposez-y les petites escalopes roulées afin qu'elles dorent.
6 - Lorsque la viande a bien pris couleur, mouillez avec le vin blanc additionné du concentré de tomates et 1 bon verre d'eau. Couvrez le récipient et laissez cuire à feu doux environ 40 minutes, en retournant la viande de temps en temps.
7 - Au moment de servir, dressez les escalopes roulées côte à côte sur un plat de service, nappez-les de la sauce, et servez très chaud, avec une garniture de pommes vapeur.

1 - Brossez soigneusement un citron à l'eau chaude (utilisez un fruit non traité au diphényle), séchez-le avec un torchon et râpez-en finement le zeste.
2 - Cassez les œufs et mettez les jaunes dans une casserole. Ajoutez le sucre semoule et remuez longuement le mélange jusqu'à ce qu'il blanchisse et devienne mousseux.
3 - Ajoutez alors le zeste de citron râpé et versez le marsala peu à peu, en tournant constamment la préparation.
4 - Disposez la casserole dans un récipient plus grand, rempli d'eau, afin de réaliser une cuisson au bain-marie, et mettez sur feu moyen. Fouettez régulièrement la préparation qui doit épaissir peu à peu. Maintenez à la limite de l'ébullition, mais sans jamais l'atteindre.
5 - Quand le sabayon a pris une bonne consistance, ôtez le récipient du feu, et versez la crème dans des coupes individuelles. Servez chaud ou froid, selon les goûts, en accompagnant ce dessert de boudoirs ou de crêpes dentelle.

LE TRUC DU CHEF

POUR LES QUENELLES DE LÉGUMES : 5 minutes avant la fin de la cuisson des légumes dans le beurre, ajoutez le jus d'un demi-citron qui mettra encore plus en valeur la saveur des légumes.

POUR LE SABAYON À LA SICILIENNE : vous pouvez ajouter au sucre semoule, une pincée de sucre vanillé qui parfumera délicieusement le sabayon.

VOS NOTES PERSONNELLES

Ecrire . . . .

. . . .

Acheter . . . .

. . . .

Téléphoner . . . .

6 JUILLET

Menu

SALADE À LA MOUTOT
(voir recette ci-contre)

*CARRÉ DE PORC
AUX PRUNEAUX*
(voir recette p. 76)

PAIN DE MARRONS
(voir recette p. 303)

SALADE A LA MOUTOT

Rapide — Très-facile — Abordable

POUR 4 PERSONNES
CUISSON : 5 minutes
INGRÉDIENTS :
1 beau merlan
2 pommes
1/2 verre de riz
150 g de mâche
1 jus de citron
2 cuillerées à café
de moutarde
4 cuillerées à soupe
d'huile de tournesol
Ciboulette, persil
1 échalote
Sel, poivre

TOUT SAVOIR SUR...

LE MARRON,
LA CHÂTAIGNE

L'apparition des marrons et des châtaignes annonce les premiers froids. Ces fruits se trouvent sur les marchés pendant une période très courte : mi-octobre, mi-décembre. Les régions françaises productrices sont surtout la Corse, la Dordogne, l'Ardèche, la Lozère. Particulièrement riches en calories, très nourrissants, ces fruits renferment des vitamines C, PP, du phosophore et du potassium. Leur teneur en glucides est également élevée. La différence entre le marron et la châtaigne n'est pas seulement une question d'aspect (le marron est plus gros et plus rond que la châtaigne), quand on enlève l'enveloppe des fruits, on s'aperçoit que le marron est entier alors que la châtaigne est formée de trois parties. A l'achat, les fruits doivent être choisis avec une écorce brillante et non plissée, sans trous de ver. Ils sont vendus au poids. Les amateurs préfèrent les châtaignes aux marrons, la saveur en est plus fine et plus parfumée. C'est pour cela qu'en accompagnement de plats, les châtaignes sont généralement présentées entières, alors que les marrons sont réduits en purée.

1 - Videz et lavez le poisson, et mettez-le à cuire 5 minutes dans un peu d'eau salée. Le liquide doit frémir sans bouillir.
2 - Lorsque le poisson est cuit, égouttez-le, ôtez la peau et levez les filets. Émiettez-les.
3 - Mettez le riz à cuire dans une casserole dans 2 fois 1/2 son volume d'eau bouillante salée, 15 à 20 minutes, en fonction de la variété utilisée.
4 - Épluchez les pommes, coupez-les en quatre, retirez le cœur et les pépins. Râpez les quartiers avec une râpe à gros trous.
5 - Coupez la base des pieds de mâche, triez les feuilles une à une en éliminant celles qui sont abîmées ou flétries. Lavez les feuilles à deux ou trois eaux différentes pour qu'il ne subsiste aucune trace de terre. Séchez la mâche dans un torchon.
6 - Dans un grand saladier, préparez une sauce comme suit : délayez la moutarde dans le jus de citron, salez et poivrez, puis versez l'huile en tournant constamment. La sauce doit devenir crémeuse.
7 - Lavez un peu de ciboulette et de persil, pelez l'échalote, et hachez ensemble ces trois ingrédients. Ajoutez-les à la sauce.
8 - Mettez dans le saladier la mâche, le riz, le poisson émietté, les pommes râpées. Mêlez délicatement le tout avant de servir.

VOS NOTES PERSONNELLES

Ecrire . . . .
. . . .
Acheter . . . .
. . . .
Téléphoner . . . .

7 JUILLET

Menu

SOUFFLÉ AU ROQUEFORT
(voir recette p. 335)

**CÔTES DE VEAU
AUX BRUXELLES**
(voir recette ci-contre)

BABA STANISLAS
(voir recette p. 105)

TOUT SAVOIR SUR...

LE CHOUX
DE BRUXELLES

*Le choux de Bruxelles est cultivé en région parisienne, dans le Val de Loire, et principalement dans le Nord. C'est un légume bien pourvu en vitamines C et PP et également en calcium, magnésium et soufre. Riche en cellulose, il facilite le transit intestinal mais peut, pour certaines personnes, être difficile à digérer. Il est présent sur les marchés de septembre à mars, avec une période d'abondance au début de l'hiver. La principale variété cultivée est le «citadel». Les normes européennes ont défini deux catégories : **catégorie I** (étiquette verte), les choux doivent être fermes et complètement fermés. **Catégorie II** (étiquette jaune), on accepte quelques défauts et des légumes imparfaitement fermés. Achetez toujours des légumes frais, entiers et sains, sans traces de maladie et non souillés de terre. Sachez que la taille des choux n'a aucune influence sur la qualité du légume.*

CÔTES DE VEAU
AUX BRUXELLES

Moyen — Facile — Abordable

**POUR 4 PERSONNES
CUISSON :**
35 minutes environ
INGRÉDIENTS :
4 côtes de veau
750 g de choux
de Bruxelles
100 g d'échalotes
150 g de poitrine fumée
1 cuill. à soupe d'huile
2 noix de beurre
Quelques feuilles
d'estragon
1 branche de persil
Sel, poivre

1 - Coupez légèrement les tiges des choux, ôtez les feuilles jaunies ou flétries qui les recouvrent, et lavez soigneusement les légumes dans une bassine. Puis mettez-les à blanchir une vingtaine de minutes dans de l'eau bouillante salée.

2 - Salez et poivrez les côtes de veau, et faites-les cuire sur feu moyen à la sauteuse dans une noix de beurre. Laissez ainsi environ 10 minutes de chaque côté.

3 - Après la cuisson des choux à l'eau, égouttez-les, et mettez-les à sécher sur du papier absorbant.

4 - Détaillez la poitrine fumée en petits dés.

5 - Faites chauffer dans une cocotte un peu d'huile et de beurre, ajoutez les lardons, et faites-y rissoler les petits choux. Remuez de temps en temps afin d'éviter qu'ils n'attachent au fond du récipient, et laissez les « bruxelles » dorer 15 minutes environ.

6 - Pelez les échalotes, hachez-les finement, et ajoutez ce hachis à la viande 2 à 3 minutes avant la fin de la cuisson.

7 - Quand la viande est cuite, dressez les côtes sur un plat de service, tartinez-les d'échalotes, et ciselez dessus quelques feuilles d'estragon. Gardez si nécessaire quelques instants au chaud.

8 - Hachez un peu de persil sur les choux de Bruxelles, entourez les côtes de ces légumes, et servez aussitôt.

VOS NOTES PERSONNELLES

Ecrire . . . .

Acheter . . . .

Téléphoner . . . .

Menu

ŒUFS POCHÉS BÉNÉDICTINE
(voir recette ci-contre)

**RÔTI DE LOTTE FARCI
AU VERT**
(voir recette cidessous)

**TOURTE AUX POMMES
À LA VIEUVILLE**
(voir recette p. 68)

MINI-RECETTE

RÔTI DE LOTTE
FARCI AU VERT

POUR 6 PERSONNES
CUISSON : 45 minutes
INGRÉDIENTS : 1,2 kg de lotte
1 litre de moules, 1 verre de vin blanc sec
1 carotte, 2 gousses d'ail
1 bouquet garni, 2 échalotes
80 g de beurre, 200 g de mie de pain
1 verre de lait, persil, estragon, fenouil
1 verre de liqueur de cognac, sel, poivre

1 - Sur le dos de la lotte, de part et d'autre de l'arête dorsale, deux profondes incisions.
2 - Hachez persil, estragron, fenouil, et mélangez ce hachis à la mie de pain trempée dans du lait. Poivrez, salez, ajoutez le cognac, et mélangez bien.
3 - Épluchez la carotte et les échalotes. Coupez-les en rondelles. Hachez l'ail. Mettez ces légumes à blondir légèrement avec 1 noix de beurre, dans un grand récipient. Ajoutez le bouquet grani, mouillez avec le vin blanc, salez et poivrez. Dès l'ébullition, jetez les moules lavées. Remuez et couvrez le temps que les coquillages s'entrouvent.
4 - Hors du feu, séparez les moules de leur coquille. Passez le jus. Réservez.
5 - Garnissez la lotte de la farce, dans les deux incisions. Salez et poivrez le poisson, puis placez-le dans un plat beurré. Arrosez avec le jus des moules. Parsemez de quelques noisettes de beurre et mettez à four chaud 1/2 heure environ.
6 - Quelques minutes avant la fin de la cuisson, disposez les moules autour du poisson. Servez avec des pommes vapeur.

ŒUFS POCHÉS
BÉNÉDICTINE

POUR 6 PERSONNES
CUISSON : 20 minutes
INGRÉDIENTS :
6 œufs frais
6 tranches
de pain de mie
3 tranches
de jambon d'York
3 jaunes d'œufs
300 g de beurre
1 jus de citron
1 verre de vinaigre
d'alcool
1 petite truffe
Sel, poivre

1 - Passez les tranches de pain de mie au beurre, et faites-les dorer des deux côtés. Réservez au chaud.
2 - Coupez des carrés de jambon de la dimension des tranches de pain.
3 - Faites fondre doucement dans une casserole le beurre, jusqu'à ce qu'il se sépare de son petit lait.
4 - Confectionnez une sauce hollandaise comme suit : dans une casserole, mettez 3 jaunes d'œufs et 2 cuillerées à soupe d'eau froide. Fouettez sur feu très doux pour obtenir une crème mousseuse. Tout en continuant à tourner au fouet, incorporez peu à peu le beurre fondu, en veillant à ce que le petit lait ne s'introduise pas dans la préparation. Remuez encore quelques instants, le temps que la sauce épaississe. Salez, poivrez, et ajoutez le jus d'un quart de citron. Tenez au chaud au bain-marie.
5 - Faites bouillir 1 litre d'eau avec le vinaigre dans une casserole et cassez les œufs dans l'eau frémissante. Laissez cuire 3 minutes. Puis ôtez les œufs avec une écumoire et plongez-les dans un petit récipient rempli d'eau froide.
6 - Disposez sur chaque tranche de pain un morceau de jambon, un œuf poché, et nappez de sauce hollandaise. Surmontez le tout d'une petite rondelle de truffe.

VOS NOTES PERSONNELLES

Ecrire . . . .

. . . .

Acheter . . . .

. . . .

Téléphoner . . . .

9 JUILLET

Menu

TOMATES AU RIZ
(voir recette p. 44)
**ÉPAULE D'AGNEAU
AUX LÉGUMES DU JARDIN**
(voir recette p. 110)
**GÂTEAU DE SEMOULE
AUX DATTES ET AUX NOIX**
(voir recette ci-contre)

Boisson conseillée :
UN BORDEAUX ROUGE

TOUT SAVOIR SUR...

L'ÉPAULE DE MOUTON

L'épaule est la partie haute du membre antérieur de l'animal. C'est une viande à la valeur calorique élevée, riche en vitamines P et B2, ainsi qu'en potassium. De plus, elle est peu grasse et bien acceptée même par les estomacs délicats. Les bouchers présentent, suivant l'âge de la bête, de l'épaule d'agneau ou de mouton. **L'épaule d'agneau** *est prélevée sur des animaux d'environ 6 mois. Son poids est d'environ 1,5 kg.* **L'épaule de mouton** *provient de bêtes adultes et pèse aux alentours de 3 kg. Les épaules sont vendues soit entières, avec l'os, soit désossées et roulées. La chair de l'agneau, plus tendre que celle du mouton, doit être rouge vif. La viande de mouton est légèrement plus sombre. La graisse qui l'entoure doit être blanche. Prévoyez 250 g de viande par personne pour une épaule avec l'os.*

GÂTEAU DE SEMOULE AUX DATTES ET AUX NOIX

Moyen   Facile   Abordable

POUR 6 PERSONNES
CUISSON :
45 minutes environ
INGRÉDIENTS :
1 l de lait
150 g de semoule de blé
20 noix
1 petites boîte de dattes
50 g de beurre
150 g de sucre semoule
1 pincée de sucre vanillé
3 œufs, 1 orange
10 cuill. à soupe de miel

1 - Versez le lait dans une casserole, ajoutez le sucre semoule, le sucre vanillé, et 25 g de beurre. Portez le liquide à ébullition.

2 - Versez la semoule en pluie dans le lait bouillant, en tournant régulièrement à la cuillère de bois, et laissez cuire une dizaine de minutes sans cesser de remuer, jusqu'à ce que la préparation épaississe. Ôtez alors le récipient du feu et laissez tiédir.

3 - Cassez les œufs, battez-les en omelette, et incorporez-les à la semoule. Ajoutez également les dattes coupées en petits morceaux et la moitié des noix grossièrement concassées.

4 - Beurrez un moule à hauts bords et garnissez-le de la préparation. Mettez à cuire à four moyen environ 30 minutes, puis laissez refroidir avant de démouler sur un plat de service.

5 - Pressez une orange et versez le jus dans une petite casserole. Ajoutez le miel et faites chauffer à feu doux quelques instants.

6 - Décorez le gâteau avec des cerneaux de noix, arrosez-le de miel et servez immédiatement.

LE TRUC DU CHEF

POUR LES TOMATES AU RIZ : en fin de cuisson du riz, et avant qu'il n'ait absorbé toute l'eau, couvrez le récipient feu éteint, afin de laissez gonfler les grains.

POUR LE GÂTEAU DE SEMOULE AUX DATTES ET AUX NOIX : vous pouvez ajouter au décor de ce gâteau avec quelques fruits confits, angélique et cerise.

VOS NOTES PERSONNELLES

Ecrire . . . .
. . . .
Acheter . . . .
. . . .
Téléphoner . . . .

Menu

TARTE AUX OIGNONS
(voir recette ci-contre)

PALETTE DE PORC AUX LENTILLES
(voir recette ci-dessous)

TARTE TATIN
(voir recette p. 19)

Boisson conseillée :
UN CAHORS

MINI-RECETTE

PALETTE DE PORC AUX LENTILLES

POUR 6 À 8 PERSONNES
CUISSON : 2 h 1/2
INGRÉDIENTS : 1 palette 1/2 sel
500 g de lentilles, 3 carottes
2 gros oignons, 3 gousses d'ail
4 clous de girofle, thym, laurier, persil
Sel, poivre

1 - Mettez la viande de porc dans un grand récipient. Recouvrez-la d'eau froide, et laissez-la dessaler environ 2 h.
2 - Lorsque la viande est dessalée, épongez-la, séchez-la soigneusement. Dans une grande cocotte où vous aurez fait chauffer 2 cuillerées d'huile, mettez la palette à dorer à feu moyen pendant 1/4 d'heure.
3 - Pendant ce temps, épluchez les oignons, et piquez-les des clous de girofle. Epluchez l'ail, hachez-le.
4 - Epluchez les carottes et coupez-les en rondelles épaisses.
5 - Ajoutez à la palette les carottes, et les oignons. Laissez revenir à feu doux quelques instants.
6 - Mouillez ensuite d'eau froide, suffisamment pour que la viande baigne largement. Ajoutez thym et laurier, une branche de persil, l'ail haché. Poivrez. Couvrez le récipient, et laissez cuire une bonne heure.
7 - Lavez et triez soigneusement les lentilles. Versez-les dans la cocotte. Remettez sur le feu, amenez progressivement à ébullition, et laissez cuire à petit frémissement. Ajoutez si le besoin s'en fait sentir, un peu d'eau chaude en cours de cuisson. Rectifiez l'assaisonnement en sel si nécessaire.
8 - Dans un grand plat creux, présentez la palette entière sur son lit de lentilles.

TARTE AUX OIGNONS

Moyen   Très facile   Abordable

POUR 5 A 6 PERSONNES
CUISSON : 1 h env.
INGRÉDIENTS :
750 g d'oignons
220 g de farine
4 œufs
180 g de beurre
80 g de crème fraîche
1 pincée de sucre
Sel, poivre

1 - Confectionnez une pâte brisée en mélangeant dans une terrine la farine, 1 œuf entier, 110 g de beurre, et une pincée de sel. Travaillez bien le tout en ajoutant un peu d'eau pour faciliter l'opération.
2 - Lorsque la pâte est bien homogène, formez-la en boule, farinez-la et laissez-la reposer 1 heure environ.
3 - Passé ce temps, étalez la pâte au rouleau, et tapissez-en un moule à tarte d'environ 23 cm de diamètre, préalablement beurré. Piquez le fond à la fourchette, recouvrez la pâte de papier aluminium pour éviter que les bords ne s'affaissent, et mettez à cuire à four doux 15 minutes.
4 - Pendant ce temps, épluchez les oignons et détaillez-les en fines rondelles.
5 - Faites fondre 50 g de beurre dans une petite cocotte et jetez-y les oignons à blondir à petit feu une vingtaine de minutes, en remuant de temps en temps à la cuillère de bois.
6 - Cassez 3 œufs, battez-les en omelette et, lorsque les oignons sont cuits, incorporez-les aux légumes hors du feu. Salez, poivrez, sucrez très légèrement, et ajoutez la crème fraîche à la préparation. Mélangez bien le tout.
7 - Versez cette garniture sur la pâte précuite, égalisez à la fourchette, et mettez à four moyen 15 minutes. Servez chaud.

LE TRUC DU CHEF

POUR LA PALETTE DE PORC AUX LENTILLES : la peau des lentilles étant très fine, il est inutile de les faire tremper. En revanche, si l'eau de cuisson est très calcaire, on peut ajouter une petite pincée de bicarbonate. Cela évite aux lentilles de durcir à la cuisson.

VOS NOTES PERSONNELLES

Ecrire . . . .
. . . .
Acheter . . . .
. . . .
Téléphoner . . . .

TARTE A LA RHUBARBE

Moyen · Facile · Abordable

POUR 6 A 8 PERSONNES
CUISSON : 30 minutes
INGRÉDIENTS :
1 kg de rhubarbe
220 g de farine
100 g de beurre
4 œufs
(1 entier +3 blancs)
150 g de sucre glace
1 pincée de sel

1 - Confectionnez une pâte brisée en mélangeant dans un grand saladier la farine, 1 œuf entier, 75 g de beurre et une pincée de sel. Ajoutez un peu d'eau pour faciliter l'opération et pétrissez bien le tout.

2 - Formez cette pâte en boule, farinez-la et laissez reposer une bonne heure.

3 - Pendant ce temps, lavez la rhubarbe, épluchez-la soigneusement et coupez les tiges en petits dés.

4 - Etalez la pâte au rouleau en lui donnant une épaisseur de 1/2 cm environ.

5 - Beurrez généreusement un moule à tarte, garnissez-le de la pâte, et disposez dessus les petits dés de rhubarbe. Mettez à four chaud et laissez cuire pendant 20 minutes.

6 - Pendant ce temps, cassez les trois œufs et mettez les blancs dans un saladier. Battez-les en neige avec 150 g de sucre glace. Cessez l'opération lorsque les blancs ont pris assez de consistance pour coller au fouet.

7 - Après les 20 minutes de cuisson, ôtez la pâte du four et versez la garniture de blancs en neige.

8 - Remettez au four pendant 10 minutes, le temps pour les blancs en neige de devenir meringue, en prenant une belle teinte dorée. Cette spécialité du Nord peut se consommer tiède ou froide.

TOUT SAVOIR SUR...

LE TRAVERS DE PORC

Le travers se situe dans la partie supérieure de la poitrine de l'animal. C'est une portion de viande, longue et étroite, comportant une succession de parties de côtes. Sa valeur calorique est élevée, ainsi que sa teneur en lipides. Elle contient des vitamines B1 ainsi que quelques éléments minéraux. La viande doit avoir une couleur rosée et être ferme sous la pression du doigt. La graisse qui la recouvre doit être blanche. Choisissez des travers bien en chair et légèrement gras ; la graisse donne du moelleux à la viande. Les bouchers commercialisent également du travers de porc demisel. Il peut apparaître de couleur grisâtre, mais ce n'est pas un signe de mauvaise qualité. Cette teinte est due au traitement de sel que la viande a subi. Les déchets étant importants, environ 50 %, comptez par personne des portions de 260 g.

LE TRUC DU CHEF

POUR LA SALADE SAINT-WANDRILLE : en pleine saison des artichauts (mai, juin, juillet) il est recommandé d'utiliser des fonds frais pour la confection de cette salade. Toutes les variétés sont à conseiller : « macau » du Sud-Ouest, « camus » de Bretagne, et également le « violet » méditerranéen.

VOS NOTES PERSONNELLES

Ecrire . . . .

. . . .

Acheter . . . .

. . . .

Téléphoner . . . .

Menu

PIZZA AUX QUEUES DE LANGOUSTINES
(voir recette ci-dessous)
CARRÉ D'AGNEAU À LA MOUTARDE
(voir recette ci-contre)
CLAFOUTIS AUX ABRICOTS
(voir recette p. 250)

MINI-RECETTE

PIZZA AUX QUEUES DE LANGOUSTINES

POUR 5 À 6 PERSONNES
CUISSON : 30 minutes
INGRÉDIENTS : 400 g de pâte à pain
(à commander la veille chez le boulanger)
1 livre de langoustines
1 kg de tomates, 4 oignons
3 échaloters, 2 gousses d'ail
1 sachet de parmesan râpé
Huile, olive, thym, laurier
Sel, poivre au moulin

1 - Faites bouillir de l'eau salée dans une grande casserole et plongez-y les langoustines. Laissez cuire en fonction de la taille des crustacés, de 2 à 4 minutes.

2 - Egouttez-les, séparez les têtes des queues, et décortiquez-les.

3 - Pelez les tomates, coupez-les en quartiers. Hachez l'oignon, l'échalote et l'ail, et faites-les revenir à feu doux dans un peu d'huile d'olive. Puis ajoutez les tomates, le thym, le laurier. Salez, poivrez. Laissez réduire la préparation.

4 - Etalez la pâte à pain au rouleau et garnissez-en un moule à tarte préalablement huilé.

5 - Versez sur la pâte la purée de tomates et oignons et mettez à four vif pendant 1/4 d'heure environ. Ne la sortez que lorsque les bords de pâte sont bien brunis.

6 - Disposez alors régulièrement les langoustines sur le dessus et remettez au four quelques instants.

7 - Démoulez la pizza et servez très chaud. Disposez sur la table le parmesan râpé que vous aurez versé dans un petit récipient.

CARRÉ D'AGNEAU A LA MOUTARDE

Moyen — Très facile — Cher

POUR 4
A 5 PERSONNES
CUISSON : 30 minutes
INGRÉDIENTS :
1 carré de 1 kg env.
1 cuill. à soupe
de moutarde
2 gousses d'ail
1 cuill. à soupe d'huile
8 tomates
1 botte de cresson
50 g de chapelure
Thym, laurier
1 pincée d'estragon
Sel, poivre

1 - Epluchez les gousses d'ail, taillez-les, et piquez-en la viande à l'aide d'un couteau pointu. Salez et poivrez.

2 - Placez le carré d'agneau dans un plat allant au four, enduisez-le d'un peu d'huile, émiettez un peu de thym, de laurier, ajoutez 1 pincée d'estragon. Versez dans le fond du plat 1 verre d'eau, et mettez à cuire à four chaud 30 minutes. Arrosez de temps en temps avec le jus de cuisson.

3 - 10 minutes avant la fin de la cuisson, enduisez la viande de moutarde, saupoudrez de chapelure et remettez à four chaud.

4 - Lavez soigneusement le cresson, ôtez les grosses tiges, puis séchez la salade dans un torchon.

5 - Lavez les tomates, coupez-les en deux, salez-les, et passez-les 2 à 3 minutes à la plaque, sur feu vif.

6 - Disposez le cresson sur un grand plat de service, dressez au milieu le carré d'agneau, et entourez la viande des demi-tomates. Présentez en saucière le jus de cuisson de la viande.

LE TRUC DU CHEF

POUR LE CARRÉ D'AGNEAU À LA MOUTARDE : pour faciliter le tranchage des côtelettes, demandez à votre boucher de donner sur les os, un coup de feuille à fendre.

POUR LE CLAFOUTIS AUX ABRICOTS : l'une des variétés les plus parfumées d'abricot est le « Rouge du Roussillon », mais on peut recommander aussi : « Hâtif colomer », « Luizet », « bergeron ».

VOS NOTES PERSONNELLES

Ecrire . . . .

Acheter . . . .

Téléphoner . . . .

Menu

AVOCATS AU THON
(voir recette ci-dessous)
CÔTELETTES DE MOUTON DUBARRY
(voir recette p. 259)
PANNEQUETS AUX FRAMBROISES
(voir recette ci-contre)

PANNEQUETS AUX FRAMBOISES

Long   Facile   Abordable

POUR 6 PERSONNES
CUISSON : 40 minutes
INGRÉDIENTS : 3 œufs
250 g de farine
1/2 l de lait
80 g de sucre en poudre
200 g de macarons frais aux amandes
1/2 boîte de framboise au sirop
1 dl de crème fraîche
1 dl de liqueur de framboise
25 g de beurre
1 pincée de sel

1 - Mettez 250 g de farine en fontaine dans un saladier, ajoutez 3 œufs, 50 g de sucre et 1 pincée de sel. Mélangez au fouet, délayez petit à petit en ajoutant 1/2 l de lait, et battez vivement afin d'éviter les grumeaux.
2 - Dans une poêle à crêpes, faites fondre 25 g de beurre à feu moyen. Lorsqu'il est mousseux, versez-le dans la pâte, et mélangez vivement.
3 - Confectionnez les crêpes sur feu vif, et maintenez-les au chaud.
4 - Prélevez 1 dl de sirop de framboise avant d'égoutter les fruits dans une passoire.
5 - Dans une coupe, brisez 200 g de macarons en petits morceaux. Dans un petit bol, battez ensemble 1 dl de crème fraîche avec 30 g de sucre. Ajoutez crème et framboise aux macarons, mélangez, garnissez chaque crêpe de cette préparation, roulez-la, et rangez les crêpes sur un plat de service long. Maintenez-le au chaud dans le four tiède.
6 - Faites tiédir 1 dl d'alcool de framboise avec le décilitre de sirop de framboise dans une petite casserole.
7 - Servez les crêpes arrosées de liqueur tiède.

MINI-RECETTE

AVOCATS AU THON

POUR 4 PERSONNES
CUISSON : 15 minutes
INGRÉDIENTS : 4 avocats
1 boîte de thon au naturel, 2 œufs
4 cuillerées à soupe d'huile
1 citron, 1 oignon
1 pincée de piment en poudre, sel

1 - Ouvrez les avocats dans le sens de la longueur et ôtez le noyau. Evidez les moitiés d'avocats à l'aide d'une petite cuiller, en ayant soin de ne pas crever la peau. Réduisez la chair des fruits en purée à la moulinette ou mieux, au mixer.
2 - Faites durcir les œufs 15 minutes à l'eau bouillante.
3 - Ouvrez la boîte de thon, égouttez soigneusement le poisson, et mettez-le dans un saladier. Ajoutez l'huile et le jus d'un beau citron, et écrasez-le tout en purée à la fourchette. Salez légèrement et agrémentez d'une pincée de piment fort.
4 - Epluchez l'oignon, et hachez-le finement.
5 - Incorporez les avocats et l'oignon à la préparation au thon, et ajoutez les 2 jaunes d'œufs préalablement écrasés. Remuez soigneusement le tout pour obtenir une pâte homogène.
6 - Remplissez de ce mélange, en répartissant, dans les peaux d'avocats, et servez après avoir placé ces entrées quelques instants au réfrigérateur.

LE TRUC DU CHEF

POUR LES AVOCATS AU THON : pour détacher la chair des avocats, servez-vous de préférence d'une petite cuiller ronde « à racine ». Arrosez immédiatement cette chair d'un peu de citron pour éviter qu'elles ne noircisse. Quelle que soit la provenance des avocats, choisissez des fruits mûrs à point.

VOS NOTES PERSONNELLES

Ecrire . . . .
. . . .
Acheter . . . .
. . . .
Téléphoner . . . .

Menu

MINI-RECETTE

POTAGE AUX CINQ LÉGUMES

POUR 4 À 5 PERSONNES
CUISSON : 1 heure
INGRÉDIENTS : 250 g de carottes
250 g de navets, 100 g de chou
100 g de blanc de poireau
4 pommes de terre moyennes
Pain en tranches, 100 g de beurre
Sel, poivre

1 - Épluchez et lavez soigneusement les légumes. Coupez les carottes en rondelles, les navets en quatre. Taillez le blanc de poireau en épaisses rondelles et le chou en julienne.
2 - Dans une cocotte, mettez 50 g de beurre à fondre à feu vif et placez-y les carottes et les navets. Laissez blondir ces légumes 5 minutes environ en remuant constamment à la cuiller de bois.
3 - Ajoutez alors les poireaux et le chou et laissez blondir ces légumes quelques instants. Salez, poivrez, et mouillez de suffisamment d'eau pour 4 à 5 assiettées (1 bon litre d'eau).
4 - 20 minutes avant la fin de la cuisson, ajoutez les pommes de terre coupées en morceaux.
5 - Pendant ce temps, coupez des tranches de pain que vous ferez dorer au four.
6 - Lorsque le potage est cuit, remuez-le soigneusement afin que les quartiers de pommes de terre s'y incorporent parfaitement. Puis, hors du feu, ajoutez le reste du beurre.
7 - Servez le potage en soupière, après avoir disposé dans les assiettes de chaque convive, les tranches de pain dorées.

PINTADEAU FARCI AUX HERBES

Moyen   Très facile   Abordable

POUR 4 PERSONNES
CUISSON : 1 heure
INGRÉDIENTS :
1 pintadeau
150 g d'épinards
Quelques feuilles d'oseille
1 bouquet de cerfeuil
Quelques feuilles
d'estragon
Quelques brins
de ciboulette
1 carotte
12 échalotes
1 noisette de beurre
2 cuill. à soupe d'huile
Sel, poivre

1 - Lavez soigneusement les feuilles d'épinards et d'oseille, triez-les, éliminez les feuilles jaunies ou flétries, coupez le plus gros des queues et hachez-les avec 1 petit bouquet de cerfeuil, quelques feuilles d'estragon et quelques brins de ciboulette.
2 - Salez et poivrez l'intérieur de la volaille, et farcissez-la des herbes hachées. Refermez l'orifice avec du fil.
3 - Faites chauffer le mélange de beurre et d'huile dans une cocotte, et mettez-y le pintadeau à dorer sur feu moyen.
4 - Épluchez la carotte et les échalotes, coupez-les en fines rondelles, et mettez les légumes à blondir avec la volaille.
5 - Quand le contenu de la cocotte a pris couleur, mouillez de 2 verres d'eau, salez et poivrez très légèrement, et laissez cuire 45 minutes à couvert.
6 - Quand le pintadeau est cuit, dressez-le sur un plat de service, présentez la sauce en saucière, et servez aussitôt.

LE TRUC DU CHEF

POUR LE POTAGE AUX CINQ LÉGUMES : on relève la saveur de ce potage en hachant dans la soupière, un mélange de ciboulette et d'estragon.

Pour le choix des pommes de terre de soupes et potages, l'espèce « bintje » (la plus courante et la moins coûteuse) est recommandée.

POUR LE PINTADEAU FARCI AUX HERBES : vous pouvez agrémenter la farce en mélangeant aux herbes 2 cuillerées à soupe de fromage blanc.

VOS NOTES PERSONNELLES

Ecrire . . . .
. . . .
Acheter . . . .
. . . .
Téléphoner . . . .

Menu

POIREAUX À LA TOMATE
(voir recette ci-contre)

BARBUE À L'OSEILLE
(voir recette ci-dessous)

FLAN AU CITRON
(voir recette p. 99)

MINI-RECETTE

BARBUE À L'OSEILLE

POUR 4 PERSONNES
CUISSON : 50 minutes
INGRÉDIENTS : 1 barbue de 1,2 kg
1 kg d'oseille, 1/2 verre de lait écrémé
2 oignons, 3 carottes
3 cuillerées à soupe de vinaigre
Thym, laurier, persil, poivre, sel, 2 citrons

1 - Epluchez et coupez en rondelles les carottes et les oignons. Lavez un peu de persil. Hachez-le grossièrement.
2 - Préparez le court-bouillon : dans un grand récipient, pouvant contenir la barbue, ajoutez dans environ deux litres d'eau les carottes, oignons, le persil, le vinaigre, un peu de thym et de laurier. Salez (au gros sel de préférence), poivrez. Laissez réduire à feu moyen 1/2 heure environ.
3 - Durant ce temps, lavez avec soin les feuilles d'oseille. Enlevez les queues et les grosses côtes.
4 - Plongez les feuilles d'oseille dans une grande casserole d'eau bouillante salée, et laissez cuire à découvert 5 minutes.
5 - Quand l'oseille est cuite, égouttez-la, puis passez-la à la moulinette.
6 - Versez cette purée avec le lait dans une casserole. Mélangez bien sur feu très doux. Réservez.
7 - Dans le court bouillon tiède, couchez la barbue et, à feu moyen, amenez progressivement le liquide à un léger frémissement. Laissez cuire une vingtaine de minutes.
8 - Sortez alors délicatement le poisson, disposez-le sur un plat de service chaud, et entourez-le de la purée d'oseille légèrement réchauffée.

POIREAUX A LA TOMATE

Moyen · Très facile · Abordable

**POUR 5
A 6 PERSONNES
CUISSON : 30 minutes
INGRÉDIENTS :**
1,2 kg de poireaux
4 tomates
1 cuill. à café
de conc. de tomates
1 v. de vin blanc sec
3 échalotes
1 gousse d'ail
1/2 citron
1 cuill. à soupe d'huile
Thym, laurier
Sel, poivre

1 - Coupez en partie le vert des feuilles de poireaux, fendez les blancs en quatre 2 à 3 cm au-dessus du pied, et lavez soigneusement les légumes à plusieurs eaux.
2 - Mettez les poireaux à cuire 10 minutes à l'eau bouillante salée. Égouttez-les.
3 - Plongez les tomates quelques instants à l'eau bouillante, mondez-les et concassez-les grossièrement.
4 - Pelez les échalotes et la gousse d'ail, hachez finement ensemble ces ingrédients.
5 - Mettez dans une casserole la purée de tomates fraîches, le hachis d'échalotes et d'ail, mouillez avec 1 bon verre de vin blanc. Ajoutez 1 cuillerée à soupe d'huile, le concentré de tomates, le jus d'un demi-citron. Aromatisez d'un peu de thym et de laurier, salez, poivrez, et laissez cuire sur feu moyen une dizaine de minutes, le récipient couvert.
6 - Passé ce temps, mettez à cuire les poireaux dans cette sauce, 20 minutes environ. Quelques minutes avant la fin de la cuisson, découvrez la casserole afin que la sauce réduise convenablement.
7 - Versez les poireaux ainsi accommodés avec leur sauce dans un plat de service creux, et laissez la préparation refroidir avant de servir.

VOS NOTES PERSONNELLES

Ecrire . . . .

Acheter . . . .

Téléphoner . . . .

Menu

GNOCCHIS À LA ROMAINE
(voir recette p. 35)

**FOIE DE VEAU
VÉNITIENNE**
(voir recette ci-dessous)

MOUSSE À LA VAUDOISE
(voir recette ci-contre)

Boisson conseillée :
UN CHIANTI

MINI-RECETTE

FOIE DE VEAU
VÉNITIENNE

POUR 4 PERSONNES
CUISSON : 25 minutes
INGRÉDIENTS : 600 g de foie, 2 oignons
1/2 verre de marsala
1 cuillerée à café de concentré de tomates
1 gousse d'ail, thym, 1 branche de persil
Laurier, 20 g de beurre
2 cuillerées à soupe d'huile
Sel, poivre

1 - Pelez 2 beaux oignons, et détaillez-les en fines rondelles.
2 - Coupez le foie de veau (demandez à votre boucher ou tripier de le trancher épais) en carrés d'environ 3 à 4 centimètres de côté.
3 - Mettez à chauffer le mélange de beurre et d'huile dans une sauteuse, et jetez-y les morceaux de foie à colorer. Ajoutez alors les rondelles d'oignons. Salez et poivrez la viande, et laissez dorer la préparation en remuant souvent à la cuiller de bois.
4 - Lorsque le contenu de la sauteuse a bien pris couleur, mouillez avec 1/2 verre d'eau dans lequel vous aurez délayé le concentré de tomates, et le 1/2 verre de marsala. Ajoutez une petite gousse d'ail pilée, un peu de thym et de laurier, et laissez cuire à découvert, sur feu moyen, une dizaine de minutes, le temps pour la sauce de réduire de moitié.
5 - Passé ce temps, versez la préparation dans un plat de service creux, saupoudrez d'un hachis de persil, et servez très chaud, accompagné de riz blanc.

MOUSSE A LA VAUDOISE

Rapide — Très facile — Abordable

**POUR 4 PERSONNES
CUISSON :
3 à 4 minutes
INGRÉDIENTS :
160 g de chocolat
30 g de beurre
4 œufs
50 g de crème fraîche
50 g de sucre glace
1 cuill. de sucre poudre**

1 - Cassez les œufs, mettez les jaunes dans un saladier. Réservez les blancs.
2 - Ajoutez aux jaunes la cuillerée de sucre en poudre et mélangez à la cuillère de bois jusqu'à ce que le mélange blanchisse.
3 - Dans une petite casserole, mettez à feu très doux le chocolat coupé en morceaux et le beurre. Laissez fondre le mélange sans qu'il cuise.
4 - Retirez alors la casserole du feu, laissez tiédir, puis incorporez le mélange jaune d'œufs-sucre. Mélangez bien le tout.
5 - Dans un saladier, fouettez les blancs en neige avec le sucre glace. Lorsque la préparation est ferme et bien montée (il faut que les blancs collent au fouet), incorporez-la à la crème au chocolat. Cette opération doit être menée délicatement, sans tourner.
6 - Ajoutez la crème fraîche au mélange.
7 - Versez la mousse au chocolat dans des coupes individuelles, et placez-les au réfrigérateur, dans le bac à glaçons de préférence 15 à 20 minutes.

LE TRUC DU CHEF

POUR LA MOUSSE À LA VAUDOISE : pour éviter que le chocolat ne brûle, même légèrement lors de sa cuisson, ce qui nuirait à la saveur de ce dessert, faites-le fondre au bain-marie. Placez la petite casserole contenant le mélange chocolat-beurre dans une grande remplie d'eau, que vous mettrez sur feu moyen.
Pour cette recette, point n'est besoin d'utiliser du chocolat surfin. Le chocolat à cuire, dit aussi « ménage » convient parfaitement.

VOS NOTES PERSONNELLES

Ecrire . . . .

Acheter . . . .

Téléphoner . . . .

Menu

FROMAGE DE CHÈVRE EN BRIOCHES
(voir recette p. 33)

CANETON AUX QUETSCHES
(voir recette ci-dessous)

BEIGNETS AUX POMMES
(voir recette ci-contre)

Boisson conseillée :
UN CÔTES DU RHÔNE

MINI-RECETTE

CANETON AUX QUETSCHES

POUR 4 À 5 PERSONNES
CUISSON : 1 h 30
INGRÉDIENTS : 1 canard de 1,5 kg
1 kg de quetsches
1 cuillerée à soupe d'huile
1 petit verre d'eau-de-vie de prunes
2 cuillerées à soupe de crème fraîche
1 verre de vin blanc, sel, poivre

1 - Lavez les quetsches, coupez-les en deux et ôtez le noyau, sauf quelques beaux fruits que vous réserverez entiers pour la garniture.

2 - Salez et poivrez l'intérieur du caneton, arrosez-le d'un peu d'eau-de-vie de prunes, et farcissez complètement la volaille avec les demi-prunes. Refermez soigneusement l'orifice en le cousant avec du fil.

3 - Badigeonnez légèrement le caneton d'huile, et placez-le dans un plat allant au four. Placez les fruits entiers autour.

4 - Versez un bon verre de vin blanc sec dans le fond du plat, et mettez à cuire à four moyen 1 h 30 environ, en veillant à arroser la volaille de temps en temps avec le jus de cuisson.

5 - Quand le caneton est cuit, découpez-le et dressez les morceaux dans un grand plat creux de service, entourés de fruits entiers.

6 - Incorporez la farce de prunes à la sauce, pour réaliser une sorte de compote, et nappez les morceaux de volaille de cette préparation. Servez très chaud.

BEIGNETS AUX POMMES

Long — Très facile — Abordable

POUR 6 A 8 PERSONNES
CUISSON :
20 à 30 minutes
INGRÉDIENTS : 5 pommes
2 œufs
1/2 verre d'huile
3 pet. v. de rhum
2 v. de bière blonde
250 g de farine tamisée
150 g de sucre glace
1 pincée de sel
1 zeste râpé
1 bain de friture

1 - Confectionnez la pâte à beignets comme suit : cassez les œufs dans un grand saladier, battez-les comme pour une omelette, et ajoutez-y la bière, l'huile, le rhum et 1 pincée de sel. Remuez soigneusement le tout, puis versez la farine tamisée. Tournez jusqu'à obtenir une pâte pas trop épaisse. Dans le cas contraire, ajoutez un peu d'eau tiède. Laissez reposer 2 heures dans un endroit tiède.

2 - Épluchez les pommes, coupez-les en quatre, ôtez le cœur et les pépins. Puis détaillez chaque quartier en deux, ou en trois, en fonction de leur taille.

3 - Faites chauffer le bain de friture lorsque la pâte a suffisamment reposé. A l'aide d'une fourchette, piquez les morceaux de pommes, enrobez-les de pâte à beignets, et plongez-les dans l'huile bouillante.

4 - Sortez au fur et à mesure les beignets du bain de friture lorsqu'ils sont gonflés et dorés à point, et mettez-les à égoutter sur du papier absorbant.

5 - Lorsque tous les beignets sont confectionnés, disposez-les dans un plat allant au four, saupoudrez-les avec le sucre glace, et laissez-les quelques instants à four très chaud afin de les « glacer ».

6 - Dressez les beignets sur un plat de service préalablement recouvert d'une serviette et servez immédiatement.

VOS NOTES PERSONNELLES

Ecrire . . . .

Acheter . . . .

Téléphoner . . . .

18 JUILLET

Menu

SALADE BIGARRÉE
(voir recette ci-contre)
**COQUELETS FARCIS
AU CITRON**
(voir recette p. 44)
**FRUITS ROUGES AU FROMAGE
BLANC**
(voir recette p. 264)

TOUT SAVOIR SUR...

LE CÉLERI

Deux types de céleri sont présents sur les marchés : le céleri-rave dont on consomme la racine et le céleri-branche dont seules les tiges sont utilisées. Ils contiennent tous deux, dans des proportions intéressantes, de la vitamine B, du sodium et du potassium. La valeur calorique du céleri est une des plus faibles parmi les aliments. Le céleri-rave se présente sous la forme d'une grosse boule blanc-jaune et est commercialisé de septembre à mars. Achetez le, lourd à la main, ferme et propre. Le céleri-branche est vendu en bouquet de feuilles bien vertes, soutenues par une tige blanc-vert clair. Le tout doit avoir un aspect de grande fraîcheur. Evitez les feuilles et tiges «fatiguées» et tirant sur le jaune. Deux catégories ont été définies par les normes européennes pour le céleri-branche. Catégorie I (étiquette verte) bouquet superbe, tige intacte. Catégorie II (étiquette jaune) quelques légers défauts sont admis.

SALADE BIGARRÉE

Rapide   Très facile   Abordable

**POUR 4
A 5 PERSONNES
INGRÉDIENTS : 1 laitue
1 cœur de céleri
en branches
2 endives
100 g de betterave rouge
100 g de champignons de
Paris
2 tranches de jambon
maigre
2 œufs
1 cuill. de moutarde
1 cuill. de vinaigre
3 cuillerées d'huile
Cerfeuil
Sel, poivre**

1 - Lavez soigneusement la laitue, les endives, le cœur de céleri en branches. Séchez-les dans un torchon.

2 - Coupez la betterave en petits dés.

3 - Coupez le pied sableux des champignons de Paris, lavez-les et séchez-les.

4 - Faites cuire les œufs durs. Écalez-les.

5 - Dans un grand saladier, préparez la vinaigrette comme suit : délayez la moutarde dans le vinaigre, salez, poivrez. Tournez bien afin que le sel se dissolve dans le vinaigre. Ajoutez ensuite l'huile et remuez jusqu'à ce que la vinaigrette devienne crémeuse.

6 - Détaillez en fines lamelles les champignons, le céleri, effeuillez les endives et coupez-les. Versez le tout dans le saladier avec les dés de betterave et les feuilles de laitue. Mélangez.

7 - Coupez les œufs durs en rondelles, les tranches de jambon en fines lanières, et décorez-en le dessus de la salade. Ciselez sur le tout quelques brins de cerfeuil ou, à défaut, de persil.

LE TRUC DU CHEF

POUR LA SALADE BIGARRÉE : la salade sera encore plus appétissante si auparavant, vous faites mariner 2 à 3 heures dans un peu de vinaigre très légèrement salé, le céleri et les champignons en lamelles.

Il est inutile d'acheter une betterave crue et de la faire cuire soi-même. Tous les cours des halles proposent des betteraves cuites. Afin de vérifier leur bon état de cuisson, sachez que dans ce cas, la peau doit se détacher facilement.

VOS NOTES PERSONNELLES

Ecrire . . . .

Acheter . . . .

Téléphoner . . . .

Menu

MOULES À LA POULETTE
(voir recette p. 66)

PORC EN MARINADE
(voir recette ci-contre)

CRÈME AU CAFÉ
(voir recette ci-dessous)

PORC EN MARINADE

Long   Très facile   Abordable

POUR 6 PERSONNES
12 H A MARINER
CUISSON : 2 heures
INGRÉDIENTS :
1 rôti de 1 kg
1 oignon
3 échalotes
1 carotte
1 gousse d'ail
1 branche de persil
1 litre de vin blanc sec
3 cuill. à soupe d'huile
1/4 verre de vinaigre
Thym, laurier
Sel, poivre

1 - Confectionnez une marinade dans un grand saladier comme suit : versez le vin blanc et ajoutez l'oignon, la carotte et les échalotes coupées en rondelles, le persil haché, la gousse d'ail pilée, l'huile, le vinaigre, un peu de thym et de laurier. Salez, poivrez généreusement au moulin, et plongez le rôti dans la préparation. Laissez mariner une nuit.

2 - Le lendemain, sortez le rôti de porc de la marinade, épongez-le, mettez-le dans un plat allant au four, et mettez à cuire à four modéré 2 heures. Arrosez la viande de temps en temps avec la marinade préalablement passée.

3 - Quand la viande est cuite, dressez-la sur un plat de service, entourez-la de pommes de terre cuites à la vapeur, et présentez la sauce en saucière.

MINI-RECETTE

CRÈME AU CAFÉ

POUR 5 À 6 PERSONNES
CUISSON : 30 minutes environ
INGRÉDIENTS : 1/2 l de lait écrémé
3 œufs entiers, 3 jaunes
2 cuillerées à soupe de café moulu
100 g de sucre en poudre
1 verre à liqueur de rhum

1 - Versez le lait dans une casserole, et faites-le bouillir avec 2 cuillerées à soupe de café.

2 - Cassez les œufs et mettez dans une terrine 3 œufs entiers et 3 jaunes. Ajoutez le sucre en poudre, un peu de rhum, et battez le tout au fouet jusqu'à ce que le mélange blanchisse.

3 - Garnissez de cette préparation un moule légèrement beurré, placez ce moule dans un récipient allant au four, et contenant de l'eau, afin que la crème cuise au bain-marie. Mettez le tout à four doux une demi-heure environ.

5 - Lorsque la crème est cuite, laissez-la refroidir dans le moule, puis démoulez sur un plat de service.

LE TRUC DU CHEF

POUR LES MOULES À LA POULETTE : à qualité égale (c'est seulement affaire de goût) vous aurez le choix entre les « bouzigues » originaires de l'étang de Thau, et les « bouchot » du littoral atlantique.

POUR LE PORC EN MARINADE : l'échine est un morceau savoureux, à chair légèrement plus grasse que d'autres morceaux à rôtir. Pour une chair maigre, choisissez soit du filet, soit des côtes premières.

VOS NOTES PERSONNELLES

Ecrire . . . .
. . . .
Acheter . . . .
. . . .
Téléphoner . . . .

Menu

ÉCLAIRS AU CHEDDAR
(voir recette p. 125)

FOIE DE VEAU AUX SALSIFIS
(voir recette ci-contre)

*DÉLICE MERINGUÉ
À L'ORANGE*
(voir recette ci-dessous)

MINI-RECETTE

DÉLICE MERINGUÉ À L'ORANGE

POUR 6 PERSONNES
CUISSON : 5 minutes
INGRÉDIENTS : 1 génoise
100 g de marmelade d'oranges
275 g de sucre semoule
4 blancs d'œufs, 1 petit verre de cointreau
1 sachet d'amandes effilées

1 - Coupez transversalement la génoise en 3 disques d'égale épaisseur.

2 - Versez 1 verre d'eau dans une petite casserole, ajoutez 150 g de sucre semoule, portez à ébullition, et ôtez ce sirop du feu. Aromatisez d'un petit verre de cointreau.

3 - Imbibez les disques de génoise de ce sirop, côté mie. Puis nappez le disque inférieur de marmelade d'oranges, posez dessus le disque du milieu, renouvelez l'opération, et couvrez du disque supérieur pour reconstituer la génoise. Mettez le gâteau sur une plaque de four.

4 - Montez les blancs en neige très ferme avec 125 g de sucre semoule, et recouvrez-en le gâteau à la spatule. Saupoudrez avec les amandes effilées, et mettez quelques minutes à four chaud, le temps pour les blancs de devenir une meringue bien dorée. Laissez refroidir avant de déguster.

FOIE DE VEAU AUX SALSIFIS

Long Facile Cher

POUR 6 PERSONNES
CUISSON : 1 h 30
INGRÉDIENTS :
1 kg de foie de veau
1 kg de salsifis
6 échalotes
4 cuill. à soupe de farine
4 cuillerées à soupe de vinaigre
50 g de beurre
3 cuill. à soupe d'huile
2 citrons
1 petit bouquet de persil
1/2 verre de porto
Sel, poivre

1 - Lavez les salsifis pour éliminer la terre, puis pelez-les à l'aide d'un couteau économe. Jetez-les au fur et à mesure dans un récipient rempli d'eau vinaigrée pour qu'ils ne noircissent pas.

2 - Coupez les salsifis en bâtonnets de 7 à 8 cm de longueur, et mettez-les à cuire dans de l'eau salée additionnée de 1 cuillerée de farine et de 2 cuillerées à soupe de vinaigre. Couvrez le récipient et laissez ainsi 45 minutes environ.

3 - Lorsque les salsifis sont cuits (vérifiez en les piquant avec un petit couteau pointu), égouttez-les dans une passoire, puis sur du papier absorbant.

4 - Faites chauffer 30 g de beurre et 2 cuillerées à soupe d'huile dans une poêle, et mettez-y les légumes à dorer.

5 - Pendant ce temps, dans une sauteuse, faites chauffer un mélange de 20 g de beurre et 1 cuillerée à soupe d'huile, et couchez-y les tranches de foie farinées. Ajoutez les échalotes hachées, et laissez dorer la préparation. Salez, poivrez la viande.

6 - Lorsque le foie a pris couleur, mettez-le sur le plat de service, et versez le 1/2 verre de porto dans la sauteuse. Laissez cuire doucement, à découvert, quelques minutes.

7 - Entourez le foie des salsifis dorés à point, et servez la sauce au porto en saucière.

VOS NOTES PERSONNELLES

Ecrire . . . .
. . . .
Acheter . . . .
. . . .
Téléphoner . . . .

Menu

**ŒUFS EN GELÉE
À L'ESTRAGON**
(voir recette ci-contre)
ROSBIF AUX ENDIVES
(voir recette p. 65)
CRÈME AU CITRON
(voir recette p. 334)

TOUT SAVOIR SUR...

LA LANGOUSTINE

Ce petit crustacé qui, contrairement à une idée reçue n'est pas une petite langouste, possède lorsqu'il est vivant une belle couleur jaune rosé translucide. La finesse de sa chair en fait un mets recherché de tous les amateurs de crustacés. De plus, la langoustine possède des vitamines C et PP, ainsi que du phosphore, du sodium et du chlore ce qui en fait un aliment intéressant. La meilleure période d'achat se situe entre la fin du printemps et le début de l'automne. A noter que les prix sont plus doux pendant la saison chaude qu'en saison froide. Les langoustines sont présentées à la vente suivant leur grosseur. Les plus grosses coûtent plus cher que les petites, bien que sur le plan gustatif il n'y ait pas de différence. Comme tous les produits de la mer, les langoustines doivent être très fraîches. Achetez-les vivantes (mortes, elles prennent une teinte foncée), dégageant une bonne odeur de marée, sans le moindre soupçon d'ammoniac. La langoustine donne beaucoup de déchets, environ 60 %. Calculez donc une portion de 200 g au moins par personne.

ŒUFS EN GELÉE
A L'ESTRAGON

Rapide   Très facile   Pas cher

**POUR 6 PERSONNES
CUISSON : 5 minutes
INGRÉDIENTS : 6 œufs
1 sachet de gelée
instantanée
2 tranches de jambon
de Paris
Quelques cornichons
Quelques feuilles
d'estragon
1 carotte
6 petites terrines
Poivre**

1 - Préparez la gelée en vous conformant aux indications portées sur le sachet.
2 - Versez un peu de cette gelée pour napper le fond des petites terrines.
3 - Placez les terrines au réfrigérateur pendant quelques minutes.
4 - Faites cuire des œufs mollets. Cinq minutes suffiront pour cette opération.
5 - Écalez les œufs avec précaution, puisqu'il s'agit d'œufs mollets, en les passant sous l'eau froide.
6 - Dans le fond de chaque petite terrine, sur la gelée, mettre une fine rondelle de carotte et quelques feuilles d'estragon disposées en étoile et placez les œufs.
7 - Tout en remplissant les terrines avec le reste de la gelée, disposez des dés de jambon légèrement poivrés, ainsi que de petites rondelles de cornichons.
8 - Placez les terrines au réfrigérateur jusqu'au moment du repas. Ne démoulez qu'avant de servir.
9 - Présentez chaque œuf en gelée sur une belle feuille de laitue, entourez de quelques demi-cornichons.

VOS NOTES PERSONNELLES

Ecrire . . . .
. . . .
Acheter . . . .
. . . .
Téléphoner . . . .

Menu

BOUILLON À LA VOLAILLE
(voir recette ci-dessous)

PAËLLA
(voir recette ci-contre)

SORBET AUX PÊCHES
(voir recete p. 278)

Moyen   Facile   Abordable

PAELLA

POUR 6 PERSONNES
CUISSON : 35 minutes
INGRÉDIENTS :
400 g de riz
2 litres de moules
1 dl de vin blanc sec
30 g de beurre
6 belles langoustines
1 sachet de crevettes
1 gros oignon
1 cuillerée à café
de conc. de tomates
1 dose de safran
3 cuillerées à soupe
d'huile d'olive
Sel, poivre

MINI-RECETTE

BOUILLON À LA VOLAILLE

POUR 5 À 6 PERSONNES
CUISSON : 1 heure 35
INGRÉDIENTS : abattis de 2 poules
250 g de carottes, 150 g de navets
2 poireaux, 1 oignon
1 branche de célerie, cerfeuil
1 jaune d'œuf, sel, poivre

1 - Nettoyez et lavez soigneusement les abattis (cous, ailes, pattes) des volailles, et placez-les dans un faitout avec 1 litre 1/2 d'eau. Salez et poivrez légèrement, portez à ébullition, et laissez cuire à couvert, à petits bouillons, pendant 1 heure.

2 - Pendant ce temps, épluchez les carottes et navets. Coupez les carottes en rondelles, et les navets en quartiers.

3 - Otez les feuilles vertes des poireaux, pour ne conserver que les blancs. Fendez-les en quatre, lavez-les à l'eau courante, puis détaillez-les en julienne.

4 - Epluchez l'oignon, que l'on conserve entier. Epluchez la branche de céleri.

5 - Après 1 heure de cuisson du bouillon, plongez-y tous ces légumes et laissez cuire, après la reprise de l'ébullition, une bonne 1/2 heure, toujours à couvert.

6 - En fin de cuisson, ôtez les abattis du bouillon et, hors du feu, incorporez 1 jaune d'œuf au liquide.

7 - Versez le bouillon en soupière chaude, ciselez un petit bouquet de cerfeuil dessus, et servez aussitôt.

---

1 - Lavez soigneusement les moules à plusieurs eaux, et jetez-les dans un grand faitout avec le vin blanc et le beurre. Laissez les coquillages ouvrir sur feu vif.

2 - Réservez les moules, et plongez les langoustines 4 à 5 minutes dans le liquide de cuisson. Ajoutez un peu d'eau si nécessaire pour couvrir à hauteur. Réservez.

3 - Faites chauffer l'huile dans une cocotte et versez-y le riz et l'oignon finement haché. Tournez à la cuillère de bois et laissez prendre couleur.

4 - Mouillez alors avec le liquide de cuisson des fruits de mer passé dans un linge, complétez avec de l'eau chaude (le volume de liquide doit être le double de celui de riz), un peu de concentré de tomates, la dose de safran. Salez d'une bonne pincée de gros sel, poivrez et laissez cuire 20 à 25 minutes, selon la nature du riz. Le riz doit absorber tout le liquide.

5 - En fin de cuisson, ajoutez les crevettes décortiquées au riz pour les réchauffer, agissez de même en ôtant les 2/3 de moules de leurs coquilles (réservez les plus belles pour la décoration).

6 - Versez la paella dans un grand plat de service creux, disposez sur le riz les langoustines et les moules en coquilles, et servez immédiatement.

VOS NOTES PERSONNELLES

Ecrire . . . .
. . . .
Acheter . . . .
. . . .
Téléphoner . . . .

Menu

POUNTI
(voir recette ci-contre)

CERVELLES À LA CASTILLANE
(voir recette p. 56)

CRÈME GLACÉE À LA BANANE
(voir recette p. 42)

TOUT SAVOIR SUR...

L'AIL

*L'ail, connu des Chinois et des Egyptiens de l'Antiquité, est originaire d'Asie Centrale. Il semble avoir été introduit en Europe à l'époque des Croisades. La production nationale qui se situe dans le midi de la France étant insuffisante, on importe de l'ail d'Italie et d'Espagne. L'ail est connu pour ses propriétés antiseptiques et vermifuges. Consommé en trop grande quantité, il devient indigeste. L'ail est présent sur les marchés toute l'année. On le trouve frais dans le commerce en juin et juillet. Les deux grandes variétés sont : **les variétés d'automne** aux gros bulbes et grosses gousses, représentées surtout par le type «violet de Cadours». **Les variétés alternatives,** aux bulbes et gousses plus petits. Les normes européennes ont établi trois catégories qui déterminent des qualités et des aspects différents : **catégorie extra** (étiquette rouge), **catégorie I** (étiquette verte), **catégorie II** (étiquette jaune).*

POUNTI

Moyen Très facile Abordable

POUR 6 PERSONNES
CUISSON :
25 minutes environ
INGRÉDIENTS : 4 œufs
100 g de poitrine fumée
2 tr. de jambon blanc
Quelques feuilles
de laitue
250 g d'épinards
Quelques feuilles d'oseille
1 oignon, 3 échalotes
4 gousses d'ail
30 g de beurre
4 cuill. à soupe de farine
1 noisette de saindoux
Persil, ciboulette
Sel, poivre

1 - Hachez grossièrement la poitrine fumée et les tranches de jambon, et mettez-les à revenir doucement à la poêle dans une noisette de saindoux.

2 - Pendant ce temps, triez et lavez les feuilles d'épinards, coupez les queues. Procédez de même pour l'oseille. Lavez les feuilles de laitue.

3 - Séchez tous ces ingrédients dans un torchon, puis roulez les feuilles et coupez-les en fines lanières.

4 - Épluchez l'oignon et les échalotes, lavez un peu de persil et de ciboulette. Hachez le tout ensemble avec les gousses d'ail.

5 - Mettez dans un grand saladier les feuilles coupées en lanières, le hachis d'oignon et d'échalotes, le persil, la ciboulette, et cassez dessus 2 œufs entiers et 2 jaunes d'œufs. Ajoutez la poitrine fumée et le jambon, saupoudrez avec la farine, salez, poivrez au moulin et mélangez soigneusement le tout.

6 - Confectionnez avec vos mains de petites galettes à l'aide de cette préparation, et mettez-les à revenir à la poêle, sur feu moyen, dans une noix de beurre. Comptez environ 6 à 7 minutes de chaque côté.

7 - Disposez les pounti bien dorés sur un plat de service chaud, et servez immédiatement.

LE TRUC DU CHEF

POUR LES POUNTI : vous pouvez remplacer la poitrine fumée et le jambon blanc par du jambon fumé en utilisant moitié maigre, moitié gras. Cette excellente spécialité n'en sera que plus fine.

VOS NOTES PERSONNELLES

Ecrire . . . .
. . . .
Acheter . . . .
. . . .
Téléphoner . . . .

ÉPAULE D'AGNEAU FARCIE

Long · Facile · Cher

POUR 6
A 8 PERSONNES
CUISSON : 1 h 30 env.
INGRÉDIENTS :
1 épaule d'agneau de
1,8 kg env., désossée
100 g de jambon
150 g de chair
à saucisses
1 carotte, 1 oignon
1 gousse d'ail
125 g de champignons
1 belle tomate
1 bouquet de cerfeuil
1 v. de vin blanc sec
1 v. à liqu. de cognac
7 cuill. à soupe d'huile
Sel, poivre

1 - Epluchez la carotte, l'oignon et l'ail. Lavez le bouquet de cerfeuil. Débarrassez les champignons de leur pied terreux, lavez-les et séchez-les.

2 - Hachez finement tous ces légumes ensemble, avec le jambon.

3 - Plongez quelques instants la tomate dans l'eau bouillante, mondez-la, concassez-la grossièrement.

4 - Dans une casserole, faites chauffer 3 cuillerées d'huile, et mettez à revenir la chair à saucisse 3 à 4 minutes. Puis ajoutez le jambon et les légumes hachés, mélangez bien, et laissez cuire 5 minutes sur feu moyen.

5 - Versez alors la tomate concassée, salez, poivrez généreusement au moulin. Mouillez avec un peu de cognac et laissez réduire cette préparation quelques minutes à découvert.

6 - Disposez l'épaule d'agneau à plat, sur un plan de travail, salez et poivrez la viande, et déposez en son milieu la farce. Roulez l'épaule, ficelez-la.

7 - Dans une cocotte, faites chauffer 4 cuillerées à soupe d'huile, et mettez-y l'épaule roulée à dorer sur toutes ses faces. Mouillez alors avec le vin blanc et 2 verres d'eau. Laissez cuire à couvert pendant 1 heure.

8 - Dressez la viande sur un plat de service, accompagnée d'une garniture d'épinards en branches, présentez la sauce en saucière.

Menu

QUICHE À LA MOSELLANE
(voir recette p. 13)

ÉPAULE D'AGNEAU FARCIE
(voir recette ci-contre)

DÉLICE AUX DEUX PARFUMS
(voir recette ci-dessous)

Boisson conseillée :
UN MÉDOC ROUGE

MINI-RECETTE

DÉLICE AUX DEUX PARFUMS

POUR 5 À 6 PERSONNES
CUISSON : 5 minutes
INGRÉDIENTS : 275 g de sucre
1 génoise tout prête, 4 blancs d'œufs
1 verre à liqueur de kirsch
5 cuillerées à soupe de confiture d'abricots
5 cuillerées à soupe de confiture de fraises
Quelques fruits confits
100 g d'amandes effilées

1 - Coupez la génoise dans le sens horizontal en trois disques égaux.

2 - Dans une casserole, préparez un sirop avec 150 g de sucre et 1 verre d'eau. Faites bouillir quelques instants et ôtez du feu. Laissez tiédir, puis ajoutez le kirsch.

3 - Versez sur les tranches de génoise, côté mie pour les disques du dessous et du dessus, ce sirop afin de bien les imbiber.

4 - Nappez le disque inférieur de confiture d'abricots, posez le disque du milieu, et étalez sur celui-ci la confiture de fraises. Appliquez alors le disque supérieur pour reconstituer le gâteau.

5 - Dans un saladier, fouettez vigoureusement les blancs en neige avec 125 g de sucre. A l'aide d'une spatule, nappez le dessus de la génoise de ces blancs montés. Saupoudrez d'amandes effilées, et mettez le gâteau à four très chaud quelques minutes.

6 - Lorsque les blancs se sont transformés en une meringue bien dorée, sortez le gâteau du four. Décorez la meringue de quelques fruits confits. Servez froid.

VOS NOTES PERSONNELLES

Ecrire . . . .

. . . .

Acheter . . . .

. . . .

Téléphoner . . . .

Menu

POTAGE DES QUATRE SAISONS
(voir recette ci-dessous)

PORC À L'AIGRE-DOUX
(voir recette ci-contre)

BUGNES À LA CHICAUD
(voir recette p. 87)

PORC A L'AIGRE-DOUX

Moyen   Facile   Abordable

POUR 4 PERSONNES
CUISSON : 35 minutes
INGRÉDIENTS : 3 tomates
2 oignons
1 beau poivron
700 g de filet de porc
1 pet. v. de vinaigre
1 cuillerée à soupe
de sucre poudre
Sel, poivre

1 - Prenez 4 tranches de filet de porc, sans os et détaillez-les en fines lanières.
2 - Dans une cocotte, faites revenir ces morceaux de viande dans un peu d'huile sur feu moyen. Salez, poivrez.
3 - Pendant ce temps, épluchez les oignons et coupez-les en fines rondelles. Lavez soigneusement le poivron, séchez-le, fendez-le dans le sens de la longueur. Ôtez les pépins et coupez-le en lanières.
4 - Plongez quelques instants les tomates dans de l'eau bouillante, puis mondez-les et concassez-les grossièrement.
5 - Lorsque la viande a pris couleur, mettez les oignons et le poivron, et laissez ces légumes blondir légèrement.
6 - Saupoudrez alors le plat de la cuillerée de sucre en poudre, remuez bien, et attendez quelques minutes que le sucre caramélise légèrement.
7 - Déglacez alors avec le vinaigre en raclant bien le fond du récipient à la cuillère de bois pour décoller tous les sucs.
8 - Ajoutez alors les tomates concassées, remuez bien, et laissez mijoter le tout 15 à 20 minutes à découvert.
9 - Servez très chaud, accompagné de riz blanc.

MINI-RECETTE

POTAGE DES QUATRE SAISONS

POUR 5 À 6 PERSONNES
CUISSON : 1 h 1/4
INGRÉDIENTS : 150 g de carottes
100 g de navets, 1 oignon
Le blanc de 4 poireaux, 5 feuilles de choux
1 poignée de haricots verts
150 g de petits pois
6 feuilles d'épinard, 6 feuilles de laitue
6 feuilles d'oseille, 20 g de beurre
Persil, sel, poivre

1 - Epluchez et lavez les carottes, navets, poireaux, oignon. Lavez soigneusementf les feuilles d'épinard, de chou, de laitue et d'oseille.
2 - Taillez en lamelles les carottes, navets, poireaux, oignon et le chou.
3 - Mettez le beurre dans une cocotte, faites-le fondre lentement, et ajoutez les légumes taillés.
4 - Faites revenir ces légumes à feu très moyen, sans coloration.
5 - Mouillez ensuite avec l'eau (il faut environ 2 Litres pour ce potage).
6 - Laissez cuire lentement à couvert pendant 1 heure, après avoir légèrement salé et poivré.
7 - Au bout de ce laps de temps, ajoutez les petits pois, les haricots verts, les épinards, la laitue et l'oseille. Faites cuire pendant 20 minutes environ.
8 - Passez, si vous désirez un potage bien homogène, le contenu de la cocotte à la moulinette. Refaites chauffer doucement quelques instants et servez le parsemant, au dernier moment et hors du feu, avec du persil frais haché.

LE TRUC DU CHEF

POUR LE PORC À L'AIGRE-DOUX : on peut confectionner séparément la préparation aigre-douce en dissolvant et en faisant caraméliser légèrement le sucre dans le vinaigre, dans une petite casserole. Il faut alors verser ce mélange après que les oignons et poivrons aient blondis.

VOS NOTES PERSONNELLES

Ecrire . . . .
. . . .
Acheter . . . .
. . . .
Téléphoner . . . .

26 JUILLET

Menu

ŒUFS FARCIS LATOUR
(voir recette p. 100)

STEAKS SANTA MONICA
(voir recette ci-contre)

**PRUNEAUX AU VIN
DE CAHORS**
(voir recette p. 40)

TOUT SAVOIR SUR...

LE RUMSTECK

Cette pièce de viande se trouve dans la région de la crupe du bœuf et fait partie de l'aloyau. Le rumsteck se divise en trois parties : l'aiguillette de rumsteck qui forme le dessus et les côtés de la pièce de viande, le rumsteck proprement dit, qui se situe sous l'aiguillette, et l'aiguillette baronne qui se trouve à la pointe du rumsteck. La chair du rumsteck, quel que soit le morceau choisi, est tendre et goûteuse. Elle possède une valeur calorique élevée. A la coupe, cette viande doit avoir une couleur rouge vif, un grain serré. La graisse qui la recouvre doit être jaune pâle ; une pièce persillée, c'est-à-dire parcourue de stries de graisse, est recommandée. Le rumsteck ne comportant que très peu de déchets, il faut compter environ 160 g par personne.

STEAKS SANTA MONICA

Moyen — Très facile — Abordable

POUR 4 PERSONNES
CUISSON :
30 minutes environ
INGRÉDIENTS : 4 steaks
4 belles tomates
2 oignons
250 g de champignons
1 noix de beurre
3 cuill. à soupe d'huile
3 cuillerées à soupe
de vinaigre
1 pincée de sucre
1 pincée de cayenne
Sel

1 - Épluchez les oignons et coupez-les en tranches fines.
2 - Débarrassez les champignons de leur pied terreux, lavez-les à l'eau courante et séchez-les sur du papier absorbant. Puis détaillez-les en lamelles.
3 - Faites chauffer dans une casserole le mélange de beurre et d'huile, et mettez-y les oignons et les champignons à dorer ensemble.
4 - Pendant ce temps, plongez quelques instants les tomates dans de l'eau bouillante, épluchez-les et concassez-les grossièrement.
5 - Quand les oignons et champignons ont pris couleur, ajoutez la purée de tomates fraîches, salez, et agrémentez d'un filet de vinaigre et d'une pincée de sucre et de poivre de Cayenne. Laissez mijoter 15 à 20 minutes à découvert.
6 - Faites griller les steaks à la plaque, en prolongeant plus ou moins la cuisson selon que vous les désirez cuits à point ou saignants, et salez-les en fin de cuisson.
7 - Dressez les steaks sur un plat de service chaud, nappez-les de la sauce à la tomate et servez immédiatement.

LE TRUC DU CHEF

POUR LES PRUNEAUX AU VIN DE CAHORS : les pruneaux les plus estimés proviennent de la région d'Agen, mais à défaut, on trouve dans le commerce d'excellents fruits d'importation, de Californie surtout. Les pruneaux existent en différents calibres, les plus gros restant les plus chers, sans que la notion de qualité intervienne.

VOS NOTES PERSONNELLES

Ecrire . . . .
. . . .
Acheter . . . .
. . . .
Téléphoner . . . .

CHAUSSONS AUX POIRES

Moyen · Très facile · Abordable

POUR 4 PERSONNES
CUISSON : 45 minutes
INGRÉDIENTS :
500 g de poires
100 g de sucre semoule
1/2 v. à liqu. de kirsch
1 bloc de pâte feuilletée surgelée
1 jaune d'œuf
1 noix de beurre

Menu

LAITUE AUX FRUITS DE MER
(voir recette ci-dessous)

FOIE DE VEAU AUX COURGETTES
(voir recette p. 101)

CHAUSSONS AUX POIRES
(voir recette ci-contre)

MINI-RECETTE

LAITUE AUX FRUITS DE MER

POUR 4 À 5 PERSONNES
CUISSON : 10 minutes
INGRÉDIENTS : 1 belle laitue
500 g de moules, 1 sachet de crevettes
2 échalotes, 1/2 verre de vinaigre
1 bouquet de cerfeuil, 4 cuillerées d'huile
1 citron, thym, laurier, sel, poivre

1 - Préparez un court-bouillon dans un faitout avec 2 verres d'eau, le vinaigre, les échalotes hachées. Aromatisez d'un bouquet garni, poivrez, et laissez frémir quelques minutes à découvert.

2 - Triez les moules, lavez-les, et jetez-les dans le court-bouillon. Couvrez le récipient, et attendez 3 à 4 minutes, sur feu vif, le temps pour les moules de s'ouvrir. Otez les moules des coquilles. Réservez.

3 - Otez les feuilles jaunies ou abîmées entourant la laitue, lavez soigneusement la salade, égouttez-la, et mettez-la à sécher dans un torchon.

4 - Pressez un jus de citron dans un grand saladier, salez légèrement et ajoutez l'huile en tournant constamment de façon à obtenir une sauce bien liée.

5 - Disposez dans le saladier les feuilles de laitue, les moules et le contenu du sachet de crevettes décortiquées. Mélangez bien le tout. Ciselez un petit bouquet de cerfeuil sur la salade avant de servir.

1 - Laissez le bloc de pâte feuilletée dégeler en vous conformant aux indications portées sur l'emballage.

2 - Pelez les poires, coupez-les en quatre, éliminez la queue et les pépins, et détaillez chaque quartier en lamelles.

3 - Mettez les fruits dans une poêle avec 1 noix de beurre, faites-les blondir, terminez en ajoutant le sucre, laissez caraméliser, et aromatisez d'une goutte de kirsch.

4 - Quand la pâte est prête à l'emploi, étalez-la finement au rouleau et découpez des ronds de pâte d'environ 15 cm de diamètre.

5 - Passez au pinceau un peu de jaune d'œuf sur les pourtours, disposez sur chaque rond une bonne cuillerée à soupe de la préparation aux fruits, repliez la pâte sur elle-même et soudez soigneusement les bords avec vos doigts.

6 - Réalisez un décor à votre gré à la pointe du couteau, badigeonnez la pâte d'un jaune d'œuf battu, et mettez à cuire environ 25 minutes à four moyen, sur une plaque légèrement beurrée.

7 - Servez tiède ou froid.

LE TRUC DU CHEF

POUR LA LAITUE AUX FRUITS DE MER : choisissez, pour cette salade, des moules de bouchot, plus coûteuses, mais incomparablement plus parfumées que les moules de Hollande.

POUR LES CHAUSSONS AUX POIRES : une délicieuse variante consiste à ajouter à la farce de fruits une bonne pincée de poudre d'amandes.

VOS NOTES PERSONNELLES

Ecrire . . . .
. . . .

Acheter . . . .
. . . .

Téléphoner . . . .

Menu

SALADE D'ÉPINARDS AU ROQUEFORT
(voir recette ci-contre)
FILET DE PORC AU CITRON
(voir recette ci-dessous)
GÂTEAU AUX NOIX ET AU CHOCOLAT
(voir recette p. 34)

MINI-RECETTE

FILET DE PORC AU CITRON

POUR 6 PERSONNES
CUISSON : 2 heures
INGRÉDIENTS : 6 oignons
1 rôti de 1 kg dans le filet, 4 citrons
2 gousses d'ail, 1 petit piment rouge
1 noix de saindoux, 3 cuill. à soupe d'huile
Thym, laurier, sel

1 - Épluchez les gousses d'ail, divisez-les en éclats, et piquez-en le rôti en plusieurs endroits. Forttez la viande de sel.

2 - Faites chauffer le mélange d'huile et de saindoux dans une cocotte, et mettez-y le rôti à dorer sur toutes ses faces. Laissez-le ainsi 15 à 20 minutes.

3 - Pendant ce temps, pelez les oignons, et coupez-les en fines rondelles.

4 - Lorsque la viande est bien colorée, ôtez-la du récipient et réservez.

5 - Jetez les rondelles d'oignons dans la graisse de cuisson du porc, et laissez-les blondir quelques instants en remuant constamment à la cuiller de bois. Puis replacez le rôti dans la cocotte.

6 - Prenez le jus des citrons, et versez-le dans la préparation. Ajoutez un peu de thym et de laurier, et 1 petit piment rouge entier. Couvrez le récipient, et laissez mijoter 1 h 30 sur feu moyen.

7 - Passé ce temps, coupez la viande en tranches, et disposez-les sur un plat de service. Nappez-les de la sauce aux oignons et servez immédiatement avec une garniture de riz, ou de pommes de terre cuites à la vapeur.

SALADE D'ÉPINARDS AU ROQUEFORT

Moyen — Très facile — Abordable

POUR 5
A 6 PERSONNES
CUISSON : 20 minutes
INGRÉDIENTS :
500 g d'épinards
3 pommes de terre
3 œufs
100 g de roquefort
1 cuillerée à café de moutarde
1 cuillerée à soupe de vinaigre
4 cuill. à soupe d'huile
1 oignon
Sel, poivre

1 - Passez les pommes de terre à l'eau, et mettez-les à cuire en robe de chambre 20 minutes dans l'eau bouillante salée.

2 - Faites durcir les œufs 12 à 15 minutes à l'eau bouillante.

3 - Pendant ce temps, lavez les épinards à plusieurs eaux, triez-les et enlevez les feuilles abîmées, flétries ou jaunies. Coupez les queues et les grosses côtes. Séchez soigneusement les légumes dans un torchon, puis superposez les feuilles par petits paquets, roulez-les et détaillez-les en lanières à l'aide d'un couteau bien aiguisé.

4 - Mettez la moutarde, le vinaigre, un peu de sel et de poivre dans un saladier, tournez quelques instants, puis ajoutez l'huile sans cesser de remuer la sauce, qui doit être bien crémeuse. Écrasez dans cette sauce la moitié du roquefort.

5 - Épluchez les pommes de terre, coupez-les en quartiers, pelez l'oignon et coupez-le en rondelles. Écalez les œufs et coupez-les en quatre.

6 - Mettez les épinards et les pommes de terre dans le saladier, tournez la salade, et disposez dessus les rondelles d'oignon et les quartiers d'œufs durs. Émiettez sur le tout le reste du roquefort et servez.

Menu

PISSENLITS AU LARD
(voir recette ci-dessous)

PAUPIETTES DE TURBOT FARCIES
(voir recette p. 31)

OMELETTE SOUFFLÉE À L'ANANAS
(voir recette ci-contre)

MINI-RECETTE

PISSENLITS AU LARD

POUR 6 PERSONNES
CUISSON : 15 minutes
INGRÉDIENTS : 500 g de pissenlits
200 g de poitrine fumée
2 échalotes, 1 gousse d'ail, 1 œuf
2 cuillerées à soupe de vinaigre
1 cuillerée à soupe de moutarde
4 cuillerées à soupe d'huile, sel, poivre

1 - Triez les pissenlits, ôtez les mauvaises feuilles, coupez largement au-dessus des trognons. Lavez les feuilles soigneusement, en les passant à plusieurs eaux. Egouttez-les, et mettez-les à sécher dans un torchon.
2 - Faties durcir l'œuf 12 à 15 minutes à l'eau bouillante. Puis écalez-le sous l'eau froide et réservez le jaune.
3 - Pelez les échalotes et la gousse d'ail, et hachez le tout finement.
4 - Faites chauffer l'huile dans une poêle, sur feu moyen, et jetez-y la poitrine fumée détaillée en petits cubes. Laissez quelques minutes les lardons prendre couleur.
5 - Délayez la moutarde dans le vinaigre, dans un grand saladier. Ajoutez le hachis d'échalote et d'ail, le jaune d'œuf écrasé, salez et poivrez.
6 - Mettez les pissenlits dans le saladier, mélangez-les à la préparation au vinaigre, puis versez le contenu de la poêle, avec les lardons et la graisse de cuisson. Mélangez à nouveau l'ensemble, et servez immédiatement.

OMELETTE SOUFFLÉE A L'ANANAS

POUR 4 PERSONNES
CUISSON :
15 minutes environ
INGRÉDIENTS :
1/2 ananas
8 œufs
3 cuill. à café de sucre
1 pincée de sucre vanillé
1 noix de beurre
1 v. à liqu. de rhum

1 - Pelez le demi-ananas, coupez-le en deux dans le sens de la longueur, éliminez la partie fibreuse du centre. Puis détaillez le fruit en lamelles.
2 - Faites chauffer une noisette de beurre à la poêle, sur feu vif, et mettez-y à dorer légèrement les fruits quelques instants. Saupoudrez le tout d'une cuillerée à café de sucre semoule et d'une bonne pincée de sucre vanillé. Laissez blondir le sucre à feu doux.
3 - Cassez les œufs dans une terrine, en réservant 3 blancs dans un autre récipient. Battez les œufs en omelette avec 1 cuillerée à café de sucre et le rhum.
4 - Montez les 3 blancs en neige dans un saladier au fouet ou, mieux encore, au mixer avec 1 cuillerée à café de sucre. Ne cessez l'opération que lorsque les blancs collent au fouet.
5 - Incorporez délicatement les blancs en neige à l'omelette.
6 - Beurrez une grande poêle, mettez sur feu moyen, et versez-y les œufs battus. Remuez le centre de la préparation à la spatule de bois pour accélérer la coagulation des œufs. Laissez cuire quelques minutes.
7 - En fin de cuisson, faites glisser l'omelette sur un grand plat de service, disposez dessus les ananas caramélisés, et repliez-la. Servez immédiatement.

VOS NOTES PERSONNELLES

Ecrire . . . .
. . . .
Acheter . . . .
. . . .
Téléphoner . . . .

Menu

SALADE D'ENDIVES AU MAIGRE
(voir recette p. 99)

SELLE D'AGNEAU RÔTIE BOUQUETIÈRE
(voir recette ci-contre)

BEIGNETS À L'ORANGE
(voir recette p. 58)

Boisson conseillée :
UN BROUILLY

TOUT SAVOIR SUR...

LES CONSERVES DE LÉGUMES

Les légumes en conserve remplacent les légumes frais lorsqu'ils sont absents des marchés ou trop chers. Ces conserves, qui se présentent sous forme de boîtes ou de bocaux de différentes tailles, sont faciles à stocker, souvent prêtes à l'emploi et, de plus, sont d'un prix constant toute l'année. Parmi les nombreux légumes en conserve, citons **les petits pois** classés par grosseur : « extra-fins », « fins », « moyens ». Ils sont présentés « au naturel », « au jus » ou à « l'étuvée ». **Les haricots verts**, proposés en « extra-fins », « très fins », ou « mi-fins » ; les variétés « haricots beurre », « mange-tout » et « princesse », sont également présentés en conserve. **Les haricots**: parmi les variétés proposées « au naturel », citons « les haricots blancs » et les « flageolets ». **Les épinards** existent « en branches » ou « hachés ». **Les tomates** : on les trouve entières et pelées. Elles conviennent à toutes les préparations, exception faite des salades. **Les jardinières de légumes** : ce sont des mélanges de carottes, navets, haricots verts, petits pois, que l'on désigne aussi sous le nom de « macédoines ».

SELLE D'AGNEAU RÔTIE BOUQUETIÈRE

Long · Facile · Cher

POUR 6 A 8 PERSONNES
CUISSON : 1 heure
1 belle selle d'agneau de 1,7 kg env.
500 g de p.d.t. grattées
500 g de carottes
750 g de navets
1 petit chou-fleur
6 tomates
1/2 de haricots verts
1/2 boîte de pois
3 gousses d'ail
100 g de beurre
2 cuill. à soupe d'huile
Estragon, thym, laurier
Sel, poivre au moulin

1 - Epluchez les gousses d'ail et piquez-en la selle en divers endroits.

2 - Salez et poivrez la viande, placez-la dans un grand plat allant au four et badigeonnez-la d'un peu d'huile. Émiettez dessus thym et laurier. Mettez au four chaud.

3 - Pelez les tomates après les avoir ébouillantées et faites-les cuire à four chaud, dans un plat préalablement beurré.

4 - Pelez carottes et navets, coupez-les en quatre et faites-les cuire dans de l'eau bouillante salée.

5 - Faites cuire le chou-fleur à part, toujours dans de l'eau salée.

6 - Lorsque la selle d'agneau est cuite, disposez-la dans un grand plat de service. Déglacez le fond du plat de cuisson avec un peu d'eau et nappez-en la viande.

7 - Disposez tout autour, en alternant de façon à obtenir le plus bel effet décoratif, tomates, branches de chou-fleur, carottes, navets, petits pois, haricots verts. Vous ferez réchauffer ces deux légumes quelques instants auparavant.

8 - Dans une petite casserole, faites fondre un peu de beurre, sortez du feu, puis hachez dedans quelques feuilles d'estragon. Arrosez la garniture de ce beurre fondu très chaud et servez immédiatement.

VOS NOTES PERSONNELLES

Ecrire . . . .

Acheter . . . .

Téléphoner . . . .

31 JUILLET

Menu

CORNETS À LA MOUSSE DE FOIE GRAS
(voir recette p. 60)

TOURNEDOS À LA SAUCE ARMAGNAC
(voir recette p. 104)

GÂTEAU Nlle ORLÉANS
(voir recette ci-contre)

Boisson conseillée :
UN BORDEAUX ROUGE

TOUT SAVOIR SUR...

LE FOIE GRAS

Le foie gras provient d'oie ou de canard. Il est obtenu en gavant les volailles de grains, principalement du maïs, qui provoque une hypertrophie du foie, pouvant lui faire atteindre un poids d'un kilo. Traditionnellement, le Sud-Ouest et l'Alsace sont les principaux producteurs, mais on commercialise également du foie gras provenant des pays de l'Est et d'Israël. Sur le marché, on trouve : **le foie gras frais,** *il est mi-cuit et se conserve peu de temps. On le considère comme le meilleur.* **Le foie gras entier,** *dénomination concernant un ou plusieurs morceaux de lobe.* **Le foie gras,** *constitué de morceaux de foie gras formant bloc.* **Le parfait de foie gras,** *foie gras traité et assaisonné. Certaines préparations comme* **la galantine de foie gras, la purée de foie gras, le pâté de foie gras** *doivent comporter au minimum 50 % de foie gras et la précision « d'oie » ou « de canard » doit être mentionnée. Les foies gras truffés doivent contenir au moins 3 % de leur poids en truffes.*

GÂTEAU NOUVELLE-ORLÉANS

Moyen — Délicat — Abordable

POUR 6 A 8 PERSONNES
CUISSON :
15 minutes environ
INGRÉDIENTS : 2 œufs
2 génoises toutes prêtes
200 g de beurre
130 g de sucre semoule
2 cuill. à soupe de cacao
125 g de chocolat à croquer
100 g de crème fraîche
200 g de sucre glace
30 g de poudre d'amandes
1 blanc d'œuf
1 jus de citron
1 pet. verre de rhum

1 - Coupez les génoises en deux transversalement, de façon à obtenir 4 disques d'égale épaisseur. Imbibez-en la pâte de rhum.

2 - Cassez 2 œufs dans une casserole, ajoutez le sucre semoule, et mélangez sur feu très doux, jusqu'à ce que le sucre soit fondu. Ajoutez alors le cacao, puis retirez du feu et laissez refroidir en remuant de temps en temps.

3 - Lorsque la préparation est froide, incorporez le beurre en pommade en mélangeant bien le tout.

4 - Répartissez cette crème en l'étalant sur trois disques de génoise, empilez ces disques et couvrez du disque restant.

5 - Faites fondre le chocolat à croquer dans une petite casserole au bain-marie, puis incorporez la crème fraîche. Nappez de cette préparation le dessus et les côtés du gâteau en lissant la crème à l'aide d'une spatule métallique. Laissez prendre.

6 - Versez le sucre glace dans une terrine et ajoutez 1 blanc d'œuf, quelques gouttes de citron et la poudre d'amandes. Travaillez bien ce mélange et servez-vous d'une poche à douille pour constituer un décor sur tout le gâteau.

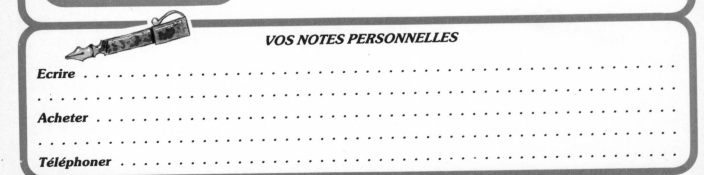

VOS NOTES PERSONNELLES

Ecrire . . . .

Acheter . . . .

Téléphoner . . . .

1 AOÛT

Menu

**CHAMPIGNONS
À LA GRECQUE**
(voir recette p. 65)
ENTRECÔTES À LA RIVETTE
(voir recette ci-contre)
**OMELETTE SOUFFLÉE
AUX POIRES**
(voir recette p. 120)

ENTRECÔTES A LA RIVETTE

Moyen — Facile — Abordable

POUR 4 PERSONNES
CUISSON : 25 minutes
INGRÉDIENTS :
2 entrecôtes de 400 g chacune
250 g de champignons
2 tomates
3 échalotes
1 gousse d'ail
1/2 v. de vin blanc sec
1 pet. noix de beurre
Thym, laurier
Sel, poivre

TOUT SAVOIR SUR...

L'ENTRECÔTE

C'est un ensemble de muscles se situant dans la partie dorsale antérieure de l'animal, au milieu du train de côtes. L'entrecôte a une valeur calorique élevée et est riche en protéines, comme toutes les viandes de boucherie. Elle comporte, dans des proportions intéressantes, du calcium, du phosphore et du potassium. C'est une viande un peu plus grasse que certains autres morceaux destinés également à être grillés. L'entrecôte est une viande « persillée », c'est-à-dire parcourue de fines stries de graisses qui, à la cuisson, lui confèrent son moelleux. C'est un morceau tendre et savoureux. A la coupe, la viande doit être de couleur rouge vif, recouverte d'une graisse jaune pâle. Compte tenu du peu de déchets de ce morceau, prévoyez 150 à 170 g par personne.

1 - Débarrassez les champignons de leur pied terreux, passez-les rapidement à l'eau courante, et séchez-les sur du papier absorbant. Puis détaillez-les en fines lamelles.

2 - Plongez 2 belles tomates quelques instants dans de l'eau chaude, mondez-les, concassez-les grossièrement.

3 - Faites fondre 1 petite noix de beurre dans une sauteuse et jetez-y les champignons. Laissez-les quelques minutes prendre couleur en les remuant de temps en temps à la spatule.

4 - Ajoutez la purée de tomates fraîches aux champignons, les échalotes finement hachées, la gousse d'ail pilée. Laissez à feu vif 2 à 3 minutes, puis mouillez avec le vin blanc. Aromatisez d'un peu de thym et de laurier, salez, poivrez, et laissez cuire cette sauce à découvert une dizaine de minutes.

5 - Faites chauffer une plaque sur feu très vif, et mettez-y à saisir les entrecôtes après les avoir légèrement badigeonnées d'huile. Laissez-les de 2 à 4 minutes de chaque côté selon que vous désirez la viande saignante ou à point.

6 - Lorsque la viande est cuite, salez et poivrez-la, et dressez-la sur un grand plat de service. Disposez entre les entrecôtes et tout autour du plat la sauce aux champignons, et servez immédiatement.

VOS NOTES PERSONNELLES

Ecrire . . . .
. . . .
Acheter . . . .
. . . .
Téléphoner . . . .

Menu

SALADE HENRIETTE
(voir recette ci-dessous)

BOULETTES AU CHOU VERT
(voir recette p. 124)

ROULÉ AUX FRAISES
(voir recette ci-contre)

MINI-RECETTE

SALADE HENRIETTE

POUR 4 PERSONNES
INGRÉDIENTS : 2 pommes
1 botte de cresson, 1 blanc de poulet cuit
50 g de gruyère, 1 jus de citron
2 cuillerées à soupe d'huile
Ciboulette, cerfeuil, 1 oignon
1 cuillerée à café de moutarde
Sel, poivre

1 - Eliminez le plus gros des queues du cresson, ainsi que les feuilles jaunies, et lavez la salade dans une bassine, à plusieurs eaux. Puis égouttez-la et mettez-la à sécher dans un torchon.

2 - Epluchez les pommes, coupez-les en quartiers, ôtez le cœur et les pépins. Puis détaillez les fruits en minces lamelles.

3 - Coupez le gruyère en petits cubes, le blanc de poulet en menus morceaux.

4 - Pelez l'oignon, coupez-le en fines tranches. Lavez la ciboulette et le cerfeuil. Hachez-les ensemble.

5 - Dans un saladier, délayez la moutarde dans le jus de citron, salez et poivrez. Puis ajoutez un peu d'huile en tournant constamment, jusqu'à ce que la sauce prenne une consistance crémeuse.

6 - Mettez alors le cresson, remuez, puis le fromage, le poulet, les pommes. Ajoutez le hachis d'herbes, mêlez soigneusement le tout. Décorez en surface avec les rondelles de citron.

ROULÉ AUX FRAISES

 Rapide   Facile   Abordable

POUR 6
A 8 PERSONNES
CUISSON : 10 minutes
INGRÉDIENTS : 4 œufs
120 g de sucre
en poudre
20 g de sucre vanillé
100 g de farine
55 g de beurre
1 pt pot de confiture
de fraises
1 sachet d'amandes
effilées
Quelques fruits confits

1 - Cassez les œufs en séparant les blancs des jaunes dans 2 terrines.

2 - Versez le sucre en poudre sur les jaunes, et battez le tout jusqu'à ce que le mélange blanchisse.

3 - Faites fondre doucement 35 g de beurre dans une casserole au bain-marie, et laissez refroidir.

4 - Montez les œufs en neige très ferme, et ne cessez l'opération que lorsque les blancs collent au fouet.

5 - Ajoutez aux jaunes d'œufs battus, par tiers, et en alternant, les blancs en neige, la farine, et le beurre fondu. Remuez longuement le tout pour obtenir une préparation homogène.

6 - Beurrez un grand papier sulfurisé carré, et relevez-en les bords pour former un moule. Placez ce papier sur une plaque de cuisson, et garnissez-le de la pâte (qui ne doit pas dépasser 1/2 cm d'épaisseur).

7 - Mettez à cuire à four chaud une dizaine de minutes. Lorsque le gâteau est cuit, retournez-le sur une serviette légèrement humide, et éliminez le papier sulfurisé.

8 - Nappez généreusement la pâte de confiture de fraises, puis roulez délicatement le gâteau sur lui-même en vous aidant de la serviette. Disposez le gâteau sur un plat de service après avoir coupé les extrémités en biais.

9 - A l'aide d'un couteau ou d'une pelle à tarte, nappez le dessus du roulé de confiture, saupoudrez d'un peu de sucre vanillé et des amandes effilées. Agrémentez le décor de quelques fruits confits, angélique et citron par exemple.

VOS NOTES PERSONNELLES

Ecrire . . . .

. . . .

Acheter . . . .

. . . .

Téléphoner . . . .

3 AOÛT

Menu

TOMATES AUX CREVETTES
(voir recette p. 16)

**LANGUE DE VEAU
À LA CHAMBIGE**
(voir recette ci-contre)

COUPE MATIGNON
(voir recette p. 64)

TOUT SAVOIR SUR...

LE HARICOT VERT

Le haricot vert a des qualités nutritives médiocres, ce qui le fait rechercher pour les régimes amaigrissants. Il est, par contre, riche en vitamines C, PP et en sels minéraux tels que calcium et fer. Il est présent sur les marchés de mars à novembre, avec une pointe pendant les mois d'été. On distingue trois grands groupes de haricots verts : les filets, ce sont les plus fins ; les mange-tout et les mange-tout beurre. Les normes européennes répartissent les haricots filets en trois catégories suivant qu'ils comportent plus ou pas de défauts d'aspect. Catégorie extra (étiquette rouge), catégorie I (étiquette verte), catégorie II (étiquette jaune). Les mange-tout et mange-tout beurre comportent deux catégories : catégorie I, tendres et sans fil, catégorie II, on accepte des grains développés et des fils. Consommez les haricots verts aussitôt achetés, vous conservez ainsi toutes leurs qualités.

LANGUE DE VEAU A LA CHAMBIGE

Long · Très facile · Abordable

**POUR 5
A 6 PERSONNES
CUISSON : 3 heures
INGRÉDIENTS :**
1 langue de veau
500 g de carottes
250 g de navets
1 petit chou-fleur
250 g de haricots verts
1 gros oignon
2 v. de vin blanc sec
1 v. à liqu. de cognac
Thym, laurier
Persil, cornichons
Sel, poivre

1 - Faites trempez la langue dans un récipient d'eau froide pendant 2 heures, puis plongez-la 15 minutes dans de l'eau bouillante salée. Laissez la viande refroidir et ôtez la peau et le cornet.

2 - Replacez la viande dans un grand récipient. Couvrez-la largement d'eau froide, salez et poivrez. Ajoutez le vin blanc et le cognac, l'oignon (on peut le piquer de clous de girofle), un peu de thym, de laurier, et de persil. Portez à ébullition et laissez cuire à couvert 3 heures.

3 - Pendant ce temps, lavez et épluchez les légumes. Fendez les carottes en quatre, les navets en quartiers, séparez le chou-fleur en petit bouquets. Coupez les extrémités des haricots verts.

4 - 1 heure avant la fin de la cuisson de la viande, ajoutez-lui les carottes et les navets, et 1/2 heure après, le chou-fleur et les haricots verts.

5 - A la fin de la cuisson, sortez la langue de son liquide de cuisson, détaillez-la en tranches assez fines que vous disposerez sur un long plat de service. Disposez au mieux les légumes autour de la viande. Présentez avec le plat, un bocal de cornichons, et un peu de bouillon en soupière.

LE TRUC DU CHEF

POUR LA LANGUE DE VEAU À LA CHAMBIGE : la langue de veau présente souvent des taches noires en surface, mais ceci n'est pas un défaut. C'est tout simplement une question de race et ces taches ne préjugent en rien de la qualité du produit.

VOS NOTES PERSONNELLES

Ecrire . . . .

. . . .

Acheter . . . .

. . . .

Téléphoner . . . .

Menu

SALADE NIÇOISE
(voir recette ci-contre)
BROCHETTES AU BŒUF MARINÉ
(voir recette p. 14)
FEUILLETÉ AUX FRAISES DUVERNAY
(voir recette p. 255)

TOUT SAVOIR SUR...

LES CONSERVES DE POISSONS

Les produits de la mer proposés sous forme de conserve ont une valeur identique, sur le plan nutritif, aux produits frais. Ils contiennent également les mêmes proportions de vitamines et d'éléments minéraux. De plus, une législation très stricte et une surveillance constante de la part d'organismes officiels garantissent la fraîcheur, l'hygiène et la qualité des produits mis sur le marché. Parmi les conserves les plus vendues, citons les sardines : préparées à l'huile, à la tomate, en sauce piquante, etc. Le thon et le saumon peuvent être «entier» ou en «miettes», à l'huile ou au naturel mais également préparés à la tomate. Les maquereaux : préparés au vin blanc ou à la tomate. Les anchois : proposés en filets ou roulés dans de l'huile ou encore préparés au sel. Merlu, lieu, cabillaud sont proposés le plus souvent au naturel. La seule précaution à prendre pour les conserves est de ne pas utiliser le contenu d'une boîte dont le couvercle est bombé. C'est le signe que les aliments sont probablement altérés.

SALADE NIÇOISE

Rapide · Très facile · Pas cher

**POUR 6 PERSONNES
INGRÉDIENTS :**
6 tomates, 1 poivron
1 boîte de thon à l'huile
1 boîte de filets
d'anchois, 4 oignons
1 salade verte
3 œufs durs
100 g d'olives noires
1 petit pot de câpres
4 cuil. à s. d'huile d'olive
1 bonne cuil. à soupe
de vinaigre
1 cuil. à soupe de
moutarde forte
1 boîte de haricots verts
Sel, poivre

1 - Dans un grand saladier, préparez la sauce en mélangeant bien le vinaigre, la moutarde, le sel et le poivre. Puis ajoutez l'huile d'olive en tournant bien, jusqu'à obtenir une sauce bien liée et bien crémeuse.

2 - Lavez la salade verte et essuyez-la soigneusement dans un torchon.

3 - Détaillez le poivron en fines lamelles.

4 - Passez à l'eau et égouttez les haricots verts.

5 - Mettez tous ces ingrédients dans le saladier avec les tomates coupées en quartiers et les œufs coupés en quatre.

6 - Décorez le dessus de la salade avec les oignons coupés en fines rondelles, le thon émietté, les filets d'anchois, les olives et les câpres.

LE TRUC DU CHEF

POUR LA SALADE NIÇOISE : vous donnere une saveur supplémentaire aux tomates si, indépendamment de l'assaisonnement général, vous salez chaque quartier à part.

Quelque soit la provenance des tomates, choisissez des fruits bien fermes, sans refuser quelques traces de vert. Ces tomates n'auront ainsi pas tendance à perdre leur eau, ce qui dénaturerait la saveur de la vinaigrette.

Pour les olives noires, préférez à celles en bocaux, les olives en tonneau. Leur qualité est de loin supérieure.

VOS NOTES PERSONNELLES

Ecrire . . . .
. . . .
Acheter . . . .
. . . .
Téléphoner . . . .

Menu

SALADE CLAUDINE
(voir recette p. 110)

SAUMON EN FRICAUDEAU
(voir recette p. 80)

POIRES AU BOURGUEIL
(voir recette ci-contre)

TOUT SAVOIR SUR...

LES VINS DE TOURAINE ET D'ANJOU

*Le vignoble de Touraine, d'une superficie de 48 000 ha s'étend principalement sur les départements du Loiret, d'Indre-et-Loire et du Loir-et-Cher. Citons les principaux crus : le **bourgueil** est un vin rouge parfumé au goût de framboise. **Le chinon**, proche du précédent, a un agréable arôme de violette. Le vignoble du Vouvray, produit des vins blancs secs ou liquoreux. Le vignoble angevin prolonge le vignoble tourangeau et se situe sur le département du Maine-et-Loire, au sud de Saumur et d'Angers, en bordure de la Loire et du Layon. Les vins rouges sont corsés et conviennent à merveille en accompagnement de gibiers. Les rosés d'Anjou sont des vins très fruités, secs ou demi-secs. Ils accompagnent parfaitement les poissons et fruits de mer, ainsi que la charcuterie. Les blancs d'Anjou, au fort bouquet, sont des vins sucrés. Ils conviennent à la dégustation de foie gras et de desserts.*

POIRES AU BOURGUEIL

Moyen — Très facile — Abordable

POUR 6 PERSONNES
CUISSON : 25 minutes
INGRÉDIENTS :
6 belles poires
1/2 l de vin de Bourgueil
200 g de sucre en poudre
1 cuil. de sucre vanillé
1 bonne pincée de cannelle
1 jus de citron

1 - Versez dans une casserole le vin, le sucre en poudre, 1 cuillerée à café de sucre vanillé, le jus de 1/4 de citron. Portez à ébullition, puis laissez frémir à feu doux pendant quelques minutes.

2 - Pelez les poires, coupez-les en deux, enlevez le cœur et les pépins.

3 - Plongez ces 1/2 poires dans la préparation au bourgueil, et laissez cuire à feu moyen, une quinzaine de minutes, à couvert.

4 - Quand les fruits sont cuits, égouttez-les et disposez-les dans un compotier.

5 - Gardez la casserole sur le feu, à découvert, afin que la préparation réduise un peu. Puis nappez-en les fruits. Laissez refroidir et placez le compotier au réfrigérateur.

6 - Servez frais ce dessert, accompagné de petites brioches, excellentes à tremper dans le sirop au vin.

LE TRUC DU CHEF

POUR LES POIRES AU BOURGUEIL : il faut surveiller très attentivement la cuisson des poires qui doivent être parfaitement cuites, sans l'être trop. Pour vous en assurer, piquez les fruits avec une aiguille ou la pointe d'un couteau. La pénétration doit se faire sans difficulté.
Si, lors de leur cuisson, les poires ne sont pas tout à fait recouvertes de liquide, couvrez-les d'une feuille de papier sulfurisé ou d'aluminium.

VOS NOTES PERSONNELLES

Ecrire . . . .

. . . .

Acheter . . . .

. . . .

Téléphoner . . . .

Menu

SALADE AU BLEU
(voir recette p. 120)

LAPIN AUX AROMATES
(voir recette ci-contre)

SORBET AUX DEUX ALCOOLS
(voir recette ci-dessous)

Boisson conseillée :
UN CHINON

MINI-RECETTE

SORBET AUX DEUX ALCOOLS

POUR 5 À 6 PERSONNES
CUISSON : simple ébullition
1 h 1/2 EN SORBETIÈRE
INGRÉDIENTS : 2 oranges
1 zeste d'orange, 1 citron
500 g de sucre en poudre
1 sachet de sucre vanillé
1 petit verre de Cointreau
1/2 verre à liqueur de gin

1 - Brossez soigneusement 1 orange à l'eau chaude, séchez-la, et râpez-en finement le zeste.
2 - Pressez le jus de 2 oranges et du citron.
3 - Dans une petite casserole, faites bouillir 1/2 litre d'eau avec les 500 g de sucre en poudre. Dès l'ébullition, retirez le récipient du feu.
4 - Ajoutez le zeste d'orange au sirop brûlant ; mélangez bien, et laisses refroidir.
5 - Incorporez ensuite le jus des 2 oranges et du citron, le Cointreau, le gin, le sucre vanillé.
6 - Versez ce mélange en sorbetière, et mettez à glacer pendant 1 heure 1/2.
7 - Quand le sorbet est prêt, remplissez-en un moule en métal, et placez ce dernier 1/2 heure dans le compartiment à glaçons du réfrigérateur. Donnez au réfrigérateur toute sa puissance.
8 - Passé ce temps, démoulez le sorbet sur plat de service froid, et servez aussitôt, accompagné de petis biscuits.

LAPIN AUX AROMATES

POUR 4
A 5 PERSONNES
CUISSON : 1 h 1/4
INGRÉDIENTS :
1 lapin de 1 kg
100 g de carottes
100 g d'oignons
2 échalotes
Ail, céleri, estragon
2 clous de girofle
1 gd v. de vin blanc
3 cuill. à soupe d'huile
1 cuill. de moutarde
1 cuill. de farine
Thym, laurier
Sel, poivre

1 - Placez le lapin coupé en morceaux dans une terrine. Salez, poivrez. Ajoutez une bonne cuillerée à soupe d'huile.
2 - Épluchez, coupez en rondelles carottes, oignons et échalotes. Ajoutez ces légumes plus l'ail, le céleri, les aromates (thym, laurier, clous de girofle) aux morceaux de lapin.
3 - Versez sur le tout le grand verre de vin blanc sec et laissez mariner le lapin dans cette préparation pendant quelques heures, de préférence dans un endroit frais.
4 - Égouttez les morceaux de lapin et les légumes, en récupérant le liquide.
5 - Faites rissoler les morceaux à la cocotte, dans très peu d'huile. Puis ajoutez les légumes, et laissez ceux-ci blondir légèrement. Saupoudrez de la cuillerée de farine, et faites cuire encore 2 minutes.
6 - Versez alors le liquide de la marinade, complétez avec un verre d'eau. Portez à ébullition. Salez et poivrez légèrement.
7 - Mettez à cuire à four moyen 1 heure environ.
8 - Lorsque le lapin est cuit, placez les morceaux sur un plat de service. Réservez.
9 - Passez le jus de cuisson, et liez-le avec la moutarde.
10 - Faites chauffer légèrement cette sauce dans une petite casserole, 2 à 3 minutes, en remuant constamment.
11 - Nappez les morceauxx de lapin de cette sauce et servez.

VOS NOTES PERSONNELLES

Ecrire . . . .

Acheter . . . .

Téléphoner . . . .

Menu

VELOUTÉ DE POISSON AUX CREVETTES
(voir recette ci-contre)

CÔTELETTES D'AGNEAU AUX OLIVES
(voir recette p. 63)

SAINT-HONORÉ
(voir recette p. 111)

Boisson conseillée :
UN BEAUJOLAIS

TOUT SAVOIR SUR...

LA CREVETTE

*La crevette est un petit crustacé que l'on pêche traditionnellement sur les côtes atlantiques et celles de la Manche. La chair, fine et délicate, renferme plus de protides que la viande de boucherie. Très pauvre en lipides, elle se digère remarquablement bien. Parmi les nombreuses variétés de crevettes proposées à la vente, les principales sont : **la crevette grise** qui est de loin la plus connue. Gris-vert lorsqu'elle est vivante, elle rougit à la cuisson. Sa taille ne dépasse guère 4 cm de long. **La crevette rose**, appelée aussi «bouquet» est de plus grande taille que la grise (elle peut atteindre 10 cm). Sa chair est ferme et parfumée. Chez le poissonnier, on trouve également des crevettes roses provenant de Méditerranée, de taille supérieure à la crevette bretonne. **La crevette géante** ou «gamba» est un crustacé pouvant dépasser 15 cm de long, qui est pêché au large de Dakar. Les gambas sont souvent commercialisés surgelés. Sachez que la crevette grise est la moins chère. Le meilleur moyen d'être certain de la fraîcheur des crevettes est de les acheter vivantes.*

VELOUTÉ DE POISSON AUX CREVETTES

 Moyen   Facile   Abordable

POUR 4 A 5 PERSONNES
CUISSON : 50 minutes environ
INGRÉDIENTS :
500 g de filets de poisson (merlu)
3 échalotes
2 carottes moyennes
1 gousse d'ail
170 g de beurre
90 g de farine
10 cl de crème fraîche
1 sachet de crevettes décortiquées
Thym, laurier, paprika
Sel, poivre

1 - Épluchez les carottes et les échalotes. Détaillez les carottes en petits bâtonnets, hachez les échalotes.

2 - Faites fondre 80 g de beurre dans une grande casserole, et jetez-y les légumes. Laissez-les « suer » quelques minutes sur feu très doux, en remuant de temps en temps avec une spatule de bois.

3 - Passez les filets de poisson à la moulinette, pour les réduire en purée.

4 - Mouillez les légumes avec 1 litre 1/2 d'eau chaude, salez, poivrez, ajoutez un peu de thym et de laurier, la gousse d'ail pilée, et 1 pointe de paprika. Versez la purée de poisson dans ce liquide et laissez frémir à couvert 30 minutes environ.

5 - Pendant ce temps, faites fondre doucement 90 g de beurre dans un grand récipient, et ajoutez-y 90 g de farine. Mélangez bien à la spatule de bois, et laissez cuire sur feu très doux 4 à 5 minutes (le mélange ne doit pas prendre couleur).

6 - Passé ce temps, ôtez le récipient du feu et laissez refroidir le roux blanc.

7 - Lorsque la préparation au poisson a cuit le temps voulu, retirez le thym et le laurier, et versez-la bouillante sur le roux. Mélangez au fouet, et laissez cuire à feu doux une dizaine de minutes.

8 - En fin de cuisson, ajoutez les crevettes décortiquées et, hors du feu, liez avec la crème fraîche. Versez en soupière chaude, et servez aussitôt.

VOS NOTES PERSONNELLES

Ecrire . . . .

Acheter . . . .

Téléphoner . . . .

Menu

MINI-RECETTE

SALADE ALGÉROISE

POUR 4 PERSONNES
INGRÉDIENTS : 3 tomates, 1 concombre
2 poivrons, 1 gros oignon, 1 citron
2 cuillerées à café de moutarde
1 verre d'huile d'olive, 100 g de raisins secs
50 g d'olives noires, 50 g d'olives vertes
Quelques feuilles de menthe, sel, poivre

1 - Coupez les tomates en quartiers, salez-les.
2 - Fendez les poivrons dans le sens de la longueur. Débarrassez-les de la queue et des pépins, puis détaillez-les en fines lanières.
3 - Epluchez le concombre et coupez-le en rondelles.
4 - Dans un grand saladier, confectionnez une sauce comme suit : délayez la moutarde dans le jus du citron, salez et poivrez. Puis incorporez l'huile d'olive en filet, en tournant constamment.
5 - Mettez tous les éléments de la salade dans le saladier, ajoutez-y les olives, noires et vertes, les raisins secs, et quelques feuilles de menthe fraîche coupées (avec des ciseaux) en fines lanières.
6 - Mélangez délicatement le tout, laissez environ 1/2 heure dans un endroit frais afin que les différents ingrédients composant la salade s'imprègnent bien de la sauce. Mêlez une dernière fois, juste avant de servir.

CRÊPES SOUFFLÉES
AU MARASQUIN

POUR 8 PERSONNES
CUISSON : 1 heure
INGRÉDIENTS :
POUR LA PÂTE
4 dl de lait
3 œufs   1 orange
250 g de farine
POUR LA CRÈME
DU SOUFFLÉ :
180 g de sucre
1/2 litre de lait
3 œufs entiers
6 blancs d'œufs
1 jaune d'œuf
75 g de farine
3 v. à liqu. de marasquin

PRÉPAREZ LES CRÊPES :
1 - Mélangez la farine et le sucre dans un saladier. Cassez les œufs, battez-les et ajoutez le jus d'une orange, le lait et une pincée de sel. Mouillez le mélange farine-sucre de ce liquide, remuez soigneusement le tout pour obtenir une préparation homogène, et laissez reposer 1 h environ.
2 - Confectionnez ensuite, dans une poêle légèrement huilée, des crêpes fines. Réservez.

PRÉPAREZ LA CRÈME :
1 - Cassez les 3 œufs entiers dans un saladier. Battez-les et incorporez 120 g de sucre et la farine en remuant le tout au fouet.
2 - Faites bouillir le lait dans une casserole et versez-le sur la préparation précédente. Battez soigneusement le mélange au fouet.
3 - Mettez cette préparation sur le feu en fouettant vivement quelques instants. Puis laissez refroidir et ajoutez le jaune d'œuf et le marasquin.
4 - Battez les blancs d'œufs en neige et incorporez-les délicatement à la crème.

PRÉPAREZ LES CRÊPES SOUFFLÉES :
1 - Mettez au centre de chaque crêpe une bonne cuillerée de crème. Pliez-les en deux, et rangez-les dans un plat allant au four, préalablement beurré. Saupoudrez du restant de sucre.
2 - Mettez à four chaud 10 minutes et servez aussitôt dans le plat de cuisson.

VOS NOTES PERSONNELLES

Ecrire . . . .
. . . .
Acheter . . . .
. . . .
Téléphoner . . . .

Menu

TARTE AUX POIREAUX
(voir recette ci-contre)

POIVRONS FARCIS
(voir recette p. 36)

CRÈME ARLEQUIN
(voir recette ci-dessous)

MINI-RECETTE

CRÈME ARLEQUIN

POUR 5 À 6 PERSONNES
CUISSON : 30 minutes environ
INGRÉDIENTS : 100 g de sucre
1 pincée de sucre vanillé
3 œufs entiers + 3 jaunes
1 noisette de beurre, 1/2 litre de lait écrémé
1 cuillerée à soupe de rhum
1 gousse de vanille, 80 g de fruits confits

1 - Versez le lait dans une casserole, et faites-le bouillir avec la gousse de vanille fendue. Maintenez quelques instants le récipient sur le feu, puis ôtez la casserole et laissez infuser la vanille dans le lait.

2 - Mettez les œufs entiers et les jaunes dans une terrine, ajoutez le sucre, et fouettez la préparation jusqu'à ce qu'elle blanchisse.

3 - Versez alors peu à peu le lait chaud (après avoir retiré la gousse de vanille). Tournez quelques instants au fouet.

4 - Réservez quelques beaux fruits, ou morceaux de fruits confits, et coupez le restant en menus morceaux.

5 - Ajoutez à la crème les morceaux de fruits confits, 1 pincée de sucre vanillé, 1 cuillerée à soupe de rhum. Remuez.

6 - Beurrez très légèrement un moule allant au four, et versez-y la crème. Placez ce moule dans un récipient allant au four et contenant de l'eau chaude. Mettez à cuire au bain-marie à four doux, 30 minutes environ.

7 - Quand la crème est cuite, laissez-la refroidir complètement, puis démoulez-la sur un plat de service. Décorez-la avec les fruits confits que vous avez réservés, et placez-la au réfrigérateur 20 à 30 minutes, avant de servir.

TARTE AUX POIREAUX

Moyen   Facile   Pas cher

POUR 5
A 6 PERSONNES
CUISSON : 40 minutes
INGRÉDIENTS :
1 kg de poireaux
4 fromages blancs 1/2 sel
220 g de farine
130 g de beurre
1 œuf, 1 pincée de sel

1 - Confectionnez une pâte brisée en mélangeant dans un saladier la farine, l'œuf entier, 110 g de beurre et 1 pincée de sel. Travaillez bien le tout en ajoutant un peu d'eau pour faciliter le mélange.

2 - Mettez la pâte en boule, farinez-la et laissez-la reposer 1 heure.

3 - Étalez la pâte au rouleau, et garnissez-en un moule à tarte préalablement beurré. Piquez en divers endroits le fond avec une fourchette, tapissez la pâte de papier aluminium et mettez 15 minutes à cuire à four doux.

4 - Pendant ce temps, lavez les poireaux après les avoir fendus dans le sens de la longueur, et faites-les bouillir 25 à 30 minutes dans de l'eau salée.

5 - Une fois cuits, égouttez-les, puis pressez-les fortement dans vos mains pour en extraire toute l'eau. Hachez-les grossièrement et, dans un saladier, mélangez à la fourchette ces légumes avec les fromages 1/2 sel.

6 - Lorsque le mélange est bien homogène, versez-le en garniture sur la pâte brisée précuite. Égalisez le mélange à la fourchette et faites cuire à feu doux 10 minutes.

7 - Lorsque la tarte est cuite, démoulez-la sur un plat de service et servez-la chaude ou froide.

LE TRUC DU CHEF

POUR LES POIVRONS FARCIS : pour la viande de mouton hachée, choisissez de préférence un morceau d'épaule. Vous la ferez désosser et hacher par votre boucher.

POUR LA CRÈME ARLEQUIN : pour obtenir un bel effet décoratif, choisissez quelques fruits confits de couleur différente : angélique, cerises, petites oranges...

VOS NOTES PERSONNELLES

Ecrire . . . .
. . . .
Acheter . . . .
. . . .
Téléphoner . . . .

10 AOÛT

Menu

TARAMA
(voir recette p. 28)

PANNEQUETS AU JAMBON
(voir recette ci-contre)

PLATEAU DE FROMAGE

TOUT SAVOIR SUR...

LE CANTAL

Produit en Auvergne depuis 2 000 ans, le cantal est considéré comme le plus ancien des fromages français. C'est un fromage à croûte sèche, à pâte ferme, pressée, non cuite, salée dans la masse, fabriqué uniquement avec du lait de vache en présure. Le cantal bénéficie d'une Appellation d'Origine Contrôlée et l'aire de production est précisément délimitée. C'est un fromage comportant 45 % de M.G. Il renferme, entre autres, des vitamines A, du calcium, du phosphore et du potassium. Les principaux cantal, sont : le cantal ou fourme de cantal : c'est un gros cylindre, d'environ 40 cm de diamètre, 45 cm de haut et pesant une quarantaine de kilos. Le laguiole : trente communes de l'Aubrac, uniquement, ont le droit de fabriquer ce cantal. C'est un fromage de forme cylindrique, légèrement plus petit que la fourme. Il est reconnaissable à sa croûte orangée. Le salers : c'est la petite ville de Salers qui a donné son nom à ce fromage. C'est également un cylindre de 40 à 55 kg à la pâte jaune plus ou moins claire.

PANNEQUETS AU JAMBON

POUR 4 PERSONNES
CUISSON :
30 minutes environ
INGRÉDIENTS :
190 g de farine
3 dl de lait, 3 œufs
4 tranches de jambon
1 boîte d'épinards
en branches
60 g de beurre
Persil, thym
Sel, poivre

1 - Versez la farine dans un saladier, faites un puits et mettez-y les œufs, 1 noix de beurre fondu et 1 pincée de sel. Mélangez bien le tout à la cuillère de bois, puis mouillez peu à peu la préparation avec le lait préalablement tiédi. Tournez régulièrement pour obtenir une pâte à crêpes lisse et homogène.

2 - Égoutez les épinards, et pressez-les entre vos mains pour éliminer le maximum d'eau. Hachez-les grossièrement.

3 - Hachez le jambon et mettez-le à revenir doucement à la poêle dans un peu de beurre. Ajoutez les épinards et laissez cette préparation cuire sur feu doux, après l'avoir salée, poivrée et aromatisée d'un peu de thym.

4 - Enduisez une poêle de beurre, placez-la sur feu vif, et versez à la louche la quantité nécessaire pour la confection d'une crêpe mince. Laissez cuire quelques instants d'un côté, puis retournez la crêpe à la spatule. Procédez ainsi jusqu'à épuisement de la pâte. Empilez les crêpes au fur et à mesure en les conservant au chaud, par exemple sur une assiette elle-même posée sur une casserole contenant de l'eau en ébullition.

5 - Ciselez un petit bouquet de persil sur la préparation au jambon et aux épinards, et étalez-la, en la répartissant, sur les crêpes. Roulez-les et disposez-les sur un plat de service. Servez immédiatement.

VOS NOTES PERSONNELLES

Ecrire . . . .
. . . .
Acheter . . . .
. . . .
Téléphoner . . . .

11 AOÛT

Menu

CHICKEN-PIE
(voir recette p. 57)

**FILET DE PORC
À LA MARINADE**
(voir recette ci-contre)

FRUITS RAFRAÎCHIS
(voir recette ci-dessous)

MINI-RECETTE

FRUITS RAFRAÎCHIS

POUR 5 À 6 PERSONNES
1 HEURE AU RÉFRIGÉRATEUR
INGRÉDIENTS : 2 oranges, 2 poires
2 pommes, 1 citron, 1 grappe de raisin noir
1 grappe de raisin blanc
Quelques noix
1 poignée de noisettes
1/2 verre de madère
1 cuillerée à soupe de sucre en poudre

1 - Épluchez les pommes et les poires, coupez-les en quartiers, épépinez-les, puis détaillez-les en lamelles dans un compotier.
2 - Pressez le jus du citron, et arrosez-en les pommes et les poires. Laissez macérer.
3 - Pendant ce temps, pelez les oranges et séparez-les en quartiers. Coupez chaque quartier en deux, et ajoutez-les aux pommes et poires.
4 - Lavez soigneusement les grappes de raisin, égrenez-les, et mettez les grains dans le compotier.
5 - Cassez les noix et les noisettes. Brisez menu les cerneaux de noix, laissez les noisettes entières. Réservez.
6 - Saupoudrez les fruits avec la cuillerée à soupe de sucre, arrosez-les de madère. Mélangez délicatement le tout.
7 - Remplissez de cette macédoine de fruits des coupes individuelles, et placez celles-ci au réfrigérateur 1 heure.
8 - Au moment de servir, parsemez chaque coupe de quelques noisettes entières et de petits morceaux de noix.

FILET DE PORC
A LA MARINADE

POUR 6 PERSONNES
24 H A MARINER
CUISSON : 1 h 45
INGRÉDIENTS :
1 rôti de 1,2 kg
1 carotte, 1 oignon
2 gousses d'ail
2 clous de girofle
1 cuillerée à soupe
de vinaigre
1/2 verre d'huile
1 bouteille de Bourgogne rouge
20 g de farine
40 g de beurre
250 g de champignons
Thym, laurier
Sel, poivre

1 - Préparez une marinade crue dans un grand saladier pouvant contenir le rôti de porc avec le vin rouge, la carotte et l'oignon coupés en fines rondelles, l'ail pilé, les clous de girofle, le vinaigre et l'huile. Ajoutez un peu de thym et de laurier, salez, poivrez généreusement au moulin, et mettez-y la viande à mariner 24 heures.
2 - Passé ce temps, épongez la viande avec du papier absorbant, et mettez-la à dorer en cocotte sur feu doux, avec une belle noix de beurre.
3 - Quand la viande a pris couleur, saupoudrez avec un peu de farine, laissez blondir légèrement, puis mouillez avec la marinade passée au chinois. Couvrez le récipient et laissez mijoter 1 h 15.
4 - Débarrassez les champignons de leur pied terreux, lavez-les à l'eau courante, séchez-les sur du papier absorbant. Puis détaillez-les en lamelles.
5 - Faites fondre 1 noix de beurre à la poêle, sur feu vif, et mettez-y les champignons à revenir. Salez et poivrez.
6 - Quand la viande a mijoté le temps convenable, ajoutez les champignons à la sauce et terminez la cuisson à découvert 15 à 20 minutes, le temps pour la sauce de réduire convenablement.
7 - Dressez le filet de porc sur un plat de service chaud, servez la sauce en saucière, et accompagnez d'une garniture de pommes de terre cuites à la vapeur.

VOS NOTES PERSONNELLES

Ecrire . . . .
. . . .
Acheter . . . .
. . . .
Téléphoner . . . .

229

Menu

CŒURS DE FENOUIL GLACÉS
(voir recette ci-contre)

FILETS DE MAQUEREAUX ROSKILDE
(voir recette p. 102)

PAIN À LA CANNELLE
(voir recette ci-dessous)

MINI-RECETTE

PAIN À LA CANNELLE

POUR 6 PERSONNES
CUISSON : 40 minutes
INGRÉDIENTS : 3 œufs, 250 g de farine
150 g de sucre semoule
150 g de beurre
1 verre à liqueur de rhum
100 g de raisins secs
1 cuillerée à café de cannelle
1 pincée de sel

1 - Travaillez le beurre en pommade dans une terrine, ajoutez le sucre semoule, et mélangez. Puis incorporez les œufs, la farine en pluie, les raisins secs, et 1 pincée de sel. Aromatisez avec le rhum et la cannelle, et pétrissez longuement cette pâte.
2 - Beurrez un moule à cake, garnissez-le de la préparation, et mettez à cuire 40 minutes à four moyen. Laissez refroidir le gâteau avant de démouler sur un plat de service.

CŒURS DE FENOUIL GLACÉS

Moyen   Très facile   Abordable

POUR 5
A 6 PERSONNES
CUISSON : 1 heure
INGRÉDIENTS : 3 tomates
1 kg de cœurs de fenouil
1 oignon
1 gousse d'ail
1 v. de vin blanc sec
1 cuillerée à café
de conc. de tomates
1 jus de citron
2 cuill. à soupe d'huile
1 feuille de laurier
1 pincée d'estragon
en poudre
Sel, poivre

1 - Ôtez les feuilles abîmées ou jaunies des cœurs de fenouil, coupez soigneusement au ras du pied et au début des branches. Passez les légumes à l'eau courante, puis fendez-les en deux.
2 - Mettez les demi-cœurs de fenouil à cuire 30 minutes à l'eau bouillante salée.
3 - Pendant ce temps, pelez l'oignon et la gousse d'ail, et hachez-les.
4 - Plongez quelques instants les tomates dans de l'eau bouillante, mondez-les et concassez-les grossièrement.
5 - Mettez dans une grande casserole le vin blanc, la purée de tomates fraîches, l'oignon et l'ail hachés. Ajoutez l'huile, le concentré de tomates et 1 bon jus de citron. Aromatisez d'une feuille de laurier et d'une forte pointe d'estragon en poudre, salez, poivrez et laissez cuire à couvert une quizaine de minutes.
6 - Après 1/2 heure de cuisson du fenouil, égouttez le légume et mettez-le à cuire 25 à 30 minutes dans la sauce au vin, récipient couvert. Quelques minutes avant la fin de la cuisson, ôtez le couvercle afin que la sauce réduise convenablement.
7 - Placez la préparation 1 heure au moins dans la partie haute du réfrigérateur avant de servir.

VOS NOTES PERSONNELLES

Ecrire . . . .
. . . .
Acheter . . . .
. . . .
Téléphoner . . . .

13 AOÛT

Menu

**FROMAGE BLANC
AUX HERBES**
(voir recette ci-dessous)

CANARD À L'ANANAS
(voir recette ci-contre)

FEUILLETÉ À L'ORANGE
(voir recette p. 102)

*Boisson conseillée :
UN ROSÉE DE BÉARN*

MINI-RECETTE

FROMAGE BLANC AUX HERBES

POUR 4 PERSONNES
INGRÉDIENTS : 300 g de fromage blanc
4 feuilles d'épinards, cerfeuil, persil
Estragon, ciboulette
2 cuillerées à soupe de lait
1 gousse d'ail, sel, poivre

1 - Lavez soigneusement les feuilles d'épinard à plusieurs eaux, puis séchez-les dans un torchon. Roulez les feuilles ensemble, comme pour faire un cigare. Puis, à l'aide d'un couteau bien aiguisé, détaillez ce rouleau très finement pour obtenir des petites lanières d'épinard.

2 - Lavez le cerfeuil, le persil et l'estragon. Séchez ces fines herbes et coupez-les menu à l'aide d'une paire de ciseaux.

3 - Lavez la ciboulette et hachez-la au couteau, sur une planchette de bois.

4 - Mettez le fromage blanc dans un saladier, ajouter le lait. Salez, poivrez, et battez le tout au fouet pour bien aérer le fromage.

5 - Incorporez alors les herbes, mélangez délicatement, et remplissez de cette préparation de petites terrines individuelles.

6 - Placez les terrines au réfrigérateur une vingtaine de minutes avant de servir. Cette petite entrée, extrêmement légère se déguste à la petite cuiller.

CANARD A L'ANANAS

**POUR 5
A 6 PERSONNES
CUISSON : 1 h env.
INGRÉDIENTS :**
1 canard moyen
1 gros oignon
1 sachet de champignons noirs
1 boîte 4/4 d'ananas
1 gousse d'ail
1/2 v. de vinaigre
1 cuill. à café de sucre
1 cuill. à soupe de farine
4 cuill. à soupe d'huile
Sel, poivre

1 - Faites tremper les champignons noirs dans de l'eau tiède 1 bonne heure avant utilisation.

2 - Salez et poivrez le canard, et mettez-le à cuire dans une cocotte avec 2 verres d'eau et 1/2 verre de vinaigre. Couvrez le récipient et laissez sur feu moyen 30 minutes environ. Tournez le canard de temps en temps.

3 - Passé ce temps, laissez reposer la volaille pendant 1/2 heure puis, à l'aide d'un petit couteau pointu, détachez la chair et coupez-la en menus morceaux.

4 - Faites chauffer l'huile dans une sauteuse et mettez-y à revenir l'oignon haché et les morceaux de canard. Remuez à la spatule de bois et, lorsque la préparation a pris couleur, saupoudrez avec la farine et le sucre. Laissez cuire quelques instants à feu doux.

5 - Ouvrez la boîte d'ananas, égouttez les tranches et mouillez la préparation avec le jus. Ajoutez les champignons noirs égouttés, la gousse d'ail pilée, salez légèrement, poivrez et laissez cuire à couvert une trentaine de minutes.

6 - Passé ce temps, ajoutez à la viande les tranches d'ananas détaillées en quartiers, laissez cuire encore quelques minutes à découvert.

7 - Versez la préparation dans un grand plat de service creux, accompagnez d'une garniture de riz blanc, servez très chaud.

VOS NOTES PERSONNELLES

Ecrire . . . .

. . . .

Acheter . . . .

. . . .

Téléphoner . . . .

14 AOÛT

Menu

**PÂTÉ DE VOLAILLES
EN CROÛTE**
(voir recette p. 39)
**RIS DE VEAU
EN GOURMANDISE**
(voir recette p. 330)
MOKA ARLEQUIN
(voir recette ci-contre)

Boisson conseillée :
UN ROSÉ DE PROVENCE

TOUT SAVOIR SUR...

LES VINS DES CÔTES DE PROVENCE

*Le vignoble des Côtes de Provence occupe un territoire délimité par Toulon, Draguignan, Fréjus et le littoral. C'est dans cette région, aux conditions climatiques exceptionnelles, que sont produits les vins de qualité. Les côtes de provence bénéficient, depuis 1977, d'une Appellation d'Origine Contrôlée. **Les rouges** : ce sont des vins d'un beau rouge rubis, ayant du corps et parfois une légère âpreté. Ils accompagnent parfaitement les viandes en sauce et les gibiers. **Les rosés** : ce sont des vins appréciés pour leur bouquet délicat. Ils se marient agréablement aux charcuteries et aux poissons. **Les blancs** : presque toujours secs, parfois pétillants, sont des vins qui conviennent parfaitement en accompagnement de tous produits de la mer. La plupart des Côtes de Provence se dégustent jeunes, leur temps de conservation, dans le meilleur des cas, n'excède pas 5 ans. Ils se boivent frais, autour de 12° pour les rouges et de 10° pour les rosés et les blancs.*

MOKA ARLEQUIN

Moyen — Délicat — Abordable

**POUR 7
A 8 PERSONNES
CUISSON :
10 minutes env.
INGRÉDIENTS : 6 œufs
250 g de sucre semoule
100 g de farine
190 g de beurre
1 cuillerée à soupe
d'extrait de café
1 sachet vermicelle
en sucre**

1 - Cassez 4 œufs, mettez les jaunes dans une terrine (réservez les blancs) et travaillez-les avec 120 g de sucre jusqu'à ce que le mélange blanchisse. Ajoutez la farine.

2 - Montez les blancs en neige en les fouettant énergiquement, et incorporez-les délicatement à la préparation précédente. Ajoutez 35 g de beurre préalablement fondu et refroidi.

3 - Disposez une feuille de papier alu légèrement beurrée sur une plaque de cuisson, étalez-y la pâte sur une épaisseur de 5 à 6 mm, et mettez à four chaud 10 minutes environ. Puis laissez refroidir.

4 - Confectionnez une crème comme suit : cassez 2 œufs dans une casserole. Ajoutez 130 g de sucre semoule, et tournez le mélange sur feu très doux jusqu'à ce que le sucre soit entièrement fondu. Ôtez le récipient du feu, tournez encore quelques instants, et laissez refroidir. Incorporez alors 140 g de beurre en pommade et l'extrait de café.

5 - Coupez la pâte en quatre rectangles égaux. Placez un rectangle sur un plat de service, nappez-le de crème, recouvrez d'un autre rectangle et procédez de même ainsi que pour le troisième rectangle.

6 - Après avoir placé le dernier rectangle, recouvrez entièrement le gâteau de crème avec une spatule.

7 - Avec la pointe d'un couteau, tracez les losanges sur le dessus du moka. Saupoudrez avec soin un losange sur deux de vermicelle en sucre de couleur, comme pour réaliser un décor de damier. Tapissez le tour du moka de vermicelle.

8 - Placez 1/2 heure au réfrigérateur avant de servir.

VOS NOTES PERSONNELLES

Ecrire . . . .
. . . .
Acheter . . . .
. . . .
Téléphoner . . . .

15 AOÛT

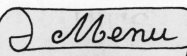

Menu

**OMELETTE
AUX CHAMPIGNONS DE PARIS**
(voir recette p. 79)

PIZZA À LA REINE
(voir recette ci-contre)

MACARONS SOUFFLÉS
(voir recette ci-dessous)

MINI-RECETTE

MACARONS SOUFFLÉS

POUR 8 À 10 PERSONNES
CUISSON : 30 minutes environ
INGRÉDIENTS : 3 blancs d'œufs
120 g de poudre d'amandes
1 pincée de vanille en poudre
200 g de sucre semoule

1 - Mélangez intimement dans une terrine le sucre semoule, la poudre d'amandes, et la pincée de vanille.

2 - Cassez les œufs et mettez les blancs dans un saladier. Montez-les en neige en les fouettant énergiquement ou mieux, en les passant au mixer. Ne cessez l'opération que lorsque les blancs collent bien au fouet.

3 - Incorporez délicatement les blancs en neige au mélange sucre-poudre d'amandes, mettez la préparation en poche à douille, et déposez ainsi, sur une plaque, sur une feuille de papier sulfurisé, en les espaçant, des macarons de la grosseur d'une noix.

4 - Mettez à four chaud et laissez cuire à raison de 30 minutes par plaque. Attendez le complet refroidissement avant de servir.

PIZZA A LA REINE

  Moyen   Facile   Abordable

POUR 6 PERSONNES
CUISSON : 55 minutes
INGRÉDIENTS :
500 g de farine
20 g de levure
de boulanger
6 tomates, 2 oignons
1 poivron
4 tranches de jambon
150 g de parmesan râpé
1/2 v. d'huile d'olive
Thym, laurier
Sel, poivre

1 - Mettez la farine dans un saladier, faites un puits, et versez-y la levure délayée dans un verre d'eau tiède. Ajoutez une pincée de sel. Travaillez le tout du bout des doigts. Versez de temps en temps un peu d'eau tiède en pétrissant bien pour obtenir une pâte souple et homogène, comme une pâte à pain.

2 - Roulez cette pâte en boule, farinez-la et laissez-la lever dans le saladier durant 3 heures, dans un endroit tiède, recouverte d'un linge.

3 - Lavez le poivron, fendez-le dans le sens de la longueur, et débarrassez-le de ses pépins. Détaillez-le en fines lanières.

4 - Épluchez les oignons, hachez-les grossièrement. Mondez les tomates, concassez-les. Coupez le jambon en lanières.

5 - Faites chauffer l'huile d'olive dans une cocotte et mettez à revenir doucement le poivron et les oignons hachés. Lorsqu'ils ont pris couleur, ajoutez les tomates. Salez et poivrez. Aromatisez d'un peu de thym et de laurier, et laissez mijoter à découvert 1/2 heure. En fin de cuisson, ajoutez le jambon.

6 - Lorsque la pâte est prête pour l'emploi, étalez-la en une galette épaisse d'environ 1/2 cm et d'une trentaine de centimètres de diamètre. Répartissez dessus la préparation de légumes et de jambon, recouvrez le tout de parmesan, et mettez à cuire à four chaud 20 à 25 minutes. Servez très chaud.

 VOS NOTES PERSONNELLES

Ecrire . . . .
. . . .
Acheter . . . .
. . . .
Téléphoner . . . .

Menu

TARTE FORESTIÈRE
(voir recette ci-dessous)

STEACKS HACHÉS MARION
(voir recette p. 43)

CRÈME GLACÉE PLANTEUR
(voir recette ci-contre)

MINI-RECETTE

TARTE FORESTIÈRE

POUR 6 PERSONNES
CUISSON : 45 minutes
INGRÉDIENTS : 500 g de champignons
1 bloc de pâte feuilletée surgelée
150 g de poitrine fumée
15 cl de crème fraîche, 10 cl de lait
70 g de beurre, 2 jaunes d'œufs
1 cuillerée à soupe de farine
Sel, poivre

1 - Laissez le bloc de pâte feuilletée dégeler le temps indiqué sur l'emballage.
2 - Lavez les champignons, séchez-les, et détaillez-les en lamelles.
3 - Coupez la tranche de poitrine fumée en petits dés, et mettez-les à revenir à la poêle sur feu vif, dans une belle noix de beurre. Quand ils ont bien refroidi, égouttez-les sur une assiette et jetez les champignons dans la graisse de cuisson. Laissez-les prendre couleur quelques minutes en remuant de temps en temps à la cuiller de bois. Salez légèrement et poivrez.
4 - Mettez 40 g de beurre dans une casserole, laissez fondre doucement, et ajoutez la farine en pluie. Tournez 2 à 3 Minutes à la cuiller de bois, puis mouillez avec le lait. Salez, poivrez, et laissez quelques minutes sur feu doux en tournant constamment la préparation, jusqu'à ce qu'elle épaississe. Incorporez alors les jaunes d'œufs et la crème fraîche et réservez.
5 - Etalez la pâte feuilletée, et tapissez-en un moule à tarte. Garnissez-la des champignons et des lardons, et nappez le tout de crème. Mettez à cuire une trentaine de minutes à four moyen. Servez chaud ou tiède.

CRÈME GLACÉE PLANTEUR

Long · Très facile · Pas cher

POUR 4 PERSONNES
2 H AU RÉFRIGÉRATEUR
INGRÉDIENTS :
2 blancs d'œufs
250 g de fromage blanc maigre
4 cuill. à soupe de sucre
1 v. à liqu. de cognac
50 g de raisins secs
1/2 tasse de café fort
1 sachet d'amandes effilées
4 cerises confites

1 - Mettez les raisins secs dans un bol, arrosez-les avec le cognac et laissez macérer quelque temps.
2 - Confectionnez l'équivalent d'une demi-tasse de café très concentré au filtre. Laissez refroidir.
3 - Versez le fromage blanc dans une terrine, ajoutez le sucre semoule, et battez légèrement au fouet cette préparation.
4 - Incorporez le café froid au fromage blanc et mélangez bien le tout.
5 - Cassez les œufs, mettez les blancs dans un saladier (réservez les jaunes pour une autre utilisation) et montez-les en neige très ferme au fouet ou mieux, au mixer. Ne cessez l'opération que lorsque les blancs collent au fouet.
6 - Incorporez délicatement les blancs en neige au fromage blanc, et remplissez de petites coupes de cette préparation.
7 - Décorez chaque coupe de raisins secs, d'amandes effilées et d'une cerise confite. Placez les crèmes à glacer 2 heures environ au réfrigérateur avant de servir.

LE TRUC DU CHEF

POUR LA CRÈME GLACÉE PLANTEUR : pour agrémenter la saveur de ce dessert, vous pouvez ajouter un peu de sucre vanillé au sucre semoule.

Pour la confection de cette crème, choisissez de préférence du fromage blanc vendu en pot, très peu égoutté, et à consistance molle.

VOS NOTES PERSONNELLES

Ecrire . . . .

Acheter . . . .

Téléphoner . . . .

Menu

**QUENELLES GRATINÉES
À LA PARISIENNE**
(voir recette ci-dessous)

**CÔTELETTES D'AGNEAU
À LA VILLAGEOISE**
(voir recette ci-contre)

GÂTEAU DE GRONINGUE
(voir recette p. 123)

MINI-RECETTE

QUENELLES
GRATINÉES
À LA PARISIENNE

**POUR 6 PERSONNES
CUISSON : 50 minutes
INGRÉDIENTS : 210 g de farine
180 g de beurre, 4 œufs
150 g de gruyère râpé
1 litre de lait, sel, poivre**

1 - Mettez dans une casserole 1/4 de litre d'eau, 80 g de beurre, un peu de sel et de poivre, et portez à ébullition.
2 - Dès le premier bouillon, ôtez le récipient du feu, et versez d'un seul coup 150 g de farine. Mélangez à la spatule de bois, remettez sur feu doux, et remuez la préparation jusqu'à l'obtention d'une pâte formant boule. Retirez du feu.
3 - Ajoutez alors à la pâte les œufs un à un,' puis 100 g de gruyère râpé. Garnissez une poche à douille de cette préparation.
4 - Mettez à bouillir une grande casserole d'eau salée, et faites couler la préparation dans l'eau et en coupant des boudins réguliers. Laissez-les cuire 6 à 7 minutes, sans ébullition, puis mettez-les à égoutter.
5 - Faites fondre 70 g de beurre dans une casserole, ajoutez 60 g de farine, et laissez cuire sans colorer le mélange 3 à 4 minutes sur feux doux, en tournant à la cuiller de bois. Versez alors le lait, salez, poivrez, et laissez cuire 5 minutes sur feu doux.
6 - Rangez les quenelles dans un plat, nappez-les de sauce, disposez quelques noisettes de beurre, et parsemez du reste de gruyère râpé.
7 - Mettez à cuire à four moyen 20 minutes environ, et servez aussitôt dans le plat.

CÔTELETTES D'AGNEAU
A LA VILLAGEOISE

Moyen   Très facile   Abordable

**POUR 4 PERSONNES
CUISSON : 50 minutes
INGRÉDIENTS :
4 côtelettes
1/2 chou, 4 carottes
4 navets
Quelques petits oignons
1/2 boîte de petits pois
1 noix de beurre
1 verre de bouillon
Laurier
Sel, poivre**

1 - Coupez le 1/2 chou en deux, ôtez le trognon, les grosses côtes, et lavez-le.
2 - Épluchez les carottes et les navets, coupez les carottes en rondelles, les navets en quartiers. Pelez les petits oignons.
3 - Mettez le chou à blanchir dans une grande quantité d'eau bouillante salée pendant 25 minutes. 15 minutes avant la fin, ajoutez les carottes et les navets. Puis laissez égoutter soigneusement les légumes.
4 - Dans une cocotte, faites fondre 1 belle noix de beurre, et mettez-y les légumes plus les petits oignons. Laissez-les quelques minutes, le temps de prendre couleur, puis mouillez avec 1 verre de bouillon (obtenu à partir d'une tablette de concentré). Ajoutez 1 feuille de laurier, salez légèrement, poivrez et laissez cuire à couvert 25 minutes.
5 - Pendant ce temps, faites chauffer une plaque sur feu vif, et mettez-y les côtelettes à cuire, 4 à 5 minutes sur chaque face. Salez et poivrez la viande.
6 - 3 à 4 minutes avant la fin de la cuisson des légumes, ajoutez à la cocotte le contenu de la boîte de petits pois.
7 - Dressez les côtelettes sur un plat de service, et présentez à part, dans un grand plat creux, la garniture de légumes.

VOS NOTES PERSONNELLES

Ecrire . . . .
. . . .
Acheter . . . .
. . . .
Téléphoner . . . .

Menu

SOUPE AUX CHAMPIGNONS
(voir recette p. 18)

POULET À LA MOUTARDE
(voir recette ci-dessous)

BEIGNETS AUX POIRES
(voir recette ci-contre)

MINI-RECETTE

POULET À LA MOUTARDE

POUR 5 À 6 PERSONNES
CUISSON : 50 minutes
INGRÉDIENTS : 1 poulet de 1,5 kg
150 g d'échalotes
1 cuillerée à soupe de moutarde
2 verres de vin blanc sec
1 noix de beurre
2 cuillerées à soupe d'huile
1 feuille de laurier
Quelques feuilles d'estragon
Sel, poivre

1 - Faites chauffer dans une cocotte le mélange de beurre et d'huile, et mettez-y à revenir sur feu vif le poulet coupé en morceaux après l'avoir salé et poivré. Laissez une dizaine de minutes en tournant les morceaux de volaille de temps en temps.

2 - Quand le poulet est bien saisi, ôtez les morceaux du récipient, réservez-les, et jetez dans la graisse de cuisson les échalotes hachées. Laissez blondir quelques minutes sur feu doux, puis mouillez avec le vin blanc.

3 - Replacez les morceaux de poulet dans la cocotte, aromatisez d'une feuille de laurier et de quelques feuilles d'estragon hachées, et laissez mijoter 25 à 30 minutes à couvert.

4 - Passé ce temps, dressez les morceaux de volaille dans un plat de service creux, et incorporez une bonne cuillerée de moutarde forte dans la sauce. Otez du feu, et nappez-en le poulet. Accompagnez de pommes vapeur.

BEIGNETS AUX POIRES

POUR 5
A 6 PERSONNES
CUISSON :
15 minutes environ
INGRÉDIENTS : 6 poires
250 g de farine
1 jaune d'œuf
1 v. de bière blonde
2 cuill. à soupe d'huile
3 v. à liqu. de kirsch
50 g de sucre en poudre
1 bain de friture

1 - Versez la farine dans une terrine, faites un puits, et mettez-y le jaune d'œuf, 1 cuillerée à soupe de sucre, le kirsch, 2 cuillerées à soupe d'huile, 1 pincée de sel et le verre de bière. Mélangez soigneusement le tout, en mouillant peu à peu d'eau tiède, jusqu'à l'obtention d'une pâte souple, pas trop fluide. Laissez reposer 2 bonnes heures.

2 - Épluchez les poires, détaillez-les en rondelles de 7 à 8 mm d'épaisseur, et ôtez pour chacune la partie centrale et les pépins. Mettez les fruits dans un plat creux et arrosez de kirsch. Laissez macérer.

3 - Quand la pâte a reposé le temps convenable, piquez les rondelles à la fourchette, enrobez-les de pâte, puis plongez-les dans le bain de friture bouillant. Laissez les beignets dorer 3 à 4 minutes, en les retournant à mi-cuisson.

4 - Avec une écumoire retirez du bain un à un les beignets cuits et mettez-les à égoutter sur du papier absorbant.

5 - Disposez les beignets sur un plat de service, saupoudrez-les de sucre et servez immédiatement.

LE TRUC DU CHEF

POUR LES BEIGNETS AUX POIRES : pour obtenir une pâte plus légère, vous pouvez incorporer à la pâte une noix de levure de boulanger.

Quelque soit la variété de poires souhaitée, veillez à choisir des fruits bien fermes. Trop mûrs, ils nuiraient à la bonne tenue des beignets.

VOS NOTES PERSONNELLES

Ecrire . . . .

. . . .

Acheter . . . .

. . . .

Téléphoner . . . .

19 AOÛT

Menu

SALADE À LA SAUCE ANCHOIS
(voir recette ci-contre)

HADDOCK AU GRATIN
(voir recette p. 17)

CRÈME À L'ÉCOSSAISE
(voir recette p. 272)

·

TOUT SAVOIR SUR...

L'EGLEFIN

L'églefin (ou aiglefin) est un poisson qui abonde de l'Atlantique Nord aux côtes du Portugal. Il peut mesurer plus d'un mètre de long et dépasser 10 kg. Le corps est argenté, le dos tire sur le vert sombre, le ventre est blanchâtre. La chair maigre est peu calorique et convient parfaitement aux personnes qui suivent un régime amaigrissant ainsi qu'aux estomacs délicats. Bien pourvu en vitamines B1, en soufre et en potassium, c'est un aliment recommandé aux enfants. L'églefin est commercialisé sous différentes formes : **poisson entier** *assez rare sous cet aspect, on le vend alors en darnes.* **En filets,** *cette façon la plus commune de le préparer comporte l'avantage de ne présenter aucun déchet. Salé et fumé, il est appelé « haddock » et provient des pays du Nord de l'Europe. La chair de l'Eglefin doit être blanche, légèrement rosée, sans la moindre trace de teinte verdâtre qui indiquerait une fraîcheur toute relative. Comptez 150 g de filet par personne, pour une portion convenable.*

SALADE A LA SAUCE ANCHOIS

Rapide · Très facile · Abordable

**POUR 4
A 5 PERSONNES
INGRÉDIENTS :**
1 avocat
150 g de champignons
1 petite boîte
de cœurs de palmiers
1 poivron
1 pet. boîte d'anchois
1 cœur de laitue
1 cuillérée à soupe
de vinaigre
4 cuill. à soupe d'huile
1 oignon
Sel, poivre

1 - Ouvrez l'avocat en deux dans le sens de la longueur, ôtez le noyau et enlevez la chair en petites boules à l'aide d'une cuillère « à racines ».

2 - Passez le poivron à la flamme ou sous le gril quelques minutes. Éliminez la fine peau qui le recouvre, retirez la queue et les pépins, et détaillez-le en fines lanières.

3 - Débarrassez les champignons de leur pied terreux, lavez-les en les passant rapidement sous l'eau froide, séchez-les sur du papier absorbant, détaillez-les en fines lamelles.

4 - Lavez soigneusement un cœur de laitue et coupez les feuilles en lanières. Pelez l'oignon, détaillez-le en tranches fines.

5 - Ouvrez la boîte de cœurs de palmiers, égouttez-en le contenu après l'avoir passé sous l'eau froide. Séchez les cœurs de palmiers sur du papier absorbant.

6 - Pilez le contenu d'une petite boîte d'anchois pour obtenir une pâte.

7 - Préparez dans un saladier une vinaigrette en délayant la moutarde dans le vinaigre, salez, poivrez, puis versez l'huile en tournant constamment. Lorsque la sauce a pris une consistance crémeuse, incorporez-lui les anchois pilés.

8 - Mettez dans le saladier l'avocat, les cœurs de palmiers, le poivron, les champignons, la laitue et l'oignon. Mélangez bien le tout afin de bien l'imprégner de la sauce aux anchois avant de servir.

VOS NOTES PERSONNELLES

Ecrire . . . .

Acheter . . . .

Téléphoner . . . .

Menu

SOUFFLÉ AUX ÉPINARDS
(voir recette ci-dessous)

GIGOT AUX MOJETTES
(voir recette ci-contre)

CRÊPES AUX NOIX
(voir recette p. 257)

Boisson conseillée :
UN BORDEAUX ROUGE

MINI-RECETTE

SOUFFLÉ AUX ÉPINARDS

POUR 4 PERSONNES
CUISSON : 35 minutes
INGRÉDIENTS : 1 kg d'épinards
1 poignée de feuilles d'oseille
4 œufs, un peu de muscade râpée
50 g de beurre, 30 g de gruyère râpé
Sel, poivre

1 - Enlevez les queues des feuilles d'épinards, puis lavez les feuilles soigneusement, en les faisant tremper dans plusieurs eaux afin d'éliminer toutes traces de terre.
2 - Equeutez et lavez les feuilles d'oseille. Otez les côtes.
3 - Plongez les légumes dans de l'eau bouillante salée, et laissez cuire à découvert 5 minutes après la reprise de l'ébullition.
4 - Lorsque les épinards sont cuits, égouttez-les dans une passoire, puis pressez-les fortement entre les mains pour qu'il ne reste pratiquement plus d'eau.
5 - Hachez les épinards et faite-les chauffer au beurre à feu doux, 4 à 5 minutes. Hors du feu, ajoutez ensuite, sel, poivre, muscade râpée, puis les jaunes d'œufs. Remuez.
6 - Placez les blancs dans un saladier et, au fouet, montez-les en neige très ferme.
7 - Incorporez délicatement, peu à peu, les blancs en neige aux épinards.
8 - Beurrez légèrement un moule à soufflé. Versez-y la préparation. Parsemez de gruyère râpé. Mettez à four chaud pendant une vingtaine de minutes.
9 - Présentez le soufflé dans son moule de cuisson (on ne démoule jamais un soufflé).

GIGOT AUX MOJETTES

Long — Très facile — Cher

POUR 8 A 10 PERSONNES
CUISSON : 1 h 30
INGRÉDIENTS :
1 gigot de 3 kg
1 kg de haricots blancs
4 gousses d'ail
2 oignons
3 tomates
1 cuillerée à soupe de conc. de tomates
1 bouquet garni
100 g de beurre
1 petite botte de cresson
2 clous de girofle
Persil, sel, poivre

1 - Faites tremper les haricots la veille dans un grand récipient rempli d'eau froide.
2 - Piquez le gigot d'ail en plusieurs endroits, sans oublier la « souris ». Poivrez la viande, enduisez-la largement de beurre, et mettez-la à four très chaud sur une grille, avec la lèchefrite dessous dans laquelle vous aurez versé 3 verres d'eau. Laissez cuire 90 minutes environ. Retournez le gigot à mi-cuisson, salez-le. Arrosez la viande de temps en temps.
3 - Mettez les haricots à cuire dans une casserole d'eau salée, avec le bouquet garni, et 1 oignon piqué de clous de girofle. Laissez ainsi bouillir doucement à couvert 3/4 d'heure.
4 - Faites fondre 50 g de beurre dans une casserole, et mettez-y à revenir l'oignon haché et les tomates pelées et coupées. Ajoutez 3 à 4 cuillerées du jus du gigot, le concentré de tomates, et laissez cuire quelques minutes.
5 - Lorsque les haricots sont cuits, égouttez-les, puis remettez-les dans leur casserole et versez dessus la sauce à la tomate. Remuez le tout et laissez encore cuire doucement quelques minutes à couvert.
6 - Dressez le gigot sur un grand plat de service, sur un lit de cresson. Présentez les haricots dans un caquelon et la sauce en saucière.

VOS NOTES PERSONNELLES

Ecrire . . . .
. . . .
Acheter . . . .
. . . .
Téléphoner . . . .

SOUFFLÉ DE BANANES AU KIRSCH

Moyen   Délicat   Abordable

**POUR 4
A 5 PERSONNES
CUISSON : 25 minutes
INGRÉDIENTS : 4 bananes**
1/4 de l de lait
125 g de sucre semoule
30 g de crème de riz
1 v. à liqu. de kirsch
1 jus de citron
5 blancs d'œufs
4 jaunes d'œufs
30 g de beurre
2 cuillerées à soupe
de sucre glace

Menu

*SALADE AU CŒUR
DE PALMIERS*
(voir recette p. 62)
*PAUPIETTES DE VEAU
CHÂTELAINE*
(voir recette p. 253)
SOUFFLÉ DE BANANES
(voir recette ci-contre)

Boisson conseillée :
UN BOURGUEIL

TOUT SAVOIR SUR...

LA NOIX DE VEAU

C'est un muscle de la partie supérieure du membre postérieur de l'animal, au niveau du bassin. Il fournit une viande maigre, moins calorique que les autres viandes de boucherie. Elle se digère parfaitement et est appréciée des personnes soucieuses de leur poids. Comme toute la viande de veau, elle contient en proportion intéressante des protides, des vitamines B, C, PP, du calcium et du fer. La noix est considérée comme le meilleur morceau du veau ; c'est aussi le plus cher. C'est un morceau tendre et savoureux. La chair doit être blanche, légèrement rosée, avec un grain fin et serré. Elle provient de jeunes animaux nourris au lait et âgés au maximum de trois mois. La noix de veau ne comportant aucun déchet, il convient de compter 150 g pour une portion individuelle.

1 - Épluchez les bananes et écrasez-les en purée. Ajoutez le jus de citron. Placez cette préparation au réfrigérateur.

2 - Dans une casserole, mettez le sucre (moins une cuillerée), ajoutez trois jaunes d'œufs et la crème de riz. Mélangez.

3 - Mouillez avec le lait, ajoutez une pincée de sel, et mettez sur feu moyen en remuant régulièrement 2 à 3 minutes jusqu'à ce que le mélange épaississe. Retirez la casserole du feu et laissez refroidir à moitié.

4 - Sortez du réfrigérateur la pulpe de banane, incorporez-y le verre à liqueur de kirsch. Mélangez bien.

5 - Placez les 5 blancs d'œufs dans un saladier, et fouettez-les vigoureusement afin qu'ils montent en neige. Ajoutez-y la cuillerée de sucre semoule mise de côté.

6 - Mélangez la crème et la pulpe de banane. Incorporez délicatement le jaune d'œuf restant et les blancs d'œufs montés en neige à cette préparation.

7 - Beurrez un moule à soufflé, versez-y le mélange et faites cuire à four chaud 20 minutes. En fin de cuisson, saupoudrez le dessus de sucre glace. Ne vous étonnez pas si le soufflé ne monte pas très haut. Ceci est dû à la pulpe de banane qui est relativement lourde.

8 - Présentez le soufflé dans son moule de cuisson. Ne le démoulez jamais.

VOS NOTES PERSONNELLES

Ecrire . . . .

Acheter . . . .

Téléphoner . . . .

22 AOÛT

Menu

ŒUFS MIMOSA
(voir recette ci-contre)

BŒUF BRAISÉ AUX CAROTTES
(voir recette p. 126)

GÂTEAU AUX MARRONS
(voir recette ci-dessous)

MINI-RECETTE

GÂTEAU AUX MARRONS

POUR 6 PERSONNES
INGRÉDIENTS : 50 g de beurre
1 boîte 4/4 de purée de marrons
100 g de chocolat à croquer
4 cuillerées de sucre en poudre
3 dl de crème fraîche
1 sachet de sucre vanillé
1 cuillerée à supe de sucre glace

1 - Mettez 4 cuillerées à soupe de sucre, le sachet de sucre vanillé, et 1 dl de crème fraîche dans une petite casserole. Placez cette casserole dans une plus grande, contenant de l'eau chaude, et placez ce bain-marie sur feu doux. Ajoutez 100 g de chocolat cassé en petits morceaux, et laissez fondre sans remuer.

2 - Lorsque le chocolat est fondu, incorporez le beurre et mélangez à la spatule de bois jusqu'à obtenir une crème lisse, puis mélangez cette crème à la purée de marrons.

3 - Versez la préparation dans un moule en forme de couronne préalablement mouillé, afin que la crème ne colle pas, et placez au réfrigérateur 3 à 4 heures.

4 - Au moment de servir, fouettez 2 dl de crème fraîche afin d'obtenir une chantilly et, lorsqu'elle est mousseuse, ajoutez-y délicatement une cuillerée de sucre glace.

5 - Démoulez le gâteau aux marrons sur un plat de service rond, versez la crème chantilly au centre, et servez de suite.

ŒUFS MIMOSA

Rapide Très facile Pas cher

POUR 6 PERSONNES
CUISSON : 15 minutes
INGRÉDIENTS : 7 œufs
1/2 boîte de macédoine
1 laitue
1 cuillerée à café
de moutarde
1 jus de citron
1 dl d'huile
Sel, poivre

1 - Faites cuire 6 œufs à l'eau bouillante. Puis passez-les sous l'eau froide et écalez-les.

2 - Débarrassez la laitue des parties jaunies ou abîmées, pour ne conserver que le cœur. Lavez les feuilles, égouttez-les et séchez-les dans un torchon.

3 - Ouvrez la boîte de macédoine, videz-en le contenu dans une passoire, passez à l'eau froide et mettez à égoutter sur un torchon.

4 - Confectionnez une mayonnaise comme suit : mettez 1 jaune d'œuf et 1 cuillerée à café de moutarde dans un grand bol, salez, poivrez et tournez à la cuillère ou au fouet en versant l'huile régulièrement en mince filet. Quand la mayonnaise est bien montée, aromatisez d'un jus de citron.

5 - Mélangez dans un saladier la macédoine et la mayonnaise, coupez les œufs durs en deux, ôtez les jaunes sans abîmer les blancs, et ajoutez la moitié des jaunes écrasés à la macédoine.

6 - Tapissez un plat de service avec les feuilles de laitue, remplissez les blancs d'œufs de macédoine, et disposez-les au mieux sur la salade.

7 - Passez à la moulinette le reste des jaunes sur les œufs avant de servir.

LE TRUC DU CHEF

POUR LES ŒUFS MIMOSA : pour donner couleur et saveur supplémentaire à la mayonnaise, vous pouvez lui incorporer un peu de concentré de tomates.

POUR LE GÂTEAU AUX MARRONS : vous pouvez agrémenter ce gâteau de marrons en le parfumant légèrement au cointreau ou au grand marnier.

VOS NOTES PERSONNELLES

Ecrire . . . .

. . . .

Acheter . . . .

. . . .

Téléphoner . . . .

MENU

MINI-RECETTE

SALADE BRACIEUX

POUR 6 PERSONNES
CUISSON : 15 minutes
INGRÉDIENTS : 1 scarole
100 g de fromage de chèvre
100 g de jambonneau
2 œufs, 2 échalotes
2 cuillerées à café de moutarde
1 cuillerée à soupe de vinaigre
4 cuillerées à soupe d'huile
1 gousse d'ail
Quelques petits croûtons
Sel, poivre

1 - Faites durcir les œufs 15 minutes à l'eau bouillante, écalez-les sous l'eau froide, et coupez-les en rondelles.
2 - Débarrassez la salade de feuilles jaunies ou abîmées, pour n'en conserver qu'un beau cœur. Lavez les feuilles une à une, et mettez-les à sécher dans un torchon après les avoir essorées.
3 - Détaillez le jambonneau en petits dés, épluchez les échalotes et hachez-les.
4 - Préparez une vinaigrette comme suit : délayez la moutarde dans le vinaigre, dans un grand saladier. Salez, poivrez, et versez l'huile en tournant constamment pour obtenir une sauce crémeuse. Ecrasez 2 rondelles d'œufs, remuez bien le tout.
5 - Mettez les feuilles de scarole dans le saladier, ajoutez les dés de jambonneau, le hachis d'échalotes, et le chèvre épluché et émietté. Tournez soigneusement la salade, puis décorez-la de rondelles d'œufs et de petits croûtons frottés à l'ail.

COURGETTES FARCIES SAINTE-BAUME

**POUR 4
A 5 PERSONNES**
CUISSON : 40 minutes
INGRÉDIENTS :
500 g de steak haché
200 g de chair
à saucisse
5 belles courgettes
1 œuf, 2 poivrons
4 tomates
6 échalotes
5 gousses d'ail
Thym, laurier
1 pincée d'estragon
3 cuillerées à soupe
d'huile d'olive
Sel, poivre

1 - Salez la chair à saucisse et faites-la revenir dans un faitout avec un peu d'huile d'olive.
2 - Pendant ce temps, mettez la viande de bœuf dans un saladier, salez et poivrez-la, ajoutez les échalotes et l'ail hachés.
3 - Versez cette préparation dans le faitout, et remuez bien à la cuillère de bois pour mélanger intimement les viandes de porc et de bœuf.
4 - Aromatisez d'un peu de thym, de laurier, d'estragon, et laissez cuire doucement quelques minutes.
5 - Coupez les courgettes en gros tronçons et évidez-les à l'aide d'un couteau, comme des tuyaux. Faites-les blanchir 1 minute à l'eau bouillante salée.
6 - Lavez les poivrons, débarrassez-les de leurs pépins, et coupez-les en fines lanières.
7 - Plongez quelques instants les tomates dans de l'eau bouillante, mondez-les et concassez-les grossièrement.
8 - Hors du feu, incorporez à la viande hachée 1 œuf entier et mélangez soigneusement.
9 - Dans un grand plat allant au four, disposez la purée de tomates fraîches et les poivrons. Emplissez de farce la cavité des courgettes. Salez et poivrez tous ces légumes. Versez dessus un petit filet d'huile d'olive.
10 - Mettez à four chaud 25 à 30 minutes. Arrosez régulièrement les courgettes du jus de cuisson. Servez dans le plat.

VOS NOTES PERSONNELLES

Ecrire . . . .

Acheter . . . .

Téléphoner . . . .

24 AOÛT

Menu

POTAGE AU CÉLERI
(voir recette p. 77)

LAPIN À LA SLOVEN
(voir recette ci-contre)

FLAN AUX PÊCHES ET AUX NOIX
(voir recette ci-dessous)

MINI-RECETTE

FLAN AUX PÊCHES ET AUX NOIX

POUR 6 PERSONNES
CUISSON : 40 minutes
INGRÉDIENTS : 4 œufs
280 g de sucre en poudre
1/2 litre de lait, 1 citron
1 cuillerée à café de fleur d'oranger
1 boîte 4/4 de pêches au sirop
Quelques cerneaux de noix
1 pincée de sel

1 - Mettez 80 g de sucre dans un moule à charlotte. Faites-le fondre sur feux doux, avec 1 cuillerée à soupe d'eau, jusqu'à l'obtention d'un caramel blond. Prenez alors le moule avec un torchon et tournez-le dans tous les sens afin que le caramel en nappe bien les parois. Laissez refroidir.
2 - Dans une jatte, râpez le zeste de citron, ajoutez 100 g de sucre en poudre, la cuillerée de fleur d'oranger, et cassez-y les œufs. Mélangez au fouet en versant le lait bouillant en petit filet.
3 - Ajoutez une petite pincée de sel, couvrez le récipient, et laissez refroidir.
4 - Versez cette préparation dans le moule à charlotte, et mettez à cuire à four doux 40 minutes, au bain-marie.
5 - Pendant ce temps, ouvrez la boîte de pêches, égouttez-les et réservez le sirop.
6 - Lorsque le flan est cuit, démoulez-le sur un plat de service, décorez-le avec les 1/2 pêches et les cerneaux de noix.
7 - Dans une petite casserole, faites chauffer 100 g de sucre avec un peu de sirop des pêches. Laissez caraméliser légèrement, et versez ce caramel sur le flan. Servez aussitôt.

LAPIN A LA SVOLEN

POUR 5
A 6 PERSONNES
CUISSON : 1 h 15
INGRÉDIENTS : 1 lapin
4 tomates
2 oignons
1 gousse d'ail
1 cuillerée à soupe
de conc. de tomates
250 g de champignons
40 g de saindoux
5 cl de crème fraîche
1 forte pincée
de paprika
1 feuille de laurier
1 cuill. à soupe de farine
Sel, poivre

1 - Coupez le lapin en morceaux, salez et poivrez, et mettez à revenir la viande dans une cocotte avec une grosse noix de saindoux.
2 - Plongez les tomates dans de l'eau bouillante, mondez-les et concassez-les grossièrement.
3 - Pelez les oignons et hachez-les.
4 - Quand les morceaux de lapin commencent à dorer, ajoutez les oignons hachés et laissez-les prendre couleur. Puis ajoutez la farine en pluie et faites cuire 2 à 3 minutes en remuant constamment à la cuillère de bois.
5 - Versez alors la purée de tomates fraîches, et mouillez de 2 bons verres d'eau. Salez et aromatisez d'un peu de laurier et d'une forte pincée de paprika. Incorporez 1 bonne cuillerée de concentré de tomates dans la sauce, couvrez le récipient et laissez mijoter 1 heure environ.
6 - Débarrassez les champignons de leur pied terreux, lavez-les à l'eau courante, séchez-les sur du papier absorbant, et détaillez-les en lamelles. Faites-les revenir à la poêle 5 à 6 minutes sur feu vif avec une petite noix de saindoux. Ajoutez la gousse d'ail pilée.
7 - 15 minutes avant la fin de la cuisson du lapin, incorporez-lui les champignons et découvrez le récipient afin que la sauce réduise convenablement. Donnez 2 ou 3 tours de moulin à poivre.
8 - Dressez les morceaux de lapin sur un grand plat de service creux. Ajoutez la crème fraîche à la sauce, faites bouillir 1 minute et nappez la viande de cette préparation. Servez en garniture un riz blanc.

VOS NOTES PERSONNELLES

Ecrire . . . .

. . . .

Acheter . . . .

. . . .

Téléphoner . . . .

Menu

**CHAMPIGNONS
AU FROMAGE BLANC**
(voir recette ci-dessous)
**CÔTES DE MOUTON
À L'EMBRUNAISE**
(voir recette p. 121)
TOURTE AUX POIRES
(voir recette ci-contre)

MINI-RECETTE

CHAMPIGNONS AU FROMAGE BLANC

POUR 4 PERSONNES
INGRÉDIENTS : 1 échalote
100 g de fromage blanc
1 cuillerée à café de vinaigre
2 cuillerées à soupe d'huile, 1 citron
500 g de champignons, 1 gousse d'ail
Ciboulette, cerfeuil, sel, poivre

1 - Débarrassez les champignons de leur pied terreux. Passez-les rapidement à l'eau courante, pur éliminer la terre et le sable qui pourraient y adhérer. Séchez-les sur du papier absorbant.

2 - Séparez les chapeaux des pieds, coupez-les en lamelles. Réservez, en prenant soin d'arroser d'un jus de citron pour empêcher les champignons de noircir.

3 - Epluchez l'échalote et l'ail, lavez un peu de ciboulette et de cerfeuil. Hachez finement ces quatre produits ensemble.

4 - Dans un saladier, délayez un peu de sel et de poivre dans la cuillerée de vinaigre, puis ajoutez la moutarde et le jus de 1/2 citron. Remuez bien, et versez l'huile en filet, en continuant de tourner. La sauce doit prendre une apparence crémeuse.

5 - Versez alors les champignons dans le saladier, mélangez avec la vinaigrette, puis ajoutez le fromage blanc légèrement battu au fouet et le hachis d'échalote, d'ail, et d'herbes.

6 - Mélangez à nouveau délicatement le tout, et servez aussitôt.

TOURTE AUX POIRES

Moyen   Facile   Abordable

**POUR 6
A 8 PERSONNES**
CUISSON : 30 minutes
INGRÉDIENTS :
**1 kg de poires
300 g de farine
170 g de beurre
120 g de sucre semoule
1 œuf entier
1 jaune d'œuf**

1 - Préparez une pâte brisée en mélangeant dans un saladier la farine, l'œuf entier, 1/2 verre d'eau, 150 g de beurre en pommade et 100 g de sucre semoule. Ajoutez une pincée de sel et pétrissez soigneusement le tout. Formez la pâte en boule, farinez-la légèrement, et laissez reposer 3/4 d'heure.

2 - Pelez les poires, coupez-les en quatre, et éliminez le cœur et les pépins. Détaillez chaque quartier en épaisses lamelles.

3 - Quand la pâte a reposé le temps nécessaire, étalez-la au rouleau de façon à lui donner le double de la surface du moule ou de la tourtière.

4 - Beurrez le moule et tapissez-le de la moitié de la pâte. Répartissez au mieux les lamelles de poires, saupoudrez d'un peu de sucre, et recouvrez le tout de la pâte restante en prenant soin de bien souder les bords en pinçant la pâte à l'aide de vos doigts mouillés.

5 - Réalisez un décor sur la pâte avec la pointe d'un couteau, badigeonnez-la avec le jaune d'œuf battu, et ménagez au centre du gâteau une petite ouverture afin que la vapeur puisse s'échapper à la cuisson.

6 - Mettez à four chaud une trentaine de minutes. Si la pâte colore trop, recouvrez-la d'une feuille de papier alu.

7 - Servez la tourte chaude, tiède ou froide, à votre goût.

VOS NOTES PERSONNELLES

Ecrire . . . .
. . . .
Acheter . . . .
. . . .
Téléphoner . . . .

Menu

SOUPE DU PÊCHEUR
(voir recette ci-contre)

CABILLAUD AU PAPRIKA
(voir recette p. 45)

GÂTEAU FRONTENAC
(voir recette p. 107)

SOUPE DU PÊCHEUR

POUR 4 PERSONNES
CUISSON : 40 minutes
INGRÉDIENTS :
250 g de cabillaud
250 g de congre
1 rouget-grondin
2 merlans, 1 oignon
2 clous de girofle
5 belles tomates
5 gousses d'ail
1 dose de safran
3 cuillerées à soupe
d'huile d'olive
Pain rassis pour croûtons
Thym, laurier
Sel, poivre

1 - Coupez les tomates en morceaux après les avoir pelées, hachez l'ail et l'oignon.
2 - Faites-les revenir à feu doux dans l'huile. Ajoutez le safran.
3 - Videz les poissons et laissez-les cuire doucement sur ce lit de légumes pendant 10 minutes environ.
4 - Recouvrez alors de 1 litre 1/2 d'eau et ajoutez le thym, le laurier, les clous de girofle. Salez, poivrez. Laissez cuire environ une vingtaine de minutes à couvert.
5 - Passez la soupe à la moulinette, têtes et arêtes comprises, et portez à ébullition.
6 - Faites cuire le tout une bonne dizaine de minutes.
7 - Versez la soupe dans une soupière et offrez, en même temps, des petits croûtons frottés d'ail.

TOUT SAVOIR SUR...

LE CONGRE

C'est un grand poisson qui ressemble à une anguille, ce qui le fait appeler également «anguille de mer». On le pêche en mer du Nord, le long du littoral atlantique, mais également en Méditerranée. Sa taille peut atteindre 3 m de long, et il peut peser jusqu'à 80 kg. Le dos est gris sombre, avec des reflets métalliques, le corps blanchâtre, la bouche largement fendue est garnie de dents. La chair du congre possède une valeur calorique assez élevée. Elle est aussi riche en protides que la viande de boucherie et contient, dans des proportions intéressantes, des vitamines B, PP, du calcium et du magnésium. Le congre, présent toute l'année chez les poissonniers, est un poisson bon marché. Sa chair est ferme et doit avoir une couleur blanc rosé. A la coupe, préférez les morceaux prélevés dans le milieu du corps. Présentant peu de déchets, à part l'arête centrale, prévoyez 150 g pour une portion individuelle.

LE TRUC DU CHEF

POUR LE CABILLAUD AU PAPRIKA : le cabillaud (appelé «morue» après salaison), est un excellent poisson dont la valeur nutritive est comparable à celle du lait de vache. A défaut de cabillaud, cette recette brésilienne peut être confectionnée avec des tranches de lieu, jaune ou noir. Cette dernière variété est la plus avantageuse à l'achat.

VOS NOTES PERSONNELLES

Ecrire . . . .

. . . .

Acheter . . . .

. . . .

Téléphoner . . . .

27 AOÛT

Menu

**FONDS D'ARTICHAUTS
À L'ORANGE**
(voir recette p. 122)
**CÔTELETTES D'AGNEAU
GRILLÉES AUX ENDIVES**
(voir recette ci-contre)
PETS-DE-NONNE
(voir recette ci-dessous)

Boisson conseillée :
UN ROSÉ D'ARBOIS

MINI-RECETTE

PETS-DE-NONNE

**POUR 5 À 6 PERSONNES
CUISSON : 25 à 30 minutes
INGRÉDIENTS : 4 œufs, 150 g de farine
80 g de beurre, 150 g de sucre en poudre
1 pincée de sel, 1 bain de friture**

1 - Dans une casserole, versez 1/4 de litre d'eau, 80 g de beurre, 1 cuillerée à soupe de sucre en poudre, et la pincée de sel. Faites bouillir.

2 - Dès le liquide en ébullition, ôtez la casserole du feu, et versez d'un seul coup la farine. Mélangez bien avec une spatule en bois jusqu'à obtenir une pâte lisse et homogène, qui se met en boule.

3 - Incorporez à cette pâte, les œufs un par un en tournant énergiquement entre chaque œuf.

4 - Mettez sur feu vif, une bassine de friture contenant de l'huile d'arachide, et laissez chauffer.

5 - Lorsque le bain est bouillant, mais sans que l'huile fume, faites glisser à l'aide de deux cuillers à café des petites noix de pâte.

6 - Laissez cuire chaque pet-de-nonne 5 à 6 minutes, en les retournant si besoin est à mi-cuisson. Mais en principe, ils se retournent seuls en cuisant.

7 - Sortez les pets-de-nonne avec une écumoire et laissez-les s'égoutter sur du papier absorbant.

8 - Servez chaud ces petites pâtisseries en les saupoudrant de sucre.

CÔTELETTES D'AGNEAU GRILLÉES AUX ENDIVES

Moyen   Très facile   Abordable

**POUR 4 PERSONNES
CUISSON : 35 minutes
INGRÉDIENTS :
4 côtelettes
4 belles endives
1 citron
1 gousse d'ail
Thym, laurier
2 cuill. à soupe d'huile
Persil
Sel, poivre**

1 - Pilez l'ail et frottez-en les côtelettes. Salez et poivrez la viande, émiettez un peu de thym et de laurier, et enduisez-la légèrement d'huile. Réservez.

2 - Lavez les endives, éliminez, si nécessaire, les premières feuilles jaunies ou flétries.

3 - Plongez les endives dans une grande casserole d'eau bouillante salée, et laissez-les cuire 15 minutes. Égouttez-les et séchez-les soigneusement en les pressant délicatement dans un torchon pour en extraire le maximum d'eau. Puis coupez les légumes en deux dans le sens de la longueur.

4 - Faites chauffer une grande plaque sur feu vif, et mettez-y colorer 20 minutes les demi-endives, après les avoir légèrement badigeonnées d'huile. Retournez-les à mi-cuisson.

5 - A mi-cuisson des endives, mettez les côtelettes d'agneau sur la même plaque et laissez-les griller 5 minutes de chaque côté.

6 - Lorsque la viande est cuite, dressez les côtelettes sur un plat de service chaud, entourez-les de la garniture d'endives arrosée d'un jus de citron et parsemée de persil haché. Servez immédiatement.

VOS NOTES PERSONNELLES

Ecrire . . . .

Acheter . . . .

Téléphoner . . . .

28 AOÛT

Menu

SOUFFLÉ AU BLEU DE GEX
(voir recette ci-dessous)

CANARD À L'ORANGE
(voir recette p. 47)

COUPE GLACÉE ÉQUATEUR
(voir recette ci-contre)

Boisson conseillée :
UN FLEURIE

MINI-RECETTE

SOUFFLÉ AU BLEU DE GEX

POUR 4 PERSONNES
CUISSON : 45 minutes
INGRÉDIENTS : 100 g de bleu de Gex
80 g de gruyère râpé, 4 œufs + 2 blancs
50 g de farine, 80 g de beurre
30 cl de lait, poivre, sel

1 - Faites fondre lentement 50 g de beurre dans une casserole, ajoutez la farine en pluie, et laissez cuire 2 à 2 minutes sur feu très doux, en tournant constamment à la cuiller de bois.
2 - Versez le lait dans une casserole, portez-le à ébullition, et versez-le sur le roux blanc en battant vivement au fouet durant l'opération pour éviter l'apparition de grumeaux. Salez, poivrez, et laissez épaissir quelques minutes sur feu doux en tournant à la cuiller de bois. Ajoutez les jaunes dans la béchamel bouillante en mélangeant vivement au fouet.
3 - Montez les 6 blancs en neige et mélangez-les délicatement à la béchamel. Ajoutez le gruyère et le bleu finement écrasé, sans tasser les blancs.
4 - Beurrez un moule à soufflé et garnissez-le de la préparation au bleu. Mettez à cuire 30 minutes environ à four moyen, le temps pour le soufflé de gonfler et de dorer. Servez aussitôt dans le moule de cuisson.

COUPE GLACÉE ÉQUATEUR

Long   Facile   Abordable

POUR 6 PERSONNES
CUISSON : 15 minutes
1 h 1/2 EN SORBETIÈRE
INGRÉDIENTS :
1/2 l de lait
220 g de sucre en poudre
1/2 gousse de vanille
5 jaunes d'œufs
3 tasses de café fort
Quelques grains de café en sucre
1 poignée d'amandes effilées
1 sachet de sucre vanillé
125 g de crème fraîche

1 - Faites bouillir dans une casserole le lait avec 220 g de sucre et la 1/2 gousse de vanille.
2 - Cassez les œufs, mettez les jaunes dans une terrine et battez-les. Versez dessus, peu à peu, le lait bouillant après avoir ôté la vanille, sans cesser de battre le mélange.
3 - Versez cette crème dans une casserole, replacez sur feu doux, en tournant régulièrement avec une cuillère de bois jusqu'à ce que le mélange épaississe. Lorsque la crème est suffisamment consistante, sortez le récipient du feu et laissez refroidir.
4 - Quand la crème est froide, mettez en sorbetière 1 h 1/2.
5 - Pendant ce temps, préparez un bon café, sucrez-le d'une bonne cuillerée à soupe et, lorsqu'il est tiédi, mettez-le au réfrigérateur.
6 - Confectionnez une crème Chantilly en fouettant dans un saladier la crème fraîche et le sucre vanillé. Ajoutez un glaçon pour faciliter l'opération. Lorsque la crème est bien montée, placez-la au réfrigérateur.
7 - Au moment de servir, répartissez la glace dans des coupes profondes et versez dessus le café glacé. A l'aide d'une poche à douille, couronnez le tout de crème Chantilly. Disposez quelques grains de café en sucre, et parsemez d'amandes effilées. Servez immédiatement avec des crêpes dentelle.

VOS NOTES PERSONNELLES

Ecrire . . . .
. . . .
Acheter . . . .
. . . .
Téléphoner . . . .

246

29 AOÛT

Menu

SOUPE À LA TOMATE
(voir recette ci-dessous)

*CŒUR DE VEAU
EN ESCALOPES*
(voir recette ci-contre)

CITRONS GIVRÉS
(voir recette p. 354)

MINI-RECETTE

SOUPE
À LA TOMATE

POUR 5 à 6 PERSONNES
CUISSON : 1 h 1/4
INGRÉDIENTS : 6 belles tomates
3 carottes, 1 navet, 2 poireaux
250 g de haricots verts, 1 gros oignon
1 branche de céleri, cerfeuil, sel, poivre

1 - Epluchez les carottes et navets. Coupez les carottes en rondelles et les navets en quartiers.
2 - Eliminez le vert des poireaux, fendez les blancs en quatre et lavez-les soigneusement. Puis, à l'aide d'un petit couteau aiguisé, détaillez les blancs de poireaux en julienne.
3 - Coupez les extrémités des haricots verts, et lavez soigneusement les légumes dans une bassine.
4 - Lavez et épluchez la branche de céleri avant de la détailler en petits morceaux. Epluchez l'oignon et hachez-le grossièrement.
5 - Plongez quelques instants les tomates dans de l'eau bouillante, mondez-les, et concassez-les grossièrement.
6 - Versez dans un faitout 2 litres d'eau, salez d'une bonne pincée de gros el, et ajoutez tous les légumes préparés. Poivrez au moulin, et laissez cuire doucement à couvert pendant 1 h 1/4.
7 - Versez le potage en soupière, parsemez le dessus de cerfeuil haché, et servez brûlant.

CŒUR DE VEAU
EN ESCALOPES

Moyen Très facile Abordable

POUR 4 PERSONNES
CUISSON : 30 minutes
INGRÉDIENTS :
1 cœur de veau
1 petit chou-fleur
4 carottes
2 échalotes
1 gousse d'ail
1 bouquet de persil
2 citrons
2 cuillerées à café
de moutarde
1 cuill. à soupe d'huile
1 noisette de beurre
Sel, poivre

1 - Coupez le trognon du chou-fleur et divisez-le en petits bouquets. Lavez le légume à l'eau froide vinaigrée, et mettez-le à cuire à couvert, sur feu moyen, 30 minutes environ à l'eau salée.
2 - Pelez les carottes, coupez-les en rondelles et mettez-les à cuire avec le chou-fleur.
3 - Fendez le cœur de veau en deux, ôtez les caillots de sang situés dans les cavités, et détaillez chaque demi-cœur en escalopes. Salez et poivrez-les.
4 - Faites chauffer le mélange de beurre et d'huile dans une sauteuse, et mettez-y les tranches de cœur à dorer. Laissez-les cuire de 5 à 7 minutes sur chaque côté, selon leur épaisseur.
5 - Lorsque la viande est cuite, disposez-la sur un plat de service et gardez au chaud.
6 - Hachez les échalotes et mettez-les à blondir dans la graisse de cuisson de la sauteuse. Mouillez avec le jus de 2 citrons, ajoutez la gousse d'ail pilée, remuez quelques instants à la cuillère de bois sur feu doux puis, hors du feu, incorporez la moutarde.
7 - Égouttez soigneusement les légumes, disposez-les au mieux autour des escalopes de cœur, et nappez le tout de sauce. Servez aussitôt.

VOS NOTES PERSONNELLES

Ecrire . . . .
. . . .
Acheter . . . .
. . . .
Téléphoner . . . .

30 AOÛT

Menu

SALADE À LA DUPRÉ
(voir recette p. 303)

*SOUFFLÉ AU JAMBON
À LA POTTIER*
(voir recette ci-dessous)

CRÈME PORTO-RICO
(voir recette ci-contre)

MINI-RECETTE

SOUFFLÉ
AU JAMBON
À LA POTTIER

**POUR 4 À 5 PERSONNES
CUISSON : 40 minutes
INGRÉDIENTS :** 250 g de jambon
1/2 litre de lait écrémé
70 g de beurre, 50 g de farine
4 œufs, 50 g de gruyère râpé
1 verre à liqueur d'armagnac
Persil, sel, poivre

1 - Hachez finement le jambon et un petit bouquet de persil. Réservez.
2 - Faites fondre 50 g de beurre dans une casserole, puis ajoutez peu à peu la farine. Tournez à la cuiller de bois, en laissant cuire 3 minutes sur feu très doux (la farine ne doit pas prendre couleur).
3 - Faites chauffer le lait dans une petite casserole, et versez-le en filet sur le roux blanc froid, en continuant à tourner au fouet. Salez et poivrez.
4 - Hors du feu, amalgamez le gruyère, le hachis de jambon et de persil, les jaunes d'œufs (réservez les blancs), le verre à liqueur d'armagnac. Mélangez soigneusement le tout.
5 - Dans un saladier, fouettez vigoureusement les blancs en neige, jusqu'à ce qu'ils collent bien au fouet, et incorporez-les délicatement à la préparation.
6 - Beurrez un moule à soufflé, et remplissez-le du mélange. Mettez à cuire à four chaud 30 à 35 minutes. Servez immédiatement dans le moule de cuisson.

CRÈME PORTO RICO

Moyen   Très facile   Abordable

**POUR 6 PERSONNES
CUISSON : 20 minutes
INGRÉDIENTS :**
3/4 de l de lait
1 gousse de vanille
7 œufs
350 g de sucre
en poudre
1 v. à liqu. de rhum
1 pincée de sel

1 - Faites bouillir quelques minutes dans une casserole le lait avec la gousse de vanille fendue et 1 pincée de sel.
2 - Dans un saladier, cassez les œufs entiers, ajoutez 200 g de sucre et le rhum. Mélangez bien le tout, puis versez peu à peu le lait chaud en tournant à la cuillère de bois.
3 - Dans une petite casserole, mettez 150 g de sucre en poudre, un peu d'eau, et à feu doux confectionnez un caramel blond.
4 - Répartissez ce caramel dans 6 petits moules individuels et, avant que le caramel ne se fige (il ne faut pas qu'il soit trop pâteux) tournez chaque moule dans tous les sens pour bien enduire les parois.
5 - Versez alors la crème dans les moules, et placez ceux-ci au bain-marie. Pour ce faire, disposez les moules dans un plat long dont les bords sont au moins aussi hauts que ceux des moules. Versez dans le plat de l'eau très chaude, jusqu'aux 3/4 de la hauteur des moules. Mettez à cuire à four chaud pendant 15 minutes.
6 - Passsé ce temps, retirez les moules du bain-marie, laissez refroidir la crème, et démoulez dans de petites assiettes à dessert. Servez froid avec un assortiment de gâteaux secs.

LE TRUC DU CHEF

**POUR LA CRÈME PORTO-RICO : pour vérifier la bonne cuisson de la crème, piquez-la avec un couteau pointu. La lame doit ressortir sèche.
Il existe dans le commerce de nombreux modèles de petits moules individuels en métal, aux formes et aux dessins divers.**

VOS NOTES PERSONNELLES

Ecrire . . . .
. . . .
Acheter . . . .
. . . .
Téléphoner . . . .

31 AOÛT

MERGUEZ AUX LÉGUMES

Moyen   Très facile   Abordable

POUR 4 PERSONNES
CUISSON :
30 minutes environ
INGRÉDIENTS :
600 g de merguez
2 poivrons
2 tomates
2 oignons
3 gousses d'ail
150 g d'olives vertes
3 cuillerées à soupe
d'huile d'olive
1 pincée de cayenne
Sel, poivre

1 - Faites chauffer l'huile dans une sauteuse et mettez-y les merguez à revenir sur feu doux.

2 - Lavez les poivrons, essuyez-les avec un torchon, et fendez-les en deux dans le sens de la longueur. Débarrassez-les de la queue et des pépins, et détaillez chaque demi-poivron en lanières.

3 - Épluchez les oignons et coupez-les en fines rondelles.

4 - Plongez quelques instants les tomates dans de l'eau bouillante, puis mondez-les et concassez-les grossièrement.

5 - Ajoutez les poivrons et les oignons au contenu de la sauteuse, et laissez quelques minutes ces légumes blondir, en remuant de temps en temps à la cuillère de bois.

6 - Versez sur le tout la purée de tomates fraîches, ajoutez l'ail pilé, les olives vertes dénoyautées, salez, poivrez, et agrémentez d'une pincée de cayenne. Laissez cuire doucement à découvert une vingtaine de minutes.

7 - En fin de cuisson, disposez les merguez sur un plat de service chaud, entourez-les de la garniture de légumes, et servez immédiatement.

TOUT SAVOIR SUR...

LE CAMEMBERT

Le camembert tire son nom du village de Camembert où a été inventé ce fromage, à la fin du XVIIIe siècle, par Marie Harel. C'est un fromage à pâte molle et croûte fleurie. Il contient, entre autres, des vitamines A et du calcium. Le camembert ne bénéficie pas d'une appellation d'origine, comme les autres fromages célèbres, ce qui explique qu'on en fabrique dans toute la France et même à l'étranger. Toutefois, les meilleurs camemberts sont fabriqués en Normandie. Un label rouge, attribué par le syndicat des fabricants du véritable camembert de Normandie, désigne les produits de qualité supérieure. Deux sortes de camembert sont commercialisées : **les camemberts au lait cru,** *ce sont les meilleurs. Ils ont entre 45 et 50 % de M.G. et la meilleure saison d'achat se situe du printemps à l'automne.* **Les camemberts pasteurisés,** *moins coûteux que les précédents, ils sont, toute l'année, de qualité constante. Parmi les camemberts de Normandie, les plus appréciés proviennent de l'Orne et du Calvados. La croûte doit être fine et recouverte de moisissure blanche, la pâte d'un beau jaune. Un bon camembert doit être « fait à cœur », mais sans couler.*

LE TRUC DU CHEF

POUR LA TOURTE AU BLEU : afin d'étaler plus aisément la pâte, divisez le bloc en deux parties égales, et étalez chacun d'eux séparément, au rouleau.

POUR LES MERGUEZ AUX LÉGUMES : les amateurs de plats où le sucre se mêle au sel pourront ajouter, en fin de cuisson, une bonne poignée de raisins secs.

VOS NOTES PERSONNELLES

Ecrire . . . .

. . . .

Acheter . . . .

. . . .

Téléphoner . . . .

1 SEPTEMBRE

Menu

**TIMBALES DE LÉGUMES
EN SAUCE TOMATE**
(voir recette ci-contre)

ROSBIF EN JARDINIÈRE
(voir recette p. 117)

CLAFOUTIS AUX ABRICOTS
(voir recette ci-dessous)

MINI-RECETTE

CLAFOUTIS AUX ABRICOTS

POUR 6 PERSONNES
CUISSON : 45 minutes
INGRÉDIENTS : 12 abricots
175 g de sucre semoule
250 g de farine
2 yaourts, 4 œufs
1 verre à liqueur de kirsch
1 sachet de levure chimique
50 g de beurre, 1 pincée de sel

1 - Mélangez dans un saladier les œufs avec le sucre semoule. Ajoutez 1 pincée de sel et fouettez jusqu'à ce que la préparation blanchisse. Incorporez alors la farine en pluie, la levure, aromatisez d'un peu de kirsch, et mélangez soigneusement le tout. Puis ajoutez les 2 yaourts.

2 - Lavez les abricots, séchez-les, coupez-les en deux et ôtez les noyaux.

3 - Beurrez un moule à manqué, et coulez-y une fine couche de pâte. Disposez dessus une partie des fruits. Versez alors le reste de la pâte, et recouvrez avec les demi-abricots. Parsemez le tout de petites noisettes de beurre et mettez à cuire à four moyen environ 45 minutes.

4 - Quand le gâteau est cuit (assurez-vous-en en plongeant une lame de couteau effilée qui doit en ressortir sèche), disposez-le sur un plat de service et dégustez tiède ou froid.

TIMBALES DE LÉGUMES EN SAUCE TOMATE

Moyen   Facile   Pas cher

POUR 4 PERSONNES
CUISSON : 30 minutes
INGRÉDIENTS : 3 carottes
6 poireaux
1 cœur de céleri
3 tomates
1 gousse d'ail
2 échalotes
1 tranche de mie de pain
1/2 v. de lait écrémé
1 œuf entier
1 noisette de beurre
2 jaunes d'œufs
1 cuill. à soupe d'huile
Thym, laurier
Sel, poivre

1 - Confectionnez une sauce à la tomate comme suit : épluchez les tomates, concassez-les grossièrement et versez cette purée dans une petite casserole avec les échalotes finement hachées, la gousse d'ail pilée, l'huile et 1 verre d'eau. Aromatisez d'un peu de thym et de laurier, salez, poivrez, et laissez cuire doucement 30 minutes.

2 - Épluchez les carottes, lavez les poireaux (ne conservez que les blancs) et le cœur de céleri, séchez les légumes, puis hachez-les ensemble finement.

3 - Faites fondre un peu de beurre dans une casserole et mettez le hachis de légumes à suer à feu doux une quinzaine de minutes. Remuez de temps en temps à la cuillère de bois. Salez, poivrez. Les légumes ne doivent plus comporter d'eau de végétation.

4 - Passé ce temps, ajoutez hors du feu au contenu de la casserole l'œuf entier, 2 jaunes et la mie de pain préalablement trempée dans le lait puis essorée. Mélangez soigneusement le tout et remettez à cuire quelques instants sur feu très doux.

5 - Remplissez de cette préparation de petits moules à baba légèrement beurrés, placez ces moules dans un plat creux allant au four et rempli d'eau chaude, et laissez cuire à four moyen au bain-marie une quinzaine de minutes.

6 - Quand les timbales sont cuites, démoulez-les, retournez-les sur un plat de service, et nappez-les d'un peu de sauce à la tomate. Présentez le reste en saucière.

VOS NOTES PERSONNELLES

Ecrire . . . .
. . . .
Acheter . . . .
. . . .
Téléphoner . . . .

Menu

SOUFFLÉ AUX ÉPINARDS
(voir recette p. 238)

DARNES DE SAUMON HALIFAX
(voir recette ci-contre)

SALADE DE FIGUES FRAÎCHES
(voir recette ci-dessous)

MINI-RECETTE

SALADE DE FIGUES FRAÎCHES

POUR 4 PERSONNES
INGRÉDIENTS : 16 belles figures, 1/2 citron
1 verre de madère
50 g de sucre en poudre roux
1 petit pot de crème fraîche

1 - Lavez soigneusement les figues, ôtez les queues, et détaillez chaque fruit en quatre. Versez dessus un jus de citron et réservez.
2 - Mélangez dans un saladier le madère et le sucre roux.
3 - Montez la crème fraîche en chantilly bien ferme en vous servant d'un fouet ou mieux, d'un mixer.
4 - Mettez les morceaux de fruits dans le saladier, mélangez bien, puis ajoutez la chantilly. Remuez délicatement le tout et laissez quelques instants au réfrigérateur avant de déguster.

DARNES DE SAUMON HALIFAX

 Moyen   Facile   Cher

POUR 4 PERSONNES
CUISSON :
40 minutes environ
INGRÉDIENTS :
80 g de beurre
4 tranches de saumon frais
2 carottes, 1 oignon
1 branche de céleri
1 bouquet de persil
1 v. de vin blanc sec
1 cuill. à s. de farine
2 jaunes d'œufs
1 citron
Noix de muscade râpée
1 bouquet garni
Sel, poivre

1 - Préparez un court-bouillon avec 2 verres d'eau, 1 verre de vin blanc, 1 bouquet garni. Salez, poivrez, et laissez frémir le liquide 10 minutes.
2 - Pendant ce temps, épluchez les carottes et l'oignon, et coupez-les en fines rondelles. Épluchez la branche de céleri et détaillez-la en petits tronçons.
3 - Mettez les tranches de saumon dans le court-bouillon, laissez-les cuire doucement une dizaine de minutes et refroidir dans le liquide.
4 - Faites fondre le beurre dans une casserole, et jetez-y les légumes à suer à petit feu quelques minutes. Lorssque les légumes ont blondi, ajoutez la farine en pluie, tournez quelques instants à la cuillère de bois, puis mouillez avec 1 bon verre prélevé dans le court-bouillon. Laissez cuire 15 minutes après avoir salé et poivré.
5 - Battez les deux jaunes d'œufs dans un bol, ajoutez le jus d'un citron et un peu de noix de muscade râpée. Quand la sauce a cuit le temps convenable, ajoutez-lui hors du feu les jaunes battus, remettez sur feu très doux 2 à 3 minutes en tournant constamment.
6 - Dressez les darnes de saumon sur un plat de service chaud, entourées de pommes de terre cuites à la vapeur et de petits bouquets de persil. Nappez légèrement le poisson de sauce et présentez le reste en saucière.

VOS NOTES PERSONNELLES

Ecrire . . . .

Acheter . . . .

Téléphoner . . . .

ANANAS AU CARAMEL EN BEIGNETS

Menu

AUBERGINES GLACÉES
(voir recette ci-dessous)
BROCHETTES DE FOIE AUX ENDIVES
(voir recette p. 131)
ANANAS AU CARAMEL EN BEIGNETS
(voir recette ci-contre)

Boisson conseillée :
UN TAVEL

Long Facile Pas cher

POUR 5 A 6 PERSONNES
CUISSON :
15 minutes environ
INGRÉDIENTS : 1 ananas
250 g de farine
1 jaune d'œuf
2 cuill. à soupe d'huile
2 v. de liqu. de rhum
70 g de sucre en poudre
15 morceaux de sucre
1 bain de friture

MINI-RECETTE

AUBERGINES GLACÉES

POUR 5 À 6 PERSONNES
CUISSON : 20 minutes
INGRÉDIENTS : 3 aubergines
20 petits oignons
1 verre de blanc sec, 1 verre d'huile d'olive
1 citron, 4 tomates
1 cuillerée à soupe de concentré de tomates
4 gousses d'ail, thym, laurier, sel, poivre

1 - Epluchez les aubergines et détaillez-les en rondelles. Laissez-les dégorger 20 minutes dans un grand plat, avec une poignée de sel.
2 - Pelez les tomates et concassez-les.
3 - **Epluchez les petits oignons blancs.**
4 - Faites chauffer l'huile d'olive dans une sauteuse sur feu moyen, et mettez-y à dorer les rondelles d'aubergines. Laissez-les prendre couleur de chaque côté.
5 - Versez alors la purée de tomates fraîches, les petits oignons, l'ail pilé. Mouillez avec le vin blanc (dans lequel vous aurez dilué le concentré de tomates), le jus de citron. Ajoutez thym, laurier, sel, poivre et laisser cuire doucement 15 à 20 minutes à découvert.
6 - Passé ce temps, versez le contenu de la sauteuse dans un plat de service creux, laissez refroidir, puis mettez dans la partie basse du réfrigérateur 15 minutes.

1 - Versez la farine dans un saladier, faites un puits, et mettez-y le jaune d'œuf, 1 cuillerée à soupe de sucre, 2 cuillerées à soupe d'huile et une pincée de sel. Mélangez et incorporez peu à peu de l'eau tiède jusqu'à obtenir une pâte souple sans être trop fluide. Laissez reposer 2 heures.
2 - Épluchez un petit ananas et détaillez-le en rondelles de 6 à 7 mm d'épaisseur. Ôtez à chaque tranche la partie fibreuse centrale.
3 - Confectionnez un caramel en mettant les morceaux de sucre dans une casserole avec 1/4 de verre d'eau. Faites bouillir jusqu'à ce que la préparation colore, et trempez chaque tranche de fruit dans le caramel. Laissez refroidir.
4 - Quand la pâte a reposé le temps nécessaire, piquez les rondelles à la fourchette, enrobez-les soigneusement de pâte, puis plongez-les dans le bain de friture bouillant. Laissez dorer les beignets 4 à 5 minutes en les retournant à mi-cuisson.
5 - Retirez du bain les beignets cuits avec une écumoire, et mettez-les à égoutter sur du papier absorbant.
6 - Disposez les beignets sur un plat de service chaud, saupoudrez-les avec le sucre, arrosez avec le rhum, et faites flamber devant les convives.

VOS NOTES PERSONNELLES

Ecrire . . . .

. . . .

Acheter . . . .

. . . .

Téléphoner . . . .

4 SEPTEMBRE

Menu

SOUFFLÉ AU CÉLERI
(voir recette ci-dessous)

PAUPIETTES DE VEAU CHÂTELAINE
(voir recette ci-contre)

CHARLOTTE À LA GRAFFIN
(voir recette p. 127)

Boisson conseillée :
UN CHIROUBLES

MINI-RECETTE

SOUFFLÉ AU CÉLERI

POUR 4 PERSONNES
CUISSON : 50 minutes
INGRÉDIENTS : 1/2 céleri-rave
4 œufs, 20 g de beurre
20 g de gruyère râpé, 1/2 citron
1 pincée d'estragon, sel, poivre

1 - Epluchez le demi-céleri-rave, coupez-le en fines lamelles, mettez-le dans une casserole à l'eau froide salée, et portez à ébullition. Laissez cuire 30 minutes.

2 - Passé ce temps, égouttez le céleri dans une passoire, et passez-le à la moulinette pour le réduire en purée.

3 - Faites fondre 20 g de beurre dans une casserole sur feu doux, ajoutez-y la purée de céleri, le jus d'un demi-citron, et remuez 2 à 3 minutes à la cuiller de bois pour faire dessécher.

4 - Hors du feu, incorporez les jaunes d'œufs (réservez les blancs), un peu de poivre et une pincée d'estragon.

5 - Fouettez énergiquement les blancs d'œufs dans un saladier, de manière à monter ces blancs en neige très ferme. Incorporez-les délicatement à la préparation.

6 - Beurrez légèrement un moule à soufflée, et garnissez-le de la préparation. Parsemez le dessus d'un peu de gruyère râpé, et mettez à cuire 20 minutes à four chaud.

7 - Quand le soufflé est bien gonflé et doré, sortez du four et présentez-le dans son moule de cuisson.

PAUPIETTES DE VEAU CHATELAINE

Moyen Facile Abordable

POUR 4 PERSONNES
CUISSON : 35 minutes
INGRÉDIENTS :
4 escalopes
1 beau blanc
de poulet cuit
150 g de champignons
30 g de mie de pain
1 œuf, 1/2 v. de lait
1 petit v. de cognac
1 v. de vin blanc sec
1 oignon, 1 carotte
50 g de beurre
1 cuill. à soupe d'huile
1 pincée de muscade
râpée, thym, laurier
Sel, poivre

1 - Faites couper par votre boucher 4 escalopes longues et minces, aplaties au besoin.

2 - Hachez finement le blanc de poulet, les champignons, et mettez-les dans un mortier.

3 - Faites tremper la mie de pain dans le lait, essorez-la dans vos mains et mettez-la dans le mortier.

4 - Pilez le tout soigneusement, puis incorporez l'œuf entier, 30 g de beurre. Versez le cognac. Salez, poivrez, râpez un peu de noix de muscade. Travaillez cette farce à la cuillère de bois de façon à obtenir une pâte bien lisse.

5 - Étalez les escalopes sur un plant de travail, salez-les légèrement et répartissez en étalant la farce sur la viande. Roulez les escalopes et ficelez-les.

6 - Dans une sauteuse, mettez à fondre une noix de beurre et un peu d'huile, et faites dorer les paupiettes.

7 - Lorsqu'elles ont pris couleur, ajoutez l'oignon haché et la carotte coupée en fines rondelles. Laissez blondir ces légumes quelques instants dans la graisse de cuisson, puis mouillez avec le vin blanc. Aromatisez d'un peu de thym et de laurier, et laissez cuire doucement à couvert une vingtaine de minutes.

8 - Dressez les paupiettes sur un plat de service, nappez-les de la sauce. Servez brûlant, avec une garniture de haricots verts.

VOS NOTES PERSONNELLES

Ecrire . . . .

Acheter . . . .

Téléphoner . . . .

5 SEPTEMBRE

Menu

SALADE DE LANGOUSTINES AUX CHAMPIGNONS
(voir recette ci-contre)

FEUILLES DE VIGNE FARCIES
(voir recette ci-dessous)

DÉLICE GLACÉ À L'ORANGE
(voir recette p. 159)

MINI-RECETTE

FEUILLES DE VIGNES FARCIES

POUR 4 À 5 PERSONNES
CUISSON : 1 h 30
INGRÉDIENTS : 2 boîtes de feuilles de vigne
en conserve, 250 g de riz
500 g de bœuf haché, 60 g de beurre
3 citrons, 6 gousses d'ail, sel, poivre

1 - Mettez les feuilles de vigne à dessaler quelques instants dans de l'eau froide.
2 - Mélangez le riz cru à la viande de bœuf hachée. Salez, poivrez.
3 - Sur une table de travail, placez une feuille de vigne, disposez en son centre une cuillerée de mélange viande-riz, roulez comme on le ferait d'un cigare. Utilisez deux, ou même trois feuilles de vigne, si elles sont petites.
4 - Lorsque toute la farce est utilisée, couchez les feuilles de vigne dans une cocotte, sur deux ou trois rangées.
5 - Epluchez les gousses d'ail, hachez-les finement et parsemez-en les feuilles.
6 - Mouillez avec de l'eau qui doit recouvrir largement le contenu de la cocotte.
7 - Pressez le jus des citrons, versez-le dans le récipient, ajoutez le beurre coupé en petits morceaux.
8 - Allumez à feu doux, et laissez cuire, la cocotte ouverte, environ 1 h 1/2. Terminer, de préférence, la cuisson à four moyen.
9 - Lorsque les feuilles de vigne sont cuites, sortez- les de la cocotte avec précaution, et couchez-les sur un lit de feuilles de laitue, dans un plat de service.

SALADE DE LANGOUSTINES AUX CHAMPIGNONS

Rapide — Très facile — Abordable

POUR 6 PERSONNES
CUISSON :
12 minutes environ
INGRÉDIENTS : 1 laitue
250 g de champignons
500 g de langoustines
1 œuf, 1/2 citron
1 cuil. à café
de moutarde
6 cuill. à soupe d'huile
1 pet. pot de câpres
1 pincée de paprika
Quelques brins
de ciboulette
1/4 de v. de vinaigre
Thym, laurier
Sel, poivre

1 - Préparez un court-bouillon avec 1 litre d'eau, le vinaigre, un peu de thym et de laurier. Salez au gros sel et laissez frémir le liquide quelques minutes.
2 - Faites durcir un œuf 12 minutes à l'eau bouillante.
3 - Lavez les langoustines et plongez-les dans le court-bouillon. Laissez cuire sur feu vif de 3 à 6 minutes en fonction de la taille des crustacés, puis égouttez-les et décortiquez-les. Réservez les queues.
4 - Lavez la laitue, séchez-la, et réservez les plus belles feuilles du cœur.
5 - Débarrassez les champignons de leur pied pour ne conserver que les chapeaux, lavez-les et séchez-les sur du papier absorbant. Puis détaillez ces chapeaux en fines lamelles.
6 - Délayez dans un saladier la moutarde dans le jus de citron. Salez, poivrez légèrement, et versez l'huile en tournant constamment. Ajoutez à cette sauce l'œuf dur passé à la moulinette, quelques câpres, un peu de ciboulette hachée et une pincée de paprika.
7 - Versez dans le saladier les champignons et les langoustines, et remuez soigneusement le tout.
8 - Tapissez des coupes individuelles avec les feuilles de laitue, et répartissez au mieux la préparation aux langoustines avant de servir.

VOS NOTES PERSONNELLES

Ecrire . . . .
. . . .
Acheter . . . .
. . . .
Téléphoner . . . .

6 SEPTEMBRE

Menu

GNOCCHI À LA ROMAINE
(voir recette p. 35)
PINTADEAU FARCI
(voir recette p. 201)
FEUILLETÉ AUX FRAISES DUVERNAY
(voir recette ci-contre)

FEUILLETÉ AUX FRAISES DUVERNAY

Moyen — Facile — Abordable

POUR 6 A 8 PERSONNES
CUISSON : 30 minutes
INGRÉDIENTS :
1 livre de fraises
1 bloc de pâte feuilletée surgelée
50 g de beurre
3 jaunes d'œufs
1/2 l de lait
75 g de sucre en poudre
50 g de farine
2 v. à liqu. de curaçao
4 cuillerées à soupe de gelée de fraises
1 gousse de vanille

1 - Laissez dégeler la pâte feuilletée, puis étalez-la au rouleau.

2 - Beurrez un moule à tarte et garnissez-le de la pâte. Piquez la pâte en divers endroits avec les dents d'une fourchette, et recouvrez-la d'une feuille de papier d'aluminium pour éviter que les bords ne s'affaissent à la cuisson. Mettez à four chaud pendant 20 minutes.

3 - Préparez une crème pâtissière comme suit : dans un saladier, mélangez les jaunes d'œufs au sucre en poudre, puis incorporez peu à peu la farine. Versez sur le tout le lait que vous aurez fait bouillir avec la gousse de vanille fendue. Mettez cette crème dans une casserole, et laissez cuire à feu doux quelques instants en tournant régulièrement le mélange. Au premier bouillon, retirez le récipient du feu, ajoutez alors 25 g de beurre, remuez et versez la crème dans une terrine.

4 - Lavez soigneusement les fraises, équeutez-les et séchez-les sur du papier absorbant. Mettez les fruits dans un plat creux et arrosez-les avec le curaçao.

5 - Quand la pâte de la tarte est cuite, ôtez le papier d'alu, laissez refroidir et démoulez-la sur un plat de service.

6 - Versez la crème pâtissière sur la pâte et disposez régulièrement les fraises.

7 - Préparez un petit sirop en faisant chauffer dans une petite casserole 4 cuillerées à soupe de gelée de fraises, 1/4 de verre d'eau, et le curaçao ayant servi à parfumer les fraises.

8 - Nappez la tarte de ce sirop à la gelée et servez.

TOUT SAVOIR SUR...

LA FRAISE

A l'origine, seule la fraise des bois était connue. Le gros fruit que nous connaissons aujourd'hui vient du Chili et a été introduit en France au XVIIIe s. par un ingénieur au nom prédestiné : Amédée Frézier. La fraise est un fruit dont la valeur nutritive est très faible. Il contient peu de sucre et est, de ce fait, apprécié des personnes soucieuses de leur poids. Il renferme, en proportions intéressantes, des vitamines C, du calcium et du fer. Il est légèrement diurétique. Les principales variétés que l'on trouve sur le marché, d'avril à septembre sont : royal de Carpentras, fruit de taille moyenne, à la chair rosée. Madame Moutot, gros fruit rouge orangé. Sans rival, fruit rouge vif, de taille moyenne, à la chair sucrée et parfumée. Talisman, beau fruit rouge vif, excellent. Les normes européennes classent les fraises en trois catégories : catégorie extral (étiquette rouge), catégorie I (étiquette verte), categorie III (étiquette grise). Choisissez toujours des fruits brillants et fermes, ni trop mûrs ni trop verts.

VOS NOTES PERSONNELLES

Ecrire . . . .
. . . .
Acheter . . . .
. . . .
Téléphoner . . . .

MINI-RECETTE

TARTE AUX AUBERGINES

POUR 6 PERSONNES
CUISSON : 1 h 15
INGRÉDIENTS : 1 kg d'aubergines
150 g de fromage blanc
220 g de farine, 2 œufs
110 g de beurre
3 cuillerées à soupe d'huile
Sel, poivre

1 - Confectionnez une pâte brisée en mélangeant dans un saladier la farine, 1 œuf entier, le beurre. Ajoutez une pincée de sel, et travaillez en pâte en mouillant d'un peu d'eau pour faciliter l'opération. Laissez reposer 1 heure.

2 - Pelez les aubergines, et mettez-les à cuire coupées en rondelles à la cocotte, dans l'huile chaude. Salez, poivrez, et laissez une quarantaine de minutes, récipient découvert.

3 - Ecrasez dans une terrine le fromage blanc, ajoutez 1 œuf battu en omelette, salez légèrement, poivrez, et travaillez bien cette préparation.

4 - Quand les aubergines ont cuit le temps nécessaire, laissez-les tiédir, puis ajoutez-les à la préparation au fromage. Remuez soigneusement le tout.

5 - Etalez la pâte au rouleau, et tapissez-en un moule à tarte. Piquez le fond à la fourchette en divers endroits, recouvrez le fond et les bords de papier aluminium, et mettez à précuire à four modéré 15 minutes.

6 - Passé ce temps, garnissez la pâte de la préparation, et mettez à cuire à four moyen 15 à 20 minutes. Servez chaud ou tiède.

LANGUE DE VEAU CHARCUTIÈRE

Long   Très facile   Abordable

POUR 10 PERSONNES
CUISSON : 2 h 30
INGRÉDIENTS : 1 langue
3 oignons
1 branche de céleri
1 bouquet garni
1 noisette de beurre
1 cuill. à soupe d'huile
4 tomates
1 noix de concentré de tomates
6 cornichons
Sel

1 - Mettez la langue à tremper 2 bonnes heures. Plongez-la ensuite 15 minutes à l'eau bouillante salée. Laissez refroidir la viande, puis ôtez la peau et le cornet.

2 - Placez la langue dans un grand récipient. Couvrez largement d'eau, salez au gros sel et aromatisez de la branche de céleri, d'un oignon coupé en rondelles et d'un bouquet garni. Portez le liquide à ébullition et laissez cuire 2 h 30 à couvert.

3 - Une heure avant la fin de la cuisson, faites chauffer le mélange de beurre et d'huile, et mettez-y à revenir 2 oignons hachés fin.

4 - Plongez les tomates quelques instants dans de l'eau bouillante, pelez-les et concassez-les grossièrement. Ajoutez cette purée de tomates fraîches aux oignons. Mouillez d'un grand verre d'eau, délayez un peu de concentré de tomates et salez. Laissez mijoter à découvert jusqu'à la fin de la cuisson de la viande.

5 - Quand la langue a cuit le temps nécessaire, égouttez-la et détaillez-la en fines tranches que vous disposerez au mieux sur un plat de service long. Servez la sauce en saucière après avoir ajouté les cornichons coupés en fines rondelles.

VOS NOTES PERSONNELLES

Ecrire . . . .
. . . .
Acheter . . . .
. . . .
Téléphoner . . . .

CRÊPES AUX NOIX

Moyen   Très facile *   Abordable

POUR 6
A 8 PERSONNES
CUISSON :
25 à 30 minutes
INGRÉDIENTS :
250 g de farine
3 œufs
150 g de sucre
en poudre
4 dl de lait
250 g de noix
50 g de beurre
1 gousse de vanille
1 pincée de sel

Menu

GAZPACHO SÉVILLAN
(voir recette ci-dessous)
HACHIS PARMENTIER
(voir recette p. 140)
CRÊPES AUX NOIX
(voir recette ci-contre)

MINI-RECETTE

GAZPACHO SEVILLAN

POUR 6 PERSONNES
1 HEURE AU RÉFRIGÉRATEUR
INGRÉDIENTS : 1 gros poivron
2 concombres, 3 belles tomates, 2 oignons
4 gousses d'ail, 1 bouquet de persil
50 g de mie de pain rassie
1/2 verre d'huile d'olive
1 cuillerée à soupe de vinaigre
Sel, poivre

1 - Pelez les tomates.
2 - Epluchez les concombres, et coupez-les en petits dés.
3 - Epluchez les gousses d'ail, concassez la moitié des tomates, lavez le persil. Passez ces légumes au mixer avec le concombre non dégorgé, la mie de pain rassie préalablement ramollie dans un peu d'eau. Salez et poivrez.
4 - Versez cette préparation dans une soupière ou un saladier, et ajouter l'huile en léger filet, en tournant régulièrement.
5 - Lorsque vous avez obtenu une crème bien homogène et onctueuse, ajoutez la cuillerée de vinaigre et 1 litre d'eau froide. Remuez bien.
6 - Placez le récipient dns la partie haute du réfrigérateur, et laissez glacer 1 heure.
7 - Au moment de servir, présentez à part, dans des petits plats creux, le concombre, le reste des tomates coupées en petits cubes, le poivron épépiné coupé en dés, et les oignons hachés. Chaque convive ajoutera, à sa guise, à son assiettée de gazpacho, les légumes frais de son choix.

1 - Versez le lait dans une casserole, ajoutez la gousse de vanille fendue et portez le liquide à ébullition. Puis ôtez le récipient du feu, couvrez-le et laissez infuser la vanille dans le lait.
2 - Préparez la pâte à crêpes dans un saladier en mélangeant la farine, les œufs et 3 cuillerées à soupe de sucre en poudre. Ajoutez peu à peu le lait froid (après avoir retiré la gousse de vanille), une noix de beurre et une pincée de sel. Battez soigneusement le tout au fouet pour obtenir une pâte lisse et homogène, puis laissez reposer 1 heure.
3 - Pendant ce temps, décortiquez les noix et passez-les à la moulinette.
4 - Quand la pâte a reposé le temps convenable, incorporez-lui les noix pilées et mélangez délicatement.
5 - Placez une poêle sur feu vif, graissez-la légèrement de beurre, et prélevez à la louche la quantité de pâte nécessaire pour confectionner une crêpe fine. Empilez les crêpes cuites les unes sur les autres, en saupoudrant à chaque fois d'un peu de sucre. Servez les crêpes chaudes ou tièdes.

LE TRUC DU CHEF

POUR LE GAZPACHO SÉVILLAN : si vous aimez bien épicé, vous pouvez ajouter à la préparation un peu de poivre rouge de cayenne, comme il est d'usage en Andalousie.

POUR LES CRÊPES AUX NOIX : pour que les crêpes fassent ressortir toute la saveur des noix, passez ces dernières à la moulinette en utilisant une grille assez grosse.

VOS NOTES PERSONNELLES

Ecrire . . . .

Acheter . . . .

Téléphoner . . . .

9 SEPTEMBRE

Menu

TOMATES À L'ANTIBOISE
(voir recette ci-contre)

SARDINES AUX POIVRONS
(voir recette ci-dessous)

PETITS GÂTEAUX AUX AMANDES
(voir recette p. 156)

MINI-RECETTE

SARDINES AUX POIVRONS

POUR 6 PERSONNES
CUISSON : 30 minutes environ
INGRÉDIENTS : 3 dz de sardines
500 g de poivrons, 2 oignons, 2 tomates
1 noix de concentré de tomates
3 gousses d'ail, 1/2 verre d'huile d'olive
Persil, thym, laurier, sel, poivre

1 - Lavez les poivrons, fendez-les en deux dans le sens de la longueur, débarrassez-les de la queue et des pépins, et détaillez chaque demi-poivron en lanières.
2 - Epluchez les oignons, et coupez-les en fines rondelles.
3 - Faites chauffer l'huile d'olive dans une casserole, et mettez-y les légumes à blondir quelques minutes sur feu moyen, en les remuant de temps en temps à la cuiller de bois.
4 - Plongez les tomates quelques instants dans de l'eau bouillante, mondez-les, et concassez-les grossièrement.
5 - Quand les légumes ont pris couleur, ajoutez-leur la purée de tomates fraîches, les gouses d'ail pilées, et mouillez d'un demi-verre d'eau. Aromatisez d'un peu de thym et de laurier, salez, poivrez, et laissez cuire 10 minutes à couvert.
6 - Pendant ce temps, videz et lavez soigneusement les sardines, salez et poivrez-les, et disposez-les dans un plat allant au four.
7 - Quand les légumes ont cuit le temps convenable, versez-les avec leur sauce sur les sardines et mettez à cuire à four moyen environ 15 minutes. Servez dans le plat de cuisson.

TOMATES A L'ANTIBOISE

Moyen — Très facile — Abordable

POUR 6 PERSONNES
CUISSON : 20 minutes
INGRÉDIENTS :
6 belles tomates
1 boîte de thon à l'huile
1 petite boîte de filets d'anchois
100 g de riz
50 g d'olives noires
2 cuillerées à soupe de vinaigre
2 cuillerées à soupe d'huile d'olive
1 branche d'estragon
1 branche de persil
1 cuil. à café de moutarde, sel, poivre

1 - Faites chauffer l'huile dans une casserole et jetez-y le riz. Tournez à la cuillère de bois quelques instants, le temps pour le riz de prendre couleur.
2 - Mouillez alors d'eau bouillante (2 fois le volume de riz), salez d'une pincée de gros sel. Laissez cuire 15 à 20 minutes le riz qui doit avoir absorbé tout le liquide de cuisson.
3 - Pendant ce temps, lavez les tomates, essuyez-les avec un torchon, puis découpez sur chacune d'elles un large chapeau côté queue. A l'aide d'un petit couteau pointu et d'une cuillère, évidez-les et salez l'intérieur.
4 - Dans un petit saladier, délayez un peu de moutarde dans le vinaigre de vin, puis ajoutez le contenu de la boîte de thon. Mélangez bien le tout en écrasant à la fourchette.
5 - Hachez un peu d'estragon et de persil, dénoyautez les olives et coupez-les menues. Ajoutez tous ces ingrédients au thon.
6 - Lorsque le riz est cuit et refroidi, mélangez-le soigneusement à la préparation. Poivrez généreusement.
7 - Remplissez chaque tomate de cette farce froide, et couronnez le tout de filets d'anchois croisés. Placez au réfrigérateur une vingtaine de minutes avant de servir.

LE TRUC DU CHEF

POUR LES TOMATES À L'ANTIBOISE : il est inutile, pour cette recette, de prendre du thon entier. Le poisson devant être écrasé, il suffit d'acheter des miettes de thon, produit beaucoup plus économique.

VOS NOTES PERSONNELLES

Ecrire . . . .

Acheter . . . .

Téléphoner . . . .

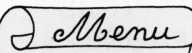

Menu

AVOCATS AU CRABE
(voir recette p. 129)

*CÔTELETTES DE MOUTON
DUBARRY*
(voir recette ci-contre)

POIRES BELLE HÉLÈNE
(voir recette ci-dessous)

Boisson conseillée :
UN ROUGE DE PROVENCE

MINI-RECETTE

POIRES
BELLE HÉLÈNE

POUR 6 PERSONNES
CUISSON : 40 minutes
INGRÉDIENTS : 6 belles poires
500 g de sucre en poudre
1 sachet de sucre vanillé
150 g de chocolat à cuire
1/2 verre de lait, 1 citron
2 cuillerées à soupe de crème fraîche
1 sachet d'amandes effilées
1/4 d'amandes effilées
1/4 de litre de glace vanille

1 - Préparez un sirop en faisant bouillir 10 à 12 minutes dans une petite casserole 500 g de sucre avec 1 litre d'eau, le sucre vanillé et le jus du citron.
2 - Pelez les poires, plongez-les dans le sirop brûlant, et faites cuire à petit feu 15 minutes environ. Puis retirez-les et laissez refroidir les fruits sur une assiette.
3 - Confectionnez une sauce au chocolat en faisant fondre dans une petite casserole le chocolat avec 1/2 verre de lait. Ajoutez au mélange fondu 2 cuillerées de crème fraîche, tournez quelques instants sur feu très doux, et ôtez du feu. Conservez au chaud, au bain-marie.
4 - Répartissez la glace vanille dans des coupes, que vous aurez tenues glacées au réfrigérateur. Sur la glace, posez une poire au sirop, et coulez dessus, la crème au chocolat bien chaude.
5 - Saupoudrez d'amandes effilées, et servez immédiatement.

CÔTELETTES DE MOUTON DUBARRY

Moyen Très facile Abordable

POUR 4 PERSONNES
CUISSON : 25 minutes
INGRÉDIENTS :
4 côtelettes
1 chou-fleur
1 citron
1 noix de beurre
1 cuillerée à soupe
de moutarde
Ciboulette
Estragon
Persil
Sel, poivre

1 - Divisez un petit chou-fleur en bouquets. Lavez-les soigneusement à plusieurs eaux, puis mettez ces bouquets à cuire 25 minutes dans une casserole d'eau bouillante salée.
2 - Dix minutes avant la fin de la cuisson du chou-fleur, faites chauffer une plaque sur feu vif, et mettez-y à saisir les côtelettes préalablement salées et poivrées. Laissez cuire ainsi de 4 à 5 minutes de chaque côté. Réservez au chaud.
3 - Quand le chou-fleur est cuit, égouttez-le dans une passoire. Dressez les côtelettes sur un grand plat de service chaud, entourez-les de la garniture de légumes.
4 - Préparez une sauce comme suit : délayez 1 bonne cuillerée de moutarde forte dans le jus d'un citron. Ajoutez un bon hachis de persil et nappez-en le chou-fleur.
5 - Malaxez une noix de beurre avec un hachis de ciboulette et d'estragon, et tartinez la viande de cette préparation. Servez immédiatement.

LE TRUC DU CHEF

POUR LES POIRES BELLE HÉLÈNE : la parfaite cuisson des poires dans le sirop est délicate à réaliser. Vérifiez la cuisson à point des fruits en les piquant à l'aide d'une fine aiguille à tricoter. Vous ne devez rencontre pratiquement aucune résistance.

VOS NOTES PERSONNELLES

Ecrire . . . .

Acheter . . . .

Téléphoner . . . .

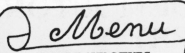

Menu

SALADE AUX CŒURS DE PALMIERS
(voir recette p. 62)

POULET FARCI AUX POMMES
(voir recette p. 161)

FRUITS RAFRAÎCHIS AU CHAMPAGNE
(voir recette ci-contre)

Boisson conseillée :
UN CHINON

TOUT SAVOIR SUR...

L'ABRICOT

La production d'abricots se situe en France essentiellement dans la région méditerranéenne. C'est un fruit d'une richesse exceptionnelle en vitamines et éléments minéraux. Peu calorique, il est apprécié des personnes soucieuses de leur poids. L'abricot a, de plus, des vertus diurétiques et favorise le transit intestinal. Il est présent sur les marchés de juin à août. Parmi les nombreuses variétés, il faut citer **le Rouge du Roussillon** : fruit de calibre moyen à chair ferme et parfumée. C'est sans doute le plus commercialisé. **Le mizet** : gros fruit à chair parfumée. **Le bergeron** : gros fruit à chair ferme et parfumée. Les normes européennes ont défini trois catégories : **catégorie extra** (étiquette rouge), fruits sans défauts. **Catégorie I** (étiquette verte) quelques légers défauts sont admis.. **Catégorie II** (étiquette jaune). Choisissez toujours des fruits d'aspect propre et sain. Evitez les fruits insuffisamment mûrs, ils peuvent être difficiles à digérer.

FRUITS RAFRAÎCHIS AU CHAMPAGNE

Rapide Très facile Abordable

POUR 6 PERSONNES
INGRÉDIENTS :
3 pêches
6 abricots
250 g de framboises
300 g de fraises
250 g de groseilles rouges
20 amandes mondées
175 g de sucre semoule
200 g de crème fraîche
1/2 bout. de champagne

1 - Pelez les pêches après les avoir trempées une minute dans de l'eau bouillante. Lavez délicatement les fraises, égouttez-les, équeutez-les. Lavez les groseilles, épongez-les dans un torchon propre. Lavez les abricots, séchez-les et dénoyautez-les.

2 - Dans une grande coupe, disposez successivement : les pêches coupées en quartiers, les abricots coupés en quatre, les framboises, les fraises, les groseilles. Au fur et à mesure que vous ajoutez une couche de fruits, dispersez quelques amandes et saupoudrez de quelques cuillerées de sucre. Placez la coupe au réfrigérateur.

3 - Au moment de servir, arrosez le tout avec le champagne.

4 - Dans un bol, battez la crème fraîche afin d'obtenir une chantilly, qui accompagnera la salade de fruits, et dont chaque convive se servira à sa guise.

LE TRUC DU CHEF

POUR LES FRUITS RAFRAÎCHIS AU CHAMPAGNE : pour cet excellent dessert choisissez un champagne brut qui fera ressortir tout l'arôme des fruits. Si vous voulez donner une touche inhabituelle prenez un champagne rosé, le goût n'en sera pas modifié mais l'aspect sera des plus heureux.

Pour la bonne tenue du dessert, choisissez des pêches qui ne soient pas exagérément mûres.

VOS NOTES PERSONNELLES

Ecrire . . . .

. . . .

Acheter . . . .

. . . .

Téléphoner . . . .

Menu

GÂTEAU AU CHOU-FLEUR
(voir recette ci-contre)

**CÔTES DE VEAU
À LA MOUTARDE**
(voir recette ci-dessous)

CRÈME À LA BANANE
(voir recette p. 90)

Moyen   Facile   Abordable

GÂTEAU AU CHOU-FLEUR

**POUR 4
A 5 PERSONNES**
CUISSON : 50 minutes
INGRÉDIENTS :
1 chou-fleur
250 g de fromage blanc maigre
40 g de beurre
2 cuill. à soupe de farine
50 g de gruyère râpé
4 jaunes d'œufs
Noix de muscade râpée
1 cuillerée à soupe de vinaigre
Sel, poivre

1 - Détachez les petits bouquets de chou-fleur, laissez-les tremper 15 minutes environ dans une eau additionnée d'un peu de vinaigre.
2 - Mettez le légume à cuire dans une grande casserole d'eau salée pendant 25 minutes.
3 - Quand le chou-fleur est cuit, égouttez-le, puis passez-le à la moulinette ou mieux, au mixer.
4 - Faites fondre 20 g de beurre dans une petite casserole, sur feu doux, puis ajoutez la farine. Tournez à la cuillère de bois, en évitant que la farine prenne couleur, puis incorporez peu à peu le fromage blanc. Continuez à remuer quelques minutes hors du feu. Salez et poivrez légèrement.
5 - Incorporez à ce mélange la purée de chou-fleur, le gruyère râpé, les jaunes d'œufs, un peu de muscade râpée. Mélangez bien le tout et remettez le récipient sur feu doux quelques minutes.
6 - Beurrez légèrement un moule à hauts bords, genre moule à soufflé, et placez ce moule dans un récipient plus grand rempli d'eau. Mettez le tout à cuire au four, au bain-marie, pendant 20 minutes. Servez dès la sortie du four, dans le moule de cuisson.

MINI-RECETTE

CÔTE DE VEAU À LA MOUTARDE

POUR 4 PERSONNES
CUISSON : 30 minutes environ
INGRÉDIENTS : 4 côtes de veau
150 g d'échalotes
2 gousses d'ail
1 noix de concentré de tomates
1 cuillerée à soupe de moutarde
1/2 verre de vin blanc
2 cuillerées à soupe d'huile
1 branche d'estragon, thym, laurier
Sel, poivre

1 - Faites chauffer très peu d'huile dans une sauteuse, et mettez-y à dorer les côtes de veau après les avoir poivrées et salées. Laissez sur feu moyen environ 5 minutes de chaque côté.
2 - Pendant ce temps, épluchez les échalotes et hachez-les finement.
3 - Quand la viande a pris couleur, ajoutez le hachis d'échalotes, et laissez blondir les légumes quelques instants.
4 - Mouillez alors avec le vin blanc, et complétez le mouillement avec 1/2 verre d'eau dans lequel vous aurez délayé 1 noix de concentré de tomates. Aromatisez d'un peu de thym, de laurier, d'estragon haché, d'ail pilé, et laissez mijoter à couvert 15 minutes environ.
5 - Passé ce temps, délayez 1 bonne cuillerée de moutarde forte dans la sauce, et terminez la cuisson à découvert pendant quelques minutes.
6 - Dressez les côtes de veau sur un grand plat de service chaud, nappez-les de la sauce moutarde, et servez immédiatement avec une garniture de riz blanc.

VOS NOTES PERSONNELLES

Ecrire . . . .
. . . .
Acheter . . . .
. . . .
Téléphoner . . . .

13 SEPTEMBRE

Menu

SALADE AUX GERMES DE SOJA
(voir recette p. 9)

ESCALOPES FARCIES AU VERT
(voir recette ci-contre)

POIRES EN MOUSSE
(voir recette ci-dessous)

MINI-RECETTE

POIRES EN MOUSSE

POUR 6 PERSONNES
CUISSON : 15 minutes
INGRÉDIENTS : 1 kg de poires
2 blancs d'œufs

1 - Pelez les poires, coupez-les en quatre, ôtez le cœur et les pépins.

2 - Coupez ces quartiers en lamelles dans une casserole et ajoutez un verre d'eau.

3 - Mettez la casserole couverte sur feu vif, et, dès l'ébullition, réduisez le feu et laissez cuire encore une dizaine de minutes.

4 - Pendant ce temps, placez les blancs dans un saladier (gardez les jaunes pour une autre préparation) et battez-les en neige très ferme. Les blancs sont parfaitement montés lorqu'ils collent au fouet.

5 - Lorsque les poires sont cuites, passez-les à la moulinette ou mieux, au mixer. Laissez refroidir.

6 - Quand la compote est tout à fait froide, incorporez-lui les blancs d'œufs montés en neige. Opérez délicatement en soulevant bien la compote pour y introduire les cuillerées de blancs en neige.

7 - Versez le tout dans un compotier, ou dans des coupes individuelles, placez quelques instants au réfrigérateur, et servez frais.

ESCALOPES FARCIES AU VERT

Moyen   Facile   Abordable

POUR 4 PERSONNES
CUISSON : 1 h env.
INGRÉDIENTS :
4 escalopes
2 poireaux
250 g d'épinards
50 g d'oseille
Persil
2 biscottes
1/2 v. de lait écrémé
1 noix de beurre
1 cuill. à soupe d'huile
3 œufs
1 cuill. à soupe de farine
1 noix de conc. tomates
Sel, poivre

1 - Triez les feuilles d'épinards et d'oseille, éliminez les feuilles abîmées ou flétries, coupez les queues, et lavez les légumes.

2 - Éliminez le vert des poireaux pour ne conserver que les blancs, fendez-les en quatre, et passez-les à l'eau courante.

3 - Séchez tous ces légumes, hachez-les ensemble avec un petit bouquet de persil.

4 - Faites fondre le beurre dans une sauteuse, et mettez-y à suer le hachis de légumes sur feu doux une quinzaine de minutes. Salez et poivrez légèrement, tournez de temps en temps à la cuillère de bois. Ôtez le récipient du feu après élimination de l'eau de végétation.

5 - Ajoutez alors 1 œuf entier, 2 jaunes et les biscottes préalablement trempées dans le lait et essorées. Mélangez soigneusement le tout pour obtenir une préparation homogène, salez légèrement, et remettez quelques instants sur feu doux en tournant constamment.

6 - Étalez les escalopes sur un plan de travail, salez et poivrez-les, et placez en leur centre des boudins que vous aurez confectionnés avec la farce de légumes. Roulez les escalopes, ficelez-les et passez-les légèrement à la farine.

7 - Faites chauffer très peu d'huile dans une poêle, et mettez-y à dorer les escalopes roulées. Lorsqu'elles ont pris couleur, mouillez avec 1 verre d'eau chaude dans lequel vous aurez dilué le concentré de tomates. Aromatisez d'un peu de thym et de laurier et laissez mijoter à feu doux 25 à 30 minutes, en retournant les escalopes de temps en temps.

8 - Rangez les escalopes roulées sur un plat creux, nappez avec la sauce, et servez immédiatement.

VOS NOTES PERSONNELLES

Ecrire . . . .
. . . .
Acheter . . . .
. . . .
Téléphoner . . . .

14 SEPTEMBRE

Menu

SALADE MONTPENSIER
(voir recette ci-contre)

BOULETTES AU PAPRIKA
(voir recette ci-dessous)

MACARONS SOUFFLÉS
(voir recette p. 233)

MINI-RECETTE

BOULETTES AU PAPRIKA

POUR 4 PERSONNES
CUISSON : 40 minutes
INGRÉDIENTS : 2 oignons
600 g de chair à saucisses
2 œufs, 1 petit bouquet de persil
1 cuillerée à café de paprika
1 noix de beurre
1 verre de vin blanc sec
1 noix de concentré de tomates
Sel, poivre

1 - Faites fondre 1 noix de beurre dans une poêle, et mettez-y à revenir la chair à saucisses. Salez et poivrez.
2 - Pelez les oignons, hachez-les finement, et ajoutez-les au contenu de la poêle. Laissez blondir le tout, et mettez la préparation dans une jatte. Ajoutez 2 œufs, un fin hachis de persil, agrémentez d'une bonne cuillerée à café de paprika et confectionnez des boulettes avec vos mains légèrement mouillées.
3 - Délayez le concentré de tomates dans le vin blanc, versez le tout dans la poêle de cuisson de la viande, salez légèrement, et portez le liquide à ébullition. Puis placez-y les boulettes, et laissez mijoter 20 à 25 minutes à découvert, en retournant les boulettes à mi-cuisson.
4 - Passé ce temps, disposez les boulettes sur un plat de service, nappez avec la sauce, et servez avec un riz blanc.

SALADE MONTPENSIER

 Rapide Très facile Abordable

POUR 5
A 6 PERSONNES
INGRÉDIENTS :
50 g de roquefort
1/2 chou blanc
1/2 chou-fleur
1 oignon
1 échalote
3 tr. de jambon de Parme
1 cuillerée à café de moutarde
1 cuillerée à soupe de vinaigre
3 cuillerées à soupe d'huile de tournesol
Sel, poivre

1 - Otez du chou le trognon et la partie fibreuse centrale, et lavez les feuilles dans de l'eau additionnée d'un peu de vinaigre. Séchez les feuilles dans un torchon, et détaillez-les en fines lanières.
2 - Détachez du chou-fleur cru des petits bouquets. Lavez-les soigneusement à l'eau courante et séchez-les dans un torchon.
3 - Épluchez l'oignon et détaillez-le en fines rouelles.
4 - Roulez les 3 tranches de jambon après avoir ôté la couenne, coupez-les en lanières.
5 - Dans un bol, écrasez le roquefort à la fourchette, ajoutez la moutarde, le vinaigre, salez et poivrez. Mélangez bien le tout. Puis, toujours en tournant, ajoutez l'huile en mince filet jusqu'à obtenir une sauce onctueuse et parfaitement liée.
6 - Dans un grand saladier, mettez le chou, le chou-fleur et le jambon. Ajoutez l'échalote hachée et versez la vinaigrette au roquefort dessus. Mêlez délicatement le tout et décorez la salace de tranches d'oignon.

VOS NOTES PERSONNELLES

Ecrire . . . .
. . . .
Acheter . . . .
. . . .
Téléphoner . . . .

Menu

**CROÛTES CHAUDES
À LA GERMAIN**
(voir recette p. 10)

MOUSSAKA
(voir recette p. 50)

**FRUITS ROUGES
AU FROMAGE BLANC**
(voir recette ci-contre)

TOUT SAVOIR SUR...

LA FRAMBOISE

La framboise est une baie rouge, très parfumée, dont le temps de commercialisation est relativement court : de juin à août. Extrêmement fragile, elle supporte mal le transport et moisit rapidement. La framboise est riche en vitamines C et B ainsi qu'en calcium, fer et phosphore. Sa valeur calorique est faible et elle se digère très aisément. Les principales variétés que l'on commercialise sont : **malling promise**, fruit précoce et d'agréable saveur. **Malling exploit**, gros fruit ferme et savoureux. **Capitou**, petit calibre, très parfumé. **Rose de la Côte d'Or, september**, fruits parfumés. **Héritage**, fruit ferme et de bon goût. Les framboises sont généralement présentées dans des barquettes de 100 à 250 g. Choisissez toujours des fruits sains, intacts et propres, assez mûrs mais pas trop. Evitez les fruits lavés ou mouillés, leur arôme est altéré et ils risquent de moisir très vite.

FRUITS ROUGES
AU FROMAGE BLANC

Rapide — Très facile — Abordable

**POUR 5
A 6 PERSONNES
INGRÉDIENTS :**
100 g de cerises
100 g de fraises
100 g de framboises
250 g de fromage blanc maigre
1 v. de lait écrémé
3 cuillerées de sucre en poudre
1 cuill. de kirsch

1 - Lavez les cerises, séchez-les et dénoyautez-les.
2 - Lavez les framboises et laissez-les s'égoutter sur du papier absorbant.
3 - Lavez les fraises, séchez-les sur du papier absorbant, puis équeutez-les. Coupez les fruits en deux dans le sens de la longueur en réservant 5 à 6 fruits entiers.
4 - Versez le fromage blanc dans un saladier, ajoutez le verre de lait et la cuillerée de kirsch, et fouettez énergiquement avec le sucre.
5 - Quand le mélange devient mousseux, ajoutez les fraises coupées en deux, les 3/4 des framboises et les cerises dénoyautées. Mélangez délicatement le tout.
6 - Remplissez de cette préparation des coupes individuelles. Terminez, en guise de décoration, avec les fraises et framboises entières.
7 - Placez au réfrigérateur 1/2 heure avant de servir.

LE TRUC DU CHEF

POUR LES FRUITS ROUGES AU FROMAGE BLANC : mettez les fruits dans le fromage blanc dans l'ordre suivant : d'abord les fraises et les cerises, remuez, puis les framboises. La crème se teintera du jus des fraises coupées en deux et des cerises dénoyautées, ce qui sera du plus bel effet décoratif.

VOS NOTES PERSONNELLES

Ecrire . . . .
. . . .
Acheter . . . .
. . . .
Téléphoner . . . .

16 SEPTEMBRE

Menu

MOUSSE DE JAMBON EN CORNETS
(voir recette ci-dessous)

MOULES AU MUSCADET
(voir recette ci-contre)

SOUFFLÉ DE BANANES AU KIRSCH
(voir recette p. 239)

MINI-RECETTE

MOUSSE DE JAMBON EN CORNETS

POUR 4 PERSONNES
INGRÉDIENTS : 8 tranches de jambon
1 carotte, quelques cornichons
1 sachet de gelée instantanée
1 cuillerée à soupe de lait
Quelques olives vertes et noires
Ciboulette, persil, sel, poivre

1 - Préparez la gelée en vous conformant aux indications portées sur le sachet.

2 - Epluchez la carotte et détaillez-la en fines rondelles. Fendez quelques cornichons en lamelles.

3 - Roulez 4 tranches de jambon en cornets, entourez-les d'un fil afin de les maintenir en forme, puis disposez sur le dessus un décor de rondelles de carottes de lamelles de cornichons.

4 - Enduisez les cornets de gelée en veillant à ne pas déplacer le décor, et mettez-les au réfrigérateur.

5 - Hachez finement les tranches de jambon avec un peu de persil et de ciboulette (au mixer de préférence). Ajoutez un peu de lait, salez et poivrez légèrement.

6 - Remplissez les cornets de la préparation au jambon, et replacez au réfrigérateur quelques instants.

7 - Au moment de servir, ôtez les fils qui entourent les cornets, et disposez au mieux ces derniers sur un plat de service. Décorez avec le reste de gelée hachée, des cornichons et des olives.

MOULES AU MUSCADET

Rapide   Très facile   Pas cher

POUR 4 PERSONNES
CUISSON : 1/4 d'heure
INGRÉDIENTS :
2 l de moules
1 v. de muscadet
1 carotte
1 oignon
2 gousses d'ail
1 branche de thym
3 feuilles de laurier
1 brin de persil
1 échalote
1 petit noix de beurre
Sel, poivre

1 - Lavez soigneusement les moules à l'eau courante. Rejetez les coquillages non fermés.

2 - Épluchez et coupez en rondelles très fines la carotte, pelez et coupez en tranches l'oignon et l'échalote. Hachez les gousses d'ail.

3 - Dans un grand récipient, laissez fondre la noix de beurre et jetez-y carotte, oignon, échalote, le thym et le laurier, l'ail. Faites revenir ces légumes quelques instants jusqu'à ce qu'ils se colorent. Salez et poivrez.

4 - Versez le verre de muscadet et laissez-y cuire les légumes 2 à 3 minutes.

5 - Jetez dans ce mélange à ébullition les moules, remuez le tout avec une grande cuillère de bois, couvrez en attendant que les coquillages s'ouvrent.

6 - A ce moment, retirez les moules du feu et placez-les dans un grand plat creux.

7 - Laissez réduire le liquide de cuisson quelques minutes à feu moyen. Retirez-le du feu et attendez qu'il se repose 2 à 3 minutes.

8 - Filtrez le liquide, arrosez-en les moules, et servez très chaud après avoir parsemé les coquillages de persil haché.

LE TRUC DU CHEF

POUR LES MOULES AU MUSCADET : afin de conserver dans son intégralité la saveur des moules, veillez à les sortir immédiatement du feu dès que les coquilles s'entrebaillent. Il ne faut absolument pas qu'elles cuisent, sous peine de devenir caoutchouteuses.

VOS NOTES PERSONNELLES

Ecrire . . . .

. . . .

Acheter . . . .

. . . .

Téléphoner . . . .

17 SEPTEMBRE

Menu

GRATIN D'AUBERGINES
(voir recette ci-dessous)

*CARRÉ D'AGNEAU
AUX GIROLLES*
(voir recette ci-contre)

GLACE AUX MARRONS
(voir recette p. 114)

*Boisson conseillée :
UN BROUILLY*

MINI-RECETTE

GRATIN
D'AUBERGINES

POUR 5 À 6 PERSONNES
CUISSON : 50 minutes
INGRÉDIENTS : 1 kg d'aubergines
4 œufs, 1 gousse d'ail, 1 noix de beurre
2 cuillerées à soupe d'huile
50 g de gruyère râpé
Cerfeuil, ciboulette, sel, poivre

1 - Mettez les aubergines à cuire sur une grille 30 à 35 minutes à four chaud.
2 - Quand les aubergines sont cuites à cœur, épluchez-les soigneusement, et réduisez-les en purée.
3 - Mettez cette purée dans un grand saladier, salez, poivrez, et ajoutez un peu de beurre et d'huile, les œufs battus en omelette, la gousse d'ail pilée, un fin hachis de ciboulette et de cerfeuil. Mélangez soigneusement le tout.
4 - Garnissez de cette préparation un plat allant au four, parsemez de gruyère râpé, et mettez à gratiner 15 à 20 minutes à four chaud. Servez immédiatement dans le plat de cuisson.

CARRÉ D'AGNEAU
AUX GIROLLES

Moyen   Facile   Cher

POUR 6 PERSONNES
CUISSON :
40 minutes environ
INGRÉDIENTS :
500 g de girolles
1 carré d'agneau
de 1,5 kg environ
6 artichauts
2 gousses d'ail
40 g de beurre
2 cuill. à soupe d'huile
1 pet. bouquet de persil
Thym, laurier
1 v. de vin blanc sec
Sel, poivre

1 - Epluchez les gousses d'ail, fendez-les en minces éclats, et piquez-en le carré en divers endroits. Salez et poivrez la viande, frottez-la d'un peu de thym et de laurier 25 à 30 minutes, après avoir versé le vin blanc dans le fond du récipient. Arrosez la viande de temps en temps, en ajoutant un peu d'eau en cours de cuisson.
2 - Mettez les artichauts à cuire 30 minutes à l'eau bouillante salée.
3 - Coupez le pied terreux des girolles, passez les champignons dans un peu d'eau vinaigrée, sans les faire tremper, et mettez-les à sécher sur du papier absorbant.
4 - Quand les artichauts sont cuits, égouttez-les et débarrassez-les des feuilles et de la « barbe » pour ne conserver que les cœurs. Faites fondre 1 noix de beurre dans une poêle, et mettez les cœurs à dorer quelques minutes.
5 - Dans une autre poêle, faites sauter les girolles sur feu vif avec un peu de beurre. Remuez constamment à la spatule de bois pendant 7 à 8 minutes.
6 - Quand la viande est cuite, dressez-la sur un plat de service chaud et entourez-la, en alternant, de fonds d'artichauts et de girolles sur lesquels vous parsèmerez un hachis de persil. Présentez la sauce en saucière et servez aussitôt.

VOS NOTES PERSONNELLES

Ecrire . . . .

. . . .

Acheter . . . .

. . . .

Téléphoner . . . .

18 SEPTEMBRE

Menu

PIPERADE
(voir recette ci-dessous)
*NOIX DE VEAU
À LA DUPLESSIS*
(voir recette p. 69)
*PÊCHES AU VIN
DE BOUZY*
(voir recette ci-contre)

Boisson conseillée :
UN IROULÉGUY

MINI-RECETTE

PIPERADE

POUR 4 À 5 PERSONNES
CUISSON : 15 minutes
INGRÉDIENTS : 4 tomates
1 beau poivron, 2 oignons, 3 gousses d'ail
3 cuillerées à soupe d'huile
50 g de beurre, 8 œufs
Thym, laurier, sel, poivre

1 - Mondez les tomates après les avoir plongées quelques instants dans de l'eau bouillante, ce qui facilite l'opération.
2 - Lavez soigneusement le poivron, coupez-le en deux dans le sens de la longueur. Epépinez-le soigneusement, puis coupez-le en fines lanières.
3 - Epluchez les oignons et les gousses d'ail. Coupez les oignons en fines lamelles, pilez l'ail.
4 - Dans une cocotte, mettez l'huile à chauffer sur feu vif, et faites revenir les tomates concassées, le poivron, les oignons. Ajoutez un peu de thym et de laurier, l'ail pilé. Salez, poivrez. Mélangez bien et laissez cuire à feu doux.
5 - Pendant ce temps, cassez les œufs dans une casserole, ajoutez le beurre en morceaux. Salez et poivrez. Faites cuire à feu très doux en tournant constamment avec une cuiller de bois. Prolongez cette opération quelques minutes jusqu'à ce que les œufs brouillés deviennent crémeux.
6 - Versez alors ces œufs dans la cocotte où mijotent les légumes, remuez bien le tout et laissez cuire ensemble 3 à 4 minutes.
7 - Versez le contenu de la cocotte dans un grand plat creux et servez immédiatement.

PÊCHES AU VIN DE BOUZY

Moyen — Très facile — Abordable

POUR 4 PERSONNES
CUISSON :
30 minutes environ
INGRÉDIENTS :
5 pêches
3 v. de vin de Bouzy
1 verre à liqueur
marc de Champagne
80 g de sucre semoule
70 g de sucre glace
4 blancs d'œufs
1 cuillerée à café
de sucre vanillé
1 zeste de citron
1/2 orange
1 pincée de sel

1 - Pelez délicatement les pêches, afin de ne pas les abîmer, coupez-les en deux, ôtez les noyaux.
2 - Faites chauffer dans une grande casserole le vin rouge, le sucre vanillé, le sucre semoule et le verre à liqueur de marc. Ajoutez le zeste de citron (non traité au diphényle) et le jus d'orange. Quand le liquide frise l'ébullition, plongez-y les fruits, et laissez pocher sur feu très doux 15 minutes. Si les pêches ne sont pas tout à fait recouvertes, ajoutez un peu d'eau.
3 - Passé ce temps, versez les fruits et leur liquide de cuisson dans un compotier en verre allant au four.
4 - Mettez les blancs d'œufs dans un saladier avec 1 pincée de sel, et fouettez-les énergiquement. Ajoutez peu à peu, en cours d'opération, 50 g de sucre glace.
5 - Lorsque les œufs en neige sont bien fermes, faites un décor sur les fruits à l'aide d'une poche à douille. Saupoudrez du reste du sucre glace, et mettez à four doux 10 à 15 minutes, le temps pour la meringue de prendre une belle couleur dorée.
6 - Quand la meringue est cuite, laissez le dessert refroidir et placez-le quelques instants au réfrigérateur avant de servir.

VOS NOTES PERSONNELLES

Ecrire . . . .
. . . .
Acheter . . . .
. . . .
Téléphoner . . . .

POULET FARCI SOUBISE

Moyen   Facile   Pas cher

Menu

SALADE SAINT-WANDRILLE
(voir recette ci-dessous)

POULET FARCI SOUBISE
(voir rectte ci-contre)

BEIGNETS AUX POIRES
(voir recette p. 236)

**POUR 4 PERSONNES
CUISSON : 1 h 1/4
INGRÉDIENTS :**
1 poulet de 1,2 kg
6 beaux oignons
2 échalotes
Estragon
Thym, laurier
6 tomates
Pain rassis
Sel, poivre

MINI-RECETTE
SALADE SAINT-WANDRILLE

**POUR 4 À 5 PERSONNES
INGRÉDIENTS :** 2 pommes
1 petite boîte de fonds d'artichauts
1 petite boîte de macédoine
2 tomates, 1 tranche de jambon
1 cœur de laitue
1 cuillerée à café de vinaigre
1/2 citron
1 cuillerée à café de moutarde
1 verre d'huile, sel, poivre

1 - Faites durcir l'œuf 12 à 15 minutes à l'eau bouillante. Passez-le sous l'eau froide.

2 - Ouvrez les boîtes de fonds d'artichauts et de macédoine. Passez-les à l'eau courante dans une passoire, et laissez les légumes s'égoutter, avant de les sécher délicatement dans un torchon.

3 - Pelez les pommes, coupez-les en quatre, Coupez les quartiers en petits dés.

4 - Lavez les tomates, essuyez-les, détaillez-les en quartiers. Salez-les légèrement.

5 - Effeuillez un beau cœur de laitue, lavez-le.

6 - Préparez une mayonnaise comme suit : mettez dans un grand bol le jaune d'œuf, la moutarde, 1 petite cuillerée de vinaigre. Salez, poivrez, remuez, et versez en filet régulier l'huile en tournant à la cuiller ou au fouet. ajoutez-lui 1/2 jus de citron.

7 - Mettez dans un grand saladier les pommes, les artichauts, la macédoine, les tomates, le jambon préalablement découpé en fines lanières, les feuilles de laitue. Versez dessus la mayonnaise, mélangez délicatement le tout. Décorez le dessus de la salade avec des rondelles d'œuf dur, avant de servir.

1 - Préparez une farce en hachant et en mélangeant intimement le foie, le gésier et le cœur de la volaille, avec trois oignons, 2 échalotes, un peu d'estragon haché fin, du thym, du laurier et du pain rassis finement émietté. Salez, poivrez au moulin.

2 - Emplissez le poulet de cette farce. Salez et poivrez-le.

3 - Mettez la volaille dans un plat allant au four, en plaçant l'équivalent d'un verre à eau dans le fond du plat.

4 - Mettez à four chaud pendant une bonne heure, en ajoutant un peu d'eau si besoin est et en arrosant le poulet de son jus de cuisson.

5 - A mi-cuisson, garnissez le poulet, tout autour du plat, de tranches d'oignons et des tomates coupées par le milieu.

6 - Servez soit dans le plat de cuisson, soit dans un plat de service, la volaille entourée de sa garniture.

LE TRUC DU CHEF

POUR LE POULET FARCI SOUBISE : certains poulets d'élevages présentent des taches ou des marbrures par endroits. Cela indique qu'ils ont été mal travaillés mais la qualité ne s'en ressent pas. Evitez par contre les volailles présentant par endroits des amas graisseux. Assurez-vous au toucher que les filets sont bien en viande. Dans les qualités semi-fermiers et fermiers, recherchez des volailles à la peau bien épaisse. C'est le plus souvent un excellent indice de qualité.

VOS NOTES PERSONNELLES

Ecrire . . . .
. . . .
Acheter . . . .
. . . .
Téléphoner . . . .

Menu

OMELETTE
AUX CHAMPIGNONS DE PARIS
(voir recette p. 79)

CÔTELETTES D'AGNEAU
À LA VILLAGEOISE
(voir recette p. 235)

TARTE AUX RAISINS
(voir recette ci-contre)

TOUT SAVOIR SUR...

LE RAISIN

Le raisin est le plus complet de tous les fruits. Grâce au glucose qu'il contient, un kilo de raisin fournit 800 calories. Son jus a le même pouvoir nutritif que le lait. Par les éléments minéraux qu'il possède, ajoutés à toutes ses propriétés, c'est un aliment recommandé aux enfants et aux femmes enceintes. Le raisin est présent sur les marchés d'août à novembre. La production française étant insuffisante, nous importons des fruits d'Italie, d'Espagne et d'Israël. Les principales variétés sont : **Alphonse Lavallée**, *raisin noir à peau épaisse, juteux et sucré.* **Muscat de Hambourg**, *raisin noir de forme allongée, très parfumé et sans pépins.* **Chasselas de Moissac**, *raisin blanc, très sucré à peau fine et sans pépins. Les normes européennes définissent trois catégories :* **catégorie extra** *(étiquette rouge) sans défauts.* **Catégorie I** *(étiquette verte) quelques légères malformations.* **Catégorie III** *(étiquette grise) quelques grains anormalement développés. Attachez-vous à acheter toujours des fruits de bel aspect, frais et non fripés, de belle coloration.*

TARTE AUX RAISINS

Moyen — Très facile — Abordable

POUR 5
A 6 PERSONNES
CUISSON : 20 minutes
INGRÉDIENTS :
250 g de farine
185 g de beurre
2 œufs
350 g de raisins blancs
350 g de raisins noirs
1 zeste de citron
1 petit verre
de fine champagne
1 verre de lait
1/2 sachet
de sucre vanillé

1 - Mettez dans un saladier 125 g de sucre, 1 œuf et 1 pincée de sel. Mélangez puis ajoutez la farine. Travaillez la préparation à la spatule jusqu'à l'obtention d'une pâte.

2 - Renversez cette pâte sur une planche à pâtisserie, incorporez-lui le beurre et le zeste de citron finement râpé. Pétrissez jusqu'à ce que la pâte ne colle plus aux doigts, puis étalez-la au rouleau.

3 - Beurrez un moule à tarte et garnissez-le de la pâte. Tapissez le fond et les côtés de papier aluminium pour éviter que les bords ne s'affaissent, et mettez à cuire à four moyen 20 minutes. 5 minutes avant la fin de la cuisson, ôtez le papier alu pour sécher la pâte.

4 - Pendant ce temps, faites chauffer le lait avec le sucre vanillé et 1 pincée de sel. Mettez dans un saladier 60 g de sucre en poudre et 1 œuf. Mélangez jusqu'à ce que la préparation blanchisse et versez alors le lait bouillant sans cesser de tourner.

5 - Remettez le tout sur feu doux, et tournez à la cuillère de bois quelques minutes afin que le mélange épaississe. Ajoutez alors la fine champagne et laissez refroidir.

6 - Lavez les raisins, égrenez-les, séchez-les sur du papier absorbant.

7 - Versez la crème dans la pâte cuite froide, et enfoncez délicatement les grains de raisins dans la crème, en formant le motif de votre choix avec les grains blancs et les noirs.

VOS NOTES PERSONNELLES

Ecrire . . . .
. . . .
Acheter . . . .
. . . .
Téléphoner . . . .

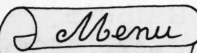

Menu

BEIGNETS D'AUBERGINES
(voir recette ci-contre)

**FOIE DE VEAU
VÉNITIENNE**
(voir recette p. 203)

SORBET À L'ABRICOT
(voir recette ci-dessous)

MINI-RECETTE

SORBET
À L'ABRICOT

POUR 4 PERSONNES
CUISSON : simple ébullition
INGRÉDIENTS : 750 g d'abricots
1 jus de citron, 250 g de sucre en poudre
1 sachet de sucre vanillé
1 petit verre de kirsch
50 g de raisins secs

1 - Faites bouillir de l'eau dans une grande casserole, et plongez-y les fruits quelques instants. Puis pelez soigneusement les abricots.

2 - Coupez les fruits en deux, ôtez les noyaux, et détaillez la pulpe en petits morceaux.

3 - Versez 1/4 de litre d'eau dans une caserole, ajoutez le sucre en poudre, et faites bouillir. Dès le premier bouillon, retirez le récipient du feu.

4 - Versez les morceaux de fruits dans le sirop chaud, remuez bien le tout à la cuiller de bois, laissez la préparation refroidir.

5 - Quand la préparation est froide, ajoutez un jus de citron, le sucre vanillé, le kirsch, et passez au mixer pour obtenir un mélange homogène.

6 - Ajoutez alors les raisins secs, et mettez à glacer en sorbetière.

7 - Quand le sorbet est constitué, remplissez-en un moule à glace métallique, tassez bien le sorbet dans le moule, et placez quelques instants dans le compartiment à glaçons du réfrigérateur.

8 - Démoulez avec précaution le sorbet sur un plat de service, et servez aussitôt.

BEIGNETS D'AUBERGINES

**POUR 5
A 6 PERSONNES**
CUISSON :
15 minutes environ
INGRÉDIENTS :
4 aubergines
250 g de farine
2 œufs
2 cuill. à soupe d'huile
Gros sel, sel fin
Poivre
1 bain de friture

1 - Epluchez les aubergines avec un couteau économe, et détaillez-les en rondelles d'environ 1 cm d'épaisseur. Mettez-les dans une passoire, ajoutez une pincée de gros sel, et laissez dégorger une trentaine de minutes.

2 - Préparez la pâte à beignets comme suit : versez la farine dans une terrine, faites un puits et mettez les jaunes d'œufs (réservez les blancs), 2 cuillerées à soupe d'huile, 1 pincée de sel. Mélangez soigneusement en mouillant peu à peu avec 25 cl d'eau. Laissez reposer la pâte.

3 - Lorsque les rondelles d'aubergines ont bien dégorgé, passez-les rapidement sous l'eau pour éliminer le gros sel, et mettez-les à égoutter soigneusement sur du papier absorbant. Poivrez-les.

4 - Fouettez les blancs d'œufs en neige très ferme, et incorporez-les délicatement à la pâte.

5 - Quand les rondelles de légumes sont bien sèches, plongez-les dans la pâte à beignets, puis dans le bain de friture. Laissez les beignets glonfler et prendre une belle couleur dorée, et sortez-les au fur et à mesure à l'aide d'une écumoire pour les mettre à égoutter sur du papier absorbant.

6 - Dressez les beignets sur un plat de service et servez très chaud.

 VOS NOTES PERSONNELLES

Ecrire . . . .

. . . .

Acheter . . . .

. . . .

Téléphoner . . . .

Menu

SALADE À LA SAUCE ANCHOIS
(voir recette p. 237)

**NOUILLES VERTES
À LA BOLOGNAISE**
(voir recette ci-contre)

MERINGUES À LA CHANTILLY
(voir recette p. 71)

TOUT SAVOIR SUR...

LES PÂTES ALIMENTAIRES

Les pâtes alimentaires constituent la base de la cuisine familiale. Elles sont économiques et énergétiques. Depuis 1955, un décret définit d'une façon stricte leur composition à base de semoule de blé dur et d'eau. De ce fait, quel que soit le nom donné, toute les pâtes ont la même composition. On distingue deux types de pâtes. **Les pâtes pressées** : ce sont, pour les pâtes longues, les macaronis, spaghettis, nouilles... et pour les pâtes courtes, les coquillettes, les vermicelles... **Les pâtes laminées :** ce sont essentiellement les cannelloni, et certaines pâtes spéciales. La seule tolérance acceptée dans la composition des pâtes est l'adjonction d'œufs, avec un minimum de 3 œufs au kilo. Certaines pâtes peuvent être colorées en vert. Cette teinte est obtenue par l'addition d'épinards lors de la fabrication. On trouve également des pâtes alimentaires de couleur rose. Elles contiennent alors de la tomate.

NOUILLES VERTES A LA BOLOGNAISE

Moyen   Facile   Abordable

**POUR 6
A 8 PERSONNES
CUISSON : 50 minutes
INGRÉDIENTS :**
600 g de farine, 5 œufs
400 g d'épinards
150 g de jambon
250 g de viande
de bœuf hachée
1 oignon, 2 gousses d'ail
150 g de champignons
2 belles tomates
1 cuil. à s. conc. tomate
4 cuil. à s. huile olive
50 g de beurre
150 g de parmesan râpé
Sel, poivre

1 - Triez et lavez les épinards, ôtez les queues et les grosses côtes. Mettez-les à cuire 8 minutes à l'eau bouillante salée. Puis égouttez-les, pressez-les fortement entre vos mains pour en extraire l'eau. Hachez-les à la machine, grille fine.

2 - Mettez la farine dans un grand saladier, formez un puits, cassez-y les œufs, et ajoutez le hachis d'épinards, 1 cuillerée d'huile et 1 pincée de sel. Formez une pâte et laissez-la reposer 1 heure en boule, dans un endroit frais.

3 - Confectionnez une sauce bolognaise comme suit : faites revenir le bœuf haché et le jambon dans 3 cuillerées d'huile, ajoutez successivement l'oignon haché, les champignons détaillés en très fines lamelles, l'ail pilé.

4 - Pelez les tomates, concassez-les grossièrement et ajoutez-les à la préparation. Laissez cuire quelques minutes, puis mouillez avec 1 bon verre d'eau dans lequel vous aurez dilué le concentré de tomates. Salez, poivrez généreusement, faites cuire cette sauce à découvert 1/2 heure environ.

5 - Etalez la pâte en feuilles très fines. Farinez-les, roulez-les, et coupez au couteau de fines rondelles. Faites cuire les nouilles ainsi obtenues 3 à 4 minutes dans de l'eau salée.

6 - Beurrez un plat allant au four, étalez-y les nouilles égouttées, nappez avec la sauce. Parsemez de noisettes de beurre et couvrez de parmesan râpé. Laissez à four chaud 10 à 15 minutes.

VOS NOTES PERSONNELLES

Ecrire . . . .
. . . .
Acheter . . . .
. . . .
Téléphoner . . . .

23 SEPTEMBRE

Menu

PETITS FEUILLETÉS AU ROQUEFORT
(voir recette p. 70)

HADDOCK AU GRATIN
(voir recette p. 17)

CRÈME À L'ÉCOSSAISE
(voir recette ci-contre)

CRÈME A L'ÉCOSSAISE

Moyen — Facile — Abordable

POUR 4 PERSONNES
CUISSON : 15 minutes
INGRÉDIENTS : 6 œufs
1/2 litre de lait
125 g de sucre semoule
1/2 gousse de vanille
1 pet. verre de whisky
1 pincée de sel

1 - Séparez les blancs des jaunes et placez ces derniers dans un saladier.

2 - Ajoutez le sucre semoule et remuez suffisamment de temps ce mélange avec une spatule en bois, ou un fouet, jusqu'à ce qu'il blanchisse.

3 - Placez le lait dans une casserole avec la vanille et une petite pincée de sel. Faites bouillir quelques minutes.

4 - Incorporez peu à peu le lait dans ce mélange sucre-jaunes d'œufs et remuez soigneusement afin de rendre cette préparation bien homogène.

5 - Versez alors le tout dans une casserole et mettez à feu doux.

6 - Remuez lentement et régulièrement dans tous les sens avec une cuillère en bois jusqu'à ce que la crème prenne de la consistance et « nappe » la cuillère. Cette opération nécessite 5 à 6 minutes.

7 - Ôtez alors la casserole du feu et continuez quelques instants à remuer la crème dans la casserole chaude. Sinon, la crème risquerait de tourner. Passez-la à la passoire fine dans une jatte.

8 - Ajoutez le petit verre de whisky.

9 - Répartissez alors la crème dans quatre coupes. Laissez refroidir quelques instants avant de les placer dans la partie haute du réfrigérateur. Servez glacé.

TOUT SAVOIR SUR...

LES SURGELÉS

Les produits surgelés conservent la même valeur alimentaire que les produits frais. De plus, la dégradation des vitamines, notamment la vitamine C, est considérablement ralenti aux basses températures. La surgélation est faite sitôt la récolte, la pêche ou l'abattage réalisés. A − 18 ºC, les réactions chimiques entraînant la détérioration des produits sont stoppés. Un échantillonnage fort divers de produits alimentaires est proposé à la clientèle. Pour bien acheter, quelques règles simples sont à observer. Vérifiez la température des bacs contenant les surgelés. Assurez-vous que l'étiquette porte bien l'indication «surgelé». N'achetez que des paquets intacts. Sachez que le réfrigérateur ne peut conserver les surgelés que quelques heures. La conservation se fait en congélateur à − 18 ºC. Pour décongeler, laissez le produit à la température de votre cuisine, pendant plusieurs heures, et faites cuires aussitôt décongelé. Enfin, ne recongelez jamais un produit qui a déjà été décongelé.

LE TRUC DU CHEF

POUR LA CRÈME À L'ÉCOSSAISE : si par malheur, votre crème a tourné, il existe une solution pour vous sortir de cette malencontreuse situation : versez-la dans une bouteille bien bouchée. Secouez vigoureusement une minute ou deux. La crème redeviendra lisse et savoureuse.

VOS NOTES PERSONNELLES

Ecrire . . . .

. . . .

Acheter . . . .

. . . .

Téléphoner . . . .

24 SEPTEMBRE

Menu

TARTE VAROISE
(voir recette ci-contre)

**TRAVERS DE PORC
AU CARAMEL**
(voir recette ci-dessous)

GÂTEAU DE GRONINGUE
(voir recette p. 123)

Boisson conseillée :
UN TAVEL

MINI-RECETTE

TRAVERS DE PORC
AU CARAMEL

POUR 6 PERSONNES
CUISSON : 35 minutes environ
INGRÉDIENTS : 1,2 kg de travers
1 cuillerée à soupe de sucre semoule
1 noix de beurre
2 cuillerées à soupe d'huile
1 citron, sel, poivre
Sauce nuoc-mam

1 - Débitez le travers de porc de façon à séparer les petits os les uns des autres, salez et poivrez la viande.
2 - Faites chauffer le mélange de beurre et d'huile dans une grande sauteuse, et mettez-y à revenir le travers sur feu vif. Puis réduisez l'intensité du feu et laissez cuire la viande 20 à 25 minutes.
3 - Quand le travers est cuit, éliminez toute la graisse de cuisson, mouillez la viande avec le jus d'un citron, et saupoudre-la d'une bonne cuillerée de sucre semoule.
4 - Remuez à la cuiller de bois quelques minutes cette préparation sur feu vif, de façon à ce que le sucre caramélise et enrobe bien les morceaux de travers.
5 - Dressez le travers sur un plat de service et servez très chaud, avec un flacon de sauce nuoc-mam. Présentez en garniture un riz blanc.

TARTE VAROISE

POUR 6 PERSONNES
CUISSON : 1 h 30
INGRÉDIENTS : 1 poivron
3 oignons
2 courgettes
2 aubergines
2 gousses d'ail
3 cuillerées à soupe
d'huile d'olive
220 g de farine
4 œufs
130 g de beurre
50 g de crème fraîche
Thym, laurier
Sel, poivre

1 - Préparez une pâte brisée comme suit : mélangez dans une terrine la farine, 1 œuf entier, 110 g de beurre. Ajoutez une pincée de sel et travaillez bien le tout en mouillant d'un peu d'eau pour obtenir une pâte homogène. Formez-la en boule, farinez-la et laissez reposer 1 heure.
2 - Épluchez les aubergines, les courgettes, les oignons. Coupez-les en fines rondelles. Lavez le poivron, fendez-le en deux, débarrassez-le de la queue et des pépins, et détaillez chaque demi-poivron en fines lanières.
3 - Faites chauffer l'huile dans une cocotte, et jetez-y les légumes. Aromatisez des gousses d'ail pilées, d'un peu de thym et de laurier, et laissez mijoter à découvert 1 heure environ. Salez, poivrez.
4 - Quand la pâte a reposé le temps nécessaire, étalez-la au rouleau et tapissez-en un moule à tarte d'environ 25 cm de diamètre préalablement beurré. Piquez la pâte à la fourchette en divers endroits, recouvrez la pâte et les bords de papier alu, et mettez à précuire à four modéré 15 minutes environ.
5 - Quand les légumes sont cuits, laissez-les tiédir, puis incorporez 3 œufs battus en omelette ainsi qu'un peu de crème fraîche, et garnissez la pâte précuite de cette préparation.
6 - Mettez à cuire 15 minutes à four moyen. Servez chaud ou tiède.

VOS NOTES PERSONNELLES

Ecrire . . . .
. . . .
Acheter . . . .
. . . .
Téléphoner . . . .

Menu

BEIGNETS AUX CÈPES
(voir recette ci-desous)

TOURNEDOS ROSSINI
(voir recette ci-contre)

POIRES EN CROÛTE
(voir recette p. 131)

Boisson conseillée :
UN MERCUREY

MINI-RECETTE

BEIGNETS AUX CÈPES

POUR 6 PERSONNES
CUISSON : 25 minutes
INGRÉDIENTS : 500 g de cèpes
1 noix de beurre, 250 g de farine, 3 œufs
2 cuillerées à soupe d'huile, sel, poivre
1 bain de friture

1 - Versez la farine dans un saladier, faites un puits, et mettez-y les jaunes de 2 œufs (réservez les blancs), plus 1 œufs entier, 2 cuillerées à soupe d'huile et 1 pincée de sel. Mélangez soigneusement le tout et mouillez peu à peu avec l'eau jusqu'à obtenir une pâte souple sans être trop liquide. Laissez reposer.

2 - Choisissez quelques beaux chapeaux de cèpes, lavez-les en les passant à l'eau courante, et séchez-les soigneusement sur du papier absorbant. Puis détaillez-les en quartiers.

3 - Faites sauter les champignons sur feu vif quelques minutes à la poêle, dans 1 noix de beurre. Salez, poivrez, puis égouttez les cèpes.

4 - Montez les blancs d'œufs en neige très ferme, et incorporez-les délicatement à la pâte.

5 - Piquez les morceaux de champignons à la fourchette, enrobez-les soigneusement de pâte, et plongez-les dans le bain de friture bouillant.

6 - Laissez les beignets dorer et gonfler, sortez-les au fur et à mesure avec une écumoire et mettez-les à égoutter sur du papier absorbant.

7 - Disposez les beignets sur un plat de service et servez aussitôt.

TOURNEDOS ROSSINI

Rapide   Facile   Cher

POUR 6 PERSONNES
CUISSON : 15 minutes
INGRÉDIENTS :
6 épais tournedos
6 tranches de mie de pain
1 truffe en boîte
100 g de beurre
1/2 v. de madère
6 fines tranches de foie gras
Sel, poivre au moulin

1 - Faites fondre 50 g de beurre dans une grande poêle, et mettez-y à dorer les tranches de pain de mie des deux côtés. Réservez-les au chaud.

2 - Faites fondre 50 g de beurre dans une sauteuse, sur feu vif, et faites-y saisir les tournedos. Laissez cuire ainsi 2 à 4 minutes sur chaque face selon que vous désirez la viande à point, saignante, ou bleue.

3 - Disposez les tranches de pain grillé sur un plat de service, et posez dessus les tournedos salés et poivrés. Placez sur chacun d'eux une tranche de foie gras et surmontez le tout d'une belle rondelle découpée dans la truffe.

4 - Déglacez le jus de cuisson avec le madère et le jus contenu dans la boîte de la truffe. Mélangez vivement à la spatule de bois, sur feu vif, donnez 2 à 3 tours de moulin à poivre, et arrosez les tournedos de cette sauce. Servez immédiatement.

LE TRUC DU CHEF

POUR LE TOURNEDOS ROSSINI : taillez sensible-ment les tranches de pain à la dimension des tournedos, en éliminant la croûte.

Pour cette prestigieuse recette, faites tailler par votre boucher, d'épaisses tranches (2,5 cm environ) dans le filet. Veillez à ce que ces tournedos soient parfaitement parés, c'est-à-dire exempts de membrane ou de graisse.

VOS NOTES PERSONNELLES

Ecrire . . . .

. . . .

Acheter . . . .

. . . .

Téléphoner . . . .

MINI-RECETTE

TOMATES ET ŒUFS FARCIS

POUR 4 PERSONNES
CUISSON : 15 minutes
INGRÉDIENTS : 5 œufs
1 laitue, 4 tomates, 1 petite boîte de thon
Ciboulette, 1 citron, 1 verre d'huile
1 cuillerée à café de moutarde, sel, poivre

1 - Faites durcir 4 œufs à l'eau bouillante 15 minutes, puis écalez-les.

2 - Lavez la laitue, choisissez quelques belles feuilles, égouttez-les bien, tamponnez-les avec un torchon pour les sécher. Disposez ces feuilles sur un plat de service.

3 - Ouvrez la boîte de thon, émiettez le poisson à la fourchette dans un saladier.

4 - Confectionnez une mayonnaise : dans un grand bol, mettez un jaune d'œuf et 1 cuillerée à café de moutarde. Salez et poivrez. Puis versez l'huile en filet en tournant constamment.

5 - Aromatisez la mayonnaise d'un jus de citron, et additionnez de ciboulette hachée.

6 - Mélangez dans le saladier, la mayonnaise au thon.

7 - Coupez les œufs durs dans le sens de la longueur, ôtez les jaunes sans abîmer les blancs, et écrasez-les avant de les incorporer au thon-mayonnaise. Mélangez pour obtenir une pâte homogène.

8 - Lavez les tomates, évidez-les, et garnissez-les, tout comme les blancs d'œufs, de la préparation obtenue. Disposez en alternance œufs et tomates sur le lit de laitue. Placez quelques instants au réfrigérateur avant de servir.

BISCUIT DE FRAMBOISES JOSÉPHINE

Long — Facile — Abordable

POUR 6 PERSONNES
CUISSON : 40 minutes
INGRÉDIENTS :
320 g de sucre
4 œufs entiers
3 blancs d'œufs
125 g de farine
15 g de fécule
120 g de beurre
200 g de framboises
1/2 v. de Gd Marnier
1 pincée de vanille en poudre
1 sachet d'amandes effilées

1 - Versez dans une casserole 120 g de sucre. Cassez les 4 œufs, et battez le tout au fouet, sur feu très doux ou au bain-marie. Ajoutez 1 pincée de vanille et de sel. Continuez à battre le mélange jusqu'à ce qu'il monte en atteignant environ trois fois son volume.

2 - Ôtez alors le récipient du feu et incorporez la farine en pluie, la fécule et 80 g de beurre fondu.

3 - Beurrez un moule à manqué, garnissez-le de la préparation, et faites cuire à four moyen 25 minutes environ.

4 - Lavez soigneusement les framboises, réservez quelques fruits pour la décoration, et écrasez le reste à la fourchette, mélangé à 50 g de sucre en poudre.

5 - Confectionnez un sirop en faisant bouillir 1/2 verre d'eau et 50 g de sucre en poudre. Laissez refroidir et ajoutez le Grand Marnier.

6 - Lorsque le gâteau est cuit, démoulez-le et coupez-le en 3 disques réguliers. Nappez le disque du dessous d'un tiers de sirop, puis étalez la moitié des framboises écrasées. Recouvrez avec le disque du milieu, recommencez la même opération. Placez enfin le troisième disque que vous arroserez du reste du sirop.

7 - Montez en neige très ferme 3 blancs d'œufs avec 100 g de sucre. Recouvrez le biscuit de ces blancs en neige, parsemez d'amandes effilées.

8 - Placez le biscuit sur une plaque et mettez à four doux 10 minutes, le temps pour la meringue de dorer.

9 - Laissez refroidir sur un plat de service, décorez le dessus de framboises entières, et gardez au réfrigérateur jusqu'au repas.

VOS NOTES PERSONNELLES

Ecrire . . . .

Acheter . . . .

Téléphoner . . . .

27 SEPTEMBRE

Menu

**ŒUFS BROUILLÉS
AUX CHAMPIGNONS DE PARIS**
(voir recette ci-contre)
**CRÉPINETTES EN SAUCE
TOMATE**
(voir recette p. 11)
BAKLAVA
(voir recette p. 130)

TOUT SAVOIR SUR...

LES CHAMPIGNONS SAUVAGES

Les champignons contiennent très peu de graisse et de sucres, mais sont bien pourvus en vitamines, notamment B, C et PP ainsi qu'en sels minéraux tels que cuivre, fer et potassium. Les principales espèces que l'on trouve sur le marché sont : les cèpes, ils possèdent un chapeau charnu et un pied volumineux. Les bolets tête de nègre ressemblent aux cèpes, mais possèdent un chapeau plus foncé. Le bolet rude, possède un pied mince. Le bolet à pied rude a un chapeau olivâtre dont la chair verdit lorsqu'on la casse. Ces champignons se récoltent en été et en automne. Le pied du mouton est un champignon charnu, d'agréable saveur. La girolle ou chanterelle est un beau champignon jaune-orange, très apprécié des gastronomes. La morille : excellent champignon dont le chapeau ressemble à une éponge. La trompette de la mort : champignon très parfumé ayant la forme d'une trompette.

ŒUFS BROUILLÉS AUX CHAMPIGNONS DE PARIS

Rapide   Très facile   Abordable

**POUR 4 PERSONNES
CUISSON :**
20 minutes environ
INGRÉDIENTS : 8 œufs
250 g de champignons de Paris
30 g de beurre
2 cuillerées à soupe de lait écrémé
Sel, poivre
Ciboulette, cerfeuil

1 - Débarrassez les champignons de leur pied terreux, lavez-les à l'eau courante, séchez-les sur du papier absorbant, détaillez-les en fines lamelles, et faites-les sauter à la poêle sur feu vif dans une noix de beurre. Salez.
2 - Cassez les œufs dans un saladier, ajoutez le lait, salez, poivrez, et battez le tout au fouet.
3 - Enduisez de beurre l'intérieur d'une petite casserole à fond épais, versez-y les œufs battus, ajoutez les champignons sautés et placez le récipient sur feu doux.
4 - Tournez constamment la préparation à la spatule de bois, en laissant les œufs coaguler lentement.
5 - Quand les œufs ont atteint une consistance crémeuse, incorporez-leur un fin hachis de cerfeuil et de ciboulette, ôtez du feu et servez aussitôt dans un plat de service creux.

LE TRUC DU CHEF

POUR LES ŒUFS BROUILLÉS AUX CHAMPIGNONS DE PARIS : pour être sûre de réussir parfaitement les œufs brouillés, faites une cuisson au bain-marie au lieu d'opérer directement sur la flamme.

POUR LES CRÉPINETTES EN SAUCE TOMATE : à défaut de crépinettes, qui sont des saucisses plates, vous pouvez de la même façon réaliser cette spécialité avec des saucisses de Toulouse ou des chipolatas.

VOS NOTES PERSONNELLES

Ecrire . . . .

Acheter . . . .

Téléphoner . . . .

28 SEPTEMBRE

Menu

LÉGUMES À LA AIXOISE
(voir recette ci-dessous)

ANDOUILLETTES AUX MORILLES
(voir recette ci-contre)

DÉLICE GLACÉ AUX POMMES
(voir recette p. 117)

MINI-RECETTE

LÉGUMES À LA AIXOISE

POUR 6 À 8 PERSONNES
CUISSON : 1 heure
INGÉDIENTS : 4 courgettes
4 aubergines, 2 poivrons, 4 tomates
2 oignons, 1/2 tête d'ail
1/2 verre d'huile d'olive
Thym, laurier, sel, poivre

1 - Plongez les tomates dans de l'eau bouillante quelques instants afin de faciliter l'enlèvement de la peau. Mondez-les et concassez-les grossièrement.
2 - Epluchez les oignons et coupez-les en rondelle. Epluchez les gousses d'ail et hachez-les.
3 - Lavez soigneusement les aubergines, les courgettes et les poivrons. Séchez-les. Coupez les aubergines et les courgettes en épaisses rondelles. Fendez les poivrons en deux, dans le sens de la longueur, débarrassez-les de la queue et des pépins. Puis détaillez-les en lanières.
4 - Faites chauffer modérément l'huile d'olive dans une cocotte, et mettez-y à revenir tous les légumes sauf les tomates. Tournez de temps en temps à la cuiller de bois.
5 - Ajoutez alors les tomates concassées, du thym et du laurier à volonté, salez et poivrez. Laissez cuire ainsi, la cocotte à demi-couverte, une cinquantaine de minutes.
6 - Passé ce temps, rectifiez l'assaisonnement si besoin est, puis versez la préparation dans un grand plat en terre. Laissez-refroidir, et mettez au réfrigérateur 1/2 heure environ avant de servir.

ANDOUILLETTES AUX MORILLES

Moyen   Facile   Abordable

POUR 4 PERSONNES
CUISSON : 35 minutes
INGRÉDIENTS :
4 andouillettes
1 v. de vin blanc sec
1 sachet de morilles déshydratées
30 g de beurre
2 cuill. à soupe d'huile
1 cuillerée à café de moutarde
1 pet. pot de crème fraîche
3 échalotes
Sel, poivre au moulin

1 - Piquez en divers endroits les andouillettes, et mettez-les à revenir à la poêle dans un mélange d'huile et de beurre.
2 - Lorsque les andouillettes ont pris couleur sur toutes leur faces, hachez finement les échalotes et ajoutez-les au contenu de la poêle. Mettez à feu doux et laissez fondre le hachis d'échalotes.
3 - Pendant ce temps, mettez les morilles déshydratées dans un peu d'eau tiède, et conformez-vous aux instructions portées sur l'emballage pour le temps nécessaire aux morilles de reprendre forme.
4 - Lorsque le contenu de la poêle est bien doré, mouillez avec le verre de vin blanc, et grattez soigneusement le fond du récipient avec une spatule afin de décoller tous les sucs de cuisson qui pourraient y attacher.
5 - Ajoutez-y les morilles réhydratées, et laissez mijoter une vingtaine de minutes. Salez, poivrez généreusement au moulin.
6 - En fin de cuisson, incorporez la crème fraîche. Faites bouillir 4 à 5 minutes puis, hors du feu, ajoutez la moutarde (la sauce ne doit pas bouillir).
7 - Présentez les andouillettes sur un plat de service creux, nappez-les de la sauce, et servez immédiatement.

VOS NOTES PERSONNELLES

Ecrire . . . .
. . . .
Acheter . . . .
. . . .
Téléphoner . . . .

29 SEPTEMBRE

Menu

AVOCATS AUX CREVETTES
(voir recette ci-dessous)

PIZZA À LA REINE
(voir recette p. 233)

SORBET AUX PÊCHES
(voir recette ci-contre)

SORBET AUX PÊCHES

Long · Facile · Pas cher

POUR 4 PERSONNES
CUISSON :
simple ébullition
INGRÉDIENTS :
750 g de pêches
1 citron
250 g de sucre
en poudre
1 sachet de sucre vanillé

MINI-RECETTE

AVOCATS AUX CREVETTES

POUR 4 PERSONNES
INGRÉDIENTS : 4 avocats
2 sachets de crevettes décortiquées
1 jaune d'œuf, 1 verre d'huile, 1 citron
1 pointe de paprika, 1 pointe de cayenne
2 cuillerées à café de moutarde
1 branche de persil, ciboulette, sel

1 - Confectionnez une mayonnaise comme suit : mettez dans un bol le jaune d'œuf, la moutarde, une pincée de sel. Remuez bien et versez l'huile en filet en tournant régulièrement au fouet. Quand l'opération est terminée, arrosez avec le jus d'un citron, et ajoutez un peu de persil et ciboulette hachés, une pointe de paprika et de cayenne.

2 - Coupez les avocats en deux, ôtez les noyaux, et évidez les demi-fruits avec une cuiller, en prenant soin de ne pas abîmer la peau.

3 - Ecrasez la chair des avocats dans une terrine, salez-la légèrement, et ajoutez la mayonnaise et les crevettes décortiquées. Remuez soigneusement le tout, puis garnissez les peaux de cette préparation, avant de servir.

1 - Faites bouillir une grande casserole d'eau et plongez-y les pêches quelques instants avant de les peler.

2 - Coupez les fruits en deux, ôtez les noyaux, et détaillez la pulpe en petits morceaux.

3 - Pressez le citron pour en extraire le jus.

4 - Dans une casserole, versez 1/4 de litre d'eau, 250 g de sucre en poudre. Faites bouillir le tout. Dès l'ébullition, retirez du feu.

5 - Dans le sirop bouillant, versez les morceaux de pêches, remuez avec une cuillère de bois, et laissez refroidir.

6 - Quand la préparation est froide, ajoutez le jus de citron, le sucre vanillé, et passez le tout au mixer pour obtenir une préparation bien homogène.

7 - Mettez à glacer en sorbetière.

8 - Lorsque le sorbet est constitué, remplissez-en un moule à glace en métal, et placez ce moule quelques instants dans le compartiment à glaçons du réfrigérateur.

9 - Démoulez le sorbet sur un plat de service et servez aussitôt.

LE TRUC DU CHEF

POUR LE SORBET AUX PÊCHES : pour une bonne tenue du sorbet, une fois démoulé, il faut bien le tasser dans le moule. La meilleure façon d'opérer est de taper à 3 ou 4 reprises le fond du moule sur le plan de travail, après avoir recouvert ce dernier d'un torchon plié en quatre.

VOS NOTES PERSONNELLES

Ecrire . . . .

. . . .

Acheter . . . .

. . . .

Téléphoner . . . .

30 SEPTEMBRE

Menu

POIREAUX À LA TOMATE
(voir recete p. 202)

BOUILLABAISSE
(voir recette ci-contre)

FLAN AU CITRON
(voir recette p. 99)

TOUT SAVOIR SUR...

LE GRONDIN

Présentes quasiment toute l'année, les différentes variétés de grondins sont pêchées de la Manche au golfe de Gascogne ainsi qu'en Méditerranée. Le grondin est un poisson à la tête volumineuse et au corps effilé. Sa chair, très appréciée, est ferme. Elle contient, entre autres, des vitamines PP, du calcium et du magnésium. Les espèces que l'on trouve sur le marché sont : le grondin rouge, appelé aussi « rouget-grondin », de belle couleur rouge, c'est un poisson d'une trentaine de centimètres de long. Le grondin perlon, appelé également « tombe » est de teinte marron et est deux fois plus grand que le précédent. Le grondin gris est de couleur grisâtre. Le grondin lyre ressemble au grondin rouge, mais possède deux cornes sur le museau. En général, les grondins sont d'un prix abordable, le moins cher étant le grondin gris. Les signes de fraîcheur sont : un œil brillant et bombé, remplissant bien la cavité orbitale, le corps ferme sous la pression du doigt, une bonne odeur de marée. Les déchets étant relativement importants, prévoyez un poisson de 250 g par personne.

BOUILLABAISSE

POUR 7 A 8 PERSONNES
CUISSON : 1 h 1/4
INGRÉDIENTS : 1 dorade
3 tranches de congre
1 tête de congre
1 merlan, 2 rascasses
2 grondins
1 carotte, 2 oignons
4 tomates, ail
1 cuill. de conc. tomates
Safran, huile olive
Bouquet garni
1 v. de vin blanc
Croûtons
Sel, poivre, rouille

1 - Préparez un fumet de poisson dans un grand récipient avec 2 litres d'eau salée, 1 carotte et 1 oignon coupés en rondelles, 2 rascasses, 1 merlan, 1 belle tête de congre. Aromatisez d'un verre de vin blanc et d'un bouquet garni. Laissez cuire 1/2 heure.

2 - Pendant ce temps, versez l'huile dans un faitout et faites-y revenir à feu doux les tomates pelées et concassées, 1 oignon finement haché, ainsi que les 5 gousses d'ail. Salez légèrement, poivrez au moulin.

3 - Après la 1/2 heure de cuisson des poissons, ôtez-les du récipient, et passez le liquide de cuisson sur la préparation à la tomate. Remuez soigneusement le tout, ajoutez 1 cuillerée à soupe de concentré de tomates et une dose de safran.

4 - Passez les poissons du court-bouillon, têtes et arêtes comprises, dans un moulin à légumes, grille fine, pour obtenir une crème de poissons. Incorporez cette crème au liquide, et laissez bouillir doucement 35 à 40 minutes.

5 - 1/4 d'heure avant la fin de la cuisson, faites pocher dans la soupe la dorade, les tranches de congre, les grondins.

6 - Présentez ces poissons sur un plat de service, le bouillon en soupière, servez avec de petits croûtons frits et 1 petit bol de rouille (mayonnaise à l'huile d'olive, additionnée d'ail pilé et de poivre de Cayenne).

VOS NOTES PERSONNELLES

Ecrire . . . .

. . . .

Acheter . . . .

. . . .

Téléphoner . . . .

1 OCTOBRE

Menu

SAUCISSON EN BRIOCHE
(voir recette p. 47)

**BROCHETTES D'AGNEAU
EN VERDURE**
(voir recette p. 142)

FIGUES EN BEIGNETS
(voir recette ci-contre)

Boisson conseillée :
UN BEAUJOLAIS

TOUT SAVOIR SUR...

LA FIGUE

Le figuier, connu depuis les temps les plus reculés, est un arbre typiquement méditerranéen. Le midi de la France et la Corse sont les principaux producteurs de fruits. La figue fraîche est un fruit remarquable par les éléments minéraux qu'il contient tels que sodium, calcium, fer, potassium, phosphore. Parmi les nombreuses variétés que l'on trouve sur les marchés de fin juillet à septembre, citons : **la parisienne**, *gros fruit bleu sombre piqueté de blanc.* **La violette** *ou* **noire de Sollies**, *gros fruit violet, aplati, à la chair ferme.* **La marseillaise**, *gros fruit blanchâtre.* **La caromb**, *fruit en poire, violet foncé, à la chair ferme et très sucrée. Choisissez des fruits entiers, sains, à la peau luisante et dépourvue de traces suspectes. Evitez d'acheter des figues incomplètement mûres, elles sont alors irritantes pour l'intestin.*

FIGUES EN BEIGNETS

Moyen · Facile · Abordable

**POUR 5
A 6 PERSONNES
CUISSON :
20 minutes environ
INGRÉDIENTS : 12 figues
100 g de farine, 2 œufs
2 cuillerées à soupe
de sucre vanillé
2 cuillerées à soupe
de sucre glace
1 v. à liqu. d'armagnac
2 cuillerées à café
de poudre d'amandes
2 cuill. à soupe d'huile
1 pincée de sel
1 bain de friture**

1 - Mettez la farine dans un saladier, faites un puits au centre et versez-y 1 verre d'eau. Ajoutez 2 jaunes d'œufs (réservez les blancs), le petit verre d'armagnac, la poudre d'amandes, les 2 cuillerées à soupe d'huile et la pincée de sel. Remuez soigneusement le tout à la spatule de bois jusqu'à obtenir une pâte à beignets bien homogène. Rajoutez un peu d'eau si cette pâte vous paraît un peu trop épaisse. Incorporez 2 cuillerées à soupe de sucre vanillé à la préparation.

2 - Pelez délicatement les figues et coupez-les en deux verticalement.

3 - Montez les blancs d'œufs en neige dans une terrine, en les battant énergiquement au fouet ou mieux, en les passant au mixer. Arrêtez l'opération lorsque les blancs sont en neige très ferme.

4 - Incorporez délicatement les blancs en neige à la pâte.

5 - Faites chauffer le bain de friture et, lorsque celui-ci est bouillant, piquez chaque demi-figue à la fourchette, enrobez-la de pâte à frire et plongez-la dans le bain.

6 - Laissez les beignets gonfler et prendre une belle teinte dorée (2 bonnes minutes pour chacun d'entre eux), puis sortez-les du bain à l'aide d'une écumoire et mettez-les à égoutter sur du papier absorbant.

7 - Dressez les beignets sur un plat de service chaud, saupoudrez-les de sucre glace et servez immédiatement.

VOS NOTES PERSONNELLES

Ecrire . . . .

. . . .

Acheter . . . .

. . . .

Téléphoner . . . .

Menu

CROUSTADE DE FRUITS DE MER
(voir recette ci-contre)

MÉDAILLONS DE VEAU SUR CANAPÉS
(voir recette ci-dessous)

SOUFFLÉ AU GRAND MARNIER
(voir recette p. 144)

Boisson conseillée :
UN CÔTE-RÔTIE

MINI-RECETTE

MÉDAILLONS DE VEAU SUR CANAPÉS

POUR 6 PERSONNES
CUISSON : 1 h environ
INGRÉDIENTS : 6 médaillons
500 g de morilles, 2 échalotes
1 verre à liqueur de cognac
15 cl de crème fraîche
120 g de beurre
6 tranches de pain de mie
1 jus de citron, sel, poivre

1 - Débarrassez les morilles de leur pied terreux, lavez-les dans une eau légèrement vinaigrée, et séchez-les.

2 - Faites fondre 40 g de beurre dans une sauteuse, et jetez-y les morilles. Laissez-les prendre couleur quelques instants sur feu vif en les remuant à la spatule de bois, puis mettez-les à cuire sur feu doux 20 minutes environ. A mi-cuisson, ajoutez les échalotes hachées. Salez, poivrez.

3 - Faites fondre 40 g de beurre dans une poêle, et couchez-y les médaillons de veau, après les avoir salés et poivrés. Laissez-les dorer et cuire 7 à 8 minutes de chaque côté. Puis ôtez la viande de la poêle et réservez-la au chaud.

4 - Mouillez le beurre de cuisson avec le cognac, incorporez la crème fraîche et 1 jus de citron, laissez à feu doux quelques instants.

5 - Faites dorer les tranches de pain de mie à la poêle, dans un peu de beurre.

6 - Sur un grand plat, disposez les canapés, placez sur chacun d'eux un médaillon de veau, nappez la viande avec la sauce, et entourez les canapés de morilles.

CROUSTADE DE FRUITS DE MER

Moyen   Facile   Abordable

POUR 6 PERSONNES
CUISSON : 25 minutes
INGRÉDIENTS :
500 g de moules
500 g de coques
300 g de langoustines
1 sachet de crevettes décortiquées
65 g de beurre
40 g de farine
2 jaunes d'œufs
1 carotte, 1 oignon
1 bouquet garni
2 v. de vin blanc sec
6 croûtes de bouchées à la reine
Sel, poivre

1 - Faites fondre 1 noix de beurre dans un faitout, et jetez-y la carotte et l'oignon coupés en fines rondelles. Laissez les légumes suer quelques instants, puis mouillez avec le vin blanc et 1 verre d'eau. Salez, poivrez, ajoutez le bouquet garni, et laissez bouillir 3 à 4 minutes.

2 - Jetez dans le court-bouillon les moules et coques soigneusement passées à plusieurs eaux. Couvrez et attendez quelques instants que les coquillages s'ouvrent.

3 - Ôtez les coquillages du récipient, faites bouillir le liquide de cuisson et jetez-y les langoustines. Laissez cuire à couvert 4 à 5 minutes. Retirez une fois cuits les petits crustacés. Réservez le court-bouillon.

4 - Décortiquez les queues de langoustines, retirez les mollusques de leurs coquilles.

5 - Faites fondre 50 g de beurre dans une casserole, saupoudrez avec la farine, tournez quelques instants à feu doux. Puis mouillez avec 2 bons verres de court-bouillon passé au linge fin. Salez, poivrez, remuez au fouet et laissez épaissir 5 minutes à feu doux.

6 - Ajoutez à cette sauce les fruits de mer, y compris les crevettes décortiquées, mélangez bien le tout.

7 - Mettez les croûtes vides (commandées chez votre pâtissier ou chez le charcutier) à chauffer à four chaud.

8 - Hors du feu, ajoutez à la sauce aux fruits de mer les 2 jaunes d'œufs. Remettez quelques instants sur feu doux.

9 - Au moment de servir, garnissez les croûtes de la préparation et servez aussitôt.

VOS NOTES PERSONNELLES

Ecrire . . . .
. . . .
Acheter . . . .
. . . .
Téléphoner . . . .

3 OCTOBRE

Menu

SALADE AU MAÏS ET AU CRABE
(voir recette ci-dessous)

RÔTI DE PORC BOULANGÈRE
(voir recette ci-contre)

MOUSSE DE POMMES GLACÉE
(voir recette p. 165)

MINI-RECETTE

SALADE AU MAÏS ET AU CRABE

POUR 4 à 6 PERSONNES
INGRÉDIENTS :
1/2 boîte de macédoine de légumes
1/2 boîte de maïs, 1 petite boîte de crabe
4 belles tomates, 2 pommes, 2 gros oignons
1 laitue, 1 œuf, huile, vinaigre
Moutarde forte
1 pincée de poivre de cayenne
Sel, poivre gris

1 - Préparez une mayonnaise et lorsqu'elle est montée, ajoutez-lui une cuillerée à café de vinaigre, une pincée de poivre de cayenne. Remuez.
2 - Ouvrez la boîte de maïs, lavez les grains, égouttez-les et laissez-les sécher dans un torchon.
3 - Ouvrez la boîte de macédoine et procédez comme pour le maïs.
4 - Ouvrez la boîte de crabe et émiettez-le dans une passoire pour qu'il s'égoutte.
5 - Lavez la laitue, égouttez et séchez les feuilles dans un torchon. Coupez les tomates en quartiers.
6 - Epluchez les pommes et coupez-les en tranches. Agissez de même pour les oignons.
7 - Dans un saladier, disposez les feuilles de laitue, puis placez la macédoine, les grains de maïs, le crabe, les tomates et les pommes. Décorez avec les rondelles d'oignons.
8 - Versez sur la salade, le contenu du bol de mayonnaise. Placez au réfrigérateur quelques instants avant de servir.

RÔTI DE PORC BOULANGÈRE

Long   Facile   Abordable

POUR 5 A 6 PERSONNES
CUISSON : 1 h 45
INGRÉDIENTS :
1 rôti de 1 kg
1,5 kg de pommes de terre
500 g d'oignons
3 gousses d'ail
1 pet. bouquet de persil
1 cuill. à soupe d'huile
1 cuillerée à soupe de moutarde
Laurier
Sel, poivre

1 - Epluchez les gousses d'ail, divisez-les en éclats, et piquez-en le rôti en divers endroits. Frottez la viande de sel, de poivre, et d'un peu de laurier émietté.
2 - Mélangez dans un bol la moutarde avec un peu d'huile, et badigeonnez-en l'échine.
3 - Disposez le rôti dans un grand plat allant au four, versez un peu d'eau chaude dans le fond du récipient, et mettez à cuire à four moyen environ 2 heures.
4 - Pendant ce temps, épluchez les pommes de terre et coupez-les en fines rondelles. Épluchez les oignons et agissez de même.
5 - Disposez ces légumes autour de la viande, et laissez la cuisson aller à son terme, en veillant à ajouter un peu d'eau chaude dans le plat de temps en temps et en arrosant le rôti du jus de cuisson.
6 - Quand la viande est cuite, sortez le plat du four, mélangez aux pommes de terre un fin hachis de persil, et servez aussitôt dans le plat de cuisson.

LE TRUC DU CHEF

POUR LA SALADE AU MAÏS ET AU CRABE : pour une bonne réussite de la mayonnaise, sortez votre œuf du réfrigérateur un bon moment avant sa confection. La mayonnaise prendra d'autant mieux si le jaune d'œuf et l'huile sont à la même température.

VOS NOTES PERSONNELLES

Ecrire . . . .

. . . .

Acheter . . . .

. . . .

Téléphoner . . . .

4 OCTOBRE

Menu

PÂTÉ DE DINDONNEAU EN GELÉE
(voir recette ci-contre)

STEACK TARTARE
(voir recette p. 172)

CRÈME GLACÉE AU CACAO
(voir recette p. 187)

TOUT SAVOIR SUR...

LES PÂTÉS

Les pâtés sont des produits de charcuterie composés de viandes ou d'abats réduits en fins morceaux ou en pâtes fines. Les diverses catégories de pâtés que l'on trouve sur le marché sont : les pâtés à trancher, ils sont constitués d'un mélange de morceaux hachés gros et de farce fine. Ce sont les pâtés « de campagne », Les pâtés « de volaille » ou « de lapin ». Ces derniers doivent contenir 15 % de maigre des animaux indiqués et 20 % s'ils sont présentés comme « supérieurs ». Les pâtés de gibier doivent contenir 20 % de maigre de gibier. Les pâtés « maison » ou « du chef » indiquent qu'ils sont fabriqués par le vendeur. L'appellation « terrine » désigne un pâté de qualité supérieure. Les pâtés à tartiner, sont des pâtes fines, à base de foie. Le pâté de foie doit contenir entre 40 % et 60 % de foie. Les galantines contiennent des morceaux maigres additionnés à une farce fine à laquelle on ajoute souvent du lait, des œufs et des épices. L'appellation « suprême » s'applique à une galantine de qualité supérieure contenant du foie gras. Les pâtés en croûte sont cuits en moule dans une pâte. Les rillettes sont réalisées par cuisson de morceaux de viande dans de la graisse de porc.

PÂTÉ AU DINDONNEAU EN GELÉE

Long   Facile   Abordable

POUR 8 A 10 PERSONNES
CUISSON : 2 h env.
INGRÉDIENTS : 3 œufs
500 g de rôti de dindonneau
200 g de jambonneau
200 g de chair à saucisse
3 échalotes, muscade
2 gousses d'ail, thym
1/2 verre de lait
1 pet. bouquet de persil
1 sach. gelée instant.
1 verre de vin blanc
300 g de bardes de lard
Laurier, sel, poivre

1 - Hachez grossièrement 500 g de rôti de dindonneau et, dans un saladier, mélangez cette viande à la chair à saucisse et au jambonneau détaillé en petits dés.

2 - Pelez les échalotes et les gousses d'ail, lavez un petit bouquet de persil, et hachez ensemble ces trois ingrédients. Ajoutez-les au contenu du saladier.

3 - Cassez les œufs dans un bol, ajoutez le lait, un peu de noix de muscade râpée, battez et versez cette préparation dans la viande. Émiettez un peu de thym et de laurier, salez, poivrez généreusement, et remuez soigneusement le tout.

4 - Tapissez le fond et les parois d'une terrine de bardes de lard, et garnissez le récipient de la préparation en la tassant bien.

5 - Taillez quelques fines lanières de bardes de lard, et disposez-les sur la terrine en réalisant un quadrillage. Posez une feuille de laurier dans chaque carré. Couvrez le récipient et mettez à cuire à four chaud environ 2 heures.

6 - Préparez la gelée en versant dans une casserole le verre de vin, le contenu du sachet de gelée et la dose convenable d'eau (conformez-vous aux proportions indiquées sur le sachet). Portez le liquide à ébullition, tournez quelques instants à la cuillère de bois et ôtez le récipient du feu.

7 - Quand la terrine est cuite, recouvrez-la de gelée et laissez complètement refroidir avant de servir.

VOS NOTES PERSONNELLES

Ecrire . . . .

. . . .

Acheter . . . .

. . . .

Téléphoner . . . .

5 OCTOBRE

Menu

TARTE AUX ENDIVES
(voir recette ci-dessous)

BŒUF AUX OIGNONS
(voir recette ci-contre)

FLAN AUX POIRES
(voir recette p. 174)

BŒUF AUX OIGNONS

Rapide   Très facile   Abordable

POUR 4 PERSONNES
CUISSON : 25 minutes
INGRÉDIENTS :
600 g de steak
4 gros oignons
3 cuill. à soupe d'huile
1 pincée de gingembre
Sauce soja
Sauce nuoc mam
Sel, poivre

1 - Choisissez 4 steaks d'environ 150 g, et détaillez-les en fines lanières.
2 - Versez dans un saladier 1 petit verre de sauce de soja et 3 cuillerées à soupe de sauce nuoc mam. Ajoutez les lanières de viande, salez très légèrement (la sauce de soja est déjà très salée), poivrez au moulin, et remuez bien le tout afin que la viande s'imprègne bien des sauces. Laissez ainsi mariner 15 à 20 minutes.
3 - Pendant ce temps, pelez les oignons, fendez-les en deux et coupez chaque demi-oignon en lamelles.
4 - Faites chauffer 3 cuillerées d'huile dans une sauteuse, sur feu vif, et faites-y saisir la viande (égouttée au préalable sur du papier absorbant) puis, après coloration, les oignons. Remuez bien à la cuillère de bois, et laissez ainsi sauter la préparation une quinzaine de minutes.
5 - Lorsque la viande et les légumes ont bien pris couleur, ajouter une pincée de gingembre et laissez la cuisson aller à son terme.
6 - Servez le bœuf aux oignons dans un plat de service creux avec une garniture de riz blanc.

MINI-RECETTE

TARTE AUX ENDIVES

POUR 6 À 8 PERSONNES
CUISSON : 50 minutes environ
INGRÉDIENTS : 1 kg d'endives
1 bloc de pâte brisée surgelée
80 g de beurre, 40 g de farine
1/3 de litre de lait
150 g de poitrine fumée
50 g de gruyère rapé
Sel, poivre

1 - Faites dégeler la pâte brisée à température ambiante.
2 - Lavez les endives, coupez les trognons, fendez-les en deux, et mettez-les à cuire 15 minutes à l'eau bouillante salée.
3 - Coupez la poitrine fumée en petits cubes, et mettez-les à revenir à la poêle, dans une noisette de beurre.
4 - Préparez une béchamel en faisant fondre dans une casserole 60 g de beurre. Ajoutez 25 g de farine, et faites cuire doucement en tournant le mélange à la cuiller de bois. Versez alors le lait peu à peu, salez, poivrez, et laissez cuire sur feu doux sans cesser de tourner.
5 - Quand les endives sont cuites, égouttez-les soigneusement, et réduisez-les en purée en les passant au moulin à légumes. Incorporez cette purée à la sauce, ainsi que les lardons.
6 - Etalez la pâte au rouleau, et garnissez-en un moule à tarte. Mettez à cuire à four chaud 20 minutes.
7 - Quand la pâte est cuite, versez la garniture, parsemez de gruyère, disposez quelques noisettes de beurre, et mettez à cuire à four chaud une vingtaine de minutes. Puis démoulez la tarte sur un plat de service et servez chaud.

LE TRUC DU CHEF

POUR LE BŒUF AUX OIGNONS : en fin de cuisson, vous pouvez ajouter à la préparation quelques gouttes de vinaigre de vin qui relèveront agréablement la saveur de la viande et des oignons.
Choisissez pour cette recette, une viande tendre, qui se mange légèrement rosée : rumsteak ou faux-filet principalement. Demandez à ce que les steaks soient parfaitement parés, c'est-à-dire entièrement dégraissés.

VOS NOTES PERSONNELLES

Ecrire . . . .

. . . .

Acheter . . . .

. . . .

Téléphoner . . . .

Menu

SALADE TIVOLI
(voir recette p. 134)

**FOIES DE CANARD
AUX PRUNEAUX**
(voir recette ci-dessous)

KUGELHOPF
(voir recette ci-contre)

MINI-RECETTE

FOIES DE CANARD
AUX PRUNEAUX

POUR 6 PERSONNES
CUISSON : 20 minutes
INGRÉDIENTS : 600 g de foies
500 g de pruneaux, 1 verre de vin blanc
1 petit pot de crème fraîche
1 branche d'estragon, 1 noix de beurre
1 cuillerée à soupe d'huile
1 verre à liqueur d'Armagnac
Sel, poivre

1 - Mettez à tremper la veille les pruneaux dans une bassine d'eau froide.
2 - Le lendemain, égouttez les pruneaux, et mettez-les dans une casserole avec le vin blanc et l'Armagnac. Complétez avec un peu d'eau pour assurer le mouillonnement à hauteur, et laissez cuire à petits bouillons une quinzaine de minutes, récipient découvert, jusqu'à ce que le liquide réduise de moitié.
3 - Pendant ce temps, salez et poivrez les foies, et mettez-les à revenir à la sauteuse, dans le mélange de beurre et d'huile, sur feu vif.
4 - Lorsque les foies sont bien dorés, ajoutez leur les pruneaux et le jus de cuisson des fruits. Remuez bien le tout, et incorporez à la sauce 1 bonne cuillerée de crème fraîche. Laissez mijoter encore quelques instants sur le feu doux, et hachez finement sur la préparation quelques feuilles d'estragon frais. Servez très chaud dans un grand plat creux.

KUGELHOPF

POUR 6
A 8 PERSONNES
CUISSON : 45 minutes
INGRÉDIENTS :
250 g de farine
2 œufs
125 g de beurre
125 g de raisins secs
50 g d'amandes effilées
20 g de levure
de boulanger
60 g de sucre en poudre
1 verre de lait
Quelques amandes
entières
1 pet. v. à liqu. de kirsch
1 cuill. à café rase de sel

1 - Faites macérer les raisins secs dans le kirsch pendant 1/2 heure.
2 - Mettez le lait dans une casserole et faites-le chauffer doucement jusqu'à ce qu'il tiédisse.
3 - Prélevez un peu de lait et délayez-y la levure.
4 - Dans un saladier, versez la farine. Faites un puits et ajoutez les jaunes d'œufs (réservez les blancs), la levure délayée et le sucre. Mélangez puis incorporez le reste du lait et le beurre en pommade.
5 - Battez les blancs d'œufs en neige, et incorporez-les délicatement à la pâte. Laissez la pâte reposer 1 heure, recouverte d'un linge, afin de la faire gonfler.
6 - Ajoutez ensuite les raisins secs macérés dans le kirsch et les amandes effilées.
7 - Placez les amandes entières dans les alvéoles du moule à kugelhopf, déposez la pâte dans le moule bien beurré, et laissez-la lever dans un endroit tempéré jusqu'à ce qu'elle remplisse le récipient. Cette opération demande 1 h 1/2 à 2 heures.
8 - Mettez ensuite à four chaud environ 5 minutes (pour arrêter la fermentation), puis laissez cuire à four moyen 35 à 40 minutes.
9 - Quand le gâteau est cuit, démoulez-le en le retournant sur un plat de service et saupoudrez-le d'un peu de sucre glace.

VOS NOTES PERSONNELLES

Ecrire . . . .

. . . .

Acheter . . . .

. . . .

Téléphoner . . . .

7 OCTOBRE

Menu

ŒUFS À LA CONDÉ
(voir recette p. 137)

CROQUETTES DE LIEU JAUNE
(voir recette ci-contre)

DÉLICE À LA PRALINE
(voir recette p. 93)

TOUT SAVOIR SUR...

LE LIEU

Sous le nom de lieu on désigne deux poissons très voisins : le lieu noir et le lieu jaune. La chair du lieu est maigre et se digère très facilement. Elle est bien pourvue en vitamines et éléments minéraux. Ces poissons sont présents sur les marchés d'octobre à avril. **Le lieu noir,** *appelé également « colin noir », « églefin noir » ou « merluchon noir » est pêché dans les mers froides. La teinte de son dos varie du vert sombre au gris-noir, son ventre est gris argenté. Il est vendu entier, en darnes ou en filets.* **Le lieu jaune,** *est commun de la Manche au golfe de Gascogne. Son dos est marron clair ou foncé, son ventre argenté avec des reflets jaunes. Sa chair, plus fine que celle du lieu noir, est très appréciée. Plus rare à l'étal du poissonnier que le lieu noir, il est également proposé entier, en darnes ou en filets. Le lieu noir doit présenter une chair blanche, le lieu jaune, une chair légèrement rosée. L'odeur doit rappeler la marée, sans le moindre relent d'ammoniac. Prévoyez 120 à 150 g pour une portion individuelle, suivant que vous choisissez des filets ou des darnes.*

CROQUETTES DE LIEU JAUNE

Rapide   Très facile   Abordable

**POUR 4
A 5 PERSONNES
CUISSON : 20 minutes
INGRÉDIENTS :**
750 g de filets
de lieu jaune
40 g de beurre
1 œuf
50 g de chapelure
50 g de farine
1 citron
Persil
3 gousses d'ail
Sel, poivre

1 - Lavez soigneusement les filets de lieu jaune, séchez-les sur du papier absorbant, puis coupez-les en carrés.

2 - Lavez un petit bouquet de persil, épluchez les gousses d'ail, et hachez finement le tout.

3 - Cassez l'œuf dans une assiette creuse, et battez-le comme pour une omelette. Étalez la chapelure dans une autre assiette.

4 - Salez et poivrez les morceaux de lieu jaune, puis passez-les successivement dans la farine, l'œuf battu et la chapelure. Mettez-les à dorer dans une grande poêle où vous aurez fait fondre le beurre à feu moyen. Laissez chaque croquette prendre couleur 3 à 4 minutes de chaque côté, puis sortez-les au fur et à mesure et mettez-les à égoutter sur du papier absorbant.

5 - Lorsque toutes les croquettes sont cuites, déglacez la poêle avec le jus d'un citron, ajoutez le hachis de persil et d'ail.

6 - Disposez les croquettes sur un plat de service, et nappez-les de la sauce. Servez très chaud.

VOS NOTES PERSONNELLES

Ecrire . . . .

. . . .

Acheter . . . .

. . . .

Téléphoner . . . .

8 OCTOBRE

Menu

PETITS CHOUX AU FROMAGE BLANC
(voir recette p. 74)

CANETTE AUX POMMES
(voir recette ci-contre)

GÂTEAU DE PITHIVIERS
(voir recette ci-dessous)

Boisson conseillée :
UN CAHORS

MINI-RECETTE

GÂTEAU DE PITHIVIERS

POUR 6 PERSONNES
CUISSON : 30 minutes
INGRÉDIENTS :
1 bloc de pâte feuilletée surgelée
120 g de sucre en poudre, 100 g de beurre
120 g de poudre d'amandes, 3 œufs entiers
1 petit verre à liqueur de rhum
1 bonne pincée de vanille en poudre
1 jaune d'œuf

1 - Cassez les œufs, séparez les blanc des jaunes, et mettez ces derniers dans une jatte ou un saladier.

2 - Ajoutez-y le sucre en poudre et le beurre, après avoir ramolli ce dernier à la fourchette. Remuez bien le tout.

3 - Versez ensuite le rhum, la poudre d'amande et la pincée de vanille. Travaillez la préparation pour obtenir un mélange homogène.

4 - Aplatissez le bloc de pâte feuilletée, prélevez-en la moitié, et placez-la dans un moule à tarte que vous aurez beurré.

5 - Versez sur la pâte la préparation à base d'amandes, en la répartissant bien.

6 - Prenez l'autre moitié de pâte feuilletée, et recouvrez-en le gâteau en prenant soin de bien souder les pâtes feuilletées du dessous et du dessus, en appuyant sur les bords avec les doigts.

7 - A l'aide d'une fourchette, dessinez sur la pâte un décor en rosace. Badigeonnez la surface de jaune d'œuf, à l'aide d'un pinceau.

8 - Mettez à four chaud et laissez cuire pendant 30 minutes. Servez froid ou tiède.

CANETTE AUX POMMES

POUR 6 PERSONNES
CUISSON : 1 h 30
INGRÉDIENTS :
1 canette de 1,8 kg
1,5 kg de pommes
100 g de raisins secs
1/2 v. d'armagnac
1 cuil. à soupe d'huile
1/4 de citron
Sel, poivre

1 - Epluchez les pommes, coupez-les en quartiers, ôtez le cœur et les pépins. Détaillez les quartiers en lamelles.

2 - Placez les pommes dans un récipient creux, genre saladier, avec les raisins secs, et arrosez-les avec l'armagnac et le jus de citron. Remuez bien le tout et laissez les fruits s'imprégnez pendant 1/2 heure.

3 - Salez et poivrez l'intérieur de la canette, et farcissez-la complètement de fruits. Fermez l'orifice avec du fil.

4 - Badigeonnez légèrement la volaille d'huile, et disposez-la sur un grand plat allant au four. Placez le reste des fruits tout autour. Versez un bon verre d'eau dans le fond du plat, et mettez à four moyen environ 1 h 1/2. Arrosez de temps en temps la canette avec le jus de cuisson.

5 - Lorsque la volaille est cuite, découpez-la, incorporez la farce à la sauce, pour réaliser une sorte de compote.

6 - Dressez les morceaux de canette dans un grand plat de service creux, nappez-les de la sauce aux pommes. Servez très chaud, avec un accompagnement de pommes paille.

LE TRUC DU CHEF

POUR LA CANETTE AUX POMMES : si votre four est équipé d'un tourne-broche, utilisez-le. Placez dessous une lèchefrite avec 1 bon verre d'eau.

Choisissez, pour cette savoureuse spécialité campagnarde, une volaille bien en chair et pas trop grasse, une canette de barbarie par exemple.

VOS NOTES PERSONNELLES

Ecrire . . . .
. . . .
Acheter . . . .
. . . .
Téléphoner . . . .

9 OCTOBRE

Menu

SOUFFLÉ AUX GIROLLES
(voir recette p. 315)

HOMARD À L'AMÉRICAINE
(voir recette ci-contre)

PÊCHES À LA CARDINAL
(voir recette p. 137)

Boisson conseillée :
UN PULIGNY-MONTRACHET

TOUT SAVOIR SUR...

LE HOMARD

Le homard est, avec la langouste, le plus estimé des crustacés. Le corps se compose du céphalothorax (que l'on appelle par erreur la tête) et de l'abdomen composé de sept anneaux. Le céphalothorax porte cinq paires de pattes dont les fameuses pinces. Il est à remarquer que la pince de droite est toujours plus volumineuse que celle de gauche. Dans nos régions, on pêche le homard sur les côtes de la Manche et de l'Atlantique et également en Méditerranée. De nombreuses espèces de homard sont proposées à la vente, mais les plus communément rencontrés sont : le **homard breton**, *qui est, de l'avis des gourmets, le meilleur. Il fournit une chair fine et très parfumée. On le reconnaît à sa carapace bleue, marbrée de blanc.* **Le homard canadien**, *se distingue par sa carapace bleu foncé et ses pattes rougeâtres. Le homard doit être acheté vivant, c'est la garantie d'une parfaite fraîcheur. Vérifiez que les pinces soient intactes. Attachez-vous à choisir une bête lourde par rapport à sa taille. Comptez environ 250 g par personne.*

HOMARD A L'AMÉRICAINE

POUR 4 PERSONNES
CUISSON : 40 minutes
INGRÉDIENTS :
1 homard de 1,5 kg
3 échalotes,
3 gousses d'ail
1 carotte, 3 tomates
1 cuil. de conc. tomates
5 cuil. à soupe d'huile
50 g de beurre
1 cuil. à soupe de farine
1 rasade de cognac
1 v. de vin blanc sec
1 forte pincée de poivre de cayenne
Thym, laurier, sel
Estragon, persil

1 - Détachez la tête de la queue du homard en vous servant d'un fort couteau. Coupez la queue en tronçons, aux articulations, et, dans une cocotte, faites-les revenir à l'huile, à feu vif. Ajoutez aux tronçons les pinces dont vous aurez brisé la carapace. Fendez la tête de l'animal et recueillez dans un bol les parties coraillées. Réservez.

2 - Lorsque les morceaux de homard ont rougi, ajoutez la carotte et les échalotes hachées. Laissez blondir légèrement ces légumes, puis flambez au cognac.

3 - Mouillez avec le vin blanc, puis ajoutez l'ail, les tomates mondées et concassées, le concentré de tomates, un peu de thym, de laurier, d'estragon, et de persil. Complétez avec un peu d'eau afin que la sauce recouvre les morceaux de homard. Salez, poivrez au moulin, et avec une forte pincée de cayenne.

4 - Couvrez la cocotte et laissez cuire 20 minutes.

5 - Ôtez alors les morceaux de homard du récipient, et gardez-les au chaud. Faites alors réduire la sauce à feu vif, cocotte découverte, 10 minutes.

6 - Pendant ce temps, ajoutez le beurre en pommade et la farine au corail contenu dans le bol. Mélangez à la fourchette. Délayez le beurre manié dans la sauce, au fouet, laissez bouillir quelques secondes. Rectifiez l'assaisonnement.

7 - Dressez les morceaux de homard sur un grand plat de service creux, et nappez-les de la sauce brûlante, passée au chinois.

Menu

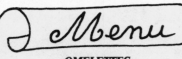

OMELETTES AUX HERBES
(voir recette p. 184)

RIZOTTO À LA MILANAISE
(voir recette ci-contre)

COMPOTE MERINGUÉE
(voir recette ci-dessous)

MINI-RECETTE

COMPOTE MERINGUÉE

POUR 6 PERSONNES
CUISSON : 25 minutes
INGRÉDIENTS : 500 g de pommes
500 g de poires, 2 blancs d'œufs
1 sachet de sucre vanillé

1 - Pelez les pommes et les poires, coupez-les en quatre, et débarrassez les quartiers du cœur et des pépins.
2 - Coupez les morceaux de fruits en lamelles, et mettez-les à cuire dans une casserole, avec 1 verre d'eau.
3 - Couvrez la casserole, portez à ébullition, puis réduisez le feu et laissez cuire une dizaine de minutes.
4 - Pendant ce temps, cassez les œufs, placez les blancs dans un saladier, et fouettez-les en neige très ferme avec le sachet de sucre vanillé.
5 - Lorsque la compote de fruits est cuite, réduisez-la en purée en la passant à la moulinette ou au mixer.
6 - Versez cette préparation dans 6 petites terrines individuelles allant au four, et surmontez le tout des blancs d'œufs en neige.
7 - Mettez à four chaud une dizaine de minutes, et, lorsque la meringue est bien dorée, sortez du four. Servez ce dessert tiède ou froid.

RIZOTTO A LA MILANAISE

Moyen   Facile   Abordable

POUR 4
A 5 PERSONNES
CUISSON : 30 minutes
INGRÉDIENTS :
250 g de riz, 2 tomates
250 g de chair
à saucisse
1 gros oignon
4 gousses d'ail
1 cuil. à soupe
de conc. de tomates
1 tab. de conc.
de bouillon
20 g de beurre
2 cuil. à soupe d'huile
2 sachets de parmesan
Sel, poivre

1 - Mettez à fondre dans une cocotte l'huile et le beurre, sur feu vif, et faites-y revenir la chair à saucisse, préalablement salée et poivrée.
2 - Épluchez l'oignon, hachez-le, et ajoutez-le à la viande lorsque celle-ci a déjà pris couleur. Mélangez bien à la cuillère de bois et laissez quelques instants afin que l'oignon blondisse.
3 - Ajoutez alors le riz. Remuez le tout, et attendez que le riz dore légèrement.
4 - Mouillez alors avec 1 litre d'eau, ajoutez la tablette de concentré de bouillon, l'ail pilé, un peu de thym et de laurier. Salez. Mettez à feu très vif afin que l'ébullition reprenne le plus rapidement possible. Laissez cuire 15 à 20 minutes, selon la variété de riz, le temps pour celui-ci d'absorber son liquide de cuisson.
5 - Plongez quelques instants les tomates dans de l'eau bouillante, puis mondez-les et concassez-les.
6 - Ajoutez cette purée de tomates fraîches au riz en cours de cuisson, ainsi qu'une cuillerée à soupe de concentré.
7 - Présentez le rizotto dans un grand légumier, avec le parmesan dont chaque convive se servira à sa guise.

LE TRUC DU CHEF

POUR LE RIZOTTO À LA MILANAISE : en même temps que les tomates, ajoutez au riz une pincée de sucre en poudre. Le sucre contrebalance l'acidité naturelle de la tomate et procure de surcroît, une saveur supplémentaire à cette spécialité.

VOS NOTES PERSONNELLES

Ecrire . . . .
. . . .
Acheter . . . .
. . . .
Téléphoner . . . .

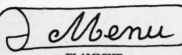

FLAMICHE
(voir recette ci-contre)

**BOULETTES À LA PURÉE
DE CHOU-FLEUR**
(voir recette p. 153)

BISCUIT SAVOYARD
(voir recette ci-dessous)

FLAMICHE

Moyen · Très facile · Pas cher

**POUR 5
A 6 PERSONNES
CUISSON : 1 h env.
INGRÉDIENTS :**
1,5 kg de poireaux
250 g de farine
200 g de beurre
2 œufs entiers
2 jaunes d'œufs
120 g de crème fraîche
Sel, poivre

MINI-RECETTE

BISCUIT SAVOYARD

POUR 5 À 6 PERSONNES
CUISSON : 30 minutes
INGRÉDIENTS : 6 œufs
200 g de sucre semoule
100 g de farine, 1 noix de beurre

1 - Cassez les œufs en séparant les blancs des jaunes. Mettez les jaunes dans un saladier (réservez les blancs) et incorporez le sucre semoule. Tournez soigneusement à la spatule en bois jusqu'à ce que le mélange devienne bien homogène et blanchisse.
2 - Ajoutez alors la farine par petites quantités en remuant longuement le tout jusqu'à obtention d'une pâte bien liée.
3 - Placez les blancs d'œufs dans un saladier et faites-les monter en neige en les fouettant vigoureusement. Lorsque les blancs « collent » au fouet, incorporez-les à la pâte avec précautions, en tournant lentement.
4 - Beurrez un moule à manqué, versez-y la pâte, et mettez à four moyen pendant une bonne demi-heure.
5 - Lorsque le gâteau est cuit, démoulez-le sur un plat de service. Cette spécialité peut se déguster, au choix, tiède ou froide.

1 - Eliminez la majeure partie des feuilles vertes des poireaux, fendez les légumes en quatre (à 4-5 cm de la base) afin de les laver convenablement à l'intérieur. Passez-les à l'eau courante, puis séchez-les soigneusement dans un torchon. A l'aide d'un petit couteau bien affûté, détaillez les poireaux en petits tronçons.
2 - Faites fondre 60 g de beurre dans une cocotte, à petit feu, et jetez-y les légumes. Laissez-les suer quelques minutes à découvert, puis couvrez le récipient et prolongez la cuisson 20 à 25 minutes.
3 - Pendant ce temps, préparez une pâte comme suit : mélangez dans un saladier la farine et 125 g de beurre préalablement ramolli. Ajoutez 2 œufs entiers, 1/2 verre d'eau, et une pincée de sel. Pétrissez soigneusement le tout.
4 - Étalez la pâte au rouleau en lui donnant une dimension suffisante pour qu'elle déborde le moule à tarte de 5 à 6 cm. Garnissez-en le moule en laissant dépasser la pâte tout autour. Piquez le fond à la fourchette en divers endroits.
5 - Passé le temps de cuisson prescrit pour les poireaux, ôtez le récipient du feu, salez, poivrez les légumes, et incorporez-leur 1 jaune d'œuf et la crème fraîche. Mélangez soigneusement cette préparation.
6 - Versez cette garniture sur la pâte, en rabattant les bords sur les poireaux.
7 - Battez un jaune d'œuf à la fourchette, badigeonnez-en la portion de pâte rabattue, et mettez à cuire à four chaud une trentaine de minutes. Servez chaud.

VOS NOTES PERSONNELLES

Ecrire . . . .
. . . .
Acheter . . . .
. . . .
Téléphoner . . . .

12 OCTOBRE

 Menu

FONDS D'ARTICHAUTS VINAIGRETTE
(voir recette ci-dessous)

FILET DE PORC DES ÎLES
(voir recette p. 54)

GÂTEAU GLACÉ FRÉDÉRIC
(voir recette ci-contre)

GÂTEAU GLACÉ FRÉDÉRIC

POUR 6 PERSONNES
CUISSON :
40 minutes environ
INGRÉDIENTS :
200 g de beurre
7 jaunes d'œufs
150 g de sucre semoule
1/2 v. de lait
150 g de farine
1/2 sachet de levure
100 g de sucre
en morceaux
2 v. à liqu. de rhum
200 g de sucre glace
1 bonne pincée de café
en poudre

1 - Mettez 4 jaunes dans une terrine avec 150 g de sucre semoule, et mélangez bien à la cuillère de bois. Ajoutez 75 g de beurre en pommade, le lait, la levure, et la farine en pluie. Remuez soigneusement cette préparation.

2 - Beurrez un moule à manqué, et versez-y la pâte. Mettez à cuire à four doux 35 minutes. Après cuisson, démoulez sur un plat et laissez refroidir.

3 - Faites fondre le sucre en morceaux dans une casserole avec 1 verre d'eau, portez à ébullition, et laissez bouillir 3 minutes. Battez dans une terrine 3 jaunes d'œufs avec 1 pincée de sel, et versez le sirop chaud sur les jaunes en fouettant continuellement. Laissez refroidir.

4 - Réduisez 100 g de beurre en pommade, et incorporez-le à la préparation précédente. Ajoutez 1 verre à liqueur de rhum.

5 - Divisez le gâteau en 3 disques d'égale épaisseur. Nappez de la crème le disque du dessous et celui du milieu, et reconstituez le gâteau.

6 - Préparez le glaçage dans un récipient en mélangeant 150 g de sucre glace avec 1 verre à liqueur de rhum et 1 verre à liqueur d'eau. Mélangez pour obtenir une pâte homogène, et recouvrez-en entièrement le gâteau à la spatule métallique. Laissez sécher ce glaçage.

7 - Confectionnez un autre glaçage avec 50 g de sucre glace, 1 bonne pincée de café en poudre, et 1 cuillerée à soupe d'eau. Décorez de cette préparation le dessus du gâteau à l'aide d'une poche à douille fine, au gré de votre inspiration. Attendez quelques instants, le temps que le décor sèche, avant de servir.

MINI-RECETTE

FONDS D'ARTICHAUTS VINAIGRETTE

POUR 4 PERSONNES
CUISSON : 40 minutes
INGRÉDIENTS : 4 artichauts
4 tomates, 4 œufs
Quelques feuilles de laitue
2 cuillerées à café de moutarde
1 cuillerée à soupe de vinaigre
3 cuillerées à soupe d'huile
Ciboulette, estragon
1 pointe de paprika, sel, poivre

1 - Faites cuire les artichauts 35 à 40 minutes à l'eau bouillante salée. Quand ils sont cuits, ôtez les feuilles et la « barbe » pour ne conserver que les cœurs.

2 - Faites durcir les œufs 12 à 15 minutes à l'eau bouillante. Ecalez-les sous l'eau froide, et coupez-les en quartiers.

3 - Lavez les tomates, essuyez-les, et coupez-les en quartiers.

4 - Dans un grand bol, préparez une sauce vinaigrette comme suit : délayez la moutarde dans le vinaigre, salez, poivrez, puis ajoutez l'huile en tournant constamment à la cuiller. La sauce doit prendre un aspect crémeux.

5 - Disposez chaque fond d'artichaut au centre d'assiettes individuelles tapissées d'une belle feuille de laitue. Entourez-les de quartiers d'œufs et de tomates légèrement salés et poivrés, en alternant. Nappez légèrement de sauce les fonds d'artichauts et les quartiers de tomates, parsemez sur le tout un fin hachis d'estragon et de ciboulettes, et servez.

VOS NOTES PERSONNELLES

Ecrire . . . .

. . . .

Acheter . . . .

. . . .

Téléphoner . . . .

PIEDS DE COCHON SAINTE-MENEHOULD

Long · Facile · Abordable

POUR 4 PERSONNES
CUISSON : 5 heures
INGRÉDIENTS :
4 pieds de porc
Bardes de lard
2 v. de vin blanc
2 carottes
2 oignons
4 clous de girofle
4 gousse d'ail
Thym, laurier
Persil
1 pincée d'estragon
2 v. de chapelure
Poivre en grains
Gros sel

Menu

SOUPE AU CHOUX
(voir recette ci-dessous)

**PIEDS DE COCHON
SAINTE-MENEHOULD**
(voir recette ci-contre)

BRIOCHE À L'ANTILLAISE
(voir recette p. 108)

MINI-RECETTE

SOUPE AUX CHOUX

POUR 6 PERSONNES
CUISSON : 1 heure
INGRÉDIENTS : 1 petit chou
4 pommes de terre, 40 g beurre
1 verre de lait, 2 jaunes d'œufs
1 tablette de concentré de volailles
Persil, ciboulette, sel, poivre

1 - Mettez les pommes de terre à cuire 20 minutes à l'eau bouillante salée.
2 - Débarrassez le chou des feuilles fanées ou jaunies qui l'entourent, coupez-le en quatre, et faites-le blanchir quelques minutes à l'eau bouillante salée. Egouttez-le en fines lanières.
3 - Faites fondre le beurre sur feu doux, dans une marmite, et mettez-y le chou à suer quelques minutes. Puis mouillez avec 1 litre 1/2 d'eau. Ajoutez la tablette de concentré de volaille, poivrez légèrement, et laissez cuire doucement 40 minutes à couvert.
4 - Lorsque les pommes de terre sont cuites, écrasez-les en purée à la fourchette, et ajoutez-les au contenu de la marmite.
5 - Lorsque la soupe est cuite, ôtez le récipient du feu, ajoutez le verre de lait préalablement chauffé dans une petite casserole, et incorporez les deux jaunes d'œufs.
6 - Versez la soupe en soupière, saupoudrez d'un fin hachis de persil et de ciboulette, et servez immédiatement.

1 - Achetez chez votre charcutier 4 pieds de porc crus, et demandez-lui de les fendre en deux.
2 - Séparez les deux moitiés de chaque pied par une petite barde de lard, reconstituez-les, et attachez-les avec du gros fil pour qu'ils ne puissent se défaire en cuisant.
3 - Préparez un court-bouillon dans une marmite avec suffisamment d'eau pour couvrir les 4 pieds, les 2 verres de vin blanc, les carottes coupées en rondelles épaisses, l'ail et les oignons piqués de clous de girofle, un peu de thym, de laurier, d'estragon, et de persil. Ajoutez une bonne poignée de gros sel et poivrez au moulin.
4 - Mettez à cuire les pieds de porc dans ce court-bouillon pendant 5 heures à petit feu, le récipient couvert.
5 - Égouttez ensuite les pieds, laissez-les tiédir avant de les déficeler et ôtez les bardes.
6 - Roulez les demi-pieds dans la chapelure pour les paner, puis mettez-les à griller à four moyen quelques minutes, juste le temps de les dorer, et servez immédiatement.

VOS NOTES PERSONNELLES

Ecrire . . . .
. . . .
Acheter . . . .
. . . .
Téléphoner . . . .

14 OCTOBRE

Menu

PETITS PAINS DE MUROL
(voir recette p. 182)

PETITS MULETS EN MEUNIÈRE
(voir recette ci-contre)

APPLE-PIE
(voir recette p. 51)

TOUT SAVOIR SUR...

LE MULET

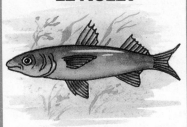

Le mulet est un beau poisson argenté, au corps fuselé. Il est commun sur les côtes atlantiques et en Méditerranée. Les grandes pièces peuvent atteindre 60 cm et dépasser les 4 kilos. Sa chair est ferme et savoureuse. Elle est particulièrement maigre, se digère parfaitement bien et est recherchée des personnes suivant un régime amaigrissant. La période d'abondance se situe de janvier à mai et également en septembre. Les mulets les plus appréciés sont ceux dits « de haute mer » ou de « Bretagne ». Ces espèces se reconnaissent à leur dos noir intense. Un mulet frais possède un corps ferme mais élastique sous la pression du doigt. Les écailles doivent être brillantes et humides, l'œil bombé, remplissant bien la cavité orbitale. L'odeur doit rappeler la marée. Le mulet est un poisson de prix toujours abordable. La part de déchets étant d'environ 40 %, comptez pour quatre personnes, un poisson de 1 kg.

PETITS MULETS EN MEUNIÈRE

 Rapide Facile Pas cher

POUR 4 PERSONNES
CUISSON : 15 minutes
INGRÉDIENTS :
4 mulets
1 bol de lait
50 g de farine
100 g de beurre
1 échalote
2 cuill. à soupe d'huile
1 bouquet de persil
1 citron
Sel, poivre

1 - Choisissez quatre mulets d'environ 300 g pièce. Écaillez-les, videz-les et lavez-les soigneusement. Mettez-les à sécher sur du papier absorbant.

2 - Versez dans un plat creux le bol de lait, et dans un autre, les 50 g de farine.

3 - Salez et poivrez l'intérieur des poissons, puis trempez-les dans le lait avant de les rouler dans la farine.

4 - Faites chauffer dans une grande poêle l'huile avec 40 g de beurre. Attendez que la matière grasse soit bien chaude avant d'y mettre les mulets à frire. Laissez les poissons cuire 6 minutes de chaque côté.

5 - Pendant ce temps, hachez finement l'échalote avec un petit bouquet de persil.

6 - Quand les poissons sont cuits, couchez-les sur un grand plat, et arrosez-les avec le jus du citron.

7 - Faites fondre les 60 g de beurre restant dans une petite casserole et nappez-en les poissons.

8 - Servez immédiatement, après avoir parsemé les mulets du hachis d'échalote et de persil.

LE TRUC DU CHEF

POUR LES PETITS PAINS DE MUROL : au moment où vous mélangez tous les ingrédients à la pâte, ajoutez un petit verre à liqueur d'armagnac. L'alcool parfumera délicieusement les petits pains.

VOS NOTES PERSONNELLES

Ecrire . . . .

. . . .

Acheter . . . .

. . . .

Téléphoner . . . .

15 OCTOBRE

Menu

CREVETTES EN BRIOCHES
(voir recette ci-dessous)

**ROGNONS DE VEAU
FAÇON PRINCE**
(voir recette p. 26)

FOUACE AUX POMMES
(voir recette ci-contre)

Boisson conseillée :
UN MOULIN-À-VENT

MINI-RECETTE

CREVETTES EN BRIOCHES

POUR 6 PERSONNES
CUISSON : 20 minutes environ
INGRÉDIENTS : 6 brioches
150 g de crevettes décortiquées
1 petite boîte de pelures de truffes
100 g de champignons de Paris
1/4 litre de lait, 50 g de beurre
20 g de farine, 30 g de beurre de crevettes
1 pointe de cayenne, sel

1 - Débarrassez les champignons de leur pied terreux, lavez-les, séchez-les, et détaillez-les en fines lamelles.

2 - Faites revenir les champignons à la poêle 7 à 8 minutes avec 20 g de beurre, en les remuant de temps en temps à la spatule.

3 - Préparez une sauce en faisant fondre 30 g de beurre dans une casserole. Ajoutez la farine en pluie, mélangez 2 à 3 minutes sur feu doux, puis versez dessus le lait bouillant, en tournant constamment au fouet pour bien délayer le roux blanc. Laissez cuire 10 minutes environ en continuant de tourner. Salez, ajoutez 1 bonne pointe de cayenne. Ôtez du feu.

4 - Incorporez alors à la sauce le beurre de crevettes, les crevettes décortiquées, les champignons, et les pelures de truffes avec leur jus. Gardez cette préparation au chaud au bain-marie.

5 - Découpez les chapeaux des brioches individuelles, évidez-les en partie. Placez les brioches quelques minutes à four moyen, avec leur chapeau.

6 - Au moment de servir, remplissez les brioches de la préparation aux crevettes, coiffez-les, et servez immédiatement.

FOUACE AUX POMMES

Moyen   Facile   Abordable

**POUR 6
A 8 PERSONNES
CUISSON : 40 minutes
INGRÉDIENTS :**
500 g de farine
30 g de levure
de boulanger
100 g de sucre
en poudre
150 g de beurre
3 œufs entiers
1 jaune d'œuf
100 g de raisins secs
3 pommes
1/2 verre de rhum
1/2 verre de lait
1 pincée de sel

1 - Versez le quart de la farine dans un saladier, et travaillez-la en pâte avec le lait dans lequel vous aurez préalablement délayé la levure. Recouvrez le récipient d'un linge et laissez lever la pâte 30 minutes environ. La pâte doit doubler sensiblement de volume.

2 - Mettez le reste de la farine dans une terrine, ajoutez 3 œufs, 80 g de sucre, 1 pincée de sel, et mélangez bien pour obtenir une pâte homogène.

3 - Incorporez à cette pâte la pâte qui a levé et le beurre coupé en parcelles. Pétrissez bien le tout pour obtenir une pâte à la fois souple et ferme. Formez en boule, recouvrez d'un linge et laissez reposer 3 heures dans un endroit tiède.

4 - Pendant ce temps, mettez les raisins secs à tremper dans le rhum.

5 - Épluchez les pommes, coupez-les en quatre, ôtez le cœur et les pépins et détaillez chaque quartier en lamelles.

6 - Quand la pâte a reposé le temps nécessaire, étalez-la finement, puis divisez-la en deux parties égales que vous arrondirez en disques.

7 - Disposez sur l'un des disques les pommes et les raisins secs, saupoudrez avec le reste de sucre et recouvrez le tout avec le deuxième disque. Rabattez les bords du premier disque sur le second afin de bien emprisonner les fruits.

8 - Pratiquez un décor à l'emporte-pièce avec un peu de pâte prélevée avant la confection du gâteau, badigeonnez le dessus de la pâte avec un jaune d'œuf battu, et mettez à cuire à four chaud 40 minutes. Servez chaud ou tiède.

VOS NOTES PERSONNELLES

Ecrire . . . .

. . . .

Acheter . . . .

. . . .

Téléphoner . . . .

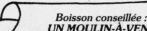

16 OCTOBRE

Menu

**SAINTE MAURE
EN PAIN BRIOCHÉ**
(voir recette p. 187)
**CANETTE DE BARBARIE
AU CITRON**
(voir recette ci-contre)
SORBET AUX ANONES
(voir recette ci-dessous)

Boisson conseillée :
UN CHINON

MINI-RECETTE

SORBET AUX ANONES

POUR 4 PERSONNES
CUISSON : simple ébullition
1 H 1/2 EN SORBETIÈRE
INGRÉDIENTS : 600 g d'anones
250 g de sucre poudre
1 boîte d'ananas
1 zeste de citron
Quelques cerises à l'eau-de-vie

1 - Brossez soigneusement un citron (non traité au diphényl) à l'eau chaude. Séchez-le et râpez finement une partie du zeste.
2 - Ouvrez les anones, et retirez-en la pulpe à l'aide d'une cuillère. Passez cette pulpe au mixer.
3 - Versez 1/4 de litre d'eau dans une casserole, ajoutez le sucre en poudre, le zeste râpé, et mettez sur feu vif. Dès le premier bouillon, ôtez le récipient du feu.
4 - Incorporez immédiatement les anones mixés au sirop. Laissez tiédir, puis repassez le tout au mixer.
5 - Mettez à glacer la préparation 1 h 1/2 en sorbetière.
6 - Ouvrez la boîte d'ananas, choisissez 4 belles tranches, coupez-les en huit, et reconstituez-les au fond de 4 coupes individuelles.
7 - Lorsque le sorbet est pris, disposez en pyramide 4 boules sur chaque tranche d'ananas, et décorez au mieux avec quelques cerises à l'eau-de-vie.

CANETTE DE BARBARIE AU CITRON

POUR 4 PERSONNES
CUISSON : 1 h 15
INGRÉDIENTS : 1 canette
100 g d'oignons blancs
100 g de poitrine fumée
2 citrons
1 noisette de beurre
4 cuill. à soupe d'huile
Thym, laurier
1 cuill. à soupe de farine
1 boîte 4/4 de petits pois
Sel, poivre

1 - Salez et poivrez l'intérieur de la canette, aromatisez d'un peu de thym et de laurier émiettés, et mettez-la à dorer quelques minutes sur feu vif à la cocotte, dans le mélange de beurre et d'huile. Puis réduisez le feu et laissez la volaille encore prendre couleur une vingtaine de minutes.
2 - Pendant ce temps, détaillez la poitrine fumée en dés et pelez les oignons blancs.
3 - Quand le barbarie est bien doré sur toutes ses faces, ôtez-le de la cocotte, et mettez la poitrine fumée et les oignons blancs à blondir quelques minutes.
4 - Saupoudrez alors avec la farine en pluie, tournez à la cuillère de bois 2 à 3 minutes, et mouillez avec 50 cl d'eau chaude. Replacez le canard dans la cocotte et laissez cuire doucement 30 minutes à couvert.
5 - Passé ce temps, ajoutez le jus de 2 beaux citrons et prolongez la cuisson de 15 à 20 minutes, récipient découvert, le temps pour la sauce de réduire convenablement.
6 - Dressez la canette sur un plat de service, accompagnez d'une garniture de petits pois en boîte, et présentez la sauce en saucière.

LE TRUC DU CHEF

POUR LE SORBET AUX ANONES : les anones (aussi appelés «chirimoyas») ne sont vendus que dans des épiceries spécialisées en fruits exotiques. Ces petits fruits se reconnaissent aisément à leur peau verte qui fait un dessin en écaille. L'intérieur du fruit est constitué d'une crème blanche à goût de pêche vanillée.

VOS NOTES PERSONNELLES

Ecrire . . . .

. . . .

Acheter . . . .

. . . .

Téléphoner . . . .

Menu

OMELETTE À LA RIQUET
(voir recette ci-contre)

BOUDIN NOIR AUX REINETTES
(voir recette p. 133)

**SALADE DE RIZ
AUX FRUITS D'AUTOMNE**
(voir recette ci-dessous)

MINI-RECETTE

SALADE DE RIZ AUX FRUITS D'AUTOMNE

POUR 5 À 6 PERSONNES
CUISSON : 20 minutes environ
INGRÉDIENTS : 150 g de riz
2 pommes, 2 poires
1/2 litre de lait
Quelques noix
1 verre à liqueur de rhum
1 gousse de vanille
60 g de sucre semoule
50 g de raisins secs, 1 pincée de sel

1 - Versez le riz dans une casserole, et mouillez-le à hauteur d'eau froide. Portez à ébullition et retirez aussitôt du feu. Egouttez.
2 - Mettez le lait dans cette même casserole, ajoutez la gousse de vanille fendue, le sucre semoule, le rhum, et 1 pincée de sel. Faites bouillir.
3 - Plongez le riz dans le lait bouillant, après avoir ôté la gousse de vanille, et laissez cuire doucement 15 à 20 minutes, le temps pour le riz d'absorber le liquide.
4 - Pendant ce temps, épluchez les pommes et les poires, coupez-les en quatre, débarrassez-les du cœur et des pépins, puis détaillez chaque quartier en lamelles.
5 - Cassez les noix, et émiettez grossièrement.
6 - Quand le riz est cuit, ôtez le récipient du feu et laissez refroidir complètement.
7 - Versez le riz dans un saladier, ajoutez les lamelles de pommes et poires, les noix, les raisins secs. Mélangez soigneusement.
8 - Placez le saladier une trentaine de minutes au réfrigérateur, avant de servir.

OMELETTE A LA RIQUET

POUR 4 PERSONNES
CUISSON :
30 minutes environ
INGRÉDIENTS : 8 œufs
1 aubergine
1 tomate
2 échalotes
1 gousse d'ail
1 cuillerée à soupe
de lait écrémé
1 pointe d'estragon
en poudre
1 branche de persil
Ciboulette
2 cuill. à soupe d'huile
Sel, poivre

1 - Épluchez l'aubergine à l'aide d'un couteau économe, et hachez-en la chair grossièrement.
2 - Plongez la tomate quelques instants dans de l'eau bouillante, mondez-la et concassez-la.
3 - Pelez les échalotes et la gousse d'ail, et hachez ces deux éléments ensemble.
4 - Faites chauffer 1 cuillerée d'huile dans une casserole, et jetez-y l'aubergine hachée, la purée de tomates fraîches, le hachis d'échalotes et d'ail. Salez, poivrez, et laissez cuire à découvert une vingtaine de minutes.
5 - Cassez les œufs dans une terrine, ajoutez-leur un peu de lait écrémé, 1 pointe d'estragon en poudre, un peu de persil et de ciboulette hachés. Battez le tout après avoir salé légèrement.
6 - Lorsque le mélange tomate-aubergine est cuit (la sauce doit être bien réduite), ôtez le récipient du feu.
7 - Faites chauffer 1 cuillerée d'huile dans une poêle, versez-y les œufs battus et laissez cuire l'omelette 5 à 6 minutes. Remuez le centre à la spatule de bois pour accélérer la coagulation des œufs.
8 - Quand l'omelette est cuite, faites-la glisser sur un plat de service, tartinez-la de la préparation aux légumes, et repliez-la. Servez immédiatement.

VOS NOTES PERSONNELLES

Ecrire . . . .
. . . .
Acheter . . . .
. . . .
Téléphoner . . . .

Menu

SALADE GRENOBLOISE
(voir recette p. 179)

POULET AU FROMAGE
(voir recette p. 362)

GÂTEAU AU YAOURT
(voir recette ci-contre)

TOUT SAVOIR SUR...
LE YAOURT

Originaire des Balkans, le yaourt était tradition-nellement fabriqué au lait de brebis. Mais on ne commercialise pratiquement en France que des produits à base de lait de vache. L'acide lactique contenu dans le yaourt joue un rôle bénéfique dans le fonctionnement de l'appareil digestif. Il calme en particulier les gastrites et les ulcères. Dans l'intestin, l'acide lactique est à la fois un désinfectant et un régulateur de la flore microbienne. L'obsorption de yaourt, associée à un traitement antibiotique est aussi efficace que celle des ferments médicaux. Actuellement le commerce propose plusieurs types de yaourts : Les yaourts au lait entier contiennent 3,5 % de matières grasses. Les yaourts maigres ont une teneur en matières grases inférieure à 1 %. Les yaourts «nature» contiennent 1,2 % de matières grasses. Les yaourts peuvent avoir une consistance diffé-rente selon leur mode de fabrication : «fer-mes», ils sont coagulés en pots ; «brassés», ils sont coagulés en vrac et brassés avant la mise en pots, ce qui leur confère une certaine fluidité. C'est le cas notamment des yaourts dits «bulgares». Il existe aussi des yaourts à boire, entièrement liquides. De nouveaux types de yaourts sont apparus sur le marché, qui sont sucrés, et parfumés à l'aide d'arômes de fruits divers. De par la loi, ces arômes doivent être obligatoirement naturels et obtenus par distillation. Ils sont par conséquent incolores. On les additionne au lait au moment de l'ense-mencement. Dans la plupart des cas, ils sont accompagnés de colorants naturels. On trouve également dans le commerce des yaourts additionnés de pulpe ou de morceaux de fruits. Les yaourts sont conditionnés soit en pots de verre soit en pots plastiques. Sur la capsule, la date limite de consommation doit être portée en clair.

GÂTEAU AU YAOURT

Moyen   Très facile   Abordable

**POUR 6
A 8 PERSONNES
CUISSON : 1 heure
INGRÉDIENTS : 3 œufs**
1 yaourt nature
1/4 d'huile d'arachide
200 g de sucre
en poudre
450 g de farine
1/2 v. à liqu. de kirsch
1 sachet de levure
150 g d'amandes pilées

1 - Cassez les œufs dans un saladier, battez comme pour une omelette, et ajoutez le sucre. Travaillez bien le tout jusqu'à ce que le mélange blan-chisse.

2 - Versez alors le yaourt, l'huile, le kirsch, 1 pincée de sel. Remuez bien, puis ajoutez les amandes pilées et le conteu du sachet de levure.

3 - Incorporez la farine peu à peu en tournant constamment jusqu'à obtenir une pâte bien homogène.

4 - Beurrez un moule à gâteau à bords relevés afin que la couche de pâte ait une épaisseur de 6 à 7 cm environ.

5 - Mettez à cuire à four moyen pendant 1 heure. Lorsque le gâteau est cuit, démoulez-le sur un plat de service et laissez-le refroidir. Cette spécialité bulgare peut se servir tiède ou froide, nappée de compote, de confiture ou de crème anglaise.

LE TRUC DU CHEF

POUR LE GÂTEAU AU YAOURT : pour vous assurer de la bonne cuisson du gâteau, introduisez la lame d'un couteau pointu en son centre. Si une fois retirée, la lame est sèche, le gâteau est bien cuit.

Assurez-vous de la fraîcheur des yaourts, la date limite d'utilisation étant indiquée en clair sur la capsule. En fonction de vos goûts, vous avez le choix entre des yaourts au lait entier, demi-écrémé, ou à 0 % de matières grasses.

VOS NOTES PERSONNELLES

Ecrire . . . .

. . . .

Acheter . . . .

Téléphoner . . . .

Menu

FLAN AUX TROIS LÉGUMES
(voir recette ci-dessous)

RÔTI DE DINDONNEAU BONNE-FEMME
(voir recette p. 136)

GÂTEAU LUSITANIEN
(voir recette ci-contre)

MINI-RECETTE

FLAN AUX TROIS LÉGUMES

POUR 6 PERSONNES
CUISSON : 40 minutes environ
INGRÉDIENTS : 150 g de carottes
150 g de navets, 150 g de haricots verts
40 g de farine, 80 g de beurre
1 bloc de pâte brisée surgelée
1/3 litre de lait
100 g de gruyère râpée, sel, poivre

1 - Faites dégeler le bloc de pâte brisée.
2 - Pelez les carottes et les navets, et coupez-les en petits dés. Lavez les haricots verts, et détaillez-les en petits tronçons.
3 - Mettez tous ces légumes à cuire à l'eau bouillante salée une dizaine de minutes. Egouttez-les, et passez-les à la poêle 2 à 3 minutes dans une noix de beurre.
4 - Etalez la pâte au rouleau, et garnissez-en un moule à tarte préalablement beurré. Tapissez le tout de papier alu, et mettez à cuire à four chaud 20 minutes.
5 - Préparez une béchamel en faisant fondre 60 g de beurre dans une casserole. Ajoutez 30 g de farine, laissez cuire quelques instants sur feu doux en remuant à la cuiller de bois, puis versez le lait peu à peu. Salez, poivrez, et laissez cuire doucement 5 minutes sans cesser de tourner. En fin de cuisson, incorporez la moitié du gruyère râpé, puis ôtez le récipient du feu.
6 - Quand la pâte est cuite, retirez le papier alu, et versez dessus une partie de la béchamel, puis les légumes, et recouvrez du restant de la sauce. Parsemez avec le reste du gruyère râpée, et mettez à gratiner à four chaud 10 minutes. Servez immédiatement dans le plat de cuisson.

GÂTEAU LUSITANIEN

Moyen   Facile   Abordable

POUR 5
A 6 PERSONNES
CUISSON :
40 minutes environ
INGRÉDIENTS :
4 œufs entiers
300 g de sucre semoule
100 g de farine
250 g de beurre
6 jaunes d'œufs
1 zeste d'orange
1 verre de rhum
2 cuillerées à dessert
d'extrait de café
1 pincée de levure
1 sachet d'amandes
effilées

1 - Brossez soigneusement une orange à l'eau chaude, essuyez-la avec un torchon, puis râpez-en finement le zeste.
2 - Cassez 4 œufs entiers dans une casserole, et ajoutez 100 g de sucre. Mélangez bien le tout au bain-marie, sur feu moyen. Puis ôtez du feu et fouettez sans arrêt jusqu'à complet refroidissement.
3 - Incorporez à la préparation la farine en pluie, 50 g de beurre ramolli, 1 pincée de levure, et le zeste d'orange râpé. Travaillez soigneusement la préparation.
4 - Beurrez un moule à savarin d'environ 22 cm de diamètre, garnissez-le de la préparation, et mettez à cuire à four doux 35 à 40 minutes. Laissez refroidir.
5 - Mettez les 6 jaunes d'œufs dans une terrine avec 1 pincée de sel, et battez comme pour une omelette.
6 - Mettez 200 g de sucre dans une casserole avec 1 verre d'eau, et faites fondre sur feu doux jusqu'à ébullition. Faites alors bouillir vivement 2 bonnes minutes. Versez le sirop obtenu sur les jaunes d'œufs en battant au fouet. Laissez refroidir.
7 - Travaillez 200 g de beurre dans une terrine pour le réduire en pommade, et ajoutez peu à peu la préparation précédente. Mélangez bien et incorporez à la crème l'extrait de café.
8 - Découpez la couronne transversalement en trois parties d'épaisseur égale, et imbibez généreusement la pâte de rhum. Étalez une bonne couche de crème sur le disque inférieur et celui du milieu, et reconstituez le gâteau. Enrobez alors le tout de crème et parsemez d'amandes effilées.

VOS NOTES PERSONNELLES

Ecrire . . . .
. . . .
Acheter . . . .
. . . .
Téléphoner . . . .

20 OCTOBRE

SALADE DE MOULES
(voir recette ci-dessous)
**CÔTES DE VEAU
EN PAPILLOTES**
(voir recette ci-contre)
CRÊPES AUX POMMES
(voir recette p. 138)

MINI-RECETTE

SALADE DE MOULES

POUR 5 À 6 PERSONNES
CUISSON : 15 minutes environ
INGRÉDIENTS : 1 kg de moules
1 carotte, 1 oignon, 1 gousse d'ail
3 cuillerées à soupe de vinaigre
1 noix de beurre
2 cuillerées à café de moutarde
1 jaune d'œuf, 1 dl d'huile, 1 jus de citron
1 cœur de batavia, persil, sel, poivre

1 - Faites fondre 1 belle noix de beurre dans un faitout, et jetez-y la carotte et l'oignon coupés en fines rondelles, l'ail pilé. Laissez suer quelques minutes ces légumes sur feu doux. Poivrez.
2 - Mouillez le contenu du récipient avec un peu de vinaigre, et jetez-y les moules, après les avoir soigneusement lavées à plusieurs eaux. Mettez sur feu vif, et attendez que les coquillages s'ouvrent, en les remuant à la cuiller de bois. Otez le faitout du feu et laissez refroidir.
3 - Mettez dans un bol 2 cuillerées à café de moutarde, un peu de sel et de poivre, et le jaune d'œuf. Mélangez le tout et, au fouet, montez une mayonnaise en faisant couler l'huile régulièrement en mince filet. Aromatisez d'un jus de citron, et incorporez à la mayonnaise un fin hachis de persil.
4 - Lavez une batavia, réservez les belles feuilles du cœur, et tapissez-en un saladier.
5 - Décortiquez les moules, mettez-les sur les feuilles de salade, et versez dessus la mayonnaise. Mélangez délicatement avant de servir.

CÔTES DE VEAU EN PAPILLOTES

 Moyen   Très facile   Abordable

POUR 4 PERSONNES
CUISSON : 40 minutes
INGRÉDIENTS :
4 côtes de veau
400 g de carottes
400 g de navets
1 noisette de beurre
1 cuill. à soupe d'huile
Herbes de Provence
Sel, poivre

1 - Epluchez les navets et les carottes, coupez-les en petits morceaux, et faites-les bouillir 25 à 30 minutes à l'eau salée.
2 - Découpez des morceaux de papier aluminium de façon qu'ils entourent complètement chaque côté. Enduisez légèrement les côtes d'huile et passez-les à la plaque 2 minutes de chaque côté sur feu vif.
3 - Salez et poivrez les côtes de veau, saupoudrez-les à volonté d'herbes de Provence, puis enfermez-les dans le papier aluminium.
4 - Disposez ces papillotes sur la lèchefrite du four, et faites cuire 15 minutes à four moyen.
5 - Pendant ce temps, égouttez carottes et navets, et passez-les au moulin à légumes dans une casserole. Poivrez, incorporez 1 noisette de beurre et laissez sur feu très doux, à couvert.
6 - Lorsque les côtes sont cuites, disposez les papillotes sur un grand plat de service en découvrant une face de la viande. Entourez le veau de la purée de légumes. Servez immédiatement.

LE TRUC DU CHEF

POUR LES CÔTES DE VEAU EN PAPILLOTES : pour augmenter la saveur de la purée de carottes et de navets, vous pouvez y incorporer, hors du feu, 1 jaune d'œuf.
Vous pouvez choisir, pour cette recette, des côtes premières ou secondes. A noter que les côtes premières sont plus charnues (plus coûteuses aussi), les côtes secondes étant plus moelleuses.

VOS NOTES PERSONNELLES

Ecrire . . . .

Acheter . . . .

Téléphoner . . . .

Menu

OMELETTE AUX OIGNONS
(voir recette ci-dessous)

**DARNES DE COLIN
À LA BIÈRE**
(voir recette ci-contre)

BEIGNETS PRINCE EDOUARD
(voir recette p. 135)

MINI-RECETTE

OMELETTE
AUX OIGNONS

POUR 4 PERSONNES
CUISSON : 15 minutes environ
INGRÉDIENTS :
8 œufs, 2 oignons, 2 gousses d'ail
3 cuillerées à soupe d'huile d'olive
2 cuillerées à soupe de lait
1 pincée de cayenne, sel, poivre

1 - Epluchez les oignons, émincez-les finement.

2 - Epluchez les oignons, émincez-les finement.

3 - Faites chauffer l'huile dans une poêle et mettez-y les oignons à revenir. Remuez de temps en temps à la cuiller de bois.

4 - Cassez les œufs dans un petit saladier, et battez-les avec un peu de lait. Salez, poivrez, et ajoutez les gousses d'ail pilées et une pincée de cayenne.

5 - Lorsque les oignons ont pris une belle teinte dorée, versez dessus les œufs battus. Remuez vivement le centre de l'omelette afin de faciliter et d'accélérer la coagulation des œufs. Laissez cuire ensuite 4 à 5 minutes à feu doux.

6 - Lorsque l'omelette est cuite (on la fera plus ou moins baveuse selon les goûts), faites-la glisser sur un plat de service, et repliez-la sur elle-même. Servez immédiatement.

DARNES DE COLIN
A LA BIÈRE

Moyen   Facile   Abordable

POUR 6 PERSONNES
CUISSON : 45 minutes
INGRÉDIENTS :
6 darnes de colin
2 oignons
800 g de pommes
de terre
100 g de céleri-rave
1/2 l de bière blonde
120 g de beurre
30 g de farine
Laurier
Sel, poivre

1 - Mettez à cuire les pommes de terre en robe de chambre 20 minutes à l'eau bouillante salée ou, mieux encore, épluchez-les et faites-les cuire à la vapeur.

2 - Épluchez les oignons et coupez-les en fines rondelles. Détaillez le céleri-rave en petits cubes.

3 - Faites fondre 40 g de beurre dans une poêle, et mettez-y à blondir doucement ces légumes. Remuez à la cuillère de bois 4 à 5 minutes, puis versez la préparation dans un plat allant au four.

4 - Salez et poivrez les darnes de colin, et disposez-les dans le plat avec les légumes. Mouillez avec la bière, ajoutez une feuille de laurier, et mettez à cuire à four modéré 25 à 30 minutes.

5 - Quand le poisson est cuit, ôtez-le du plat et conservez-le au chaud. Réservez le liquide de cuisson et les légumes.

6 - Faites fondre 80 g de beurre dans une casserole, et ajoutez la farine. Mélangez quelques instants sur feu doux à la cuillère de bois, puis mouillez avec le liquide de cuisson (avec les légumes) du poisson. Laissez cuire une quinzaine de minutes sur feu doux en tournant constamment.

7 - Disposez à nouveau les darnes de colin dans le plat allant au four, entourez-les des pommes de terre épluchées, et nappez le tout de la sauce. Mettez à four moyen 5 à 7 minutes, et servez aussitôt dans le plat de cuisson.

VOS NOTES PERSONNELLES

Ecrire . . . .
. . . .
Acheter . . . .
. . . .
Téléphoner . . . .

Menu

**TERRINE DE PINTADE
EN CROÛTE**
(voir recette ci-contre)
CONTRE-FILET RÔTI
(voir recette p. 190)
**BLANCS D'ŒUFS
À LA CRÈME DE COGNAC**
(voir recette ci-dessous)

Boisson conseillée :
UN GRAVES ROUGE

MINI-RECETTE

BLANCS D'ŒUFS À LA CRÈME COGNAC

POUR 6 PERSONNES
CUISSON : 20 minutes environ
INGRÉDIENTS : 5 œufs, 1 litre de lait
1 petit verre de cognac
280 g de sucre en poudre
1 gousse de vanille, 1 pincée de sel

1 - Cassez les œufs, mettez les blancs dans un saladier, ajouter une petite pincée de sel, et montez-les en neige très ferme. Incorporez 80 g de sucre en poudre.
2 - Faites bouillir 1/4 de litre de lait dans une casserole, prélevez à la cuiller des boules de blancs d'œufs, et jetez-les dans le lait brûlant. Laissez ces boules cuire chacune 2 minutes environ, puis ôtez-les et mettez-les à égoutter.
3 - Confectionnez une crème au cognac comme suit : mettez les jaunes d'œufs dans une terrine, ajoutez 120 g de sucre, et travaillez le tout jusqu'à ce que le mélange blanchisse. Faites bouillir le lait avec la gousse de vanille, et versez-le brûlant sur la préparation aux œufs. Remuez bien, et mettez le tout dans une casserole. Ajoutez le cognac et tournez à la cuiller en bois, sur feu doux, quelques minutes, le temps pour la crème d'épaissir. Otez alors du feu, et laissez refroidir.
4 - Versez cette crème dans un plat de service creux, et disposez dessus les boules de blancs d'œufs.
5 - Faites un caramel et versez-le sur les blancs d'œufs.

TERRINE DE PINTADE EN CROÛTE

 Long — Facile — Abordable

POUR 6 A 8 PERSONNES
CUISSON : 1 h 45
INGRÉDIENTS : 1 pintade
250 g de chair
à saucisse
250 g de porc maigre
haché
400 g de farine
200 g de beurre
2 œufs
1 petite boîte
de pelures de truffes
1 v. à liqu. de cognac
Laurier, estragon
Sel, poivre

1 - Mélangez à la main la farine et le beurre. Faites un puits et versez un verre d'eau et une pincée de sel. Pétrissez soigneusement jusqu'à obtenir une pâte homogène, mettez en boule, et laissez reposer.
2 - Désossez la pintade crue, coupez grossièrement la chair en morceaux et mettez-la dans un saladier. Ajoutez le porc maigre haché, la chair à saucisse, un œuf entier, un peu de cognac et le contenu de la boîte de pelures de truffes, jus y compris. Salez, poivrez généreusement au moulin, et aromatisez d'un peu d'estragon en poudre et de laurier émietté. Mélangez bien le tout.
3 - Étalez la pâte au rouleau en lui donnant une épaisseur d'environ 5 mm, et prélevez-en le tiers. Beurrez une terrine et tapissez-la avec les deux tiers de la pâte, en appliquant bien celle-ci sur les parois et le fond. Veillez à laisser dépasser un peu la pâte sur les bords.
4 - Piquez le fond en quelques endroits à la fourchette, et garnissez la terrine de la préparation à la pintade. Recouvrez le tout avec le tiers de pâte restant, et soudez soigneusement les bords avec le bout des doigts.
5 - Badigeonnez le couvercle de pâte avec un jaune d'œuf à l'aide d'un pinceau, mettez à four moyen et laissez cuire 1 h 45.
6 - Quand la terrine est cuite, laissez-la refroidir avant de la démouler.

VOS NOTES PERSONNELLES

Ecrire . . . .

. . . .

Acheter . . . .

. . . .

Téléphoner . . . .

<table>
<tr><td>

</td></tr>
</table>

TOUT SAVOIR SUR...

LE GIBIER À POIL

La valeur calorique de la viande du gibier est deux fois moins importante que la viande de bœuf. Elle est légèrement plus riche en protides mais contient moins de lipides. Cela s'explique par le fait qu'elle provient d'animaux ayant une grande activité physique. Bien acceptée en général, la viande de gibier peut être déconseillée à certaines personnes atteintes d'affection rénale ou sujets à la goutte. Le gibier (souvent d'élevage) n'est proposé à la vente que pendant la saison de la chasse (automne-hiver). La production nationale étant insuffisante, nous importons des produits des pays de l'Est, souvent sous forme congelée. **Le sanglier** *et le* **marcassin** *proviennent d'Alsace et des Ardennes. Les morceaux recherchés sont le filet, le cuissot, les côtelettes.* **Le chevreuil,** *plus il est jeune, meilleure est la viande. Les morceaux appréciés sont la selle, la gigue, les côtes. Ces morceaux sont également les plus estimés pour* **la biche** *et le* **cerf. Le lièvre :** *les connaisseurs préfèrent le lièvre gris au roux. Choisissez* **le garenne** *jeune.*

ÉPAULE DE MARCASSIN RÔTIE

Long — Facile — Cher

POUR 6 PERSONNES
48 H A MARINER
CUISSON : 2 h 30
INGRÉDIENTS : 1 épaule
1 l de vin rouge
1 gros oignon
3 clous de girofle
2 échalotes, 2 gousses d'ail
2 cuill. à soupe d'huile
3 cuillerées à soupe de vinaigre
1 dl d'huile
2 v. à liqu. d'eau-de-vie de mirabelle
Thym, laurier, persil
Sel, poivre

1 - 48 h avant la cuisson, préparez une marinade comme suit : versez le vin rouge dans un grand récipient, plongez-y l'épaule de marcassin, et ajoutez l'oignon, les échalotes, la carotte coupés en rondelles, l'ail pilé, les clous de girofle, l'huile et le vinaigre, un peu de persil, de thym et de laurier. Salez, poivrez généreusement au moulin, et aromatisez le tout de 2 verres à liqueur d'eau-de-vie de mirabelle. Laissez ainsi mariner la viande 2 jours, en la retournant de temps en temps.

2 - Lorsque l'épaule a mariné le temps voulu, sortez-la du liquide, épongez-la, et disposez-la dans un plat allant au four. Arrosez d'huile et mettez la viande à rôtir 2 h 30 à four moyen.

3 - Versez la marinade dans une grande casserole, et faites-la cuire à découvert une bonne 1/2 heure. Puis passez-la, et réservez-la pour arroser l'épaule de temps en temps.

4 - Lorsque l'épaule est cuite, dressez-la sur un plat de service, présentez la sauce en saucière, et accompagnez d'une garniture de pommes vapeur ou mieux, d'une purée de marrons.

LE TRUC DU CHEF

POUR L'ÉPAULE DE MARCASSIN RÔTIE : une bonne part du gros gibier est importé congelé, d'Europe centrale principalement. Les sangliers de nos régions, ne représentent qu'environ 15 % de la consommation nationale. Leur coût est plus élevé mais les connaisseurs estiment que la différence de prix est justifiée.

VOS NOTES PERSONNELLES

Ecrire . . . .

Acheter . . . .

Téléphoner . . . .

24 OCTOBRE

Menu

SALADE À LA DUPRÉ
(voir recette ci-dessous)

**FILET DE PORC
À LA MARINADE**
(voir recette p. 229)

PAIN DE MARRONS
(voir recette ci-contre)

MINI-RECETTE

SALADE À LA DUPRÉ

POUR 5 À 6 PERSONNES
CUISSON : 45 minutes
INGRÉDIENTS : 4 artichauts
250 g de crevettes roses cuites
1 cœur de scarole, 2 feuilles d'estragon
Quelques brins de ciboulette
1 petit bouquet de cerfeuil
2 cuillerées à café de moutarde
1 citron, 6 cuillerées à soupe d'huile
Sel, poivre

1 - Mettez les artichauts debout dans un grand récipient, couvrez à mi-hauteur d'eau, salez d'une bonne pincée de gros-sel, et laissez cuire à petits bouillons 40 à 45 minutes.
2 - Nettoyez la scarole.
3 - Séparer les têtes des queues des crevettes roses, et décortiquez ces dernières.
4 - Lavez le cerfeuil, l'estragon et la ciboulette, et hachez finement ces trois herbes ensemble.
5 - Confectionnez une sauce dans un saladier comme suit : délayez la moutarde dans environ 3 cuillerées à soupe de jus de citron. Salez, poivrez, et versez l'huile en filet en tournant constamment à la cuiller.
6 - Quand les artichauts sont cuits, ôtez les feuilles et la «barbe» pour ne conserver que les cœurs et détaillez-les en quartiers.
7 - Mettez les cœurs d'artichauts et les queues de crevettes dans le saladier, remuez délicatement, puis ajoutez le hachis d'herbes, ainsi que les feuilles de scarole coupées en lanières. Remuez cette préparation juste avant de présenter la salade.

PAIN DE MARRONS

POUR 6 PERSONNES
CUISSON : 1 heure
INGRÉDIENTS :
1 kg de marrons
1 l de lait, 6 œufs
1 noix de beurre
100 g de sucre vanillé
100 g de sucre semoule
10 morceaux de sucre
1 gousse de vanille

1 - Ôtez l'écorce des marrons. Placez les marrons dans une casserole et recouvrez-les d'eau froide. Ajoutez une pincée de sel et laissez bouillir quelques instants jusqu'à ce que la peau puisse se détacher aisément.
2 - Égouttez alors les marrons et débarrassez-les de leur peau.
3 - Mettez-les dans une casserole avec 1 bon verre de lait et le beurre. Laissez à feu doux jusqu'à la cuisson complète des marrons.
4 - Pendant ce temps, cassez les œufs et mettez les blancs dans un saladier (conservez les jaunes). A l'aide d'un fouet, montez ces blancs en neige.
5 - Lorsque les marrons sont cuits, passez-les à la moulinette ou au mixer pour obtenir une purée homogène, ajoutez 1/4 de litre de lait, le sucre vanillé et les blancs en neige.
6 - Mettez les morceaux de sucre dans une petite casserole avec très peu d'eau, laissez chauffer jusqu'à obtention de caramel.
7 - Enduisez de ce caramel un moule à gâteau à bords hauts.
8 - Versez alors dans le moule la purée de marrons, placez-le dans un plat allant au four et contenant de l'eau chaude, et mettez le tout au four. Laissez cuire doucement 1 heure.
9 - Démoulez le gâteau sur un plat de service, et nappez-le, au moment de servir, d'une crème anglaise que vous aurez confectionnée en versant dans une casserole, sur les jaunes d'œufs tournés à la spatule, le reste du lait préalablement bouilli avec le sucre semoule et la gousse de vanille fendue. Le mélange doit épaissir en remuant quelques instants sur feu doux.

VOS NOTES PERSONNELLES

Ecrire . . . .
. . . .
Acheter . . . .
. . . .
Téléphoner . . . .

25 OCTOBRE

Menu

ASSIETTE DU JARDINIER
(voir recette ci-dessous)

POULET AUX CACAHUÈTES
(voir recette ci-contre)

APFELSTRUDEL
(voir recette p. 125)

MINI-RECETTE

ASSIETTE DU JARDINIER

POUR 5 À 6 PERSONNES
INGRÉDIENTS : 5 carottes
1/4 de chou-fleur
200 g de champignons de Paris
1 betterave cuite, 1 botte de radis
1/2 radis noir, 5 œufs
Ciboulette
1 cuillerée à soupe de moutarde
2 cuillerées à soupe de vinaigre
6 cuillerées à soupe d'huile
Sel, poivre

1 - Débarrassez les champignons de leur pied terreux, lavez-les en les pasant rapidement sous l'eau froide. Détaillez-les en lamelles.
2 - Épluchez la betterave, et coupez-la en petits dés.
3 - Épluchez les carottes. Râpez-les.
4 - Lavez soigneusement le chou-fleur, après l'avoir détaillé en petits bouquets, séchez-le dans un torchon.
5 - Lavez les radis, coupez-leur quelques feuilles et la queue. Épluchez-les en partie.
6 - Lavez soigneusement le radis noir, en lui conservant sa peau. Séchez-le et coupez-le en rondelles assez épaisses.
7 - Faites cuire les 5 œufs durs. Ecalez-les, et coupez-les en quatre dans le sens de la longueur. Salez et poivrez-les.
8 - Disposez tous ces éléments dans un grand plat de service.
9 - Confectionnez une vinaigrette comme suit : dans un bol, délayez la moutarde dans le vinaigre. Salez et poivrez. Puis, incorporez l'huile peu à peu. Ajoutez alors à volonté de la ciboulette hachée. Présentez en saucière.

POULET AUX CACAHUÈTES

Moyen · Facile · Abordable

**POUR 4
A 5 PERSONNES
CUISSON : 50 minutes
INGRÉDIENTS :**
1 poulet de 1,5 kg
6 tomates
2 oignons
125 g de cacahuètes grillées
3 belles aubergines
1 pet. v. d'huile d'arachide
6 pommes de terre
1 pincée de poivre rouge
Sel, poivre gris

1 - Coupez le poulet en morceaux et faites-les dorer dans une grande cocotte avec 1 petit verre d'huile d'arachide. Salez, poivrez.
2 - Pendant ce temps, confectionnez une pâte en pilant dans un mortier les cacahuètes avec 1 cuillerée d'huile. Réservez.
3 - Lorsque les morceaux de poulet ont pris couleur, épluchez les oignons, coupez-les finement, et mettez-les à revenir avec le poulet quelques instants.
4 - Mondez les tomates, après les avoir plongées quelques secondes dans de l'eau bouillante. Épluchez les aubergines.
5 - Concassez grossièrement les tomates, coupez les aubergines en rondelles, et ajoutez ces légumes au contenu de la cocotte.
6 - Laissez cuire le tout environ 5 minutes à feu moyen, puis mouillez avec 2 bon verres d'eau. Mettez le poivre rouge et couvrez le récipient.
7 - Laissez mijoter 20 minutes environ sur feu doux.
8 - Délayez dans la sauce la pâte de cacahuètes que vous avez confectionnée. Épluchez les pommes de terre et faites-les cuire dans la cocotte.
9 - Lorsque les pommes de terre sont cuites à point, dressez les morceaux de poulet dans un grand plat de service. Entourez-les des pommes de terre et nappez le tout de la sauce aux légumes et aux cacahuètes. Servez très chaud.

VOS NOTES PERSONNELLES

Ecrire . . . .

Acheter . . . .

Téléphoner . . . .

Menu

SALADE BIGARRÉE
(voir recette p. 205)

CŒUR DE VEAU EN ESCALOPES
(voir recette p. 247)

TARTE AGENAISE
(voir recette ci-contre)

TARTE AGENAISE

POUR 6 A 8 PERSONNES
CUISSON : 25 minutes
INGRÉDIENTS :
250 g de pruneaux
1 verre de vin rouge
1 pincée de cannelle
220 g de farine
1 œuf
100 g de beurre
80 g de sucre en poudre
1 pincée de sel

1 - Lavez soigneusement les pruneaux, séchez-les et mettez-les dans un saladier.

2 - Dans une casserole, faites bouillir 1/2 litre d'eau avec le vin rouge et la pincée de cannelle.

3 - Versez le liquide bouillant sur les pruneaux. Laissez les fruit macérer environ 3 heures.

4 - Confectionnez une pâte brisée en mélangeant la farine, l'œuf entier, Q75 g de beurre, une pincée de sel. Pétrissez bien le tout en ajoutant un peu d'eau.

5 - Lorsque la pâte est homogène, formez-la en boule, farinez-la et laissez reposer 1 heure.

6 - Étalez ensuite la pâte au rouleau sur une épaisseur de 5 mm.

7 - Beurrez un moule à tarte, disposez la pâte, piquez-la en divers endroits avant de la recouvrir de papier aluminium. Ce procédé a pour avantage d'éviter l'affaissement des bords de la tarte. Mettez à four chaud 15 minutes. Puis retirez-la du four et laissez refroidir.

8 - Lorsque les pruneaux ont macéré le temps voulu, disposez-les en les répartissant bien sur la pâte.

9 - Versez le jus de macération dans une petite casserole. Ajoutez 60 g de sucre en poudre, et laissez réduire ce mélange sur feu doux pour obtenir un sirop.

10 - Nappez les pruneaux de ce sirop, saupoudrez les fruits de sucre, et remettez à four chaud 10 minutes.

11 - Présentez la tarte sur un plat de service, tiède ou froide.

TOUT SAVOIR SUR...

LES FRUITS SECS

Les fruits secs apportent à l'organisme une valeur nutritive et calorique importante. Les fruits en coque sont riches en lipides, les fruits séchés en glucides. Comportant de nombreux éléments minéraux et vitamines, les fruits secs sont particulièrement appréciés en hiver. Parmi les fruits en coque, citons : **les noix**, les amateurs préfèrent celles de la région de Grenoble. La Corrèze et le Lot en fournissent également. **Les noisettes**, celles de Sicile ont la préférence des connaisseurs. **Les amandes** proviennent du midi de la France mais, également, de Tunisie, d'Italie, d'Espagne. **Les cacahuètes**, celles d'Afrique noire sont très prisées. Parmi les fruits séchés, il faut citer : **les figues**, la Tunisie fournit les meilleures. **Les dattes** viennent d'Algérie et de Tunisie. La datte « muscade » a été traitée afin de lui donner un aspect brillant et un toucher poisseux. **Les pruneaux**, la région d'Agen fournit les fruits les plus réputés. Ils bénéficient d'une Appellation Contrôlée. **Les raisins**, la Grèce est le principal fournisseur de raisins secs. Ceux de Smyrne et de Corinthe sont particulièrement connus.

VOS NOTES PERSONNELLES

Ecrire . . . .

. . . .

Acheter . . . .

. . . .

Téléphoner . . . .

Menu

CROQUETTES AU GRUYÈRE
(voir recette ci-dessous)

**ESCALOPES DE DINDE
À LA ROCHENARD**
(voir recette ci-contre)

POIRES BOURDALOUE
(voir recette p. 6)

MINI-RECETTE

CROQUETTES AU GRUYÈRE

POUR 6 PERSONNES
CUISSON : 30 minutes
INGRÉDIENTS : 5 œufs
250 g de gruyère râpé, 80 g de beurre
80 g de farine, 50 cl de lait
100 g de chapelure, sel, poivre
1 bain de friture

1 - Faites fondre 80 g de beurre dans une casserole. Ajoutez la farine en pluie, et tournez le mélange 2 à 3 minutes sur feu très doux, à la cuiller de bois. Puis mouillez avec le lait, portez à ébullition, salez, poivrez, et prolongez la cuisson de 3 à 4 minutes sans cesser de tourner.

2 - Hors du feu, incorporez 1 œuf entier et 3 jaunes, le gruyère râpé, mélangez soigneusement, coulez cette préparation sur une plaque au fond de laquelle vous aurez placé une feuille de papier sulfurisé légèrement huilé, et laissez refroidir complètement.

3 - Taillez des petits bâtonnets dans la pâte refroidie, de la dimension d'un doigt, et passez chacun d'eux dans la farine, l'œuf battu, puis roulez-les dans la chapelure.

4 - Plongez ces préparations dans un bain de friture bouillant et laissez dorer les croquettes. Puis ôtez-les avec une écumoire et mettez-les à égoutter sur du papier absorbant.

5 - Dressez les croquettes sur un plat de service, et servez aussitôt.

ESCALOPES DE DINDE A LA ROCHENARD

Moyen   Très facile   Abordable

POUR 4 PERSONNES
CUISSON :
30 minutes environ
INGRÉDIENTS :
4 escalopes
2 beaux oignons
1 gousse d'ail
1 noix de concentré de tomates
2 v. de vin blanc
4 œufs
100 g de gruyère râpé
1 feuille de laurier
3 cuill. à soupe d'huile
1 noix de beurre
Sel, poivre

1 - Faites chauffer le mélange de beurre et d'huile dans une sauteuse, et mettez-y à dorer les escalopes après les avoir salées et poivrées.

2 - Pelez les oignons, hachez-les grossièrement et ajoutez-les à la viande.

3 - Quand les escalopes et les oignons ont pris couleur, mouillez avec le vin blanc, aromatisez d'une feuille de laurier et d'une gousse d'ail pilée, et délayez une grosse noix de concentré de tomates dans la sauce. Salez légèrement, poivrez, et laissez mijoter à découvert 5 minutes environ.

4 - Passé ce temps, cassez les œufs dans la sauce, parsemez le tout avec le gruyère râpé, et laissez cuire à feu moyen une dizaine de minutes.

5 - Servez aussitôt dans le récipient de cuisson.

LE TRUC DU CHEF

POUR LES CROQUETTES AU GRUYÈRE : vous pouvez pour cette recette, utiliser toutes les pâtes pressées cuites, qu'il s'agisse d'emmenthal, de comté ou de beaufort.

POUR LES ESCALOPES DE DINDE À LA ROCHENARD : à défaut d'escalopes de dinde, vous pouvez parfaitement cuisiner des escalopes de veau. C'est tout aussi délicieux.

VOS NOTES PERSONNELLES

Ecrire . . . .
. . . .
Acheter . . . .
. . . .
Téléphoner . . . .

Menu

SOUPE AUX CLAMS
(voir recette ci-dessous)

**ROUGETS GRONDINS
AU PASTIS**
(voir recette p. 181)

SORBET À L'ORANGE
(voir recette ci-contre)

MINI-RECETTE

SOUPE AUX CLAMS

POUR 5 À 6 PERSONNES
CUISSON : 40 minutes
INGRÉDIENTS : 1,5 kg de clams
150 g de poitrine fumée
2 oignons, 1 branche de céleri
3 tomates, 1 branche de persil
4 pommes de terre moyennes
1 cuillerée à soupe de farine
1 noix de beurre
Thym, laurier, cerfeuil, sel, poivre

1 - Lavez soigneusement, à grande eau, les coquillages.

2 - Dans un faitout, mettez les clams et faites-les ouvrir à feu vif, sans apport de liquide. Dès que les coquillages sont ouverts, ôtez du feu.

3 - Enlevez les mollusques de leurs coquilles. Passez, dans un linge fin, l'eau rendue par les clams. Réservez.

4 - Pelez les tomates.

5 - Lavez, épluchez et hachez les oignons et le céleri. Épluchez et coupez les pommes de terre en morceaux. Détaillez le lard en dés.

6 - Dans une grande casserole, faites revenir le lard et les oignons dans un peu de beurre. Puis saupoudrez avec la farine et remuez.

7 - Ajoutez alors les tomates coupées, le céleri, les pommes de terre, le persil, le thym et le laurier. Mouillez avec l'eau des clams et 1 litre 1/2 d'eau. Salez, poivrez.

8 - Couvrez la casserole et laissez bouillir doucement une bonne demi-heure. Ajoutez alors les clams dans la soupe et laissez cuire encore 5 minutes.

9 - Versez la soupe dans une soupière, et parsemez de persil et cerfeuil haché.

SORBET A L'ORANGE

Long — Très facile — Pas cher

**POUR 6 PERSONNES
CUISSON :
simple ébullition
9 h au RÉFRIGÉRATEUR
INGRÉDIENTS :
7 belles oranges
200 g de sucre
en poudre
2 blancs d'œufs**

1 - Brossez soigneusement à l'eau chaude les oranges et séchez-les.

2 - Découpez un chapeau, côté queue, sur 6 oranges. A l'aide d'une petite cuillère, évidez-les de leur pulpe. Réservez les peaux, en ayant bien pris soin de ne pas les avoir abîmées pendant l'opération. Elles serviront à présenter les sorbets. En attendant, placez-les au réfrigérateur.

3 - Pressez la pulpe des oranges pour en extraire le jus.

4 - Dans une casserole, mettez 1/4 de litre d'eau, les 200 g de sucre et le zeste de la 7e orange. Allumez à feu vif et retirez au premier bouillon. Laissez refroidir.

5 - Ajoutez le jus des 7 oranges au sirop, et remuez bien le tout.

6 - Versez alors le mélange dans un moule en aluminium et placez-le dans le compartiment à glaçons du réfrigérateur, réglé au maximum de froid. Laissez 4 heures.

7 - Passé ce temps, sortez le mélange du réfrigérateur. Cassez les œufs et séparez les blancs des jaunes.

8 - Placez ces blancs dans un saladier et montez-les en neige très ferme, jusqu'à ce qu'ils collent parfaitement au fouet.

9 - Incorporez délicatement les blancs battus en neige au mélange sorti du réfrigérateur, et remuez bien le tout afin d'obtenir une crème homogène.

10 - Sortez les six oranges évidées du réfrigérateur, et remplissez-les de cette préparation. Replacez les chapeaux sur les oranges et remettez dans le bac à glaçons. Laissez encore 5 heures avant de consommer.

VOS NOTES PERSONNELLES

Ecrire . . . .

. . . .

Acheter . . . .

. . . .

Téléphoner . . . .

Menu

**OMELETTE SOUFFLÉE
AU ROQUEFORT**
(voir recette p. 112)

FOIES DE CANARD AU PORTO
(voir recette ci-contre)

GÂTEAU DE L'ARGOAT
(voir recette ci-dessous)

Boisson conseillée :
UN MORGON

MINI-RECETTE

GÂTEAU
DE L'ARGOAT

POUR 5 À 6 PERSONNES
CUISSON : 40 minutes
INGRÉDIENTS : 250 g de farine
150 g de sucre semoule
150 g de beurre, 3 œufs + 1 jaune
1 petit verre de rhum, 1 pincée de sel

1 - Dans un grand saladier, ramollissez le beurre en le malaxant avec une cuiller en bois. Lorsqu'il est en pommade, ajoutez le sucre, et mélangez bien pour obtenir une crème homogène.
2 - Ajoutez les œufs entiers un par un, une bonne pincée de sel, puis peu à peu la farine en pluie. Pétrissez longuement cette pâte, en lui incorporant le petit verre de rhum.
3 - Beurrez largement un moule à manqué et mettez-y la pâte.
4 - Battez un jaune d'œuf dans un bol, et, à l'aide d'un pinceau, badigeonnez-en le dessus du gâteau. Avec les dents d'une fourchette, dessinez une rosace en guise de décor.
5 - Mettez à four moyen pendant 40 minutes. Laissez-le ensuite refroidir avant de servir.

FOIES DE CANARD
AU PORTO

Moyen Facile Abordable

POUR 6 PERSONNES
CUISSON :
30 minutes environ
INGRÉDIENTS :
750 g de foies
250 g de champignons
1 zeste d'orange
1 verre de porto
50 g de beurre
3 cuill. à soupe d'huile
6 échalotes
Cerfeuil
Sel, poivre

1 - Débarrassez les champignons de leur pied terreux, passez-les à l'eau courante, et séchez-les sur du papier absorbant. Puis détaillez-les en lamelles.
2 - Faites chauffer dans une sauteuse un peu de beurre et d'huile, et mettez-y à dorer les champignons sur feu vif. Puis ôtez-les du récipient et procédez de même avec les foies que vous laisserez prendre couleur 7 à 8 minutes. Salez, poivrez. Réservez avec les champignons.
3 - Pelez les échalotes, hachez-les finement, et mettez-les à blondir avec 1 noix de beurre dans la même sauteuse. Mouillez alors avec le porto, râpez un petit zeste d'orange et laissez mijoter 3 minutes.
4 - Remettez alors les champignons et les foies dans la sauteuse, faites-les chauffer sans ébullition, et présentez dans un plat de service creux, après avoir ciselé un petit bouquet de cerfeuil.

LE TRUC DU CHEF

POUR LES FOIES DE CANARD AU PORTO : les foies de canard étant, à l'inverse des foies de poulet, rarement vendus tels, prenez la précaution de les commander à votre volailler.

POUR LE GÂTEAU DE L'ARGOAT : ce gâteau qui figure à toutes les réceptions bretonnes, en gise de dessert, est également excellent trempé dans le café au lait, et même dans du vin rouge.

VOS NOTES PERSONNELLES

Ecrire . . . .

Acheter . . . .

Téléphoner . . . .

TOUT SAVOIR SUR...

LA SOLE

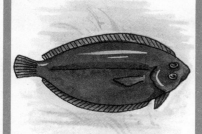

La sole est un poisson plat, au corps ovale entouré de nageoires, que l'on pêche de la mer du Nord jusqu'à la Méditerranée. La face supérieure du poisson possède de fines écailles brun foncé. Cette face porte les yeux. La face inférieure est blanche. Pendant la période d'abondance qui se situe d'octobre à mai, les poissonniers proposent le plus souvent deux espèces très proches : **la sole franche**, qui est la plus estimée, possède une chair blanche et ferme. **La sole perdrix** est de taille inférieure à la précédente. Son corps est strié de bandes noires, sa chair est fine, sans toutefois avoir la délicatesse de la sole franche. Un poisson frais doit présenter une peau brillante et bien tendue, la chair ferme mais élastique sous la pression du doigt, les ouïes brillantes et de couleur uniforme. L'odeur doit être celle de la marée, sans le moindre soupçon d'ammoniac. Compte tenu des déchets qui avoisinent 50 %, comptez une part de 250 g par personne.

VELOUTÉ DE SOLES AMANDINE

Moyen Facile Abordable

POUR 5 A 6 PERSONNES
CUISSON :
35 minutes environ
INGRÉDIENTS :
750 g de soles
2 échalotes
1 poireau
1 branche de céleri
1 carotte
1 v. de vin blanc sec
75 g de farine
2 jaunes d'œufs
60 g de beurre
15 cl de crème fraîche
Thym, laurier
Sel, poivre

1 - Demandez à votre poissonnier de vous lever les filets de soles, et conservez les têtes et les arêtes.

2 - Épluchez la carotte et les échalotes, et coupez-les en fines rondelles. Lavez le poireau, débarrassez-le des feuilles vertes pour n'en conserver que le blanc. Émincez-le finement. Épluchez une petite branche de céleri.

3 - Confectionnez un fumet de poisson avec 1 litre d'eau, le vin blanc, le céleri, la carotte, le poireau, les échalotes, les têtes et arêtes de poisson. Salez, poivrez, aromatisez d'un peu de thym et de laurier, et laissez frémir le liquide 20 minutes à couvert.

4 - Passé ce temps, filtrez le fumet au tamis dans une marmite, et mettez-y à pocher les filets de sole 4 à 5 minutes. Puis passez la chair à la moulinette et replacez cette purée dans le liquide de cuisson.

5 - Faites fondre 60 g de beurre dans une casserole, et ajoutez la farine en pluie. Mélangez 2 à 3 minutes sur feu doux à la cuillère de bois.

6 - Prélevez 2 verres de fumet de poisson bouillant et mouillez-en le roux blanc. Délayez bien au fouet et versez cette préparation dans la marmite.

7 - Laissez cuire 4 à 5 minutes et, hors du feu, incorporez la crème fraîche et les jaunes d'œufs. Mettez en soupière et servez immédiatement.

VOS NOTES PERSONNELLES

Ecrire . . . .

Acheter . . . .

Téléphoner . . . .

31 OCTOBRE

Menu

COUPES DE FRUITS DE MER
(voir recette p. 53)

BOUDIN NOIR JARDINIÈRE
(voir recette ci-dessous)

KUIGN-AMAN
(voir recette ci-contre)

MINI-RECETTE

BOUDIN NOIR JARDINIÈRE

POUR 4 PERSONNES
CUISSON : 30 minutes
**INGRÉDIENTS : 750 g de boudin noir
1 kg de poireaux, 1 noix de beurre
2 cuillerées à soupe d'huile, sel, poivre**

1 - Faites fondre dans une sauteuse le mélange de beurre et d'huile, et mettez-y le boudin noir à dorer sur toutes ses faces une dizaine de minutes sur feu modéré.

2 - Pendant ce temps, débarrassez les poireaux de leurs feuilles vertes pour ne conserver que le blanc, lavez soigneusement les légumes à plusieurs eaux, séchez-les, et émincez-les finement.

3 - Quand le boudin a pris couleur, ôtez les morceaux du récipient et jetez les poireaux dans la graisse de cuisson. Laissez blondir le légume quelques minutes sur feu doux en tournant de temps en temps à la cuiller de bois. Salez, poivrez.

4 - Passé ce temps, replacez le boudin dans la sauteuse avec les poireaux, couvrez le récipient, et laissez cuire doucement 10 à 15 minutes.

5 - Disposez au mieux les poireaux sur un plat de service, placez le boudin dessus, et servez aussitôt.

KUIGN-AMAN

Long   Facile   Abordable

**POUR 5
A 6 PERSONNES
CUISSON : 25 minutes
INGRÉDIENTS :
350 g de farine
250 g de beurre
200 g de sucre
en poudre
1 jaune d'œuf
1 pincée de sel
10 g de levure de bière**

1 - Dans 1/4 de verre d'eau tiède, délayez la levure de bière.

2 - Dans une jatte, mettez 50 g de farine, creusez un puits et versez-y la levure délayée. Mélangez bien avec une spatule en bois. Quand la pâte ne colle plus au récipient, recouvrez le tout d'un linge et laissez 2 heures dans un endroit tiède.

3 - Ajoutez ensuite le reste de la farine, une bonne pincée de sel, et pétrissez à la main en ajoutant la valeur de 1/2 verre d'eau. Mettez la pâte en boule, et laissez encore lever 2 heures, en recouvrant toujours d'un linge.

4 - Passé ce temps, farinez une planche à pâtisserie, et étalez la pâte, d'abord avec la paume des mains, ensuite au rouleau pour en faire une large galette, quatre fois plus épaisse au centre que sur les bords.

5 - Recouvrez la galette au centre de petits morceaux de beurre, puis saupoudrez de sucre. Repliez ensuite les bords de façon à masquer complètement beurre et sucre.

6 - Étalez à nouveau la pâte en rectangle (trois fois plus long que large), en prenant soin de ne pas la crever. Repliez en trois et recommencez l'opération trois fois.

7 - Mettez la pâte ainsi travaillée dans un moule à tarte et badigeonnez-en le dessus avec le jaune d'œuf préalablement battu. Tracez sur le gâteau les motifs de votre choix avec les dents d'une fourchette.

8 - Mettez à cuire à four très chaud 25 minutes. En fin de cuisson, démoulez le kuign-aman sur un plat de service. Servez tiède.

VOS NOTES PERSONNELLES

Ecrire . . . .

. . . .

Acheter . . . .

. . . .

Téléphoner . . . .

Menu

TARTE AU FROMAGE
(voir recette ci-contre)

**CERVELLES D'AGNEAU
AUX ÉPINARDS**
(voir recette p. 173)

PETS-DE-NONNE
(voir recette p. 245)

TOUT SAVOIR SUR...

LES FROMAGES PERSILLÉS DE VACHE

*Les persillés de vache que l'on appelle « bleus » sont des fromages fabriqués avec du lait de vache. Ils possèdent une pâte molle qui présente des moisissures produites par un champignon microscopique. Les fromages se divisent en deux catégories : **les bleus à croûte naturelle sèche** comme les bleus de Bresse, de Gex, la fourme d'Ambert... **Les bleus à croûte amincie par brossage** : ce sont les bleus d'Auvergne, du Quercy, des Causses... Les bleus sont présents toute l'année sur les marchés et de qualité constante. Parmi les plus commercialisés, citons : **le bleu d'Auvergne**, un fromage fermier, dont la fabrication est identique à celle du roquefort. Il bénéficie d'une Appellation d'Origine Contrôlée ; **le bleu de Bresse**, possède une pâte onctueuse et très persillée ; **le bleu de Gex** est fabriqué uniquement avec du lait de certains pâturages du Jura et de l'Ain ; **la fourme d'Ambert** au goût doux et fruité est réalisée à partir de lait écrémé, son persillage est naturellement acquis lors de l'affinage.*

TARTE AU FROMAGE

Moyen — Très facile — Abordable

**POUR 5
A 6 PERSONNES
CUISSON : 30 minutes
INGRÉDIENTS :**
220 g de farine
100 g de beurre
4 œufs
250 g de gruyère
200 g de bleu de Bresse
3 cuill. à soupe d'huile
Sel, poivre

1 - Confectionnez une pâte brisée en mélangeant dans un grand saladier la farine, 1 œuf entier, 75 g de beurre, une pincée de sel. Pétrissez bien le tout en ajoutant un peu d'eau pour faciliter l'opération.

2 - Lorsque la pâte est homogène, formez-la en boule, farinez-la, et laissez reposer environ 1 heure.

3 - Pendant ce temps, râpez le gruyère, et mélangez-le au bleu de Bresse préalablement écrasé à la fourchette. Ajoutez 3 œufs entiers, 3 cuillerées à soupe d'huile. Salez légèrement, poivrez au moulin, et remuez bien la préparation à la cuillère de bois.

4 - Beurrez un moule à tarte et disposez-y la pâte, après l'avoir étalée sur une épaisseur de 5 mm environ. Piquez le fond à la fourchette en divers endroits, et tapissez la pâte de papier d'aluminium pour éviter que les bords ne s'affaissent.

5 - Mettez à cuire à four chaud 15 minutes, puis retirez du four. Ôtez le papier d'aluminium, et garnissez la pâte de la préparation au fromage. Remettez à four moyen 12 à 15 minutes, jusqu'à ce que la garniture au fromage ait gonflé et pris une belle couleur dorée.

6 - Présentez la tarte sur un grand plat de service et servez-la chaude ou tiède.

VOS NOTES PERSONNELLES

Ecrire . . . .

. . . .

Acheter . . . .

. . . .

Téléphoner . . . .

2 NOVEMBRE

Menu

PETITS OIGNONS GLACÉS
(voir recette p. 149)

POTÉE DE CHOUX-VERTS
(voir recette ci-contre)

BOURDELOTS DE LISIEUX
(voir recette p. 48)

TOUT SAVOIR SUR...

LES SAUCISSONS

Les saucissons, dont les variétés sont grandes, sont des produits de charcuterie présentés dans des boyaux, le plus souvent artificiels. On les divise en deux grands groupes : les saucissons secs et les saucissons cuits. **Les saucissons secs** : ils sont fabriqués avec de la viande maigre et du gras dur et ont subi une maturation-dessication. Parmi les nombreuses variétés, citons « le saucisson de ménage », généralement pur porc. « Le jésus », spécialité lyonnaise, de gros diamètre, ficelé avec de la ficelle. « Le saucisson de Lyon », pur porc ou porc et bœuf est présenté sous filet. « La rosette », pur porc, présentée également sous filet. **Les saucissons cuits** : ils peuvent être réalisés avec de la viande de porc, de bœuf, de veau, de volaille. « Le saucisson de Paris » est une préparation pur porc, avec ou sans ail, fumé ou non. « La mortadelle », d'origine italienne, est un gros saucisson, cuit à sec, comportant une pâte fine et de gros dés de gras.

POTÉE DE CHOUX VERTS

 Long   Facile   Abordable

**POUR 6
A 8 PERSONNES
CUISSON : 2 h 40
INGRÉDIENTS :**
1 jambonneau 1/2 sel
500 g de poitrine fumée
2 saucissons à cuire
2 choux verts
500 g de carottes
200 g de navets
1 gros oignon
4 clous de girofle
2 branches de céleri
1 kg de pommes de terre
4 gousse d'ail
Thym, laurier
Sel, poivre

1 - Dans un grand récipient, mettez à dessaler le jambonneau 2 à 3 heures en renouvelant l'eau de temps en temps.

2 - Dans un faitout, placez le jambonneau dessalé et la poitrine fumée, recouvrez largement d'eau froide, portez à ébullition et laissez cuire 1 heure avec l'oignon piqué de clous de girofle, un peu de thym et de laurier.

3 - Pendant ce temps, épluchez les carottes, les navets et les branches de céleri. Coupez tous ces légumes en morceaux. Épluchez et pilez les gousses d'ail.

4 - Débarrassez les choux des feuilles fanées ou jaunies qui les enveloppent, coupez-les en quatre, et faites-les blanchir quelques minutes dans de l'eau bouillante salée. Égouttez-les.

5 - Après 1 heure de cuisson des viandes, ajoutez-leur tous les légumes, poivrez et laissez cuire à couvert pendant 1 heure.

6 - Épluchez alors les pommes de terre et mettez-les entières dans la potée avec les saucissons à cuire. Goûtez le bouillon, ajoutez une pincée de sel si nécessaire, et laissez cuire encore 1/2 heure à découvert.

7 - Au moment de servir, présentez les viandes et les légumes à part, et versez le bouillon en soupière. Servez très chaud.

VOS NOTES PERSONNELLES

Ecrire . . . .

. . . .

Acheter . . . .

. . . .

Téléphoner . . . .

Menu

CÉLERI-RAVE AU CITRON
(voir recette ci-contre)

BOULETTES DE VIANDE AUX NAVETS
(voir recette p. 150)

SAVARIN AU GRAND-MARNIER
(voir recette ci-dessous)

MINI-RECETTE

SAVARIN AU GRAND MARNIER

POUR 4 PERSONNES
CUISSON : 30 minutes
INGRÉDIENTS : 125 g de farine
75 g de beurre, 3 œufs
350 g de sucre en poudre
2 cuillerées de crème fraîche
10 g de levure chimique
1 dl de grand marnier

1 - Mélangez 50 g de beurre ramolli, 3 œufs, et 100 g de sucre semoule dans une terrine, battez au fouet assez longuement, ajoutez la farine en une seule fois, travaillez toujours, puis incorporez la crème fraîche et la levure.

2 - Beurrez un moule en forme de couronne, versez-y la pâte, et faites cuire 30 minutes à four moyen. Dès la sortie du four, enveloppez complètement le moule et le gâteau dans un linge propre.

3 - Faites bouillir 1/4 litre d'eau avec 250 g de sucre en poudre dans une casserole pendant 3 ou 4 minutes, développez le gâteau, démoulez-le. Ajoutez le grand marnier au sirop en ébullition, arrosez le gâteau très chaud, avec le sirop très bouillant. Puis laissez refroidir et servez froid.

CÉLERI-RAVE AU CITRON

Moyen   Très facile   Pas cher

POUR 5
A 6 PERSONNES
CUISSON : 30 minutes
INGRÉDIENTS :
1 céleri-rave
4 tomates
1 œuf
1 gousse d'ail
1 branche de persil
2 citrons
1 cuill. à soupe d'huile
2 cuillerée à café
de moutarde
Sel, poivre

1 - Coupez le sommet du céleri-rave et les petites racines. Puis, à l'aide d'un fort couteau, détaillez le légume en tranches de 1 cm environ d'épaisseur.

2 - Éliminez tous les points noirs, et épluchez les tranches au couteau économe.

3 - Mettez à cuire le céleri dans une casserole d'eau bouillante salée avec le jus d'un citron pendant 30 minutes environ.

4 - Pendant ce temps, faites durcir l'œuf à l'eau bouillante 15 minutes, et écalez-le sous l'eau froide.

5 - Lavez les tomates et essuyez-les avec un torchon. Coupez-les en quartiers, salez-les. Réservez.

6 - Dans un bol, délayez la moutarde dans le jus d'un citron, salez, poivrez, ajoutez une bonne cuillerée d'huile. Tournez bien le tout pour obtenir une sauce homogène. Incorporez une gousse d'ail pilée.

7 - Quand le céleri-rave est cuit (vérifiez avec la pointe d'un couteau qui doit s'enfoncer aisément), sortez les tranches, égouttez-les sur du papier absorbant, et disposez-les au mieux sur un grand plat de service.

8 - Entourez le céleri des quartiers de tomates. Nappez le céleri de la sauce au citron, parsemez d'un fin hachis de persil. Passez l'œuf à la moulinette sur les œufs et servez aussitôt.

VOS NOTES PERSONNELLES

Ecrire . . . .

. . . .

Acheter . . . .

. . . .

Téléphoner . . . .

Menu

WELSH-RAREBIT
(voir recette p. 185)

HUÎTRES AU FEU
(voir recette ci-contre)

MOKA DE RIO
(voir recette p. 8)

HUITRES AU FEU

POUR 4 PERSONNES
CUISSON : 40 minutes
INGRÉDIENTS :
2 dz d'huîtres
1 v. de vin blanc sec
250 g de champignons
1 cuill. à soupe de farine
50 g de beurre
1 dl de crème fraîche
Persil, laurier
1 verre de chapelure
Sel, poivre

TOUT SAVOIR SUR...

LES HUITRES

Les huîtres peuvent être considérées comme un aliment complet, au même titre que le lait. Riches en vitamines, sels minéraux et iode, elles sont recommandées aux enfants et aux convalescents. On distingue deux grands groupes d'huîtres : la creuse et la plate. **L'huître creuse** n'est pas, en réalité, une huître mais un mollusque voisin appartenant à la famille des gryphées. Les huîtres creuses proviennent d'élevages et peuvent se diviser en trois qualités : « la portugaise » proprement dite, est la plus ordinaire. « La fine de claire » est engraissée pendant trois mois en bassin. « La spéciale » séjourne, elle, six mois en bassin. Les huîtres creuses sont classées par taille, de 1 à 6, le n° 1 correspondant aux plus grosses. **L'huître plate** est élevée et engraissée en bassin. Les plus célèbres sont : « la belon » belle huître à chair blanche ; « la marenne » de teinte verdâtre. Les huîtres plates sont classées en fonction de la taille, du triple zéro (les plus grosses) à 6. On trouve des huîtres toute l'année sur les marchés. La condition indispensable à une bonne huître est sa fraîcheur. Elle doit être vivante et la coquille fermée.

1 - Ouvrez les huîtres, détachez-les de leur coquille, et mettez-les dans une casserole avec leur eau tamisée et le verre de vin blanc. Mettez à pocher à feu doux et faites frémir le liquide 2 minutes.

2 - Débarrassez les champignons de leur pied terreux, lavez-les, séchez-les sur du papier absorbant. Détaillez-les en fines lamelles.

3 - Faites fondre une noix de beurre dans une casserole, et mettez à revenir les champignons. Lorsqu'ils ont pris couleur, saupoudrez avec la farine et remuez le tout à la cuillère de bois jusqu'à ce que la farine roussisse légèrement. Mouillez alors avec le jus de cuisson des huîtres.

4 - Tournez cette sauce en raclant bien le fond du récipient à la cuillère de bois afin de décoller la farine qui pourrait s'y être attachée. Poivrez, ajoutez la crème, et laissez cuire à découvert, sur feu doux, 10 minutes.

5 - Égouttez les huîtres et mettez-les dans la sauce, hors du feu.

6 - Mettez une cuillerée de sauce au fond de chaque coquille bien lavée, placez une huître dans chacune d'elles, puis couvrez avec le reste de sauce. Saupoudrez d'un mélange de chapelure et de persil haché, arrosez d'un peu de beurre fondu et mettez à gratiner quelques instants à four chaud. Servez immédiatement.

VOS NOTES PERSONNELLES

Ecrire . . . .
. . . .
Acheter . . . .
. . . .
Téléphoner . . . .

Menu

SOUFFLÉ AUX GIROLLES
(voir recette ci-contre)

TRUITES AU BLEU
(voir recette ci-dessous)

BANANES FLAMBÉES
(voir recette p. 152)

Boisson conseillée :
UN SYLVANER

MINI-RECETTE

TRUITES AU BLEU

POUR 4 PERSONNES
CUISSON : 30 minutes
INGRÉDIENTS : 4 truites
2 dl de vinaigre de vin
2 citrons, 1 carotte, 1 oignon
2 gousses d'ail, thym, laurier, persil
1 pincée d'estragon, sel, poivre

1 - Videz et lavez les poissons. Placez-les dans un plat creux.

2 - Faites chauffer, dans une petite casserole, le vinaigre de vin, et versez-le bouillant sur les truites. Laissez refroidir.

3 - Pendant ce temps, préparez un court-bouillon en ajoutant à 1 litre d'eau salée, une carotte et un oignon coupés en rondelles, 2 gousses d'ail, un peu de thym et de laurier, 1 pincée d'estragon. Poivrez légèrement et laissez frémir le court-bouillon à découvert 20 minutes, avec le vinaigre des truites.

4 - Versez ensuite ce court-bouillon bouillant sur les poissons. Mettez-les à cuire à feu doux (il ne faut pas porter à ébullition) environ 10 minutes.

5 - Lorsque les truites sont cuites, sortez-les délicatement du court-bouillon à l'aide d'une écumoire, et couchez-les sur un grand plat de service allongé. Décorez avec des quartiers de citron et des petits bouquets de persil. On peut accompagner ce plat d'une mayonnaise aromatisée au citron, et dans laquelle on met quelques câpres.

SOUFFLÉ AUX GIROLLES

POUR 4
A 5 PERSONNES
CUISSON : 50 minutes
INGRÉDIENTS :
250 g de girolles
4 œufs
75 g de farine
120 g de beurre
1/2 litre de lait
1 jus de citron
Sel, poivre

1 - Débarrassez les girolles de leur pied terreux et lavez-les rapidement à l'eau vinaigrée. Séchez les champignons sur du papier absorbant, et hachez-les finement.

2 - Faites fondre 1 noix de beurre dans une petite poêle, jetez-y le hachis de champignons. Laissez blondir sur feu doux 2 à 3 minutes, salez, poivrez, et mouillez du jus d'un demi-citron.

3 - Faites fondre 75 g de beurre dans une casserole, et versez la farine en pluie. Tournez 2 minutes le mélange à la cuillère de bois sur feu très doux (la farine ne doit pas prendre couleur).

4 - Faites chauffer le lait, et versez-le d'un seul coup sur le roux froid, en battant légèrement le tout au fouet. Salez, poivrez, et laissez cuire doucement 3 minutes.

5 - Hors du feu, incorporez le hachis de champignons à la sauce, et les 4 jaunes d'œufs (réservez les blancs).

6 - Montez les blancs en neige très ferme en les fouettant énergiquement au fouet ou, mieux encore, au mixer.

7 - Incorporez délicatement les blancs en neige à la préparation, et versez cette dernière dans un moule à soufflé préalablement beurré. Mettez à cuire à four chaud 30 à 35 minutes. Servez immédiatement dans le moule de cuisson (on ne démoule jamais un soufflé).

VOS NOTES PERSONNELLES

Ecrire . . . .
. . . .
Acheter . . . .
. . . .
Téléphoner . . . .

Menu

RATATOUILLE FROIDE
(voir recette p. 164)

*CASSOULET
DE CASTELNAUDARY*
(voir recette ci-contre)

*COUPES GLACÉES
AU CURAÇAO*
(voir recette p. 82)

Boisson conseillée :
UN CAHORS

TOUT SAVOIR SUR...

LES HARICOTS SECS

Les haricots secs possèdent une valeur calorique élevée. Ils sont, de plus, riches en glucides et protides ainsi qu'en vitamines B et PP, en fer, en potassium et ne contiennent que très peu de lipides. Ils constituent donc une nourriture intéressante pendant l'hiver. Les haricots secs ont été classés suivant leur couleur. **Les grains verts**, ce sont surtout les «flageolets verts» et les «princesse vert». Ils proviennent du Val de Loire et de la région d'Arpajon. Leur peau est très fine. **Les grains blancs** : parmi les variétés les plus vendues, on trouve les «lingots». Ce sont des haricots de forme allongée, généralement de gros calibre. Les «cocos», haricots de forme ronde, à la peau fine, à la chair tendre. **Les grains de couleur** : dans cette catégorie, on trouve des haricots noirs, rouges, jaunes, roses. Les rouges sont appréciés et, parmi eux, le «rouge de Marans», à la peau fine et qui cuit rapidement.

CASSOULET DE CASTELNAUDARY

POUR 8 PERSONNES
CUISSON : 3 heures
INGRÉDIENTS :
1 épaule de mouton désossée et découpée
300 g de palette fraîche de porc
150 g de lard de poitrine
300 g de saucisse de Toulouse
1 saucisson à l'ail
2 oignons, 1 l de haricots blancs
1 tête d'ail
500 g de tomates
50 g de saindoux
Thym, laurier, chapelure
Sel, poivre, girofle

1 - Faites tremper les haricots quelques heures dans de l'eau froide.

2 - Mettez-les à cuire dans de l'eau salée 1/2 heure, puis jetez l'eau.

3 - Faites revenir dans une cocotte les morceaux d'épaule de mouton, la palette et le lard avec le saindoux. Lorsque les viandes sont dorées à point, ajoutez les haricots et l'ail haché, le thym, le laurier, les clous de girofle.

4 - Mouillez avec de l'eau pour que l'ensemble baigne, salez, poivrez abondamment au moulin.

5 - Laissez cuire à petit feu pendant 1 heure 30 environ en surveillant de temps en temps afin d'ajouter de l'eau si le niveau baisse trop.

6 - Au bout d'une heure de cuisson, ajoutez le saucisson à l'ail.

7 - Faites revenir à part, dans une noisette de saindoux, la saucisse de Toulouse, et réservez.

8 - Préparez une purée de tomates en les coupant et en les faisant cuire avec des oignons coupés menus, pendant 15 minutes environ.

9 - Rangez dans un poêlon allant au four la viande, les haricots, la saucisse de Toulouse coupée en tronçons, le saucisson détaillé en grosse rondelles. Mélangez le tout.

10 - Versez dessus la purée de tomates, saupoudrez de chapelure. Faites gratiner au four quelques instants. Servez dans le poêlon.

VOS NOTES PERSONNELLES

Ecrire . . . .

. . . .

Acheter . . . .

. . . .

Téléphoner . . . .

Menu

MINI-RECETTE

TARTELETTES AUX POMMES MERINGUÉES

POUR 6 PERSONNES
CUISSON : 1 h environ
INGRÉDIENTS : 10 pommes
1 bloc de pâte brisée surgelé
2 blancs d'œufs
1 cuillerée à soupe de sucre semoule
80 de sucre glace

1 - Laissez la pâte brisée surgelée à température ambiante.

2 - Pendant ce temps, épluchez 10 belles pommes, coupez-les en quatre, ôtez le cœur et les pépins, et détaillez chaque quartier en lamelles.

3 - Mettez la moitié des lamelles dans une casserole, avec très peu d'eau, ajoutez une cuillerée à soupe de sucre semoule, et laissez cuire à feu doux 15 à 20 minutes pour obtenir une compote.

4 - Etalez la pâte au rouleau, et tapissez-en des petits moules à tarte individuels préalablement beurrés. Recouvrez la pâte, y compris les bords, de papier alu, et mettez à précuire 10 minutes à four moyen.

5 - Passé ce temps, répartissez la compote dans les moules, et disposez au mieux les lamelles de pommes en les faisant se chevaucher. Mettez à cuire 15 minutes à four chaud.

6 - Fouettez énergiquement les blancs d'œufs avec le sucre glace, et recouvrez les tartelettes de ces blancs en neige. Remettez à cuire à four moyen quelques minutes en surveillant la coloration de la meringue. Servez tiède.

TOMATES FARCIES AU MAIGRE

POUR 6 PERSONNES
CUISSON : 25 minutes
INGRÉDIENTS :
6 belles tomates
1 oignon
Thym, laurier
6 œufs
150 g de champignons
1 noix de beurre
Persil
1 gousse d'ail
2 échalotes
1 pt verre de lait
Un peu de mie de pain
Poivre, sel

1 - Lavez les tomates, séchez-les. Ôtez au couteau une petite rondelle du côté de la queue, de façon à former une ouverture. Videz les tomates avec une petite cuillère, en ayant soin de ne pas les crever. Réservez la pulpe ainsi extraite.

2 - Dans une petite casserole, versez la pulpe et ajoutez 1 oignon haché, un brin de thym et une feuille de laurier. Salez, poivrez. Faites cuire à petit feu afin que le mélange réduise.

3 - Faites durcir les œufs. Réservez-les.

4 - Lavez les champignons, coupez les pieds terreux, et faites-les blanchir 2 à 3 minutes dans une petite casserole avec une noisette de beurre, 4 cuillerées d'eau salée additionnée de quelques gouttes de jus de citron.

5 - Préparez la farce maigre en mélangeant la purée de tomates et d'oignons avec les œufs écrasés, les champignons coupés finement en lamelles, les échalotes, la gousse d'ail et le persil hachés fins. Ajoutez-y un peu de mie de pain trempée dans du lait.

6 - Farcissez les tomates avec cette préparation et rangez-les dans un plat beurré.

7 - Saupoudrez avec un peu de chapelure et mettez à four chaud 1/4 d'heure environ.

8 NOVEMBRE

Menu

SOUPE AU LARD
À LA PAYSANNE
(voir recette ci-contre)

BŒUF FROID À LA DUVAL
(voir recette p. 180)

CHAUSSONS AUX POMMES
(voir recette ci-dessous)

MINI-RECETTE

CHAUSSONS AUX POMMES

POUR 6 PERSONNES
CUISSON : 45 minutes environ
INGRÉDIENTS : 500 g de pommes
1 bloc de feuilleté surgelé
100 g de sucre semoule, 50 g de beurre
1 jaune d'œuf
2 cuillerées à soupe de sucre glace
1 pincée de cannelle
1 cuillerée à soupe de rhum

1 - Pelez les pommes, coupez-les en quartiers, ôtez le cœur et les pépins, et détaillez les quartiers en petits morceaux.
2 - Mettez les morceaux de pommes dans une casserole avec 2 cuillerées à soupe d'eau, le sucre semoule, une pincée de cannelle, et une goutte de rhum. Mettez à cuire sur feu modéré 15 à 20 minutes, en remuant de temps en temps.
3 - Etalez la pâte au rouleau, et découpez des ronds de pâte de 13 à 15 cm de diamètre, en vous servant, par exemple, d'un petit moule métallique.
4 - Placez sur chaque demi-rond, une cuillerée à soupe de compote de pommes, ajoutez une noisette de beurre, repliez la pâte, soudez soigneusement les bords pour bien emprisonner la compote.
5 - Tracez sur la pâte un quadrillage à la pointe du couteau, badigeonnez-la d'un jaune d'œuf battu, et disposez les chaussons sur une plaque à four légèrement beurrée. Mettez à cuire 25 minutes environ à four moyen. Quelques instants avant la fin de la cuisson, saupoudrez les petits gâteaux de sucre glace.

SOUPE AU LARD À LA PAYSANNE

Long   Très facile   Abordable

POUR 6
A 8 PERSONNES
CUISSON : 2 h 1/2
INGRÉDIENTS :
300 g de haricots
2 poireaux
4 carottes
500 g de pommes
de terre
1 laitue
1 gros oignon
1 navet
300 g de poitrine fumée
80 g de beurre
Thym, laurier
Sel, poivre

1 - Lavez les poireaux, coupez la base du pied et le haut des feuilles. Hachez-les grossièrement au couteau.
2 - Coupez la poitrine fumée en gros dés. Épluchez et hachez l'oignon.
3 - Dans une grande marmite, faites revenir doucement les lardons et l'oignon haché dans un peu de beurre. Ajoutez les poireaux, le bouquet garni, puis mouillez de 2 litres 1/2 d'eau froide. Salez d'une pincée de gros sel, et laissez cuire à couvert 1 heure environ.
4 - Pendant ce temps, lavez et triez les haricots en grains (frais de préférence), épluchez les pommes de terre, les navets et les carottes. Coupez les pommes de terre en dés, les navets en quartiers et les carottes en rondelles. Lavez la salade, n'en conservez que le cœur et détaillez-le en lanières.
5 - Après 1 heure de cuisson dans la marmite, plongez-y tous ces légumes, couvrez à nouveau et laissez cuire doucement 1 h 1/2.
6 - En fin de cuisson, incorporez dans la soupe 2 grosses noix de beurre et servez aussitôt.

LE TRUC DU CHEF

POUR LA SOUPE AU LARD À LA PAYSANNE : pour respecter scrupuleusement cette vieille recette campagnarde, faites dorer quelques tranches de gros pain dans un peu de beurre, et placez ces tranches dans le fond des assiettes avant d'y verser la soupe.

VOS NOTES PERSONNELLES

Ecrire . . . .

Acheter . . . .

Téléphoner . . . .

9 NOVEMBRE

Menu

VOL-AU-VENT DUCHESSE
(voir recette p. 167)

AUBERGINES FARCIES
(voir recette ci-contre)

PLATEAU DE FROMAGE

TOUT SAVOIR SUR...

LE FROMAGE DES PYRÉNÉES

La région des Pyrénées produit des fromages à pâte pressée, à la saveur douce et fruitée. Comme tous les produits laitiers, ils apportent leur contingent de vitamines A et B, ainsi que du calcium, du fer et du phosphore. Deux variétés de fromage sont commercialisées, l'une fabriquée au lait de brebis, l'autre au lait de vache. **Le brebis des Pyrénées** *est un produit du Béarn et du Pays basque. Exclusivement fabriqué avec du lait entier de brebis, il bénéficie d'une Appellation d'Origine Contrôlée. C'est une pâte légèrement pressée, non cuite et contenant 50 % de matière grasse. La croûte est jaunâtre, tirant sur l'orange ou le gris.* **La tome des Pyrénées** *est fabriquée au lait de vache et contient 40 % de matière grasse. Sa pâte est jaune et comporte de petits trous, sa croûte est noire. Les fromages des Pyrénées se présentent sous la forme de galettes de 20 à 25 cm de diamètre et de 10 à 15 cm d'épaisseur.*

AUBERGINES FARCIES

Moyen Facile Abordable

POUR 4 PERSONNES
CUISSON : 30 minutes
INGRÉDIENTS :
2 aubergines
2 tranches de jambon
150 g de champignons
4 biscottes
1/2 verre de lait
1 échalote
1 œuf
1 pt bouquet de persil
1 cuillerée à soupe
d'huile de tournesol
1/2 v. de chapelure
Sel, poivre

1 - Lavez les aubergines, essuyez-les, ôtez la queue et coupez les légumes en deux, dans le sens de la longueur.

2 - Faites tremper les biscottes dans le lait écrémé.

3 - Débarrassez les champignons de leur pied terreux, lavez-les à l'eau courante et séchez-les sur du papier absorbant. Puis hachez-les.

4 - Lavez un petit bouquet de persil et hachez-le avec l'échalote. Passez les tranches de jambon à la moulinette.

5 - A l'aide d'un petit couteau pointu, évidez les demi-aubergines, sans aller trop profond afin de ne pas abîmer la peau. Hachez la pulpe ainsi ôtée.

6 - Dans un saladier, mélangez tous ces ingrédients hachés avec 1 cuillerée à soupe d'huile de tournesol. Ajoutez les biscottes trempées dans le lait, cassez un œuf sur le tout, et malaxez soigneusement cette préparation de façon à obtenir une farce bien homogène.

7 - Remplissez les demi-aubergines de cette farce. Saupoudrez d'un peu de chapelure, et mettez à four chaud 1/2 heure environ. Servez dans un plat de service.

LE TRUC DU CHEF

POUR LES AUBERGINES FARCIES : A condition de ne pas la frire, l'aubergine est particulièrement recommandée aux personnes suivant un régime diététique : 100 g de ce légume ne dégagent que 30 calories. La fraîcheur et la qualité d'une aubergine se reconnaissent à une couleur uniforme, une peau luisante et bien tendue. Il faut la choisir lourde à la main.

VOS NOTES PERSONNELLES

Ecrire . . . .

. . . .

Acheter . . . .

. . . .

Téléphoner . . . .

Menu

SOUFFLÉ AUX POIREAUX
(voir recette ci-dessous)

LAPIN AU CIDRE
(voir recette p. 4)

CORNES DE GAZELLE
(voir recette ci-contre)

MINI-RECETTE

SOUFFLÉ
AUX POIREAUX

POUR 4 À 5 PERSONNES
CUISSON : 45 minutes
INGRÉDIENTS : 1 kg de poireaux
4 œufs, 30 g de beurre
30 g de gruyère râpé, sel, poivre

1 - Enlevez le plus gros des feuilles vertes des poireaux, fendez les blancs en quatre, et lavez-les soigneusement à l'eau courante.

2 - Plongez les légumes dans de l'eau bouillante salée, et laissez cuire à découvert une quinzaine de minutes après la reprise de l'ébullition.

3 - Quand les poireaux sont cuits, égouttez-les soigneusement dans une passoire, puis essorez-les fortement entre vos mains afin d'éliminer le maximum d'eau.

4 - Hachez les poireaux, et passez-les à la poêle sur feu moyen dans 1 noix de beurre 3 à 4 minutes afin de faire évaporer le maximum d'eau. Hors du feu, ajoutez ensuite les jaunes d'œufs (réservez les blancs), un peu de poivre. Remuez bien le tout.

5 - Montez les blancs en neige dans un saladier en les fouettant énergiquement ou mieux, en les passant au mixer.

6 - Incorporez délicatement ces blancs en neige aux poireaux, en mélangeant avec précaution.

7 - Beurrez un moule à soufflé, garnissez-le de la préparation. Parsemez avec le gruyère râpé, et mettez à four chaud une vingtaine de minutes.

8 - Passé ce temps, présentez immédiatement à table le soufflé dans son moule de cuisson.

CORNES DE GAZELLE

Moyen   Facile   Abordable

POUR 6
A 8 PERSONNES
CUISSON : 20 minutes
INGRÉDIENTS :
320 g de farine
140 g de beurre
1 œuf
150 g de poudre
d'amandes
125 g de sucre semoule
50 g de sucre glace
Eau de fleur d'oranger
1 pincée de sel

1 - Dans une terrine, mélangez la farine avec 120 g de beurre en pommade. Ajoutez l'œuf entier, 2 cuillerées à soupe d'eau, 1 pincée de sel. Pétrissez soigneusement le tout pour obtenir une pâte homogène.

2 - Étalez la pâte finement sur une épaisseur de 2 à 3 mm.

3 - Découpez dans la pâte, à la roulette de pâtissier, des carrés d'environ 10 cm de côté.

4 - Préparez une pâte d'amandes en mélangeant dans une terrine la poudre d'amandes, le sucre semoule, 20 g de beurre et quelques gouttes de fleur d'oranger. Travaillez bien cette préparation.

5 - Formez avec la pâte d'amandes autant de boudins de 10 cm de long, de la grosseur d'un petit doigt, qu'il y a de carrés de pâte.

6 - Disposez chaque boudin en diagonale, au centre d'un carré, roulez la pâte de façon à emprisonner la préparation aux amandes, incurvez légèrement le tout en forme de croissant.

7 - Disposez les petits gâteaux sur une plaque de four, et mettez à cuire à chaleur modérée 20 minutes environ, jusqu'à ce qu'ils soient légèrement dorés.

8 - Quand les cornes de gazelle sont cuites, arrosez-les d'eau de fleur d'oranger et passez-les dans le sucre glace. Laissez refroidir avant de servir.

VOS NOTES PERSONNELLES

Ecrire . . . .
. . . .
Acheter . . . .
. . . .
Téléphoner . . . .

Menu

VELOUTÉ AU TURBOT
(voir recette p. 176)

CABILLAUD À LA WASSENAAR
(voir recette ci-contre)

POMMES AU FOUR EN SURPRISE
(voir recette ci-dessous)

MINI-RECETTE

POMMES AU FOUR EN SURPRISE

POUR 4 PERSONNES
CUISSON : 45 minutes
INGRÉDIENTS : 4 belles pommes
1 grappe de raisin blanc
1 grappe de raisin noir
2 blancs d'œufs
4 cuillerées à café d'eau-de-vie blanche
1 cuillerée à café de sucre en poudre

1 - Lavez les pommes, essuyez-les soigneusement avec un torchon, et évidez-les largement côté queue en ôtant le cœur et les pépins.

2 - Disposez les pommes sur une plaque de four, et laissez-les cuire à four moyen 30 minutes environ.

3 - Egrenez les raisins, après avoir lavé et séché les grappes.

4 - Mettez les blancs d'œufs dans un saladier, et montez-les en neige très ferme au fouet ou mieux, au mixer. Ajoutez un peu de sucre en poudre pendant cette opération.

5 - Quand les pommes sont cuites, sortez la plaque du four, versez dans chaque fruit 1 bonne cuillerée d'eau-de-vie blanche (du kirsch par exemple), et remplissez les cavités de raisins noirs et blancs.

6 - A l'aide d'une cuiller, couronnez le tout d'œufs en neige, et remettez au four une quinzaine de minutes, le temps pour les blancs d'œufs de devenir meringue.

7 - En fin de cuisson, disposez chaque pomme sur une assiette individuelle, et servez immédiatement.

CABILLAUD A LA WASSENAAR

POUR 4 PERSONNES
CUISSON : 15 minutes
INGRÉDIENTS :
4 tranches de cabillaud
25 cl de bière blonde
3 cuill. à soupe de farine
1 pet. boîte d'anchois
1 cuill. à café
de moutarde
1 jaune d'œuf
1 verre d'huile
30 g de beurre
1 bouquet de persil
1 citron
Sel, poivre
1 bain de friture

1 - Faites débiter par votre poissonnier 4 belles tranches de cabillaud. Lavez-les et séchez-les sur du papier absorbant.

2 - Versez la bière dans un plat creux, et la farine dans un autre plat. Salez et poivrez les tranches de poisson, trempez-les dans la bière, puis enrobez-les de farine.

3 - Plongez le cabillaud dans le bain de friture bouillant, et laissez les tranches cuire et dorer, 5 à 6 minutes, en les retournant à mi-cuisson.

4 - Pendant ce temps, préparez une mayonnaise en mettant dans un bol la moutarde, le jaune d'œuf, un peu de sel et le poivre. Tournez et versez l'huile en filet. Lorsque la mayonnaise est montée, incorporez le jus de 1/2 citron et les anchois préalablement pilés dans un mortier.

5 - Lorsque les tranches de cabillaud sont cuites, mettez-les à égoutter sur du papier absorbant, puis dressez-les sur un plat de service.

6 - Faites frire un bouquet de persil dans un peu de beurre, et disposez le persil sur les tranches de poisson. Décorez de quelques tranches de citron, et présentez à part la mayonnaise aux anchois pilés.

VOS NOTES PERSONNELLES

Ecrire . . . .

. . . .

Acheter . . . .

. . . .

Téléphoner . . . .

TOUT SAVOIR SUR...

LA JULIENNE

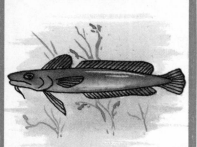

La julienne, appelée également « lingue » est un grand poisson très allongé, pouvant atteindre 1,80 m et peser jusqu'à 30 kg. Il est pêché en mer du Nord mais également en Méditerranée. Sa chair blanche et ferme est très peu grasse et donc recherchée des personnes suivant un régime amaigrissant. Elle contient des vitamines B2 et B6 ainsi que du magnésium et du potassium, ce qui la fait conseiller aussi bien aux enfants qu'aux convalescents. Ce poisson, dont la meilleure période se situe en hiver et au printemps, est commercialisé sous deux appellations déterminées par sa taille. **La grande lingue,** *mesure de 0,50 m à 1,60 m et provient des pêches de l'Atlantique Nord et de la mer du Nord.* **La petite lingue** *provient de Méditerranée et ne dépasse pas 0,70 m. La lingue étant surtout commercialisée en filets, choisissez-les d'un beau blanc nacré et comptez 130 g par personne.*

PETITS PÂTÉS DE POISSON

POUR 6 PERSONNES
CUISSON :
40 minutes environ
INGRÉDIENTS :
500 g de julienne
60 g de riz
200 g de champignons
1 oignon
2 jaunes d'œufs
5 cl de crème fraîche
1 bloc de pâte feuilletée surgelée
2 cuillerées à soupe de vinaigre
1 cuill. à soupe d'huile
Sel, poivre

1 - Mettez le riz à cuire 15 minutes dans de l'eau bouillante salée.

2 - Faites cuire la julienne en filets 5 minutes à l'eau salée additionnée d'un peu de vinaigre.

3 - Débarrassez les champignons de leur pied terreux, passez-les à l'eau courante, séchez-les sur du papier absorbant. Détaillez-les en très fines lamelles.

4 - Pelez l'oignon et hachez-les finement.

5 - Faites chauffer un peu d'huile dans une poêle, et mettez-y à revenir l'oignon et les champignons 4 à 5 minutes sur feu doux. Salez légèrement, poivrez.

6 - Quand le poisson est cuit, mettez la chair dans un saladier. Écrasez-la à la fourchette. Ajoutez le riz cuit et égoutté, le hachis de champignons et d'oignon, 2 jaunes d'œufs et la crème fraîche. Remuez soigneusement le tout pour obtenir une farce homogène.

7 - Étalez la pâte feuilleté au rouleau, après l'avoir laissé dégeler le temps nécessaire (2 heures environ à température ambiante). Découpez dans cette pâte des rectangles de 14 x 12 cm.

8 - Disposez sur chaque morceau de pâte un beau boudin de farce, et emprisonnez-le en roulant des bords et en fermant les côtés.

9 - Placez ces préparations sur une plaque et faites cuire à four chaud 20 minutes. Servez immédiatement.

VOS NOTES PERSONNELLES

Ecrire . . . .

. . . .

Acheter . . . .

. . . .

Téléphoner . . . .

Menu

QUENELLES DE SAUMON NANTUA
(voir recette p. 95)

LIÈVRE À LA MARINADE
(voir recette ci-dessous)

CHARLOTTE AUX POIRES
(voir recette ci-contre)

Boisson conseillée :
UN BEAUJOLAIS

MINI-RECETTE

LIÈVRE À LA MARINADE

POUR 5 À 6 PERSONNES
CUISSON : 45 minutes
INGRÉDIENTS : 1 râble de lièvre
1 litre de vin rouge, 1 carotte, 1 oignon
2 gousses d'ail, thym, laurier
4 cuillerées à soupe d'huile
4 cuillerées à soupe de vinaigre
250 g de champignons
1 noix de beurre, sel, poivre

1 - La veille de la préparation, préparez, dans un grand saladier pouvant contenir le râble, une marinade comme suit : versez 1 litre de bon vin rouge, et ajoutez la carotte et l'oignon coupés en fines rondelles, l'ail pilé, un peu de thym et de laurier. Ajoutez l'huile et le vinaigre, salez, poivrez au moulin, et mettez à mariner le râble dans cette préparation.

2 - Le matin de la confection du plat, sortez le râble de la marinade, épongez-le, et mettez la viande à cuire 45 minutes à four moyen.

3 - Passez la marinade, versez la viande dans une casserole, et laissez-la cuire doucement 30 minutes à découvert. Puis ajoutez-la peu à peu à la viande, en arrosant celle-ci fréquemment.

4 - Lavez les champignons, séchez-les, détaillez-les en lamelles, et faites-les revenir quelques minutes à la poêle sur feu vif, dans 1 noix de beurre. Salez, poivrez, et ajoutez ces champignons à la sauce, en fin de cuisson du râble.

5 - Dressez le râble rôti sur un plat de service, accompagnez-le de pommes vapeur, et présentez la sauce en saucière.

CHARLOTTE AUX POIRES

POUR 6
A 8 PERSONNES
CUISSON :
50 minutes environ
INGRÉDIENTS : 5 poires
305 g de sucre
en poudre
3/4 l de lait
1 sachet d'amandes
effilées
80 g de Maïzena
1 pet. v. d'alcool de poire
2 œufs +4 jaunes
1 boîte de biscuits
à la cuillère
1 pet. pot de crème
fraîche
1 gousse de vanille

1 - Mettez les œufs entiers et les jaunes dans une terrine, ajoutez 180 g de sucre, et tournez jusqu'à ce que le mélange blanchisse. Incorporez alors la Maïzena, puis versez le lait préalablement bouilli avec la gousse de vanille fendue en deux.

2 - Mélangez l'alcool de poire à 1/2 verre d'eau dans une assiette creuse, imbibez rapidement les biscuits à la cuillère de ce liquide, et tapissez-en le fond et les parois d'un moule à charlotte préalablement beurré. Disposez le côté bombé des biscuits contre les parois du moule.

3 - Épluchez les poires, coupez-les en quatre, ôtez le cœur et les pépins, et détaillez-les en lamelles. Gardez la valeur d'un fruit pour le décor final, et faites-en pocher les lamelles 20 à 25 minutes dans un sirop constitué de 1/4 de litre d'eau et de 125 g de sucre.

4 - Disposez quelques lamelles de fruit cru sur le fond de biscuits, ajoutez une pincée d'amandes effilées, et recouvrez d'une couche de crème. Poursuivez l'opération en alternant les couches de fruits de crème. Terminez par une couche de biscuits nappés de crème.

5 - Placez le moule dans un récipient rempli d'eau chaude, et laissez cuire à four doux au bain-marie 40 à 45 minutes. Laissez refroidir entièrement avant de démouler sur un plat de service.

6 - Fouettez énergiquement la crème fraîche pour obtenir de la chantilly. Décorez le dessus du gâteau avec les lamelles de poires pochées dans le sirop et des macarons de chantilly.

VOS NOTES PERSONNELLES

Ecrire . . . .

Acheter . . . .

Téléphoner . . . .

14 NOVEMBRE

Menu

GRATINÉE À LA CHAMPSAUR
(voir recette ci-dessous)

**CÔTES DE VEAU
À LA LEXOVIENNE**
(voir recette ci-contre)

CRÈME AU CAFÉ
(voir recette p. 206)

MINI-RECETTE

GRATINÉE
À LA CHAMPSAUR

POUR 5 À 6 PERSONNES
CUISSON : 40 minutes
INGRÉDIENTS : 6 oignons
60 g de beurre
2 cuillerées à café de farine
6 tranches de pain
200 g de gruyère
1/2 verre de chapelure
Sel, poivre

1 - Pelez les oignons, et détaillez-les en fines rondelles.
2 - Faites fondre le beurre dans une casserole, et mettez-y les oignons à blondir, sur feu moyen.
3 - Lorsque les oignons ont bien pris couleur, saupoudrez avec la farine, tournez à la cuiller de bois, le temps que la farine roussisse.
4 - Mouillez avec 1 litre 1/2 d'eau, salez légèrement, poivrez au moulin, et laissez cuire 1/2 heure à petits bouillons.
5 - Pendant ce temps, faites griller les tranches de pain sur une plaque, ou sous le gril, râpez le gruyère.
6 - Dans un poêlon allant au four, disposez les tranches de pain, et versez dessus la moitié du fromage. Mouillez avec le bouillon, puis parsemez le reste du fromage et la chapelure.
7 - Mettez à gratiner à four chaud 8 à 10 minutes, et servez aussitôt.

CÔTES DE VEAU A LA LEXOVIENNE

Moyen   Facile   Abordable

POUR 4 PERSONNES
CUISSON : 45 minutes
INGRÉDIENTS : 4 côtes
40 g de beurre
1 pet. pot de crème fraîche
250 g de champignons de Paris
1 v. de vin blanc sec
1/2 verre à liqueur de calvados
6 échalotes
Cerfeuil
Sel, poivre

1 - Salez et poivrez les côtes, et mettez-les à cuire et à dorer dans une sauteuse avec 1 belle noix de beurre. Laissez 7 à 8 minutes sur chaque face à feu moyen.
2 - Débarrassez les champignons de leur pied terreux, lavez-les, séchez-les, et détaillez-les en fines lamelles.
3 - Quand la viande est cuite, réservez les côtes au chaud hors du récipient et jetez les champignons dans la graisse de cuisson. Salez légèrement et laissez blondir quelques minutes. Puis ajoutez les échalotes finement hachées, remuez la préparation quelques instants, et mouillez avec le vin blanc.
4 - Portez à ébullition, incorporez la crème fraîche et aromatisez avec le calvados. Laissez mijoter doucement quelques minutes à découvert, le temps pour la sauce de réduire convenablement.
5 - Dressez les côtes de veau sur un plat de service, nappez-les de la sauce à la moutarde, ciselez sur le tout un petit bouquet de cerfeuil et servez aussitôt.

LE TRUC DU CHEF

POUR LA GRATINÉE À LA CHAMPSAUR : si l'on veut rendre la soupe plus nutritive, on peut ajouter au bouillon une tablette de concentré de volaille ou de bœuf.

POUR LES CÔTES DE VEAU À LA LEXOVIENNE : sachez que les côtes premières sont plus charnues et moins grasses que les côtes secondes.

VOS NOTES PERSONNELLES

Ecrire . . . .

. . . .

Acheter . . . .

. . . .

Téléphoner . . . .

Menu

TOMATES AU RIZ
ET AUX CREVETTES
(voir recette p. 44)

ÉCHINE DE PORC
AUX REINETTES
(voir recette ci-contre)

BABA STANISLAS
(voir recette p. 105)

TOUT SAVOIR SUR...

L'ÉCHINE DE PORC

L'échine de porc se situe sur la partie dorsale de l'animal, près de la tête. C'est une viande très calorique, bien pourvue en vitamine B1 (sept fois plus que la viande de bœuf) qui est la vitamine nécessaire à l'équilibre nerveux. L'échine est un morceau savoureux et moelleux. La chair doit être blanc rosé, posséder un grain fin, être ferme au toucher. Elle doit être «persillée», c'est-à-dire légèrement entrelardée, ce qui lui procure toute sa saveur. Evitez les viandes à l'aspect humide, blanchâtre et affaissé. L'échine demi-sel présente, elle, une teinte extérieure grisâtre qui est tout à fait normale. Cela est dû au salage qu'elle a subi. Comptez environ 150 g de viande par personne.

ÉCHINE DE PORC AUX REINETTES

Long · Très facile · Abordable

POUR 6 PERSONNES
CUISSON : 2 heures
INGRÉDIENTS :
1 échine de 1,2 kg
1,5 kg de pommes reinettes
30 g de beurre
1 cuill. à soupe d'huile
2 gousses d'ail
1 cuillerée à soupe de moutarde
Thym, laurier
Sel, poivre

1 - Epluchez les gousses d'ail, divisez-les en éclats, et piquez-en l'échine en divers endroits. Salez et poivrez la viande, enduisez-la légèrement d'huile, émiettez dessus un peu de thym et de laurier, et barbouillez-la d'un peu de moutarde forte.

2 - Placez le rôti dans un grand plat allant au four, versez 1 bon verre d'eau dans le fond du plat, et mettez à cuire à four très moyen pendant 2 heures.

3 - 30 minutes avant la fin de la cuisson de la viande, épluchez les pommes, coupez-les en quatre, débarrassez-les du cœur et des pépins, et détaillez chaque quartier en lamelles de moyenne épaisseur.

4 - Faites fondre le beurre sur feu vif, dans une grande poêle, et mettez-y les lamelles de pommes à revenir. Remuez de temps en temps à la cuillère de bois, et ôtez le récipient du feu quand les fruits sont dorés à point.

5 - Entourez l'échine de porc avec les fruits, et laissez la cuisson de la viande aller à son terme. Servez directement dans le plat de cuisson.

LE TRUC DU CHEF

POUR L'ÉCHINE DE PORC AUX REINETTES : afin d'éviter à la viande de se dessécher à la chaleur du four, prenez soin de l'arroser de temps en temps avec le jus de cuisson. N'hésitez pas à ajouter un peu d'eau en cas de trop forte évaporation.

VOS NOTES PERSONNELLES

Ecrire . . . .
. . . .
Acheter . . . .
. . . .
Téléphoner . . . .

MINI-RECETTE

POIRES AU FOUR SUR CANAPÉS

POUR 6 PERSONNES
CUISSON : 30 minutes
INGRÉDIENTS : 6 poires, 6 biscottes
60 g de beurre, 30 g de sucre en poudre

1 - Lavez soigneusement les poires et séchez-les.
2 - Avec un couteau pointu, évidez les fruits pour en ôter le cœur et les pépins.
3 - Enduisez chaque biscotte d'une mince couche de beurre, saupoudrez d'un peu de sucre, et placez les biscottes sur une plaque à gâteau.
4 - Dans l'évidement des fruits, introduisez 1 noisette de beurre et 1/2 cuillerée à café de sucre.
5 - Placez les poires sur les biscottes et mettez à cuire à four chaud 1/2 heure environ. Servez tiède.

GRAS-DOUBLE A LA TOMATE

Long   Facile   Abordable

POUR 6 PERSONNES
CUISSON : 3 heures
INGRÉDIENTS :
1,3 kg de gras-double précuit
1/2 l de vin blanc
500 g d'oignons
250 g de carottes
150 g d'échalotes
4 gousses d'ail
6 tomates
1 cuillerée à soupe de conc. de tomates
1 pied de veau
120 g de beurre
Thym, laurier, poivre
sel, clous de girofle

1 - Épluchez les oignons, les carottes et les échalotes, et coupez les légumes en rondelles épaisses.
2 - Plongez quelques instants les tomates dans de l'eau bouillante, mondez-les et coupez-les grossièrement en morceaux.
3 - Coupez le pied de veau en morceaux, et le gras-double en gros cubes.
4 - Mettez dans une cocotte les viandes, les légumes (en y ajoutant les gousses d'ail pilées), le vin blanc et le beurre. Aromatisez avec un peu de thym, de laurier, quelques clous de girofle, salez, poivrez, et délayez une bonne cuillerée de concentré de tomates dans le vin blanc.
5 - Couvrez hermétiquement le récipient et laissez cuire 3 heures sur feu doux.
6 - Passé ce temps, versez la préparation dans un légumier, et présentez comme garniture des pommes de terre cuites à la vapeur.

LE TRUC DU CHEF

POUR LE GRAS-DOUBLE À LA TOMATE : vous pouvez servir ce gras-double avec une sauce plus réduite en découvrant le récipient une vingtaine de minutes avant la fin de la cuisson et en mettant sur feu moyen.

POUR LES POIRES AU FOUR SUR CANAPÉS : pour que le dessert soit bien réussi, les poires doivent être parfaitement cuites. Surveillez donc attentivement leur cuisson.

VOS NOTES PERSONNELLES

Ecrire . . . .
. . . .
Acheter . . . .
. . . .
Téléphoner . . . .

Menu

POTAGE AU BŒUF ET GERMES DE SOJA
(voir recette ci-dessous)

SPAGHETTI À LA LOMBARDE
(voir recette ci-contre)

CAKE À L'ANCIENNE
(voir recette p. 133)

MINI-RECETTE

POTAGE AU BŒUF ET GERMES DE SOJA

POUR 4 PERSONNES
CUISSON : 40 minutes
INGRÉDIENTS : 400 g de bœuf
4 oignons, ail
2 cuillerées à soupe de sauce de soja
350 g de germes de soja
1 tablette de concentré de bouillon de bœuf
Huile, sel, poivre

1 - Lavez à grande eau les germes de soja et égouttez-les.
2 - Dans une grande casserole, mettez la viande coupée en fines lanières avec un peu d'huile et faites-la dorer.
3 - Ajoutez les oignons finement hachés, faites-les blondir. Mettez l'ail, 1 ou 2 gousses coupées menu.
4 - Faites dissoudre une tablette de concentré de bouillon de bœuf dans 1 litre d'eau.
5 - Versez dans la viande et les oignons, le bouillon de bœuf que vous aurez confectionné, ainsi que la sauce de soja. Laissez cuire environ 35 minutes.
6 - Plongez alors les germes de soja dans le bouillon à ébullition. Laissez 2 à 3 minutes et sortez la préparation du feu.

SPAGHETTI A LA LOMBARDE

Moyen   Très facile   Abordable

POUR 6
A 8 PERSONNES
TEMPS DE CUISSON :
40 minutes
INGRÉDIENTS :
500 g de spaghetti
4 tomates
2 cuillerées à soupe de concentré
500 g de steak haché
1 gros oignon, thym
4 gousses d'ail
1 pet. verre d'huile
1 pincée d'estragon
1 pincée de sucre
2 sachets de parmesan
Sel, poivre, laurier

1 - Dans une grande cocotte, faites revenir à feu moyen le bœuf haché dans l'huile. Salez et poivrez.
2 - Pendant ce temps, épluchez l'oignon et l'ail. Coupez l'oignon menu, hachez l'ail. Plongez les tomates quelques instants dans de l'eau bouillante. Mondez-les et concassez-les grossièrement.
3 - Lorsque la viande a pris couleur, ajoutez les oignons et laissez-les cuire avec la viande à petit feu 2 à 3 minutes.
4 - Versez alors les tomates concassées, l'ail haché, remuez bien à la cuillère de bois, et mouillez avec 4 verres d'eau. Délayez le concentré de tomates dans la sauce, et ajoutez un peu de thym, de laurier, 1 pincée d'estragon, ainsi qu'une pincée de sucre en poudre. Salez légèrement, poivrez. Laissez mijoter cette sauce à découvert 20 minutes environ afin qu'elle réduise convenablement.
5 - Pendant ce temps, dans un grand récipient, faites cuire les pâtes à l'eau bouillante salée. Conformez-vous aux indications de cuisson portées sur l'emballage et, 3 minutes avant que les spaghetti soient « al dente », égouttez-les et versez-les aussitôt dans la sauce.
6 - Laissez cuire encore 3 à 4 minutes en remuant les pâtes dans la sauce afin qu'elles s'en imprègnent au maximum. Servez dans des assiettes creuses, et présentez sur la table du parmesan râpé.

VOS NOTES PERSONNELLES

Ecrire . . . .

Acheter . . . .

Téléphoner . . . .

TOUT SAVOIR SUR...

LA SARDINE

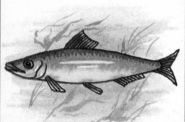

La sardine est certainement un des poissons les plus populaires. On la pêche au filet dans la Manche, l'Atlantique et en Méditerranée. C'est un poisson au corps allongé, de 10 à 20 cm de long, au dos vert-bleu, au ventre argenté. Sa chair est demi-grasse, tendre et très nourrissante. Elle contient des vitamines A, C, D, ainsi que du phosphore, du fer et du manganèse. Sur les marchés, on trouve des sardines du mois d'avril au mois de novembre. Les poissonniers proposent des sardines de tailles différentes, suivant le lieu de pêche et l'époque. Choisissez des poissons aux écailles brillantes, à la chair ferme mais élastique sous la pression du doigt. Les ouïes doivent être brillantes, l'odeur doit évoquer celle de la marée. Les sardines sont des poissons bon marché. A noter que les petites sardines sont plus recherchées que les grosses. Outre la qualité de la chair, elles sont moins grasses que ces dernières. Prévoyez une demi-douzaine de sardines de taille moyenne par personne.

SARDINES A LA SAUCE ÉCHALOTE

Rapide — Très facile — Pas cher

POUR 5 PERSONNES
CUISSON :
10 minutes environ
INGRÉDIENTS :
2 douz. de sardines
2 œufs
100 g de farine
2 dl d'huile
1 dl de vinaigre de vin
1 branche de persil
4 échalotes
1 gousse d'ail
Sel, poivre

1 - Videz les sardines, lavez-les soigneusement de façon à éliminer les écailles (peu adhérentes). Séchez les poissons sur du papier absorbant. Salez et poivrez l'intérieur.

2 - Cassez les œufs dans une assiette creuse, et battez-les comme pour une omelette.

3 - Versez la farine dans un plat et étalez-la.

4 - Faites chauffer l'huile dans une grande poêle. Passez les sardines successivement dans l'œuf puis dans la farine, et mettez-les à frire. En fonction de la taille des poissons, laissez-les de 3 à 5 minutes de chaque côté.

5 - Pendant ce temps, épluchez les échalotes et hachez-les. Lavez le persil, hachez-le. Pilez la gousse d'ail.

6 - Incorporez tous ces élements au vinaigre, salez légèrement, poivrez. Versez cette sauce à l'échalote en saucière.

7 - Quand les sardines sont cuites, rangez-les sur un plat de service chaud (vous pouvez agrémenter le plat de quelques petits bouquets de cresson), et présentez en accompagnement la sauce à l'échalote.

Menu

**FONDS D'ARTICHAUTS
À LA GUIGUE**
(voir recette ci-dessous)

**CÔTELETTES DE CHEVREUIL
HUTTENBERG**
(voir recette ci-contre)

GÂTEAU Nlle ORLÉANS
(voir recette p. 218)

Boisson conseillée :
UN MERCUREY

MINI-RECETTE

FONDS D'ARTICHAUTS À LA GUIGUE

POUR 6 PERSONNES
CUISSON : 1 heure environ
INGRÉDIENTS : 6 artichauts
100 g d'oseille, 125 g de roquefort
2 cuillerées à soupe de crème fraîche
100 g de gruyère râpé
1 noix de beurre
1 verre de vin blanc
Laurier, sel, poivre

1 - Disposez les artichauts dans le fond d'une grande cocotte, ajoutez le vin blanc, mouillez avec juste ce qu'il faut d'eau pour baigner les cœurs. Aromatisez d'une feuille de laurier, salez au gros sel, et laissez cuire à découvert une quarantaine de minutes.

2 - Triez les feuilles d'oseille, et hachez finement ce légume.

3 - Faites fondre une noix de beurre dans une petite poêle, et jetez-y le hachis d'oseille à suer quelques minutes sur feu doux en remuant de temps en temps.

4 - Ecrasez le roquefort à la fourchette, mélangez-lui la crème fraîche et, hors du feu, ajoutez cette préparation au hachis d'oseille. Salez très légèrement et poivrez.

5 - Quand les artichauts ont cuit le temps convenable, débarrassez-les des feuilles et de la barbe, retaillez légèrement le dessous, et répartissez la préparation au roquefort sur les fonds.

6 - Disposez les fonds d'artichauts sur un plat allant au four, parsemez-les d'un peu de gruyère râpé, et mettez à gratiner à four chaud quelques minutes.

CÔTELETTES DE CHEVREUIL HÜTTENBERG

POUR 6 PERSONNES
MARINADE : 3 heures
CUISSON : 15 minutes
INGRÉDIENTS :
6 côtelettes
1 boîte de purée
de marrons
1 v. de vin blanc sec
1 jus de citron
2 cuill. à soupe d'huile
2 dl de crème fraîche
40 g de beurre
1 petit verre
d'eau-de-vie prune
1 verre de lait
Laurier, sel, poivre

1 - Confectionnez une marinade, dans un grand plat creux, en y versant le vin, 1 jus de citron, un peu de laurier émietté. Salez légèrement, poivrez au moulin.

2 - Couchez les côtelettes dans cette préparation, et laissez-les mariner 3 heures environ, en retournant la viande de temps en temps.

3 - Passé ce temps, épongez soigneusement les côtelettes et mettez-les à saisir, dans une sauteuse, avec 1 belle noix de beurre. Laissez-les 2 minutes de chaque côté, puis ôtez la viande du récipient. Réservez.

4 - Versez dans la sauteuse la moitié de la marinade, un peu d'eau-de-vie de prune, et laissez réduire quelques minutes. Incorporez alors la crème fraîche et laissez réduire de moitié afin de lier la sauce.

5 - Pendant ce temps, ouvrez la boîte de purée de marrons et mettez-la à réchauffer dans une casserole avec 1 noix de beurre et du lait (à doser en fonction de la consistance de la purée).

6 - Dressez les côtelettes sur un grand plat de service, nappez-les de la sauce, et garnissez le plat de purée de marrons déposée en macarons à l'aide d'une poche à douille.

VOS NOTES PERSONNELLES

Ecrire . . . .
. . . .
Acheter . . . .
. . . .
Téléphoner . . . .

20 NOVEMBRE

**CORNETS À LA MOUSSE
DE FOIE GRAS**
(voir recette p. 60)
**RIS DE VEAU
EN GOURMANDISE**
(voir recette ci-contre)
POMMES AU VIN
(voir recette ci-dessous)

Boisson conseillée :
UN MÉDOC

MINI-RECETTE

POMMES AU VIN

POUR 4 PERSONNES
CUISSON : 15 minutes
INGRÉDIENTS : 4 pommes
1/2 bouteille de vin rouge
1 cuillerée à café de cannelle
50 g de sucre semoule
1 pincée de sucre vanillé
1 zeste de citron

1 - Epluchez les pommes, coupez-les en quatre, ôtez le cœur et les pépins, et détaillez chaque quartier en lamelles assez épaisses.

2 - Mettez les fruits dans une casserole, ajoutez le vin rouge, le sucre semoule, et aromatisez d'un peu de sucre vanillé, d'une cuillerée à café de cannelle, et d'un zeste de citron (non traité au diphényl). Laissez cuire, récipient découvert, environ 15 minutes à feu doux.

3 - Répartissez les pommes au vin dans des coupes individuelles, et servez, au choix, chaud, tiède, ou glacé.

RIS DE VEAU EN GOURMANDISE

POUR 4
A 5 PERSONNES
CUISSON : 30 minutes
INGRÉDIENTS :
800 g de ris
1 carotte, 2 échalotes
Persil, thym, laurier
1 jus de citron
Gros sel, poivre
1 petite boîte
de pelures de truffes
50 g de beurre
1 pt pot de crème fraîche
1 petit verre
de fine champagne
1 cuill. à soupe d'huile
1 pt pot de poivre vert

1 - Placez le ris de veau dans un récipient rempli d'eau froide et faites-le dégorger pendant 4 à 5 heures.

2 - Confectionnez un court-bouillon avec la carotte coupée en fines rondelles, les échalotes coupées en quatre, le persil grossièrement haché, un peu de thym et de laurier. Salez au gros sel, poivrez, ajoutez le jus de citron dans l'eau de cuisson. Laissez frémir le court-bouillon 1/2 heure, puis ôtez du feu et laissez refroidir.

3 - Lorsque les ris sont dégorgés (renouvelez l'eau de temps en temps), disposez-les dans une casserole. Couvrez d'eau froide, portez à ébullition. Puis égouttez les ris et plongez-les dans le court-bouillon. Amenez celui-ci doucement à ébullition. Laissez cuire 20 minutes.

4 - Sortez alors le ris de veau du court-bouillon, ôtez délicatement avec un petit couteau la peau qui le recouvre ainsi que les parties cartilagineuses. Détaillez, avec un couteau bien aiguisé, le ris en petites escalopes.

5 - Dans une cocotte, faites fondre le beurre et la cuillerée d'huile à feu doux. Placez-y les escalopes de riz et laissez-les dorer doucement 7 à 8 minutes de chaque côté. Mettez alors à feu vif, versez la fine champagne et flambez.

6 - Incorporez les pelures de truffes avec leur jus et laissez mijoter encore quelques minutes. Puis ajoutez quelques grains de poivre vert et deux bonnes cuillerées à soupe de crème fraîche. Remuez quelques instants sur feu doux. Présentez sur un plat de service chauffé les escalopes de riz nappées de la sauce. Accompagnez de riz blanc.

VOS NOTES PERSONNELLES

Ecrire . . . .
. . . .
Acheter . . . .
. . . .
Téléphoner . . . .

Menu

**SALADE D'ENDIVES
AU MAIGRE**
(voir recette p. 99)

**RÔTI DE DINDONNEAU
AUX COURGETTES**
(voir recette ci-contre)

ROULÉ CERDAGNOL
(voir recette ci-dessous)

MINI-RECETTE

ROULÉ CERDAGNOL

POUR 6 À 8 PERSONNES
CUISSON : 10 minutes
INGRÉDIENTS : 4 œufs
120 g de sucre en poudre
50 g de sucre vanillé, 100 g de farine
55 g de beurre
1 pot de confiture d'abricots

1 - Cassez les œufs, séparez les blancs des jaunes dans deux saladiers.
2 - Battez les jaunes avec le sucre en poudre jusqu'à ce que le mélange blanchisse.
3 - Montez les blancs d'œufs en neige très ferme.
4 - Faites fondre 35 g de beurre au bain-marie, et laissez refroidir.
5 - Ajoutez au mélange jaunes d'œufs-sucre, par tiers, et en alternant, les blancs en neige, la farine, et le beurre fondu. Remuez bien le tout pour obtenir une préparation bien homogène.
6 - Beurrez un grand papier sulfurisé carré, relevez-en les bords de 1 cm environ pour former un moule. Placez ce papier sur une plaque de cuisson, et garnissez-le de la pâte qui ne doit pas dépasser 1/2 cm d'épaisseur.
7 - Mettez à cuire à four chaud 8 à 10 minutes.
8 - Lorsque le gâteau est cuit, retournez-le sur une serviette légèrement humide. Eliminez le papier beurré.
9 - Nappez la pâte d'une couche de confiture d'abricots, puis roulez le gâteau sur lui-même en vous aidant de la serviette. Posez le gâteau sur un plat de service après avoir coupé les extrémités en biais.
10 - Saupoudrez de sucre vanille et servez.

RÔTI DE DINDONNEAU AUX COURGETTES

Long Facile Abordable

**POUR 4 PERSONNES
CUISSON : 1 heure
INGRÉDIENTS :**
1 rôti de dindonneau
d'environ 800 g
2 oignons
1 kg de courgettes
4 gousses d'ail
1 v. de vin blanc sec
Persil, thym
Laurier, estragon
1 cuillerée à soupe
de moutarde
1 cuillerée à soupe
rase de farine
1 cuill. à soupe d'huile
Sel, poivre

1 - Faites chauffer l'huile dans une cocotte et mettez-y le rôti à dorer.
2 - Épluchez les oignons et hachez-les grossièrement.
3 - Lorsque le rôti à pris couleur sur toutes ses faces, ajoutez les oignons et laissez-les blondir.
4 - Ôtez alors quelques instants le rôti de la cocotte, ajoutez la farine et laissez-la roussir légèrement en tournant régulièrement à la cuillère de bois.
5 - Mouillez avec le vin blanc, grattez bien le fond du récipient afin de décoller tous les sucs de cuisson, salez et poivrez.
6 - Remettez le rôti dans la sauce, aromatisez avec le thym, le laurier, 1 pincée d'estragon. Couvrez et laissez mijoter une bonne demi-heure. Complétez le mouillement à l'eau chaude en cours de cuisson.
7 - Pendant ce temps, épluchez les courgettes, coupez-les en rondelles et faites-les cuire dans une casserole avec un peu d'eau salée pendant 20 à 25 minutes.
8 - Lorsque le rôti a mijoté à couvert pendant 1/2 heure, incorporez à la sauce une bonne cuillerée de moutarde forte, et laissez cette sauce réduire à découvert 15 minutes environ.
9 - Dressez le rôti sur un grand plat creux, disposez tout autour les courgettes cuites à l'eau, après les avoir égouttées. Parsemez les légumes d'un hachis d'ail et de persil, et nappez le tout de sauce.

VOS NOTES PERSONNELLES

Ecrire . . . .

. . . .

Acheter . . . .

. . . .

Téléphoner . . . .

Menu

SALADE DE CAROTTES ET DE SARDINES
(voir recette ci-contre)

POULET AUX TOMATES
(voir recette ci-dessous)

POIRES AU BOURGUEIL
(voirt recette p. 223)

MINI-RECETTE

POULET AUX TOMATES

POUR 4 À 5 PERSONNES
CUISSON : 1 heure environ
INGRÉDIENTS : 1 poulet, 5 tomates
1 poivron, 1 gros oignon, 2 gousses d'ail
2 cuillerées à soupe d'huile
Laurier, 1 pincée d'estragon
Sel, poivre

1 - Pelez l'oignon, hachez-le grossièrement. Lavez le poivron, fendez-le en deux dans le sens de la longueur, débarrassez-le de ses pépins, détaillez-le en lanières.
2 - Plongez quelques instants les tomates dans de l'eau bouillante, puis mondez-les et coupez-les en morceaux.
3 - Faites chauffer l'huile dans une cocotte, et jetez-y l'oignon et le poivron. Laissez blondir ces légumes légèrement, puis ajoutez les tomates fraîches et les gousses d'ail hachées. Mouillez avec 1/2 litre d'eau chaude, aromatisez d'un peu de laurier et d'estragon. Salez et poivrez.
4 - Colorez vivement le poulet dans un faitout, puis disposez-le dans la sauce à la tomate.
5 - Couvrez le récipient, et laissez cuire 1 h à 1 h 15 en fonction de la taille de la volaille.
6 - Lorsque le poulet est cuit, dressez-le sur un plat de service, présentez la sauce en saucière. Vous pouvez accompagner ce plat d'un riz blanc.

SALADE DE CAROTTES ET DE SARDINES

Long — Très facile — Pas cher

POUR 4
A 5 PERSONNES
12 H A MARINER
INGRÉDIENTS :
6 sardines
400 g de carottes
2 citrons
1 cuillerée à café de moutarde
3 cuill. à soupe d'huile
1 branche de persil
2 échalotes
1 gousse d'ail
Sel, poivre

1 - Videz les sardines, lavez-les et essuyez-les grossièrement avec du papier absorbant. Levez les filets.
2 - Couchez les filets de poisson dans un plat creux, salez-les légèrement, poivrez-les. Ajoutez les échalotes finement hachées à la gousse d'ail pilée. Versez dessus le jus d'un citron et demi, et laissez mariner une journée ou une nuit. Retournez les filets de temps en temps.
3 - Au moment de préparer la salade, pelez les carottes et râpez-les.
4 - Dans un saladier, préparez une sauce comme suit : délayez la moutarde dans le jus d'un demi-citron, ajoutez le sel puis les 3 cuillerées d'huile en tournant constamment. Lorsque la sauce a pris une consistance crémeuse, ajoutez les carottes râpées et remuez bien le tout.
5 - Sortez les filets de sardines de la marinade et disposez-les en croisillons sur la salade. Parsemez le tout d'un fin hachis de persil avant de servir.

LE TRUC DU CHEF

POUR LA SALADE DE CAROTTES ET DE SARDINES : évitez de râper les carottes avec des grilles trop fines, afin que le légume ne « rende » pas trop d'eau.

Choisissez, pour cette recette, des sardines de petites tailles, moins grasses que les poissons de grandes dimensions.

POUR LE POULET AUX TOMATES : assurez-vous au toucher que les filets du poulet sont bien charnus.

VOS NOTES PERSONNELLES

Ecrire . . . .
. . . .
Acheter . . . .
. . . .
Téléphoner . . . .

Menu

**SALADE D'ÉPINARDS
AU ROQUEFORT**
(voir recette p. 215)
**FOIE DE GÉNISSE À LA PURÉE
D'AUBERGINES**
(voir recette ci-dessous)
BANANA SPLIT
(voir recette ci-contre)

MINI-RECETTE

FOIE DE GÉNISSE À LA PURÉE D'AUBERGINES

**POUR 4 PERSONNES
CUISSON : 25 minutes
INGRÉDIENTS : 4 tranches de foie
1 kg d'aubergines, 3 citrons, 2 gousses d'ail
Persil, ciboulette
2 cuillerées à soupe d'huile
1 feuille de laurier, sel, poivre**

1 - Epluchez les aubergines à l'aide d'un couteau économe, et hachez la chair grossièrement.
2 - Pressez le jus des citrons, et faites cuire dans une casserole le hachis d'aubergines avec ce jus pendant 25 minutes. Ajoutez les gousses d'ail pilées, la feuille de laurier, salez, poivrez, couvrez le récipient.
3 - Pendant ce temps, enduisez légèrement d'huile les tranches de foie, salez et poivrez-les, et faites-les cuire à la plaque, sur feu moyen.
4 - Lorsque le foie est cuit (vous le laisserez sur la plaque plus ou moins longtemps selon que vous l'aimez rosé ou bien cuit), dressez les tranches sur un plat de service chaud, et parsemez-les d'un fin hachis de persil.
5 - En fin de cuisson des aubergines, incorporez à la purée 1 cuillerée à soupe d'huile, une bonne pincée de ciboulette hachée, et entourez le foie de cette garniture.

BANANA SPLIT

**POUR 4 PERSONNES
INGRÉDIENTS : 4 bananes
4 boules de glace noisette
4 boules de glace vanille
80 g de chocolat à cuire
4 cuillerées à soupe
de gelée de groseille
2 dl de lait
1 sachet d'amandes
effilées
1 pet. pot de crème
fraîche
3 cuillerées à soupe
de sucre en poudre
1 pincée de vanille
4 cerises à l'eau-de-vie**

1 - Épluchez les bananes et coupez-les dans le sens de la longueur. Placez les deux moitiés dans des assiettes à dessert.
2 - Faites fondre le chocolat lentement dans une petite casserole et incorporez 1,5 dl de lait. Mélangez pour obtenir une sauce onctueuse.
3 - Mettez la crème fraîche dans un saladier avec le lait qui reste. Battez vigoureusement jusqu'à ce que le mélange devienne ferme et mousseux. Ajoutez alors le sucre et la pincée de vanille.
4 - Placez, entre les moitiés de banane, les boules de glace vanille et noisette. Coulez sur chaque boule un peu de gelée de groseille.
5 - Versez sur la glace la sauce chocolat encore tiède, et décorez tout autour, sans trop masquer la banane et la glace, avec la chantilly.
6 - Saupoudrez le tout d'amandes grillées effilées, et placez sur chaque boule de glace une cerise à l'eau-de-vie. Servez aussitôt.

LE TRUC DU CHEF

**POUR LES BANANA SPLIT : placez vos assiettes ou vos coupes vides dans le réfrigérateur quelques instants avant de réaliser votre recette. La glace et la chantilly auront une meilleure tenue.
Pour ce qui concerne la glace, demandez à votre glacier de la placer dans un conditionnement isotherme. Choisissez des bananes mûres. N'hésitez pas à acheter des bananes tigrées, c'est-à-dire tachetées de noir. C'est un bon indice de maturité.**

VOS NOTES PERSONNELLES

Ecrire . . . .

. . . .

Acheter . . . .

. . . .

Téléphoner . . . .

24 NOVEMBRE

Menu

TOUT SAVOIR SUR...

LA TRANCHE

Sous la dénomination tranche, on englobe « le tende de tranche » et la « tranche grasse », situés dans la partie interne, postérieure, de la cuisse du bœuf. La tranche est une viande maigre, savoureuse mais un peu ferme. Elle renferme des vitamines A, B et PP, ainsi que des éléments minéraux. Elle doit avoir, à la coupe, une couleur rouge vif et un grain serré. Cette viande sert à confectionner des stecks et des rosbifs, mais également des morceaux à braiser en cocotte. Un des fameux morceaux du boucher appelé « poire » est débité dans le tende de tranche. Dans la tranche grasse, on prélève le « rond de tranche » et le « plat de tranche » qui sont des morceaux à griller ou à poêler mais aussi la « nourrice » qui est un morceau entrant dans la confection des pot-au-feu.

CRÈME AU CITRON

Moyen — Très facile — Abordable

POUR 5 A 6 PERSONNES
CUISSON :
45 minutes environ
INGRÉDIENTS : 3 citrons
50 g de raisins secs
150 g de sucre semoule
125 g de sucre
en morceaux
1 gousse de vanille
1 pincée de sucre vanillé
3/4 de litre de lait
1 pet. verre de rhum
3 œufs entiers +6 jaunes
1 noix de beurre

1 - Prélevez les zestes des citrons à l'aide d'un couteau économe, et taillez-les en petits morceaux.

2 - Versez le lait dans une casserole, ajoutez les zestes, une gousse de vanille fendue, et portez le liquide à ébullition. Puis ôtez le récipient du feu, couvrez-le, et laissez infuser quelques minutes.

3 - Mettez les œufs entiers et les jaunes dans une terrine, ajoutez le sucre semoule, le sucre vanillé, et fouettez énergiquement la préparation jusqu'à ce qu'elle blanchisse.

4 - Versez dessus le lait chaud (après l'avoir passé) en fouettant le mélange, et ajoutez le rhum et les raisins secs.

5 - Beurrez un moule à hauts bords et garnissez-le de la crème. Placez ce moule dans un récipient plus grand allant au four, rempli d'eau chaude, de manière à réaliser une cuisson au bain-marie, et placez le tout à four moyen 30 minutes environ.

6 - Détaillez les citrons en rondelles, en ôtant soigneusement la peau blanche qui les recouvre, et plongez-les dans un sirop que vous réaliserez en faisant chauffer 1/8 de litre d'eau et 125 g de sucre en morceaux. Laissez le sirop bouillir quelques instants puis ôtez le récipient du feu. Laissez refroidir les tranches de citron dans le sirop.

7 - Quand la crème est cuite, laissez-la refroidir complètement avant de la démouler sur un plat de service. Décorez le dessert avec les tranches de citron au sirop avant de servir.

VOS NOTES PERSONNELLES

Ecrire . . . .

Acheter . . . .

Téléphoner . . . .

25 NOVEMBRE

Menu

SOUFFLÉ AU ROQUEFORT
(voir recette ci-contre)

PAUPIETTES DE TURBOT FARCIES
(voir recette p. 31)

KRAMIK
(voir recette ci-dessous)

MINI-RECETTE

KRAMIK

POUR 5 À 6 PERSONNES
À PRÉPARER LA VEILLE
CUISSON : 10 minutes
INGRÉDIENTS : 250 g de farine
150 g de beurre
6 jaunes d'œufs
1 cuillerée à soupe de sucre
10 g de levure de boulanger
50 g de raisins secs
1 verre à liqueur de rhum

1 - Mettez les raisins secs dans un bol, et arrosez-les de rhum.
2 - Versez la farine dans un saladier, faites un puits, et placez-y le beurre préalablement fondu au bain-marie.
3 - Cassez 5 œufs, et ajoutez les jaunes au beurre, puis le sucre en poudre. Mélangez le tout à la cuiller de bois.
4 - Faites un trou dans la pâte, mettez-y la levure et 1 bonne pincée de sel. Pétrissez soigneusement, en incorporant les raisins secs macérés dans le rhum. Formez la pâte en galette dans le saladier, recouvrez d'un linge, et laissez reposer une nuit.
5 - Le lendemain, placez la pâte dans un moule à hauts bords préalablement beurré, la pâte devant remplir une bonne moitié du moule. Laissez reposer dans un endroit tiède, en recouvrant toujours d'un linge, jusqu'à ce que le niveau de la pâte atteigne le haut du moule.
6 - Battez alors un jaune d'œuf, et, au pinceau, badigeonnez le dessus du gâteau.
7 - Mettez à cuire à four moyen 30 minutes. Après cuisson, laissez refroidir le kramik avant de démouler sur un linge.

SOUFFLÉ AU ROQUEFORT

POUR 4 PERSONNES
CUISSON : 40 minutes
INGRÉDIENTS :
125 g de roquefort
150 g de gruyère râpé
4 œufs
75 g de farine
100 g de beurre
1/2 l de lait
1 pincée de noix de muscade râpée
Poivre, sel

1 - Faites fondre 75 g de beurre dans une petite casserole. Versez la farine en pluie, et laissez cuire 2 minutes environ à feu doux. Tournez ce mélange à la cuillère de bois et veillez bien à ce que la farine cuise sans prendre couleur.
2 - Faites chauffer le lait et versez-le dans la préparation en remuant bien pour éviter l'apparition de grumeaux, laissez frémir quelques minutes. Salez, poivrez. Retirez du feu. Vous devez obtenir une béchamel onctueuse.
3 - Cassez les œufs, mettez les jaunes dans un saladier. Réservez les blancs. Ajoutez aux jaunes légèrement battus le gruyère râpé, le roquefort préalablement écrasé à la fourchette et une pincée de noix de muscade râpée. Mélangez bien le tout afin d'obtenir une pâte homogène.
4 - Ajoutez cette préparation à la béchamel refroidie. Remuez soigneusement avec une cuillère en bois.
5 - Dans une jatte, battez énergiquement les blancs d'œufs en neige à l'aide d'un fouet.
6 - Incorporez peu à peu, et délicatement, les blancs en neige à la préparation au roquefort. Versez le tout dans un moule à soufflé préalablement beurré.
7 - Mettez à four moyen 30 minutes, en maintenant au four une chaleur constante. Servez immédiatement dans le moule de cuisson.

VOS NOTES PERSONNELLES

Ecrire . . . .

. . . .

Acheter . . . .

. . . .

Téléphoner . . . .

Menu

**ŒUFS EN GELÉE
À L'ESTRAGON**
(voir recette p. 208)

JAMBON EN SAUCE MADÈRE
(voir recette ci-dessous)

**VACHERIN NANCÉEN
AUX FRAISES**
(voir recette ci-contre)

Boisson conseillée :
UN CHÂTEAUNEUF-DU-PAPE

MINI-RECETTE

JAMBON EN SAUCE MADÈRE

**POUR 4 PERSONNES
CUISSON : 20 minutes
INGRÉDIENTS : 4 tranches de jambon
250 g de champignons
3 échalotes, 1 gousse d'ail
1 cuillerée à café de concentré de tomates
1 cuillerée à café de farine
1 jaune d'œuf, 1 grand verre de madère
1 cuillerée à soupe de crème fraîche
1 noix de beurre, 2 cuillerées à soupe d'huile
1 pincée d'estragon, sel, poivre**

1 - Dans une sauteuse, faites chauffer légèrement le mélange de beurre et d'huile et couchez-y 4 épaisses tranches de jambon. Laissez-les dorer 4 à 5 minutes.

2 - Nettoyez les champignons et coupez-les en lamelles.

3 - Epluchez les échalotes, la gousse d'ail, et hachez-les.

4 - Lorsque le jambon à pris couleur, sortez les tranches de la sauteuse, réservez-les, et mettez les champignons à sauter dans la graisse de cuisson du jambon 4 à 5 minutes. Salez et poivrez.

5 - Ajoutez alors l'échalote et l'ail, laissez blondir 2 à 3 minutes, et versez la farine. Remuez et, lorsque la farine est légèrement roussie, mouillez avec le madère.

6 - Incorporez à la sauce le concentré de tomates, 1 pincée d'estragon en poudre, et replacez-y les tranches de jambon. Laissez mijoter 2 à 3 minutes à découvert.

7 - En fin de cuisson, sortez les tranches de jambon de la sauteuse, et liez la sauce avec la crème fraîche et 1 jaune d'œuf.

8 - Nappez le jambon de cette sauce et servez immédiatement.

VACHERIN NANCÉEN AUX FRAISES

**POUR 8 PERSONNES
INGRÉDIENTS :
1 croûte de meringue
toute faite
800 g de fraises surgelées
50 g de sucre glace
250 g de crème fraîche
3/4 de litre de lait
200 g de sucre
en poudre
8 jaunes d'œufs
20 morceaux de sucre**

PRÉPAREZ LA GLACE :

1 - Faites dégeler les fraises. Réduisez-en les 3/4 en purée.

2 - Mettez le lait à bouillir dans une petite casserole et retirez du feu.

3 - Dans un saladier, fouettez énergiquement les jaunes d'œufs et le sucre en poudre, jusqu'à ce que le mélange blanchisse.

4 - Réservez un petit verre de lait (que vous placerez au réfrigérateur), et incorporez le lait tiédi au mélange, sans cesser de tourner.

5 - Mettez cette préparation sur feu doux afin qu'elle épaississe, en évitant soigneusement de laisser bouillir. Ôtez alors du feu, laissez refroidir, et ajoutez la purée de fraises. Mettez à glacer en sorbetière.

PRÉPAREZ LA CHANTILLY :

1 - Versez la crème fraîche dans un saladier ou une jatte. Ajoutez le petit verre de lait glacé, et fouettez jusqu'à l'obtention de chantilly.

2 - Incorporez alors le sucre glace.

PRÉPAREZ LE CARAMEL :

1 - Placez 20 morceaux de sucre et 2 cuillerées à soupe d'eau dans une petite casserole.

2 - Mettez à four moyen jusqu'à ce que le caramel blondisse.

CONFECTIONNEZ LE VACHERIN :

1 - Juste avant de servir, posez la croûte de meringue sur un plat de service. Garnissez-en l'intérieur de la glace à la fraise, jusqu'à mi-hauteur, à l'aide d'une cuillère. Placez sur la glace quelques fraises.

2 - Comblez la meringue avec la chantilly. Disposez sur le tout les fraises restantes, et coulez délicatement le caramel.

VOS NOTES PERSONNELLES

Ecrire . . . .
. . . .
Acheter . . . .
. . . .
Téléphoner . . . .

27 NOVEMBRE

Menu

OMELETTE AUX MORILLES
(voir recette ci-dessous)
**CAILLES AUX RAISINS
SUR CANAPÉS**
(voir recette ci-contre)
**CRÊPES SOUFFLÉES
AU MARASQUIN**
(voir recette p. 226)

Boisson conseillée :
UN MOULIN À VENT

MINI-RECETTE

OMELETTE
AUX MORILLES

POUR 4 PERSONNES
CUISSON : 15 minutes
INGRÉDIENTS : 8 œufs
1 sachet de morilles déshydratées
1 cuillerée à soupe de crème fraîche
30 g de beurre, ciboulette, cerfeuil
Sel, poivre

1 - Plongez les morilles déshydratées dans un récipient d'eau tiède et laissez-les reprendre forme en vous conformant aux indications portées sur le sachet. Puis égouttez-les et mettez-les à sécher sur du papier absorbant. Passez-les quelques minutes à la poêle, dans une noix de beurre.

2 - Cassez les œufs dans une jatte, ajoutez la crème fraîche, salez, poivrez, agrémentez d'un fin hachis de ciboulette et de cerfeuil, et battez le tout.

3 - Quand les morilles ont pris couleur, ôtez-les du récipient, réservez, et versez-y les œufs. Laissez cuire sur feu moyen quelques minutes en remuant vivement au centre, à la spatule, afin d'accélérer la coagulation.

4 - Quand l'omelette est presque cuite, disposez au mieux les morilles, laissez quelques instants sur feu doux, puis faites glisser l'omelette sur un plat de service. Repliez-la et servez immédiatement.

CAILLES AUX RAISINS
SUR CANAPÉS

POUR 4 PERSONNES
CUISSON :
40 minutes environ
INGRÉDIENTS : 4 cailles
600 g de raisin blanc
4 tranches
de pain de mie
1 petite boîte
de mousse de foie gras
140 g de beurre
1 cuillerée à café
de sucre poudre
1/2 v. de cognac
Sel, poivre

1 - Faites fondre 50 g de beurre à feu vif dans une cocotte, et mettez-y les cailles vidées et bridées à revenir. Laissez-les bien se dorer sur toutes leurs faces, salez, poivrez, puis ôtez-les de la cocotte.

2 - Débarrassez le récipient de la graisse, replacez-y les cailles, et mouillez avec le cognac. Couvrez et laissez sur feu très doux 3 à 4 minutes.

3 - Lavez le raisin, égrenez-le, et passez-en la moitié à la moulinette. Versez sur les petits oiseaux le jus obtenu, et laissez-les cuire à couvert 20 minutes, toujours sur feu très doux.

4 - Faites fondre 50 g de beurre dans une casserole, ajoutez 1 cuillerée à café de sucre en poudre et, sur feu moyen, tournez ce mélange quelques instants à la cuillère de bois.

5 - Jetez le reste des raisins blancs dans le beurre chaud et remuez-les délicatement, jusqu'à ce qu'ils colorent.

6 - Dans une poêle, passez au beurre les tranches de pain de mie, des deux côtés, et tartinez-les immédiatement de mousse de foie gras.

7 - Sur un plat de service, disposez les cailles sur les canapés au foie gras, nappez-les de sauce, et placez tout autour les grains de raisin.

VOS NOTES PERSONNELLES

Ecrire . . . .
. . . .
Acheter . . . .
. . . .
Téléphoner . . . .

POIREAUX À LA VINAIGRETTE
(voir recette ci-dessous)

**CÔTES DE VEAU
AUX BRUXELLES**
(voir recette p. 194)

POMMES EN BEIGNETS
(voir recette ci-contre)

POMMES EN BEIGNETS

Long   Facile   Pas cher

**POUR 5
A 6 PERSONNES
CUISSON :
15 minutes environ
INGRÉDIENTS :** 5 pommes
250 g de farine
1 œuf
2 cuill. à soupe d'huile
1 verre de calvados
70 g de sucre en poudre
1 pincée de sel
1 bain de friture

1 - Versez la farine dans un saladier, faites un puits et mettez-y le calvados, l'œuf, 1 cuillerée à soupe de sucre, l'huile et 1 pincée de sel. Mélangez et ajoutez de l'eau tiède peu à peu, jusqu'à l'obtention d'une pâte souple, pas trop fluide. Laissez reposer 2 heures.

2 - Pelez les pommes, et détaillez-les en rondelles de 5 à 6 mm d'épaisseur. Ôtez pour chacune la partie centrale et les pépins.

3 - Quand la pâte a reposé le temps convenable, piquez les rondelles de fruit à la fourchette, enrobez-les soigneusement de pâte avant de les plonger dans le bain d'huile bouillant. Laissez les beignets dorer 3 à 4 minutes, en les retournant à mi-cuisson.

4 - Retirez les beignets cuits un à un avec une écumoire, et mettez-les à égoutter sur du papier absorbant.

5 - Disposez les beignets sur un plat de service, saupoudrez-les de sucre semoule, et servez immédiatement.

MINI-RECETTE

POIREAUX
À LA VINAIGRETTE

**POUR 5 À 6 PERSONNES
CUISSON :** 25 minutes environ
INGRÉDIENTS : 1 kg de poireaux
1 œuf, 2 échalotes, 1 gousse d'ail
2 cuillerées à café de moutarde
2 cuillerées à soupe de vinaigre
6 cuillerées à soupe d'huile
1 petit bouquet de persil, sel, poivre

1 - Débarrassez les poireaux d'un surplus de feuilles vertes, lavez-les soigneusement à plusieurs eaux, et mettez-les à cuire à l'eau bouillante salée 20 à 25 minutes en fonction de la taille des légumes.

2 - Faites durcir un œuf 12 à 15 Minutes à l'eau bouillante.

3 - Quand les poireaux sont cuits, égouttez-les dans une passoire, puis sur un torchon en pressant très légèrement afin d'éliminer le maximum d'eau.

4 - Dans un bol, délayez la moutarde dans le vinaigre, salez, poivrez, et incorporez l'huile peu à peu en tournant constamment, jusqu'à ce que la sauce prenne une consistance crémeuse. Ajoutez-y alors les échalotes finement hachées avec un peu de persil, la gousse d'ail pilée, et le jaune d'œuf préalablement écrasé à la fourchette. Remuez soigneusement le tout.

5 - Couchez les poireaux dans un grand ravier, nappez-les de la sauce, tournez-les quelques instants afin de bien les imbiber avant de servir.

LE TRUC DU CHEF

POUR LES POIREAUX À LA VINAIGRETTE : pour que les poireaux conservent leur couleur, évitez de couvrir le récipient lors de leur cuisson.

POUR LES CÔTES DE VEAU AUX BRUXELLES : veillez à ne pas trancher les tiges des choux trop près de la base, car alors les feuilles se détacheraient peu à peu au cours des différentes opérations de lavage, cuisson à l'eau, puis lorsqu'on les fait rissoler.

VOS NOTES PERSONNELLES

Ecrire . . . .
. . . .
Acheter . . . .
. . . .
Téléphoner . . . .

29 NOVEMBRE

Menu

SALADE AUX DEUX CHOUX
(voir recette ci-dessous)

**PINTADE BRAISÉE
AUX PETITS LÉGUMES**
(voir recette ci-contre)

COUPE MATIGNON
(voir recette p. 64)

MINI-RECETTE

SALADE
AUX DEUX CHOUX

POUR 6 PERSONNES
INGRÉDIENTS : 1/4 de chou rouge
1/4 de chou vert
1 cuillerée à café de moutarde
1/2 citron
5 cuillerées à soupe d'huile
Ciboulette, cerfeuil
Quelques feuilles d'estragon
1 gousse d'ail, sel, poivre

1 - Lavez soigneusement les choux, séchez-les avec un torchon, et hachez-les menu au couteau.
2 - Confectionnez dans un saladier une sauce comme suit : délayez la moutarde dans le jus de citron, salez, poivrez, et versez l'huile en tournant constamment à la cuiller. Agrémentez d'une gousse d'ail pilée, d'un peu d'estragon, de cerfeuil, et de ciboulette hachés.
3 - Mettez les choux hachés dans le saladier, et remuez longuement la salade.

PINTADE BRAISÉE
AUX PETITS LÉGUMES

Moyen   Très facile   Abordable

**POUR 4
A 5 PERSONNES
CUISSON : 1 h env.
INGRÉDIENTS : 1 pintade**
250 g de carottes
200 g de petits
oignons blancs
2 branches de céleri
2 gousses d'ail
1 boîte de petits pois
1 pincée d'estragon
en poudre
Thym, laurier
2 cuill. à soupe d'huile
Sel, poivre

1 - Salez, poivrez, et aromatisez l'intérieur de la pintade avec un peu de thym, de laurier et d'estragon.
2 - Faites chauffer un peu d'huile dans une cocotte, et mettez-y la pintade à dorer sur toutes ses faces une quinzaine de minutes, sur feu moyen, après avoir salé et poivré l'intérieur.
3 - Pendant ce temps, pelez les petits oignons et les carottes, et coupez ces dernières en rondelles. Épluchez soigneusement les branches de céleri à l'aide d'un couteau économe, et détaillez-les en tronçons.
4 - Quand la volaille est bien dorée, ôtez-la du récipient, réservez-la, et jetez les légumes dans la graisse de cuisson. Laissez-les blondir quelques instants, puis mouillez avec 1 verre de vin blanc sec. Salez et poivrez légèrement, replacez la pintade dans la cocotte, et laissez mijoter doucement 3/4 d'heure à couvert après avoir ajouté l'ail pilé.
5 - 10 minutes avant la fin de la cuisson, versez le contenu de la boîte de petits pois dans la cocotte, et laissez la cuisson aller à son terme.
6 - Dressez la volaille dans un grand plat creux, disposez tout autour la garniture de petits légumes et servez aussitôt.

VOS NOTES PERSONNELLES

Ecrire . . . .
. . . .
Acheter . . . .
. . . .
Téléphoner . . . .

30 NOVEMBRE

Menu

SALADE AU BLEU
(voir recette p. 120)

BROCHETTES AU BŒUF MARINÉ
(voir recette p. 14)

TARTE AUX AMANDES
(voir recette ci-contre)

TARTE AUX AMANDES

POUR 6 PERSONNES
CUISSON :
40 minutes environ
INGRÉDIENTS :
220 g de farine
100 g de beurre
4 œufs
1 pet. pot de crème fraîche
150 g de sucre semoule
100 g de poudre d'amandes
1 petit verre de rhum
1 sachet de sucre vanillé
1 sachet d'amandes effilées
1 pincée de sel

1 - Confectionnez une pâte brisée en mélangeant dans un grand saladier la farine, 1 œuf entier, 80 g de beurre en parcelles et 1 pincée de sel. Pétrissez soigneusement le tout en ajoutant un peu d'eau afin de faciliter l'opération.

2 - Quand la pâte est bien homogène, formez-la en boule, farinez-la et laissez-la reposer pendant 1 heure.

3 - Cassez les 3 œufs restants dans un saladier, battez-les comme pour une omelette, puis incorporez le sucre semoule, le sucre vanillé, le rhum, la poudre d'amandes, la crème fraîche et le rhum. Mélangez bien le tout à la spatule de bois.

4 - Quand la pâte a reposé le temps convenable, étalez-la au rouleau, et tapissez-en un moule à tarte préalablement beurré. Garnissez la pâte de la préparation aux amandes, et mettez à cuire à four moyen 40 minutes. En fin de cuisson, saupoudrez la tarte avec les amandes effilées, et attendez le refroidissement complet du dessert avant de le démouler sur un plat de service.

TOUT SAVOIR SUR...

LES SAUCES

Les sauces que l'on trouve dans le commerce répondent quasiment à toutes les exigences de la cuisine. Elles permettent un gain de temps appréciable et éliminent une préparation parfois délicate. Elles sont présentées sous des conditionnements très divers : boîtes métalliques, tubes, flacons de verre, sachets... On peut les classer en plusieurs catégories : **les sauces à base de tomate,** *natures ou assaisonnées elles peuvent contenir des oignons, de l'ail, de la viande et servent surtout à agrémenter les pâtes et le riz.* **Les sauces aux légumes** *servent à accompagner les farineux.* **Les sauces à base de matières grasses,** *ce sont les mayonnaises, béarnaises, ravigotes... Elles relèvent agréablement les viandes, poissons, légumes.* **Les sauces à base de lait, fromage, viande, poisson,** *ce sont les béchamels, bolognaises, nantuas.* **Les sauces épicées,** *comme les sauces au poivre, au curry, armoricaine, mettent en valeur viandes et poissons.* **Les sauces salade,** *ce sont des sauces vinaigrette, moutarde, prêtes à l'emploi pour les salades et crudités.*

LE TRUC DU CHEF

POUR LA TARTE AUX AMANDES : vous pouvez agrémenter la tarte, comme cela se fait parfois, de petits morceaux de fruits confits (cerises, angélique) qui seront du plus bel décoratif.

VOS NOTES PERSONNELLES

Ecrire . . . .

. . . .

Acheter . . . .

. . . .

Téléphoner . . . .

1 DÉCEMBRE

Menu

CAVIAR D'AUBERGINES
(voir recette ci-dessous)

ROULADES DE JAMBON AUX HERBES
(voir recette ci-contre)

FRUITS RAFRAÎCHIS
(voir recette p. 229)

MINI-RECETTE

CAVIAR D'AUBERGINES

POUR 6 PERSONNES
CUISSON : 30 minutes
INGRÉDIENTS : 1 kg d'aubergines
1 dl d'huile d'olive
2 gousses d'ail, 1 branche de persil
Sel, poivre

1 - Mettez les aubergines sur une grille et faites cuire à four chaud une trentaine de minutes.

2 - Quand les légumes sont cuits à cœur, ôtez soigneusement la peau, et réduisez-les en purée à la fourchette ou mieux, au mixer.

3 - Salez, poivrez, aromatisez des gousses d'ail et un peu de persil haché, et versez l'huile en filet en tournant constamment la préparation, comme on le ferait pour une mayonnaise.

4 - En fin d'opération, lorsque vous avez obtenu une pâte lisse et onctueuse, rectifiez l'assaisonnement si besoin est en tenant compte que les aubergines nécessitent une bonne pointe de sel, et placez le récipient au réfrigérateur uen bonne demi-heure.

5 - Au moment de servir, répartissez le caviar dans de petites terrines individuelles.

ROULADES DE JAMBON AUX HERBES

Moyen   Très facile   Abordable

POUR 4 PERSONNES
CUISSON :
30 minutes environ
INGRÉDIENTS :
500 g d'épinards
1 laitue
300 g d'oseille
250 g de champignons
4 tranches de jambon blanc
30 g de beurre
30 g de farine
40 cl de lait écrémé
Sel, poivre

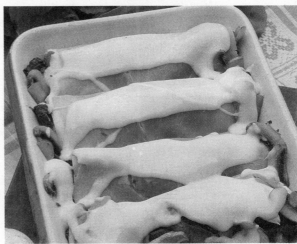

1 - Triez les feuilles d'épinards et d'oseille, éliminez les parties jaunies ou abîmées, coupez les queues. Lavez les légumes à plusieurs eaux.

2 - Détachez les feuilles de la laitue et lavez-les à l'eau courante.

3 - Faites bouillir de l'eau salée dans une grande casserole, et mettez-y les légumes à cuire 5 minutes, à découvert, après la reprise de l'ébullition.

4 - Pendant ce temps, coupez les pieds terreux des champignons, passez-les rapidement à l'eau pour éliminer la terre, et séchez-les sur du papier absorbant. Détaillez les champignons en fines lamelles, et mettez-les à revenir quelques minutes à la poêle, avec 1 noisette de beurre.

5 - Quand les légumes verts sont cuits, égouttez-les et pressez-les entre vos mains pour éliminer le maximum d'eau.

6 - Faites fondre 20 g de beurre dans une casserole, ajoutez-y la farine, et faites cuire à feu doux 2 à 3 minutes en tournant constamment à la cuillère de bois. Versez alors peu à peu le lait froid, salez, poivrez, et laissez cuire doucement 15 minutes en tournant la sauce.

7 - Passé ce temps, réservez la moitié de la sauce et incorporez au reste les champignons et les légumes verts. Mélangez bien la préparation.

8 - Répartissez le mélange sur les tranches de jambon, roulez les tranches et disposez-les dans un plat allant au four. Nappez le tout du reste de sauce, et mettez à cuire à four moyen 10 minutes. Servez aussitôt.

VOS NOTES PERSONNELLES

Ecrire . . . .
. . . .
Acheter . . . .
. . . .
Téléphoner . . . .

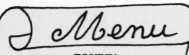

TOURIN
(voir recette ci-dessous)

ÉGLEFIN
À LA FLENSBOURGEOISE
(voir recette ci-contre)

BEIGNETS À L'ORANGE
(voir recette p. 58)

ÉGLEFIN A LA FLENSBOURGEOISE

POUR 4 PERSONNES
CUISSON :
30 minutes environ
INGRÉDIENTS :
600 g d'églefin
150 g de poitrine fumée
1 v. de vin blanc sec
1 noix de saindoux
150 g de petits
oignons blancs
2 cuill. à café de farine
1 pointe de paprika
1 pincée d'estragon
Sel, poivre

1 - Faites fondre une noix de saindoux dans une sauteuse, et mettez-y à dorer le poisson en tranches, sur feu doux, après l'avoir salé et poivré.
2 - Pendant ce temps, détaillez la poitrine fumée en petits cubes. Épluchez les oignons blancs.
3 - Quand le poisson a pris couleur sur ses deux faces, ôtez-le du récipient et réservez.
4 - Jetez dans la graisse de cuisson la poitrine fumée et les oignons, et laissez ces ingrédients blondir pendant quelques minutes en les remuant de temps en temps à la cuillère de bois.
5 - Ajoutez la farine en pluie, tournez la préparation 2 à 3 minutes sur feu doux, puis mouillez avec le vin blanc. Ajoutez un peu de paprika et d'estragon, grattez soigneusement le fond du récipient à la cuillère de bois afin de décoller les sucs de cuisson ou la farine qui attacheraient, et mettez l'églefin dans la sauce.
6 - Laissez mijoter à couvert 12 à 15 minutes et, lorsque le poisson est cuit, dressez-le dans un grand plat creux et nappez-le de la sauce au vin. Servez aussitôt avec un accompagnement de pommes de terre cuites à la vapeur.

MINI-RECETTE

TOURIN

POUR 5 À 6 PERSONNES
CUISSON : 25 minutes environ
INGRÉDIENTS : 3 tomates, 6 échalotes
2 oignons, 5 gousses d'ail
1 noix de saindoux, 2 jaunes d'œufs
1 filet de vinaigre de vin
Quelques tranches de pain
Sel, poivre

1 - Plongez les tomates quelques instants dans de l'eau bouillante, mondez-les, et concassez-les grossièrement.
2 - Epluchez oignons et échalotes, et détaillez-les en fines rondelles.
3 - Faites fondre une belle noix de saindoux dans un faitout, et jetez-y à blondir les rondelles d'oignons et d'échalotes. Lorsque ces légumes ont pris couleur, ajoutez la purée de tomates fraîches et l'ail pilé. Laissez cuire quelques instants.
4 - Mouillez avec 1 litre 1/2 d'eau, salez, poivrez, et laissez cuire 20 minutes à couvert.
5 - Passé ce temps, battez les jaunes d'œufs dans un bol, incorporez le filet de vinaigre, et ajoutez ce mélange à la soupe, hors du feu.
6 - Disposez des larges tranches de pain dans les assiettes creuses, versez le tourin en soupière, et servez très chaud.

VOS NOTES PERSONNELLES

Ecrire . . . .
. . . .
Acheter . . . .
. . . .
Téléphoner . . . .

3 DÉCEMBRE

Menu

COLIN EN GELÉE
(voir recette ci-contre)

***ROGNONS DE VEAU
À L'ESTRAGON***
(voir recette ci-dessous)

MACRODES
(voir recette p. 177)

COLIN EN GELÉE

Moyen — Délicat — Abordable

**POUR 4
A 5 PERSONNES
CUISSON : 35 minutes
INGRÉDIENTS :**
1 colin de 1,2 kg
2 carottes
1 oignon, 1 gousse d'ail
1 v. de vin blanc sec
Thym, laurier
1 sachet de gelée
6 œufs durs, 4 tomates
1 bol de mayonnaise
2 citrons, persil
Sel, poivre

1 - Préparez un court-bouillon en mettant dans une poissonnière remplie d'eau salée les carottes et l'oignon épluchés et coupés en fines rondelles, l'ail haché, le verre de vin blanc, un peu de thym et de laurier. Poivrez et laissez frémir le liquide à découvert 15 minutes. Puis laissez tiédir.

2 - Couchez le poisson dans la poissonnière et faites-le cuire 10 minutes, à liquide frémissant. Puis laissez-le tiédir dans le court-bouillon.

3 - Sortez avec précaution le colin du récipient, disposez-le sur un plat de service, épongez-le avec du papier absorbant, et ôtez délicatement la peau. Puis recouvrez-en le corps de fines rondelles de citron.

4 - Passez au tamis 3 verres de court-bouillon, faites chauffer le liquide dans une casserole, et ajoutez-y la gelée en tenant compte des proportions indiquées sur le sachet. Tournez avec une cuillère en bois, et ôtez du feu.

5 - Quand la gelée commence à prendre, recouvrez-en le poisson à l'aide d'un pinceau souple en ménageant la tête et la queue. Renouvelez cette opération trois à quatre fois, en attendant quelques instants entre chaque couche. Veillez bien à ne pas déplacer les rondelles de citron.

6 - Entourez le poisson de demi-œufs durs surmontés d'un macaron de mayonnaise posé à la poche à douille, de tomates coupées en deux, et de petits bouquets de persil. Répartissez le reste de gelée hachée autour du plat.

MINI-RECETTE

ROGNONS DE VEAU À L'ESTRAGON

**POUR 4 PERSONNES
CUISSON : 20 minutes
INGRÉDIENTS :** 750 g de rognons
75 g de beurre, 6 cuillerées à soupe d'huile
1 petit pot de crème fraîche, 1 jaune d'œuf
Quelques feuilles d'estragon
Sel, poivre

1 - Eliminez soigneusement la membrane qui enrobe les rognons, coupez-les en deux, dénervez-les, et ôtez la partie blanchâtre de l'intérieur. Puis détaillez chaque demi-rognon en petits quartiers.

2 - Faites chauffer sur feu très vif dans une poêle 1 noix de beurre et l'huile, et mettez-y les rognons à blondir quelques minutes. Salez. Quand les rognons sont dorés, égouttez-les dans une passoire.

3 - Dégraissez, mouillez avec le vin blanc, ajoutez la crème fraîche, poivrez au moulin, et laissez mijoter quelques minutes à découvert.

4 - En fin de cuisson et hors du feu, incorporez le jaune d'œuf, 50 g de beurre en parcelles, et aromatisez d'un fin hachis d'estragon. Remettez alors les rognons dans la sauce et faites chauffer en évitant l'ébullition.

5 - Versez la préparation dans un plat creux, et servez aussitôt.

VOS NOTES PERSONNELLES

Ecrire . . . .
. . . .
Acheter . . . .
. . . .
Téléphoner . . . .

343

TOUT SAVOIR SUR...

LE FAISAN

Le faisan est un des gibiers les plus estimés des connaisseurs. La valeur alimentaire de sa chair est voisine de celle des viandes de boucherie, mais elle est plus riche en protides et moins en graisse. Cela est dû au fait que cet animal a des dépenses physiques importantes. Sa valeur calorique est deux fois moins importante que celle du bœuf. Le faisan n'est présent à la vente que pendant la période de la chasse (automne-hiver). Le coq faisan est reconnaissable à son plumage très coloré. Il pèse en moyenne 1,5 kg. La poule possède un plumage terne et son poids est d'environ 1 kg. Les faisans sont vendus frais ou congelés. Dans ce dernier cas, les volailles sont importées de Pologne ou d'Autriche, et le commerçant est tenu d'indiquer qu'il s'agit de produits congelés. Le gibier frais, s'il est supérieur au congelé est aussi plus cher. Evitez d'acheter des gibiers faisandés, la viande peut être plus ou moins toxique, et entraîner des troubles digestifs.

FAISAN FARCI A LA BRASOV

POUR 5 A 6 PERSONNES
CUISSON : 1 h 30
INGRÉDIENTS : 1 faisan
150 g de chair à saucisse
2 beaux oignons
1 jaune d'œuf
2 cuillerées à soupe de crème fraîche
1 pet. v. d'eau-de-vie
2 verres de vin blanc
3 cuill. à soupe d'huile
30 g de saindoux
1 bouquet de fines herbes, noix muscade
Sel, poivre, laurier

1 - Pelez les oignons, hachez-les.
2 - Faites fondre le saindoux dans une casserole, et mettez-y à revenir à feu moyen la chair à saucisse et les oignons hachés. Salez, poivrez, remuez de temps en temps à la cuillère de bois.
3 - Lorsque le mélange a blondi, ôtez le récipient du feu, et ajoutez-lui le jaune d'œuf, la crème fraîche, l'eau-de-vie, un peu de noix de muscade râpée. Ciselez un petit bouquet de fines herbes, et émiettez un peu de laurier. Remuez soigneusement le tout pour obtenir une farce homogène.
4 - Remplissez le corps du faisan de cette farce, refermez l'ouverture avec un peu de fil, et mettez la volaille à revenir à la cocotte dans un peu d'huile. Salez, poivrez.
5 - Lorsque le faisan est bien doré de toutes parts, mouillez avec 2 verres de vin blanc et 1 verre d'eau chaude, couvrez le récipient, et laissez cuire sur feu doux 1 h 20 environ.
6 - Quand le faisan est cuit, dressez-le sur un plat de service, entouré de pommes vapeur, présentez la sauce en saucière et servez aussitôt.

LE TRUC DU CHEF

POUR LE FAISAN FARCI À LA BRASOV : en fonction du nombre de convives, vous pourrez opter pour un faisan mâle, (que l'on, reconnaît à son plumage mordoré) ou une poule faisane. Le premier cité est sensiblement plus gros. Mais quel que soit votre choix, sachez que, mâle ou femelle, leur chair est tout aussi délicate.

VOS NOTES PERSONNELLES

Ecrire . . . .

Acheter . . . .

Téléphoner . . . .

5 DÉCEMBRE

Menu

**ŒUFS BROUILLÉS
AUX ÉPINARDS**
(voir recette ci-dessous)
**FOIE DE VEAU
AUX COURGETTES**
(voir recette p. 101)
TARTE AUX CAROTTES
(voir recette ci-contre)

MINI-RECETTE

ŒUFS BROUILLÉS AUX ÉPINARDS

**POUR 4 PERSONNES
CUISSON : 15 minutes environ
INGRÉDIENTS : 8 œufs, 350 g d'épinards
25 g de beurre, 2 cuillerées de lait
Sel, poivre**

1 - Triez les épinards, et éliminez les feuilles abîmées ou jaunies. Coupez les queues, lavez les légumes soigneusement à plusieurs eaux, et mettez-les à cuire 5 minutes à l'eau bouillante salée, après la reprise de l'ébullition.

2 - Passé ce temps, égouttez les épinards, essorez-les au mieux en les pressant fortement entre vos mains. Hachez-les grossièrement.

3 - Faites fondre 1 noisette de beurre dans une poêle, jetez-y les légumes hachés, et laissez-les réchauffer doucement quelques instants.

4 - Cassez les œufs dans une terrine, battez-les avec 2 cuillerées à soupe de lait, salez et poivrez.

5 - Enduisez de beurre le fond et les parois d'une sauteuse ou d'une casserole à fond épais. Versez hors du feu les œufs battus dans ce récipient, et ajoutez les épinards hachés. Mettez à cuire sur feu très doux.

6 - Tournez le mélange constamment, à la spatule de bois, en laissant les œufs coaguler lentement.

7 - Quand la préparation devient crémeuse, ôtez du feu, et servez immédiatement dans un plat de service creux.

TARTE AUX CAROTTES

**POUR 5
A 6 PERSONNES
CUISSON : 30 minutes
INGRÉDIENTS :
1 kg de carottes
300 g de sucre
en poudre
4 œufs
350 g de farine
175 g de beurre
2 cuill. à soupe de crème
fraîche
1/2 v. à liqu. de kirsch
1 pincée de sel**

1 - Épluchez les carottes, râpez-les, et faites-les cuire dans 1 verre d'eau à légers bouillons pendant 20 minutes.

2 - Confectionnez une pâte sablée en mettant dans un saladier, d'abord le sucre (125 g), 1 œuf entier et une pincée de sel. Mélangez bien le tout, puis ajoutez d'un seul coup la farine. Tournez à la spatule puis terminez en pétrissant avec les doigts. La pâte sablée est réalisée lorsqu'elle s'effrite et donne au toucher la sensation de sable humide.

3 - Étalez légèrement avec les paumes de la main, la pâte sur une planche à pâtisserie. Posez 125 g de beurre au centre de cette pâte, rabattez les bords, et pétrissez jusqu'à ce que le beurre soit bien incorporé. Lorsque la pâte ne colle plus aux doigts, mettez-la en boule.

4 - Cassez les 3 œufs restants. Mettez les jaunes dans un saladier, réservez les blancs. Battez les jaunes avec 125 g de sucre en poudre, jusqu'à ce que le mélange blanchisse.

5 - Faites fondre 50 g de beurre au bain-marie, et incorporez ce beurre au mélange. Ajoutez la crème fraîche, le kirsch, puis les carottes. Remuez bien le tout.

6 - Fouettez les 3 blancs d'œufs en neige, avec 1 cuillerée à soupe de sucre, et incorporez délicatement ces blancs à la préparation.

7 - Étalez la pâte au rouleau, garnissez-en un moule à tarte beurré. Versez la préparation sur la pâte. Saupoudrez de sucre et laissez cuire à four moyen pendant 25 minutes. Laissez ensuite la tarte refroidir, démoulez et servez froid.

VOS NOTES PERSONNELLES

Ecrire . . . .

. . . .

Acheter . . . .

. . . .

Téléphoner . . . .

Menu

SALADE REINE BLANCHE
(voir recette ci-dessous)

FILETS DE PORC AU CHOU
(voir recette ci-contre)

**PRUNEAUX AU VIN
DE CAHORS**
(voir recette p. 40)

MINI-RECETTE
SALADE REINE BLANCHE

POUR 4 PERSONNES
CUISSON : 15 minutes
INGRÉDIENTS : 1 pomme
1 cœur de chou rouge
1 petite boîte de crabe
150 g de fromage blanc
1 cuillerée à soupe de lait
2 œufs, 1/2 citron
1 pointe de paprika, persil, ciboulette
Sel, poivre

1 - Otez les feuilles extérieures du chou pour n'en conserver que le cœur. Coupez le cœur en deux, et, à l'aide d'un couteau bien aiguisé, détaillez chaque moitié en fines lanières.

2 - Epluchez la pomme, coupez-la en quartiers, retirez le cœur et les pépins, et débitez les quartiers en lamelles. Arrosez-les d'un jus de citron.

3 - Faites durcir les œufs 15 minutes à l'eau bouillante, puis écalez-les.

4 - Egouttez le contenu de la boîte de crabe, et veillez à ce qu'il ne subsiste aucun morceau de cartilage.

5 - Mettez le fromage blanc dans une terrine, ajoutez la cuillerée de lait, la pointe de paprika, un peu de persil et de ciboulette hachés, salez, poivrez, et battez le tout à la fourchette pour obtenir un mélange aéré.

6 - Mettez dans un saladier le chou, la pomme, et le crabe. Versez le mélange au fromage blanc, et mélangez délicatement le tout.

7 - Coupez les œufs durs en rondelles, salez et poivrez-les, et décorez-en le dessus de la salade avant de servir.

FILET DE PORC AU CHOU

POUR 6 PERSONNES
CUISSON : 2 heures
INGRÉDIENTS :
1 kg de fillet
1 beau chou vert
200 g de carottes
200 g d'oignons
2 gousses d'ail
2 tomates
1 cuillerée à soupe
de conc. de tomates
1 filet de vinaigre
1 noix de saindoux
1 pointe de paprika
Sel, poivre

1 - Épluchez les gousses d'ail, divisez-les en éclats, et piquez-en le rôti de porc. Salez, poivrez la viande, et mettez-la à revenir à la cocotte dans une belle noix de saindoux.

2 - Épluchez les carottes et les oignons, et coupez-les en rondelles.

3 - Coupez le chou en quatre, lavez-le soigneusement, et mettez-le à blanchir 15 minutes à l'eau bouillante salée.

4 - Plongez les tomates quelques instants dans de l'eau bouillante, mondez-les et concassez-les grossièrement.

5 - Mettez les rondelles de carottes et d'oignons dans la cocotte avec la viande, et laissez-les quelques instants prendre couleur. Puis ajoutez la purée de tomates fraîches, mouillez avec 2 verres d'eau chaude et un filet de vinaigre, délayez une bonne cuillerée de concentré de tomates, salez et poivrez, et agrémentez d'une pointe de paprika. Couvrez et laissez mijoter une trentaine de minutes.

6 - Passé ce temps, ajoutez le chou blanchi, couvrez à nouveau, et laissez mijoter 45 minutes à feu doux. Puis découvrez le récipient et laissez encore cuire 15 minutes, le temps pour la sauce de réduire convenablement.

7 - Dressez le rôti de porc sur un grand plat de service, entourez la viande des légumes et servez la sauce en saucière.

VOS NOTES PERSONNELLES

Ecrire . . . .

. . . .

Acheter . . . .

. . . .

Téléphoner . . . .

Menu

**CHAMPIGNONS
À LA GRECQUE**
(voir recette p. 65)
BOULETTES SURABAYA
(voir recette ci-dessous)
**GÂTEAU AUX NOIX
DE SAINT-POMPON**
(voir recette ci-contre)

MINI-RECETTE

BOULETTES SURABAYA

POUR 4 PERSONNES
CUISSON : 30 minutes
INGRÉDIENTS : 3 oignons, 2 poivrons
500 g de viande de bœuf hachée
2 gousses d'ail
3 cuill. à soupe de concentré de tomates
3 pincées de curry, 1 pincée de cayenne
4 cuillerées à soupe d'huile, sel, poivre

1 - Mettez la viande dans un saladier, salez, poivrez, et ajoutez le curry et le poivre de cayenne. Mélangez bien le tout à la fourchette.
2 - Confectionnez de petites boulettes.
3 - Dans une sauteuse, faites chauffer l'huile à feu vif, et placez-y les boulettes.
4 - Epluchez les oignons, coupez-les en fines rondelles. Lavez les poivrons, séchez-les, coupez-les par le milieu dans le sens de la longueur. Epépinez-les et détaillez-les en lanières.
5 - Lorsque les boulettes sont bien saisies, réduisez le feu et ajoutez les oignons et poivrons coupés. Laissez les légumes prendre couleur quelques minutes.
6 - Pendant ce temps, mettez le concentré de tomates dans un grand bol, et délayez-le dans 2 bons décilitres d'eau chaude. Salez, et ajoutez les gousses d'ail pilées.
7 - Versez cette préparation dans la sauteuse où mijotent les boulettes et les légumes, et laissez réduire la sauce à la tomate, environ 15 minutes à découvert.
8 - Servez très chaud avec une garniture de riz blanc.

GÂTEAU AUX NOIX DE SAINT-POMPON

Moyen — Très facile — Abordable

**POUR 6
A 8 PERSONNES**
CUISSON : 30 minutes
INGRÉDIENTS :
400 g de noix
1 cuillerée à soupe
de sucre en poudre
250 g de farine
3 œufs
150 g de miel
5 cuillerées d'huile
1/4 de verre de lait
1 noix de beurre

1 - Cassez les noix, réservez une vingtaine de moitiés et concassez le restant des cerneaux dans un mortier.
2 - Cassez les œufs, mettez les blancs dans un saladier. Réservez les jaunes.
3 - Ajoutez le sucre en poudre aux blancs et fouettez jusqu'à ce que vous obteniez des blancs en neige.
4 - Dans une jatte, mélangez les jaunes d'œufs avec le miel. Lorsque la préparation devient homogène, ajoutez l'huile, les noix concassées, la farine en pluie, le lait et une bonne pincée de sel. Remuez soigneusement le tout, puis ajoutez délicatement les blancs en neige.
5 - Beurrez un moule du type moule à manqué, et disposez sur le fond les demi-noix que vous aurez réservées. Versez ensuite la pâte.
6 - Mettez à four doux 30 à 40 minutes. Pour vous assurer de la bonne cuisson du gâteau, introduisez une lame de couteau dans la pâte. Elle doit ressortir sèche.
7 - Lorsque le gâteau est cuit, laissez-le reposer quelques instants dans le moule avant de le démouler. Attendez qu'il refroidisse entièrement avant de servir.

VOS NOTES PERSONNELLES

Ecrire . . . .

. . . .

Acheter . . . .

. . . .

Téléphoner . . . .

Menu

**FROMAGE BLANC
AUX HERBES**
(voir recette p. 231)

CÔTES DE VEAU AU VINAIGRE
(voir recette ci-dessous)

OMELETTE AUX CLÉMENTINES
(voir recette ci-contre)

MINI-RECETTE

CÔTES DE VEAU
AU VINAIGRE

**POUR 4 PERSONNES
CUISSON : 35 minutes
INGRÉDIENTS : 4 côtes de veau
1/2 verre de vinaigre
4 tomates, 1 oignon
1 pincée d'estragon
1 noix de concentré de tomates
1 noisette de beurre
1 cuillerée à soupe d'huile
Sel, poivre**

1 - Faites chauffer le mélange de beurre et d'huile dans une poêle, et couchez-y les côtes de veau après avoir salé et poivré la viande.
2 - Plongez les tomates quelques instants dans de l'eau bouillante, pelez-les, et concassez-les grossièrement.
3 - Épluchez 1 gros oignon, et détaillez-le en rondelles.
4 - Quand les côtes ont pris couleur sur leurs deux faces, ôtez-les de la poêle, réservez, et jetez les rondelles d'oignons dans la graisse de cuisson. Laissez blondir quelques instants, puis ajoutez la purée de tomates fraîches, et le vinaigre dans lequel vous aurez délayé un peu de concentré de tomates. Salez, poivrez, aromatisez d'une bonne pincée d'estragon en poudre, et replacez les côtes dans cette préparation. Laissez mijoter 20 à 25 minutes à découvert.
5 - Quand la viande est cuite, dressez les côtes sur un plat de service, nappez-les de la sauce au vinaigre, et servez aussitôt.

OMELETTE
AUX CLÉMENTINES

**POUR 4
A 5 PERSONNES
CUISSON :
12 à 15 minutes
INGRÉDIENTS :
4 clémentines
7 œufs
1 cuill. à soupe de rhum
30 g de beurre
20 g de sucre semoule
1 sachet de sucre vanillé
1/4 v. de lait écrémé
1 pincée de sel**

1 - Cassez les œufs et mettez dans une terrine 4 œufs entiers et 3 jaunes. Réservez les 3 blancs dans un saladier.
2 - Battez les œufs avec le sucre semoule et le lait écrémé.
3 - Épluchez les clémentines, divisez-les en quartiers, et mettez-les à dorer à la poêle dans un peu de beurre. Puis saupoudrez avec le sucre vanillé, arrosez d'un peu de rhum, et laissez 4 à 5 minutes sur feu doux.
4 - Montez les blancs en neige très ferme avec une petite pincée de sel, et incorporez délicatement ces blancs aux œufs battus.
5 - Faites fondre une noix de beurre dans une grande poêle, et versez-y les œufs battus. Laissez cuire doucement quelques minutes en remuant le centre de la préparation à la spatule pour favoriser la coagulation des œufs.
6 - Quand l'omelette est cuite à point, faites-la glisser sur un grand plat de service chaud. Disposez les quartiers de mandarine sur l'une des moitiés de l'omelette, et repliez-la. Servez immédiatement.

LE TRUC DU CHEF

POUR L'OMELETTE AUX CLÉMENTINES : la meilleure saison pour les clémentines (à conseiller car ne comportant que peu ou pas de pépins, contrairement aux mandarines) se situe en novembre et décembre. Très abondants sur les marchés à cette époque, ces fruits sont d'un prix particulièrement abordable.

VOS NOTES PERSONNELLES

Ecrire . . . .
. . . .
Acheter . . . .
. . . .
Téléphoner . . . .

9 DÉCEMBRE

Menu

POTAGE AU CÉLERI
(voir recette p. 77)

CONGRE À LA VILA NOVA
(voir recette ci-contre)

CRÈME AUX POIRES
(voir recette ci-dessous)

MINI-RECETTE

CRÈME AUX POIRES

POUR 4 PERSONNES
CUISSON : 50 minutes
INGRÉDIENTS : 4 poires, 1/4 litre de lait
60 g de sucre en poudre
2 œufs entiers + 2 jaunes

1 - Pelez les poires, coupez-les en quartiers, ôtez le cœur et les pépins. Puis détaillez chaque quartier en fines lamelles ou en petits morceaux.
2 - Mettez les fruits dans une casserole avec 60 g de sucre, 1/2 verre d'eau, et laissez cuire sur feu doux 20 minutes environ.
3 - Réduisez cette compote en fine purée au moulin à légumes, grille fine ou mieux, au mixer.
4 - Mettez dans une terrine 2 œufs entiers et 2 jaunes, battez le tout comme pour une omelette, et incorporez aux œufs la purée de poires.
5 - Faites chauffer le lait, et versez-le chaud sur la préparation. Remuez bien le tout.
6 - Beurrez très légèrement de petits moules individuels, et remplissez-les de crème. Placez ces moules dans un plat allant au four, versez de l'eau chaude dans le plat (aux 3/4 environ de la hauteur des moules) et mettez le tout à four doux pendant 25 à 30 minutes.
7 - Passé ce temps, laissez refroidir complètement la crème, avant de démouler sur des assiettes individuelles.

CONGRE A LA VILA NOVA

Moyen — Très facile — Abordable

POUR 4 PERSONNES
CUISSON : 30 minutes
INGRÉDIENTS :
4 tranches de congre
4 tomates, 2 poivrons
2 oignons
4 gousses d'ail
1 v. de vin blanc sec
4 cuill. d'huile d'olive
1 pet. bouquet de persil
Sel, poivre de Cayenne

1 - Faites couper par votre poissonnier 4 tranches de congre d'environ 150 g chacun, lavez-les, séchez-les sur du papier absorbant, puis salez-les légèrement des deux côtés.
2 - Plongez les tomates quelques instants dans de l'eau bouillante, mondez-les, et concassez-les grossièrement.
3 - Pelez les oignons et coupez-les en fines tranches. Épluchez et hachez les gousses d'ail.
4 - Lavez les poivrons, fendez-les en deux dans le sens de la longueur et débarrassez-les de la queue et des pépins. Puis détaillez chaque moitié de poivron en fines lanières.
5 - Garnissez un plat allant au four de tous ces légumes mélangés, salez et poivrez d'une bonne pincée de cayenne. Mouillez avec le vin blanc.
6 - Couchez sur ce lit de légumes les tranches de poisson, arrosez-les d'huile d'olive, et mettez à four moyen une trentaine de minutes.
7 - Quand le poisson est cuit, lavez un petit bouquet de persil et ciselez-le sur les tranches de congre. Servez dans le plat de cuisson.

LE TRUC DU CHEF

POUR LE CONGRE À LA VILA NOVA : pour donner au poisson une saveur acrue, on peut faire mariner les tranches 1/2 heure avant cuisson dans un peu d'huile d'olive, avec 1 oignon coupé en tranches et l'ail pilé.
Mis à part les mois de juin, juillet, août, où il se fait plus rare sur les étals, le congre est un poisson que l'on trouve en abondance toute l'année.

VOS NOTES PERSONNELLES

Ecrire . . . .
. . . .
Acheter . . . .
. . . .
Téléphoner . . . .

PERDRIX AU CHOU

Menu

**SALADE FORESTIÈRE
AU CRABE**
(voir recette ci-dessous)
PERDRIX AU CHOU
(voir recette ci-contre)
*DÉLICE MERINGUÉ
À L'ORANGE*
(voir recette p. 207)

Boisson conseillée :
UN CHÂTEAUNEUF-DU-PAPE

POUR 6 PERSONNES
CUISSON : 2 h env.
INGRÉDIENTS : 2 perdrix
1 gros chou vert
3 carottes
1 gros oignon
250 g de poitrine fumée
50 g de saindoux
1 cuil. de conc. tomates
1 bouquet garni
Sel, poivre

MINI-RECETTE

SALADE FORESTIÈRE AU CRABE

POUR 4 PERSONNES
INGRÉDIENTS : 1 citron
400 g de champignons
1 petite boîte de crabe
1 petit pot de crème fraîche
Quelques feuilles d'estragon
Sel, poivre

1 - Coupez le pied sableux des champignons, lavez-les à l'eau courante, séchez-les sur du papier absorbant. Puis détaillez-les en fines lamelles.
2 - Mettez les champignons dans un saladier, et pressez dessus le jus d'un beau citron. Salez légèrement et poivrez au moulin.
3 - Ouvrez une petite boîte de crabe, et ajoutez-en le contenu aux champignons.
4 - Incorporez alors la crème fraîche, parsemez d'un fin hachis d'estragon, mélangez délicatement le tout, et servez immédiatement.

1 - Épluchez l'oignon et les carottes et coupez-les en rondelles.
2 - Éliminez les feuilles jaunies ou défraîchies du chou, fendez-le en quatre, débarrassez les quartiers de leur trognon, et lavez-le à l'eau courante. Faites blanchir le légume 7 à 8 minutes dans une grande quantité d'eau salée.
3 - Faites fondre le saindoux à feu vif dans un faitout et mettez-y à dorer les deux perdrix. Quand elles sont bien colorées sur toutes leurs faces, salez et poivrez-les, puis ôtez-les du récipient et réservez.
4 - Coupez la poitrine fumée en cubes, et faites-la revenir dans la graisse de cuisson des perdrix. Ajoutez les rondelles de carotte et d'oignon, le chou blanchi, et laissez suer ces légumes quelques minutes.
5 - Mouillez avec 1/2 litre d'eau chaude dans lequel vous aurez délayé un peu de concentré de tomates, ajoutez le bouquet garni, salez et poivrez, puis replacez les perdrix dans le faitout.
6 - Couvrez le récipient, et laissez cuire à petit feu 1 h 1/2 environ.
7 - Dressez les perdrix dans un grand plat de service creux, entourez-les de la garniture de chou, et servez aussitôt.

LE TRUC DU CHEF

POUR LES PERDRIX AU CHOU : avant de dresser les perdrix sur leur plat de service, assurez-vous bien de leur parfaite cuisson. Celle-ci varie en effet en fonction de l'âge du volatile, et les vieilles perdrix sont parfois coriaces et nécessitent un temps de cuisson plus long que celui indiqué.

VOS NOTES PERSONNELLES

Ecrire . . . .
. . . .
Acheter . . . .
. . . .
Téléphoner . . . .

11 DÉCEMBRE

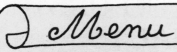

SALADE DU VIGNERON
(voir recette ci-dessous)

HOCHEPOT
(voir recette ci-contre)

SAINT-HONORÉ
(voir recette p. 111)

Boisson conseillée :
UN FLEURIE

MINI-RECETTE

SALADE DU VIGNERON

POUR 4 À 5 PERSONNES
INGRÉDIENTS : 150 g de champignons
1/2 botte de cresson
1 sachet de crevettes décortiquées
1 grappe de raisin blanc
1 citron, 100 g de fromage blanc
1 œuf, 1 petit bouquet de persil
1 pointe de paprika, sel, poivre

1 - Coupez le cresson au ras des feuilles afin d'éliminer les grosses tiges. Triez les feuilles et jetez celles qui sont flétries ou jaunies. Lavez le cresson à plusieurs eaux, égouttez, et séchez la salade dans un torchon.

2 - Débarrassez les champignons de leur pied terreux, lavez-les en les passant rapidement à l'eau courante, séchez-les sur du papier absorbant. Détaillez-les en lamelles.

3 - Faites durcir 1 œuf 12 à 15 minutes à l'eau bouillante. Puis écalez-le sous l'eau froide.

4 - Lavez soigneusement le raisin blanc, et égrenez-le.

5 - Mettez le fromage blanc dans un grand saladier, battez-le à la fourchette, et incorporez-lui 1 jus de citron. Ajoutez 1 petit bouquet de persil haché, 1 bonne pointe de paprika. Salez et poivrez légèrement.

6 - Mettez dans le saladier le cresson, les champignons, les grains de raisin, les crevettes décortiquées. Mélangez bien le tout et passez sur la salade, avant de servir, l'œuf dur à la moulinette.

HOCHEPOT

POUR 8 PERSONNES
CUISSON : 4 heures
INGRÉDIENTS :
500 g de navets
750 g de carottes
1 kg de poireaux
2 oignons
300 g de queue de bœuf
500 g d'épaule de mouton
500 g de macreuse de bœuf
Quelques tranches de pain rassis
1 noix de beurre
4 cuill. à soupe d'huile
Sel, poivre

1 - Epluchez les carottes et les navets, et coupez-les en deux ou trois morceaux.

2 - Ôtez le plus gros du vert des poireaux, et lavez soigneusement les légumes.

3 - Mettez 2 litres 1/2 d'eau dans un grand faitout, la queue de bœuf, et ajoutez les carottes, poireaux, ainsi que les oignons entiers. Salez au gros sel, poivrez, portez le liquide à ébullition, et laissez cuire doucement à couvert.

4 - Débitez les viandes de mouton et de bœuf en morceaux, et faites-les revenir à la cocotte dans le mélange de beurre et d'huile. Salez et poivrez légèrement.

5 - Quand les viandes ont pris couleur, ajoutez-les au contenu du faitout, et laissez cuire doucement 4 heures à couvert. Incorporez les navets 1 heure avant la fin de la cuisson.

6 - Passé ce temps, dressez la viande dans un grand plat de service creux et entourez-la de légumes. Versez le bouillon en soupière, disposez des tranches de pain dans les assiettes creuses et servez aussitôt.

LE TRUC DU CHEF

POUR LA SALADE DU VIGNERON : choisissez pour cette recette un raisin sans pépins comme par exemple le chasselas.

Vous pouvez, bien entendu, mélanger raisin blanc et noir. Pour ce dernier nous vous conseillons le muscat de Hambourg qui est parfumé et sans pépins.

VOS NOTES PERSONNELLES

Ecrire . . . .

. . . .

Acheter . . . .

. . . .

Téléphoner . . . .

12 DÉCEMBRE

Menu

SOUFFLÉ DE CŒURS D'ARTICHAUTS
(voir recette ci-contre)

GRATIN D'ÉPINARDS AU JAMBON
(voir recette ci-dessous)

GÂTEAU AUX MARRONS
(voir recette p. 240)

MINI-RECETTE

GRATIN D'ÉPINARDS AU JAMBON

POUR 4 À 5 PERSONNES
CUISSON : 35 minutes
INGRÉDIENTS : 2 kg d'épinards
4 tranches de jambon, 100 g de gruyère râpé
3 œufs, 1 verre de lait écrémé
1 noix de beurre, sel, poivre

1 - Equeutez les feuilles d'épinards et lavez-les soigneusement dans plusieurs eaux. Dans un grand récipient, faites bouillir 5 litres d'eau, salez, puis plongez-y les légumes. Laissez cuire une dizaine de minutes, égouttez, et pressez légèrement les épinards entre vos mains.

2 - Mettez les épinards dans un grand saladier, coupez les tranches de jambon en petites lanières, et ajoutez-les aux légumes.

3 - Dans une jatte, cassez les œufs, et battez-les avec le verre de lait écrémé. Salez et poivrez.

4 - Versez cette préparation dans le saladier contenant les légumes et, à la cuiller de bois, remuez le tout pour bien mélanger les œufs, le jambon et les légumes.

5 - Dans un plat allant au four, préalablement beurré, étalez bien la préparation, parsemez de gruyère râpé, et mettez à four moyen pendant 25 minutes.

6 - Lorsque les légumes sont bien gratinés, sortez le plat du four, et présentez les épinards directement dans le plat de cuisson.

SOUFFLÉ DE CŒURS D'ARTICHAUTS

Moyen Facile Abordable

POUR 4 PERSONNES
CUISSON : 50 minutes
INGRÉDIENTS :
4 artichauts
4 œufs
20 g de beurre
Noix de muscade râpée
20 g de gruyère râpé
1/2 citron
Sel, poivre

1 - Choisissez 4 beaux artichauts, disposez-les verticalement dans le fond d'une cocotte. Couvrez d'eau au 1/3 de la hauteur, salez d'une bonne pincée de gros sel. Portez à ébullition et faites cuire à couvert 30 minutes.

2 - Passé ce temps, mettez les légumes à égoutter dans une passoire, la tête en bas.

3 - Débarrassez les artichauts des feuilles et de la « barbe » pour ne conserver que les cœurs. Éliminez soigneusement les parties fibreuses à la base des cœurs. Passez-les à la moulinette pour les réduire en purée.

4 - Faites fondre 20 g de beurre dans une casserole et, sur feu doux, mettez-y 2 à 3 minutes la purée de cœurs d'artichauts en remuant constamment à la cuillère de bois. Ajoutez le jus d'un demi-citron.

5 - Hors du feu, ajoutez un peu de poivre, de noix de muscade râpée, et les jaunes d'œufs (réservez les blancs). Mélangez bien la préparation.

6 - Battez énergiquement les blancs dans un saladier à l'aide d'un fouet, ou mieux encore, au mixer, de manière à obtenir des œufs en neige très ferme.

7 - Incorporez délicatement, peu à peu, les blancs en neige à la purée d'artichauts.

8 - Beurrez légèrement un moule à soufflé et garnissez-le de la préparation. Parsemez le dessus avec le gruyère râpé, et mettez à cuire à four chaud une vingtaine de minutes.

9 - Passé ce temps, ôtez du four et présentez le soufflé dans son moule de cuisson.

VOS NOTES PERSONNELLES

Ecrire . . . .
. . . .

Acheter . . . .
. . . .

Téléphoner . . . .

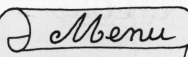

Menu

ŒUFS FARCIS LATOUR
(voir recette p. 100)

ESCALOPES À LA CRÈME
(voir recette ci-dessous)

GÂTEAU DE SEMOULE SAINTE-ODILE
(voir recette ci-contre)

MINI-RECETTE

ESCALOPES À LA CRÈME

POUR 4 PERSONNES
CUISSON : 30 minutes
INGRÉDIENTS : 4 escalopes
250 g de champignons, 3 échalotes
1/2 verre de vin blanc sec
1 verre à liqueur de calvados
2 cuillerées à soupe de crème fraîche
1 noix de beurre, 1 petit bouquet de cerfeuil
Sel, poivre

1 - Faites fondre 1 belle noix de beurre dans une sauteuse, et mettez-y à dorer les escalopes sur feu moyen, après les avoir salées et poivrées. Laissez-cuire 5 à 6 minutes de chaque côté.

2 - Pendant ce temps, coupez le pied terreux des champignons, lavez-les à l'eau courante, séchez-les sur du papier absorbant. Puis détaillez-les en fines lamelles.

3 - Pelez les échalotes, et hachez-les finement.

4 - Quand les escalopes sont cuites, sortez-les de la sauteuse, et réservez-les. Jetez les champignons dans la graisse de cuisson de la viande, et laissez-les blondir. Remuez de temps en temps.

5 - Ajoutez alors le hachis d'échalotes, laissez 1 minute sur feu doux, puis mouillez avec le vin blanc. Grattez bien le fond du récipient à la cuiller de bois.

6 - Portez à ébullition, incorporez le calvados et la crème fraîche. Faites réduire de moitié pour obtenir une sauce onctueuse.

7 - En fin de cuisson, dressez les escalopes sur un plat de service, nappez-les de la sauce aux champignons.

GÂTEAU DE SEMOULE SAINTE-ODILE

 Moyen   Facile   Abordable

POUR 5
A 6 PERSONNES
CUISSON : 45 minutes
INGRÉDIENTS :
140 g de sucre
125 g de semoule de blé
1/4 l de vin blanc
4 œufs
1 sachet de sucre vanillé
1 noix de beurre
6 cuillerées à soupe
de gelée de framboise
1 v. à liqu. de kirsch
Quelques fruits confits
1 pincée de sel

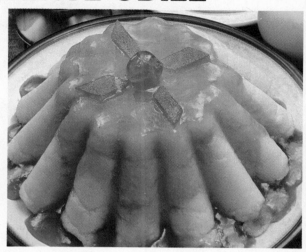

1 - Versez le vin blanc dans une casserole avec 1/4 de litre d'eau. Portez le liquide à ébullition et ajoutez la semoule en pluie. Tournez à la spatule de bois, salez très légèrement et laissez cuire 4 minutes à petits bouillons avec la moitié du sucre.

2 - Passé ce temps, ôtez le récipient du feu et incorporez à la préparation 1 œuf entier et 1 jaune.

3 - Mettez 3 blancs d'œufs dans un saladier, et montez-les en neige ferme après avoir ajouté aux blancs d'œufs le contenu d'un petit sachet de sucre vanillé et le reste du sucre.

4 - Incorporez délicatement les blancs montés en neige à la semoule de blé, et garnissez de la préparation un moule à brioche préalablement beurré.

5 - Disposez ce moule dans un récipient creux allant au four, rempli d'eau chaude, et mettez à cuire au bain-marie, à four doux, environ 40 minutes.

6 - Quand le gâteau est cuit, laissez-le refroidir complètement avant de le démouler sur un plat de service.

7 - Mettez 6 cuillerées à soupe de gelée de framboise dans une petite casserole, ajoutez le kirsch, et faites chauffer doucement en tournant à la cuillère de bois.

8 - Recouvrez le gâteau de cette gelée et décorez à l'aide de quelques fruits confits avant de servir.

VOS NOTES PERSONNELLES

Ecrire . . . .
. . . .
Acheter . . . .
. . . .
Téléphoner . . . .

Menu

ŒUFS MIMOSA
(voir recette p. 240)

**GRATIN DE JAMBON
AUX ENDIVES**
(voir recette ci-dessous)

CITRONS GIVRÉS
(voir recette ci-contre)

MINI-RECETTE

GRATIN DE JAMBON AUX ENDIVES

POUR 4 PERSONNES
CUISSON : 40 minutes environ
INGRÉDIENTS : 8 belles endives
8 tranches de jambon, 120 g de beurre
30 g de farine, 1/2 litre de lait
100 g de gruyère râpé, 1 sucre
Noix de muscade râpée, sel, poivre

1 - Enlevez les feuilles flétries des endives, coupez les trognons, lavez-les. Mettez-les à cuire 10 minutes dans de l'eau bouillante salée, en y ajoutant 1 morceau de sucre. Egouttez-les soigneusement sur du papier absorbant.

2 - Faites fondre 40 g de beurre dans une grande poêle, et mettez-y à dorer les endives sur feu vif, en les retournant de temps en temps.

3 - Enroulez chaque endive dans une tranche de jambon, et disposez-les dans un plat allant au four, légèrement beurré.

4 - Faites une béchamel comme suit : faites fondre 80 g de beurre dans une casserole. Ajoutez la farine, et laissez cuire quelques instant sur feu doux en tournant à la cuiller de bois. Versez alors le lait froid petit à petit, salez, poivrez, râpez un peu de noix de muscade, et laissez cuire 5 minutes sans cesser de tourner.

5 - Nappez les endives au jambon de béchamel, parsemez avec le gruyère râpé, et faites gratiner à four très chaud 10 à 15 minutes. Servez dans le plat de cuisson.

CITRONS GIVRÉS

Long   Très facile   Pas cher

POUR 6 PERSONNES
CUISSON :
simple ébullition
9 H AU RÉFRIGÉRATEUR
INGRÉDIENTS :
7 beaux citrons
200 g de sucre
en poudre
2 blancs d'œufs

1 - Brossez soigneusement les citrons à l'eau chaude et séchez-les.

2 - Découpez un chapeau sur 6 citrons, côté queue, et évidez les fruits de leur pulpe à l'aide d'une petite cuillère, en ayant soin de ne pas endommager les peaux. Réservez ces dernières au réfrigérateur, ainsi que les chapeaux.

3 - Râpez finement le zeste du septième fruit, et pressez la pulpe de tous les fruits pour en extraire le jus.

4 - Mettez 1/4 de litre d'eau, 200 g de sucre, et le zeste râpé dans une casserole. Portez à ébullition, retirez le récipient du feu au premier bouillon, et laissez refroidir.

5 - Incorporez le jus des citrons à la préparation précédente.

6 - Versez le mélange dans un moule en aluminium, et placez-le dans le compartiment à glaçons du réfrigérateur réglé au maximum de froid pendant 4 heures.

7 - Passé ce temps, cassez les œufs, séparez les blancs des jaunes, et montez-les en neige très ferme jusqu'à ce qu'ils collent parfaitement au fouet.

8 - Sortez le moule du réfrigérateur et incorporez délicatement les blancs au contenu du moule. Travaillez bien le tout pour obtenir une préparation homogène.

9 - Sortez les citrons évidés du réfrigérateur, et remplissez-les de cette préparation. Recouvrez les fruits des chapeaux et replacez le tout dans le bac à glaçons. Laissez encore 5 heures à glacer avant de consommer.

VOS NOTES PERSONNELLES

Ecrire . . . .

. . . .

Acheter . . . .

. . . .

Téléphoner . . . .

Menu

MINI-RECETTE

POULET AUX PETITES LÉGUMES

POUR 4 À 5 PERSONNES
CUISSON : 50 minutes
INGRÉDIENTS : 1 poulet, 500 g de carottes
250 g de navets, 250 g de petits oignons
3 cœurs de laitue, 1 gousse d'ail
1 citron, 2 cuillerées à soupe d'huile
Thym, laurier, sel, poivre

1 - Pelez les carottes et les navets. Coupez les carottes en rondelles, et les navets en quartiers. Epluchez les petits oignons.

2 - Débarrassez les laitues des feuilles flétries ou jaunies, pour n'en conserver que les belles feuilles et les cœurs. Lavez-les soigneusement à l'eau courante.

3 - Faites chauffer un peu d'huile dans une cocotte, et mettez-y le poulet coupé en morceaux. Ajoutez les carottes, navets et oignons, et laissez la préparation prendre couleur, en remuant de temps en temps à la cuiller de bois. Salez, poivrez.

4 - Lorsque la viande et les légumes sont légèrement dorés, mouillez avec 1 bon verre d'eau et le jus de citron. Ajoutez la gousse d'ail pilée, un peu de thym et de laurier, couvrez le récipient, et laissez cuire une quarantaine de minutes.

5 - 20 à 25 minutes avant la fin de la cuisson, ajoutez la laitue au contenu de la cocotte, salez légèrement.

6 - Lorsque le poulet est cuit, dressez les morceaux sur un plat de service creux, entourez-les de la garniture de légumes, et servez immédiatement.

CORNETS DE JAMBON MACÉDOINE

POUR 4 PERSONNES
CUISSON : 12 minutes
INGRÉDIENTS : 2 tomates
4 tranches de jambon
1 boîte et demie
de macédoine
1 pot de fromage blanc
à 0 % de mat. grasses
4 œufs
1 laitue
Persil, ciboulette
Sel, poivre

1 - Faites durcir les œufs à l'eau bouillante 12 minutes environ. Passez-les sous l'eau froide, écalez-les.

2 - Plongez les tomates quelques instants dans de l'eau bouillante afin de les éplucher plus facilement. Coupez-les en petits dés.

3 - Lavez un peu de persil et de ciboulette. Hachez finement ces herbes ensemble.

4 - Égouttez le contenu de la boîte de macédoine dans une passoire, après l'avoir passé sous l'eau froide. Puis mettez la macédoine à sécher sur un torchon ou sur du papier absorbant.

5 - Versez le fromage blanc dans une terrine, battez-le quelques instants au fouet pour l'aérer, et ajoutez-y la macédoine, les tomates, le hachis de persil et de ciboulette. Salez et poivrez, mélangez bien le tout.

6 - Façonnez les tranches de jambon en cornets, et garnissez-les de cette préparation.

7 - Sur un plat de service préalablement tapissé de feuilles de laitue, disposez au mieux les cornets de jambon, ainsi que les œufs coupés par le milieu. Salez et poivrez. Servez.

VOS NOTES PERSONNELLES

Ecrire . . . .

. . . .

Acheter . . . .

. . . .

Téléphoner . . . .

Menu

TARAMA
(voir recette p. 28)

CARRELETS FORESTIÈRE
(voir recette ci-contre)

CRÈME PORTO-RICO
(voir recette p. 248)

TOUT SAVOIR SUR...

LE CARRELET

Le carrelet, que l'on appelle également « plie », est un poisson plat possédant une face externe brun-vert comportant des taches oranges et une face interne blanche. Il est commun sur toutes les côtes d'Europe et affectionne particulièrement les estuaires sableux. Sa chair maigre et tendre, se digère particulièrement bien. Elle possède, en proportion intéressante, des vitamines B6 (stimulant musculaire) ainsi que du phosphore, du potassium et du zinc. Le carrelet se vend entier pour les petites pièces, ou en filets pour les gros poissons pouvant atteindre 50 cm. Le poisson frais se reconnaît à son aspect brillant. Son corps doit être ferme, mais élastique au toucher. L'odeur doit rappeler la marée, sans le moindre relent d'ammoniac. La part comestible étant d'environ 50 %, il convient de compter 300 g par personne, pour des poissons entiers.

CARRELETS FORESTIÈRE

Moyen — Très facile — Pas cher

POUR 4 PERSONNES
CUISSON : 25 minutes
INGRÉDIENTS :
2 beaux carrelets
1 v. de vin blanc sec
500 g de champignons
2 gousses d'ail
4 échalotes
1 jus de citron
1 noisette de beurre
Thym, laurier
Persil
Sel, poivre

1 - Videz les carrelets, lavez-les soigneusement. Salez et poivrez légèrement les poissons, et couchez-les dans un plat allant au four légèrement beurré.

2 - Débarrassez les champignons de leur pied terreux, passez-les rapidement à l'eau courante, et séchez-les sur du papier absorbant. Puis détaillez-les en fines lamelles.

3 - Dans une casserole, faites fondre une noisette de beurre, et mettez les champignons à revenir. Salez, poivrez, ajoutez les échalotes et l'ail hachés, puis après 4 à 5 minutes de cuisson, le jus d'un citron et un peu de thym, de laurier et de persil. Laissez cuire à couvert encore 3 à 4 minutes sur feu doux.

4 - Mouillez ensuite cette préparation aux champignons avec le vin blanc, remuez, et versez le tout sur les carrelets.

5 - Mettez à cuire à four moyen 15 minutes environ. Servez dans le plat de cuisson.

VOS NOTES PERSONNELLES

Ecrire . . . .

Acheter . . . .

Téléphoner . . . .

Menu

BEIGNETS DE LANGOUSTINES
(voir recette ci-contre)

GARENNE À LA TOMATE
(voir recette ci-dessous)

GÂTEAU DES TROIS ÉPIS
(voir recette p. 171)

Boisson conseillée :
UN TOKAY

MINI-RECETTE

GARENNE À LA TOMATE

POUR 6 PERSONNES
CUISSON : 1 h 45
INGRÉDIENTS : 1 beau garenne
6 tomates
1 noix de concentré de tomates
250 g de carottes, 250 g d'oignons
1 gousse d'ail, 1 bouquet garni
2 verres de vin blanc sec
1 cuillerée à soupe de farine
1 noix de beurre
2 cuillerées à soupe d'huile d'olive
Sel, poivre

1 - Faites chauffer dans une cocotte le mélange de beurre et d'huile, et mettez-y à dorer les morceaux de garenne, salés et poivrés.
2 - Coupez en rondelles oignons et carottes.
3 - Quand le lapin a pris couleur, ôtez les morceaux du récipient, et jetez les légumes dans la graisse de cuisson. Laissez blondir quelques minutes sur feu moyen.
4 - Saupoudrez alors les légumes avec la farine, et laissez prendre couleur 2 à 3 minutes en tournant régulièrement.
5 - Mouillez avec le vin blanc, grattez le fond de la cocotte et ajoutez les tomates pelées et concassées grossièrement, la gousse d'ail pilée, un peu de concentré de tomates, le bouquet garni. Salez, poivrez et replacez les morceaux de lapin dans la sauce. Laissez mijoter 1 heure à couvert.
6 - Passé ce temps, découvrez la cocotte, et prolongez la cuisson d'environ 20 minutes.
7 - Dressez les morceaux de garenne dans un plat creux, nappez-les de la sauce.

BEIGNETS DE LANGOUSTINES

POUR 4 PERSONNES
CUISSON :
25 minutes environ
INGRÉDIENTS :
100 g de farine
750 g de langoustines
1 v. de sauce de soja
2 cuill. à soupe d'huile
1 pincée de sucre
1 jaune d'œuf
2 blancs d'œufs
1 filet de vinaigre
Sel, poivre
1 bain de friture

1 - Versez 85 g de farine dans un saladier, faites un puits et mettez-y le jaune d'œuf préalablement battu, l'huile, une pincée de sel et de sucre. Mélangez à la spatule de bois, et ajoutez peu à peu 1 bon verre d'eau en continuant de tourner la préparation. Laissez reposer cette pâte à beignets 1 heure environ dans un endroit frais.
2 - Pendant ce temps, portez à ébullition 1 litre d'eau dans un grand récipient. Salez et poivrez, ajoutez 1 filet de vinaigre, et plongez les langoustines dans ce court-bouillon. Couvrez, laissez ainsi 1 minute sur feu vif, puis égouttez les petits crustacés. Décortiquez-les avec précaution et ne conservez que les queues.
3 - Placez les queues de langoustines dans une assiette creuse, arrosez-les de la sauce de soja, et laissez-la mariner.
4 - Pendant ce temps, montez les blancs d'œufs en neige, et incorporez-les délicatement à la pâte à beignets.
5 - Sortez les queues de langoustines de la marinade, mettez-les à égoutter sur du papier absorbant, puis passez-les à la farine.
6 - Piquez les queues de langoustines à la fourchette, trempez-les dans la pâte, puis plongez-les dans le bain de friture bouillant. Surveillez attentivement la cuisson, qui est rapide, et lorsque les beignets ont gonflé et pris une belle teinte dorée, sortez-les avec une écumoire, et mettez-les à égoutter sur du papier absorbant.
7 - Dressez les beignets sur un plat de service et servez très chaud. Vous pouvez présenter en accompagnement des sauces au piment ainsi que du nuoc-mam.

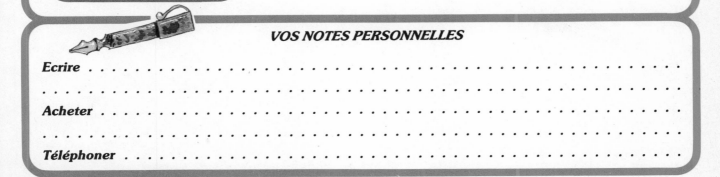

VOS NOTES PERSONNELLES

Ecrire . . . .
. . . .
Acheter . . . .
. . . .
Téléphoner . . . .

Menu

LAITUE AUX FRUITS DE MER
(voir recette p. 214)

PERDREAUX AU CHAMPAGNE
(voir recette ci-dessous)

BAVAROIS AU CHOCOLAT
(voir recette ci-contre)

Boisson conseillée :
UN CHAMBERTIN

MINI-RECETTE

PERDREAUX AU CHAMPAGNE

POUR 6 PERSONNES
CUISSON : 40 minutes
INGRÉDIENTS : 3 perdreaux
1 petite boîte de mousse de foie gras
2 verres de champagne brut
1 verre à liqueur de cognac
100 g de beurre, 3 tranches de pain
Sel, poivre en grains

1 - Videz soigneusement les perdreaux et farcissez-les de mousse de foie gras, après avoir salé et oivré l'intérieur des petits oiseaux. Bridez-les.

2 - Faites fondre 40 g de beurre dans une cocotte, sur feu vif, et mettez les perdreaux à revenir.

3 - Lorsque les oiseaux ont pris couleur sur toutes leurs faces, versez le cognac et faites flamber.

4 - Mouillez alors avec le champagne, couvrez le récipient, et laissez cuire à feu moyen 15 minutes environ.

5 - Pendant ce temps, dans une poêle, passez 3 belles tranches de pain dans du beurre, sur leurs deux faces.

6 - Dressez les perdreaux sur un plat de service, après avoir posé chaque oiseau sur une tranche de pain frit. Passez la sauce au chinois, nappez-en les perdreaux sur canapé. Servez immédiatement.

BAVAROIS AU CHOCOLAT

Long   Facile   Abordable

**POUR 4
A 5 PERSONNES
CUISSON : 10 minutes
4 H AU RÉFRIGÉRATEUR
INGRÉDIENTS :**
50 g de cacao
7 feuilles
de gélatine (12 g)
1/2 l de lait +2 cuill.
180 g de sucre poudre
1/4 l de crème fraîche
1/2 sachet
de sucre vanillé
6 œufs
1 gousse de vanille

1 - Mettez à tremper les feuilles de gélatine dans de l'eau tiède.

2 - Cassez les œufs, placez les jaunes dans un saladier, ajoutez 130 g de sucre en poudre. Battez le tout.

3 - Faites chauffer dans une casserole 1/2 litre de lait avec la gousse de vanille fendue.

4 - Dans le saladier, versez en remuant sans cesse sur le mélange œufs-sucre le lait bouillant, après avoir ôté la vanille. Ajoutez la gélatine (amollie au préalable dans un bol d'eau froide) et le cacao en mélangeant toujours.

5 - Versez cette préparation dans une casserole, faites chauffer à feu doux sans cesser de tourner. Évitez surtout l'ébullition. Quand la crème commence à prendre, retirez-la du feu, passez-la au tamis, et laissez-la refroidir dans un saladier.

6 - Dans une jatte, confectionnez une crème Chantilly avec la crème fraîche à laquelle vous ajouterez 2 cuillerées de lait. Battez lentement avec un fouet pour bien aérer la crème qui doit devenir mousseuse. Puis incorporez délicatement 50 g de sucre en poudre et le 1/2 sachet de sucre vanillé.

7 - Mélangez doucement, dans le saladier, la chantilly à la crème froide. Versez cette préparation dans un moule à savarin et laissez 4 heures au réfrigérateur. Démoulez avant de servir.

VOS NOTES PERSONNELLES

Ecrire . . . .

. . . .

Acheter . . . .

. . . .

Téléphoner . . . .

MENU

Menu

PETITS PÂTÉS AUX LÉGUMES
(voir recette ci-dessous)

CÔTES D'AGNEAU AU CÉLERI
(voir recette ci-contre)

GÂTEAU AUX NOIX ET AU CHOCOLAT
(voir recette p. 34)

MINI-RECETTE

PETITS PÂTÉS AUX LÉGUMES

POUR 6 PERSONNES
CUISSON : 50 minutes
INGRÉDIENTS : 500 g de carottes
500 g de poireaux, 30 g de beurre
20 g de farine, 1 verre de lait écrémé
1 bloc de de feuilleté surgelé
2 jaunes d'œufs, cerfeuil, sel, poivre

1 - Epluchez les carottes, et coupez-les en rondelles fines. Otez les feuilles vertes de poireaux pour ne conserver que les blancs, lavez-les, et détaillez-les en tronçons.

2 - Mettez ces légumes à cuire à l'eau bouillante salée 20 à 25 minutes.

3 - Passé ce temps, égouttez-les soigneusement, et réduisez-les en purée.

4 - Faites fondre 30 g de beurre dans une casserole, ajoutez la farine en pluie, et laissez cuire quelques instants à feu doux en tournant à la cuiller de bois. Puis mouillez avec le lait écrémé, battez légèrement au fouet, et laissez le mélange épaissir.

5 - Incorporez cette sauce dans la purée de légumes, ajoutez 2 jaunes d'œufs, un fin hachis de cerfeuil. Salez légèrement, poivrez.

6 - Lorsque la pâte feuilletée est prête à l'emploi, étalez-la et découpez des rectangles d'un format d'environ 10 × 14 cm. Déposez sur la moitié de chaque rectangle, en répartissant, la farce aux légumes, puis repliez en deux en soudant soigneusement les bords.

7 - Disposez ces préparations sur une plaque de four, et mettez à cuire à four moyen une vingtaine de minutes. Servez chaud.

CÔTES D'AGNEAU AU CÉLERI

Moyen — Très facile — Abordable

POUR 4 PERSONNES
CUISSON : 45 minutes
INGRÉDIENTS : 4 côtes
1 céleri-rave
1 citron
1 noisette de beurre
1 cuillerée à soupe
de crème fraîche
Quelques feuilles
d'estragon
2 cuill. à soupe d'huile
Sel, poivre

1 - Coupez le céleri-rave en quatre, épluchez les quartiers et détaillez-les en fines tranches.

2 - Faites bouillir de l'eau dans une grande casserole, salez, agrémentez d'un jus de citron et laissez cuire 30 minutes à couvert.

3 - Passé ce temps, égouttez soigneusement le légume et passez-le au mixer. Ajoutez la crème fraîche et le beurre, aromatisez de quelques feuilles d'estragon hachées, et tenez au chaud dans une casserole sur feu très doux.

4 - Faites chauffer l'huile dans une poêle, et mettez-y à saisir les côtes salées et poivrées. En fonction de l'épaisseur des tranches de viande et selon que vous les désirez plus ou moins cuites, laissez-les sur feu assez vif de 4 à 8 minutes sur chaque face.

5 - Dressez les côtes d'agneau sur un plat de service, entourez de la mousse de céleri que vous pourrez déposer en macarons à la poche à douille, et servez aussitôt.

LE TRUC DU CHEF

POUR LES CÔTES D'AGNEAU AU CÉLERI : les côtelettes premières d'agneau sont les plus estimées. Les côtelettes secondes sont moins charnues et un peu plus grasses que les précédentes. Quant au carré découvert, il fournit des côtelettes de qualité assez médiocre.

VOS NOTES PERSONNELLES

Ecrire . . . .

. . . .

Acheter . . . .

. . . .

Téléphoner . . . .

359

20 DÉCEMBRE

 Menu

OMELETTE À LA PAYSANNE
(voir recette ci-dessous)
*CERVELLES
À LA CASTILLANNE*
(voir recette p. 56)
*GÂTEAU DE SEMOULE
AUX FIGUES*
(voir recette ci-contre)

MINI-RECETTE

OMELETTE
À LA PAYSANNE

POUR 4 PERSONNES
CUISSON : 25 minutes environ
INGRÉDIENTS : 8 œufs
150 g de poitrine fumée
2 pommes de terre moyennes
2 cuillerées à soupe de lait
1 noisette de saindoux
Cerfeuil, sel, poivre

1 - Lavez les pommes de terre et mettez-les à cuire 10 à 12 minutes à l'eau bouillante.
2 - Détaillez la poitrine fumée en petits cubes et mettez-les à revenir doucement à la poêle, avec une noisette de saindoux.
3 - Pelez les pommes de terre après le temps de cuisson prescrit, coupez-les en petits cubes, et ajoutez-les aux lardons. Laissez rissolez quelques minutes, le temps pour les pommes de terre de prendre couleur.
4 - Cassez les œufs dans un petit saladier, et battez-les à la fourchette avec 2 cuillerées à soupe de lait. Salez, poivrez au moulin. Ajoutez un petit bouquet de cerfeuil haché.
5 - Lorsque lardons et pommes de terre sont bien dorés, versez dessus les œufs battus. Remuez vivement le centre de l'omelette à la spatule de bois afin de faciliter la coagulation des œufs. Laissez cuire 4 à 5 minutes à feu doux, selon que vous aimez l'omelette baveuse ou cuite à point.
6 - Faites glisser l'omelette sur un grand plat de service, repliez-la sur elle-même, et servez immédiatement.

GÂTEAU DE SEMOULE
AUX   FIGUES

Moyen   Facile   Abordable

POUR 5
A 6 PERSONNES
CUISSON :
35 minutes environ
INGRÉDIENTS :
1 l de lait
150 g de semoule de blé
8 figues sèches
160 g de sucre semoule
2 œufs
50 g de beurre
50 g d'amandes effilées
6 morceaux de sucre
1/2 orange
1 v. à liqu. de rhum

1 - Versez le lait dans une casserole, ajoutez le sucre semoule, 25 g de beurre, et portez le liquide à ébullition.
2 - Versez alors la semoule en pluie, et laissez cuire doucement en remuant constamment à la cuillère de bois jusqu'à ce que le mélange épaississe (environ 10 minutes). Retirez du feu et laissez tiédir.
3 - Cassez les œufs, battez-les comme pour une omelette, et versez-y le rhum. Ajoutez ces œufs à la semoule, et mélangez bien le tout.
4 - Ôtez la queue des figues sèches, et détaillez les fruits en petits morceaux. Incorporez-les à la préparation précédente.
5 - Beurrez un moule à hauts bords, et garnissez-le du mélange. Mettez à cuire à four moyen 20 minutes environ, puis laissez refroidir avant de démouler sur un plat de service.
6 - Préparez un caramel dans une petite casserole avec 6 morceaux de sucre et le jus d'une demi-orange. Quand la préparation est blonde, coulez-la sur le gâteau. Mettez quelques instants au réfrigérateur avant de servir.

 **LE TRUC DU CHEF**

**POUR LE GÂTEAU DE SEMOULE AUX FIGUES : vous obtiendrez un gâteau encore plus moelleux en le faisant cuire dans le four au bain-marie. Prolongez alors le temps de cuisson de quelque dix minutes.
Les amateurs apprécieront ce gâteau servi avec un thé au jasmin.**

VOS NOTES PERSONNELLES

Ecrire . . . .
. . . .
Acheter . . . .
. . . .
Téléphoner . . . .

MINI-RECETTE

QUATRE-QUARTS VAL SUZON

POUR 6 À 8 PERSONNES
CUISSON : 40 minutes
INGRÉDIENTS : 3 œufs, 200 g de beurre
200 g de sucre, 200 g de farine
1 pot de gelée de cassis, 1 pincée de sel

1 - Dans une terrine, travaillez en pommade le beurre à la fourchette.

2 - Quand le beurre est bien ramolli, ajoutez le sucre peu à peu en mélangeant énergiquement.

3 - Cassez les œufs, réservez les blancs dans un saladier, et incorporez les jaunes au mélange.

4 - Ajoutez alors la farine, 1 pincée de sel, et travaillez bien le tout.

5 - Fouettez les blancs d'œufs en neige, et incorporez-les délicatement à la préparation. Soulevez bien la pâte durant cette opération pour conserver aux blancs toute leur légèreté.

6 - Quand la pâte est bien homogène, beurrez un moule à hauts bords, genre moule à charlotte, et versez-y la pâte. Mettez à cuire à feu doux pendant 40 minutes.

7 - Lorsque les quatre-quarts est cuit, laissez-le refroidir une dizaine de minutes avant de le démouler sur un plat de service.

8 - Coupez alors le gâteau en deux dans le sens transversal, et nappez généreusement le dessus du disque inférieur de gelée de cassis.

9 - Recouvrez du disque supérieur pour reconstituer le quatre-quarts et servez.

SOUPE DE HARICOTS AU LARD

**POUR 6 PERSONNES
CUISSON : 1 h 30
INGRÉDIENTS :**
300 g de haricots
200 g de poitrine fumée
1 carotte
1 oignon
2 gousses d'ail
1 noix de beurre
1 petit bouquet de persil
Thym
Laurier
Ciboulette
Sel, poivre

1 - La veille de la préparation, faites tremper les haricots une nuit dans de l'eau froide.

2 - Le lendemain, mettez les haricots dans une casserole, recouvrez largement d'eau froide, salez au gros sel, et ajoutez les gousses d'ail, l'oignon et le bouquet garni. Portez le liquide à ébullition et laissez ainsi cuire à couvert 45 minutes.

3 - Passé ce temps, égouttez les haricots, ôtez l'oignon et le bouquet garni, et passez les légumes à la moulinette pour les réduire en purée.

4 - Mettez cette purée dans une marmite avec un bon litre d'eau, ajoutez la carotte coupée en fines rondelles, et la poitrine fumée détaillée en petits cubes. Salez très légèrement, poivrez, délayez soigneusement la purée de haricots dans le liquide, et laissez mijoter doucement à couvert environ 45 minutes.

5 - Quand la soupe est cuite, incorporez-lui, hors du feu, une noix de beurre, ajoutez un fin hachis de persil et de ciboulette, et versez en soupière. Servez immédiatement.

22 DÉCEMBRE

SALADE CHARCUTIÈRE
(voir recette ci-dessous)

POULET AU FROMAGE
(voir recette ci-contre)

GLACE À LA POIRE
(voir recette p. 84)

MINI-RECETTE

SALADE CHARCUTIÈRE

POUR 4 PERSONNES
CUISSON : 30 minutes
INGRÉDIENTS : 2 oignons
1 saucisse de morteau
750 g de pommes de terre
2 gousses d'ail
2 cuillerées à soupe de vinaigre
1 cuillerée à soupe de moutarde
8 cuillerées à soupe d'huile
1 petit bouquet de persil, sel, poivre

1 - Faites pocher une belle saucisse de morteau 25 à 30 minutes à eau juste frémissante.
2 - Mettez les pommes de tere à cuire 20 minutes à l'eau bouillante salée.
3 - Pelez les oignons et détaillez-les en fines rondelles.
4 - Versez 2 cuillerées à soupe de vinaigre dans un saladier, ajoutez la moutarde, le sel, le poivre, et délayez bien le tout. Puis ajoutez l'huile en filet en remuant constamment, jusqu'à obtenir une sauce crémeuse.
5 - Quand les pommes de tere sont cuites, pelez-les, coupez-les en rondelles, et mettez-les dans le saladier. Ajoutez les oignons, la saucisse de morteau détaillée en rondelles, les gousses d'ail pilées, et remuez soigneusement tous ces ingrédients. Saupoudrez d'un fin hachis de persil avant de servir.

POULET AU FROMAGE

**POUR 4
A 5 PERSONNES**
CUISSON : 1 h 15 env.
INGRÉDIENTS : 1 poulet
150 g de poitrine fumée
150 g de gruyère râpé
2 oignons
1 gousse d'ail
2 v. de vin blanc sec
1 noix de beurre
3 cuill. à soupe d'huile
1 cuillerée à soupe
de crème fraîche
Laurier
Sel, poivre

1 - Faites chauffer le mélange de beurre et d'huile dans un faitout, et mettez-y à dorer le poulet après l'avoir salé et poivré intérieurement.
2 - Pendant ce temps, épluchez les oignons et détaillez-les en fines rondelles.
3 - Coupez la tranche de poitrine fumée en petits cubes.
4 - Lorsque la volaille est bien dorée sur toutes ses faces, ôtez-la du faitout et réservez.
5 - Dans la graisse de cuisson, jetez les lardons et les oignons, et laissez-les quelques instants prendre couleur. Mouillez alors avec le vin blanc, salez, poivrez, ajoutez la gousse d'ail pilée et 1 feuille de laurier.
6 - Replacez le poulet dans le récipient, couvrez, et laissez cuire à feu doux 40 à 50 minutes en fonction de la taille du poulet.
7 - En fin de cuisson, sortez la volaille du récipient, découpez-la, et dressez les morceaux sur un plat de service. Réservez quelques instants au chaud.
8 - Incorporez 1 bonne cuillerée de crème fraîche dans la sauce, versez le gruyère râpé en pluie, et tournez 3 à 4 minutes sur feu modéré.
9 - Nappez généreusement les morceaux de poulet de la sauce au fromage, et servez immédiatement avec un accompagnement de pommes vapeur.

VOS NOTES PERSONNELLES

Ecrire . . . .
. . . .

Acheter . . . .

Téléphoner . . . .

23 DÉCEMBRE

SOUPE AUX POIS CASSÉS
(voir recette ci-dessous)
*FILETS DE CABILLAUD
PARMENTIER*
(voir recette ci-contre)
*GÂTEAU AU MIEL
AUX NOISETTES*
(voir recette p. 46)

Boisson conseillée :
UN PULIGNY-MONTRACHET

MINI-RECETTE

SOUPE AUX POIS CASSÉS

POUR 8 PERSONNES
CUISSON : 1 h 30
INGRÉDIENTS : 500 g de pois cassés
1 oignon, 1 feuille de laurier
150 g de poitrine fumée
1 petit pot de crème fraîche
1 branche de persil, sel, poivre

1 - Mettez les pois cassés dans une marmite, recouvrez largement de 2 litres d'eau froide, et portez doucement à ébullition. Ecumez soigneusement, et laissez cuire à couvert 1 h 30.
2 - Détaillez la poitrine fumée en gros dés, pelez l'oignon, et mettez ces ingrédients à cuire avec la soupe. Aromatisez d'une feuille de laurier, poivrez légèrement, et ne salez qu'à mi-cuisson.
3 - Quand les pois ont cuit le temps convenable, passez-les au mixer dans leur liquide de cuisson pour obtenir une préparation homogène, et versez en soupière.
4 - Parsemez d'une branche de persil haché, et présentez la soupe en l'accompagnant d'un petit pot de crème fraîche dont les convives pourront se servir à leur guise. Disposez également sur la table quelques petits croûtons frits au beurre.

FILETS DE CABILLAUD PARMENTIER

POUR 5
A 6 PERSONNES
CUISSON :
40 minutes environ
INGRÉDIENTS :
500 g de cabillaud
700 g de pommes
de terre
200 g de champignons
3/4 l de lait
140 g de beurre
30 g de farine
10 cl de crème fraîche
50 g de gruyère râpé
1 œuf
Noix de muscade râpée
Sel, poivre

1 - Mettez les pommes de terre à cuire à l'eau bouillante salée une vingtaine de minutes.
2 - Pendant ce temps, coupez les pieds terreux des champignons, lavez-les à l'eau courante, séchez-les soigneusement sur du papier absorbant. Puis détaillez-les en lamelles. Mettez-les à revenir à la poêle avec 1 belle noix de beurre. Salez et poivrez.
3 - Quand les pommes de terre sont cuites, épluchez-les et réduisez-les en purée au moulin à légumes. Incorporez à cette purée 1/4 de litre de lait préalablement chauffé, la crème fraîche et l'œuf entier. Salez légèrement, poivrez, râpez un peu de noix de muscade, et mélangez bien le tout.
4 - Faites fondre 70 g de beurre dans une casserole, ajoutez la farine et mélangez quelques instants sur feu très doux à la cuillère de bois. Versez alors le reste du lait froid peu à peu, et laissez cuire doucement une quinzaine de minutes en tournant constamment.
5 - Beurrez un plat à gratin et tapissez-le de la purée. Disposez dessus, en les répartissant au mieux, les filets de cabillaud. Recouvrez avec les champignons. Nappez le tout de la sauce, parsemez le gruyère râpé, et mettez quelques noisettes de beurre. Faites cuire à four moyen 15 à 20 minutes. Servez immédiatement dans le plat de service.

VOS NOTES PERSONNELLES

Ecrire . . . .
. . . .
Acheter . . . .
. . . .
Téléphoner . . . .

RÉVEILLON NOËL

Menu

**BOUDIN BLANC
SAINT-SYLVESTRE**
(voir recette ci-dessous)
**ÉPAULE DE MARCASSIN
RÔTIE**
(voir recette p. 302)
BÛCHE DE NOËL
(voir recette ci-contre)

Boisson conseillée :
UN CÔTES-DE-BEAUNE

MINI-RECETTE

BOUDIN BLANC SAINT-SYLVESTRE

POUR 4 PERSONNES
CUISSON : 30 minutes environ
INGRÉDIENTS : 4 boudins blancs
1 petite boîte de pelures de truffes
1 verre de vin blanc sec, 4 échalotes
Quelques feuilles d'estragon
1 noisette de beurre
1 cuillerée à soupe d'huile
2 cuillerées à café de moutarde
Sel, poivre

1 - Faites chauffer le mélange de beurre et d'huile dans une poêle, et mettez à dorer les boudins blancs sur feu modéré.

2 - Épluchez les échalotes, hachez-les finement, et ajoutez-les aux boudins après que ceux-ci aient pris couleur. Laisser blondir les échalotes sur feu doux quelques minutes.

3 - Passé ce temps, mouillez avec le vin blanc, ajoutez à la préparation le contenu de la petite boîte de pelures de truffes, jus y compris, et hachez finement sur le tout quelques feuilles d'estragon. Salez légèrement, poivrez, et laissez cuire sur feu doux, à couvert, une dizaine de minutes.

4 - Délayez ensuite un peu de moutarde forte dans la sauce, et terminez la cuisson à découvert, toujours sur feu doux, quelques minutes encore.

5 - Quand les boudins blancs sont cuits, dressez-les sur un plat de service chaud, nappez-les de la sauce aux truffes, et servez immédiatement.

BÛCHE DE NOËL

POUR 8 PERSONNES
CUISSON : 10 minutes
INGRÉDIENTS
POUR LE BISCUIT :
4 œufs
120 g de sucre en poudre
100 g de farine
55 g de beurre
POUR LA CRÈME :
250 g de beurre
150 g de sucre en poudre
2 œufs
2 cuillerées à café d'extrait de café

PRÉPAREZ LE BISCUIT ROULÉ :

1 - Cassez les œufs, séparez les blancs des jaunes, et travaillez les jaunes avec le sucre.

2 - Battez les blancs en neige, incorporez-les au mélange précédent en même temps que la farine en pluie. Ajoutez 35 g de beurre fondu à la préparation.

3 - Placez un papier sulfurisé beurré sur une plaque de cuisson, relevez-en les extrémités, et coulez la pâte sur 5 mm d'épaisseur. Mettez à four chaud 8 à 10 minutes. Puis roulez le gâteau avec précaution sans ôter le papier.

PRÉPAREZ LA CRÈME AU BEURRE :

1 - Sur feu doux, faites un sirop avec 150 g de sucre et 1/2 verre d'eau. Versez-le bouillant sur les œufs battus. Battez énergiquement au fouet jusqu'à complet refroidissement.

2 - Mélangez le beurre ramolli à cette préparation. Réservez 1 verre de cette crème, et colorez le reste avec l'extrait de café.

PRÉPAREZ LA BÛCHE :

1 - Déroulez le biscuit, ôtez le papier, et nappez le biscuit de 1/3 de la crème au café. Roulez à nouveau et découpez les extrémités en biais. Placez ces chutes sur le gâteau en guise de nœuds.

2 - Recouvrez à la spatule la bûche de crème au café, sauf les extrémités et les nœuds sur lesquels vous appliquerez la crème non colorée à l'extrait de café. Placez au réfrigérateur 3/4 d'heure.

3 - Au moment de servir, faites un décor « bois » à la fourchette, posez quelques champignons en meringue, et saupoudrez par endroits de sucre glace.

VOS NOTES PERSONNELLES

Écrire . . . .
. . . .
Acheter . . . .
. . . .
Téléphoner . . . .

Menu

MOUSSE DE BROCHET MARÉCHAL
(voir recette ci-contre)

DINDE FARCIE AUX MARRONS
(voir recette ci-dessous)

CHARLOTTE AUX POIRES
(voir recette p. 323)

Boisson conseillée :
UN POMEROL

MINI-RECETTE

DINDE FARCIE AUX MARRONS

POUR 8 PERSONNES
CUISSON : 2 heures
INGRÉDIENTS : 1 dinde de 3 kg
100 g de chair à saucisse
100 g de veau maigre haché
125 g de lard, 1 kg de marrons
1 tablette de bouillon de poule
4 échalotes, 1 noix de beurre
1 petit verre de cognac
1 feuille de laurier, sel, poivre

1 - Coupez le lard en très petits dés, hachez le foie de la dinde, et mélanger intimement ces ingrédients avec la chair à saucisse et le hachage de veau. Salez, poivrez.

2 - Epluchez les marrons, et faites-les cuire 1/2 heure dans 1 litre d'eau dans lequel vous aurez placé la tablette de concentré de volaille.

3 - Epluchez les échalotes, hachez-les finement, et faites-les revenir légèrement dans un peu de beurre.

4 - Ajoutez au mélange de viandes, les marrons écrasés, le hachis d'échalotes, la feuille de laurier brisée menu. Mouillez avec le cognac. Remuez bien le tout à la cuiller de bois pour obtenir un mélange bien homogène.

5 - Farcissez la dinde de cette préparation après avoir salé et poivré l'intérieur. Ficelez soigneusement la volaille afin de bien enfermer la farce et mettez à four moyen environ 2 h. Surveillez la cuisson qui doit être régulière mais pas trop forte. Si besoin est, entourez la dinde d'un papier sulfurisé bien beurré qui ralentira la coloration de la volaille.

MOUSSE DE BROCHET MARÉCHAL

Moyen Délicat Cher

POUR 6 PERSONNES
CUISSON :
20 minutes environ
INGRÉDIENTS :
1 brochet de 800 g
12 belles langoustines
40 cl de crème fraîche
2 blancs d'œufs
3 jaunes d'œufs
220 g de beurre
1 citron
2 cuillerées à soupe
de vinaigre
Sel, poivre

1 - Faites cuire les langoustines à l'eau bouillante salée additionnée d'un peu de vinaigre de 4 à 6 minutes selon leur taille. Décortiquez les queues et réservez.

2 - Levez (ou faites lever par votre poissonnier) les filets du brochet, coupez la chair en menus morceaux et passez-la au mixer pour la réduire en purée.

3 - Mettez cette purée dans une terrine, ajoutez 30 cl de crème fraîche, les blancs d'œufs, et mélangez soigneusement le tout.

4 - Beurrez de petits moules ou des terrines individuelles, et remplissez-les de cette préparation. Placez les moules dans un récipient allant au four et contenant de l'eau (aux 3/4 des moules environ), et mettez à cuire au bain-marie à four doux 20 minutes. L'eau doit être chaude mais non bouillante.

5 - Pendant ce temps, placez une casserole sur feu modéré, au bain-marie, et mettez-y les jaunes d'œufs et 2 cuillerées à soupe d'eau froide. Battez énergiquement au fouet pour obtenir une préparation mousseuse. Puis, toujours en fouettant, incorporez 200 g de beurre préalablement fondu après avoir éliminé le petit lait. Ajoutez le jus d'un citron, 10 cl de crème fraîche fouettée, salez, poivrez, et tenez au chaud au bain-marie hors du feu.

6 - Après cuisson, démoulez et disposez au mieux sur un plat de service les préparations au brochet, nappez généreusement de sauce et décorez avec les queues de langoustines. Servez immédiatement.

VOS NOTES PERSONNELLES

Ecrire . . . .
. . . .
Acheter . . . .
. . . .
Téléphoner . . . .

Menu

**TERRINE D'OIE
À LA FINE COGNAC**
(voir recette ci-dessous)

**DÉLICE DE VEAU
EN FEUILLETÉ**
(voir recette ci-contre)

GÂTEAU FRONTENAC
(voir recette p. 107)

Boisson conseillée :
UN MORGON

MINI-RECETTE

TERRINE D'OIE
À LA FINE COGNAC

POUR 8 À 10 PERSONNES
CUISSON : 2 heures
INGRÉDIENTS : 750 g d'oie
250 g de porc maigre
250 g de chair à saucisses
1 noix de graisse d'oie
Noix de muscade râpée
1 petit verre de fine cognac
2 œufs, bardes de lard, 1 carotte
Quelques feuilles de laurier, sel, poivre

1 - Désossez 750 g de chair d'oie, hachez-la avec le porc maigre, et mettez ces viandes dans un saladier avec la chair à saucisses et 1 noix de graisse d'oie. Ajoutez 2 œufs, le petit verre de fine cognac, agrémentez d'un peu de noix de muscade râpée, salez, poivez au moulin, et mélangez soigneusement le tout.

2 - Tapissez une terrine de bardes de lard, garnissez-la de la préparation à l'oie, en tassant bien, et disposez sur le dessus de fines lanières de lard en croisillons. Décorez de fines rondelles de carotte et de feuilles de laurier, couvrez la terrine, et mettez à cuire 2 heures à four moyen.

3 - Quand la terrine est cuite, laissez-la refroidir complètement avant de déguster.

DÉLICE DE VEAU
EN FEUILLETÉ

**POUR 6
A 8 PERSONNES
CUISSON : 2 h environ
INGRÉDIENTS :
1 rôti de 1,2 kg
4 tranches de Bayonne
250 g de champignons
2 échalotes, thym
2 v. de vin blanc sec
1 bloc pâte feuilletée
1 v. à liqu. de cognac
1 cuillerée à soupe
de conc. de tomates
Quelques feuilles
d'estragon frais
20 g de beurre
Sel, poivre, laurier**

1 - Choisissez un beau rôti taillé dans la noix pâtissière, salez et poivrez-le, et mettez-le à revenir à la cocotte dans le beurre.

2 - Débarrassez les champignons de leur pied terreux, passez-les à l'eau courante, séchez-les et détaillez-les en lamelles.

3 - Pelez les échalotes et hachez-les.

4 - Quand le rôti commence à prendre couleur sur toutes ses faces, ajoutez-lui les champignons, et laissez-les blondir quelques instants sur feu moyen.

5 - Mouillez alors avec 2 bons verres de vin blanc, ajoutez le cognac, le hachis d'échalotes, le bouquet garni, et incorporez à la sauce le concentré de tomates. Couvrez le récipient et laissez mijoter sur feu doux 1 h 15.

6 - Quand la viande est cuite, ôtez-la de la cocotte, et détaillez-la en tranches, en prenant soin de ne pas séparer complètement ces dernières (laissez environ 1 cm de chair au pied du rôti).

7 - Taillez le jambon de manière à obtenir des morceaux au diamètre de la viande, et intercalez ce jambon entre les tranches de veau.

8 - Étalez la pâte au rouleau (après l'avoir laissée dégeler le temps nécessaire), disposez le rôti au milieu, et rabattez les bords pour l'emprisonner complètement.

9 - Mettez la préparation sur une plaque, et laissez cuire à four moyen 20 à 25 minutes.

10 - Disposez le rôti en feuilleté sur un plat de service, et servez aussitôt, accompagné de la sauce en saucière dans laquelle vous aurez haché quelques feuilles d'estragon.

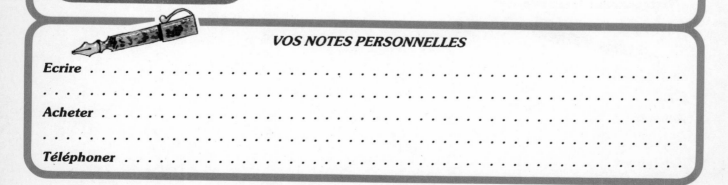

VOS NOTES PERSONNELLES

Ecrire . . . .

Acheter . . . .

Téléphoner . . . .

Menu

TOMATES AU THON
(voir recette ci-contre)
*GRATIN
DE POMMES DE TERRE
À LA STRASBOURGEOISE*
(voir recette ci-dessous)
TOURTE AUX POIRES
(voir recette p. 243)

MINI-RECETTE

GRATIN DE POMMES DE TERRE À LA STRASBOUR-GEOISE

POUR 6 PERSONNES
CUISSON : 1 h 30
INGRÉDIENTS : 1 kg de pommes de terre
300 g de poitrine fumée
150 g d'oignons, 1 gousse d'ail
1 petit pot de crème fraîche
1 bouquet de persil, 50 g de beurre
150 g de gruyère rapé, sel, poivre

1 - Epluchez les pommes de terre et détaillez-les en lamelles.
2 - Coupez la poitrine fumée en petits dés.
3 - Pelez les oignons, et coupez-les en fines rondelles.
4 - Frottez à l'ail le fond d'un plat allant au four, tapissez-le des rondelles d'oignons, disposez au-dessus la poitrine fumée, et recouvrez le tout avec les pommes de terre. Salez, poivrez, et placez de petites noisettes de beurre sur les pommes de terre.
5 - Versez dans le fond du plat 1/2 verre d'eau, et mettez à cuire à four moyen 1 h 20.
6 - Passé ce temps, incorporez au gratin le contenu d'un petit pot de crème fraîche, le gruyère rapé, un peu de persil haché, et mettez à gratiner à four très chaud, sous le gril de préférence, quelques minutes. Servez dans le plat de cuisson.

TOMATES AU THON

Rapide   Très facile   Abordable

POUR 4 PERSONNES
CUISSON : 15 minutes
INGRÉDIENTS : 2 œufs
4 belles tomates
1 boîte de thon
60 g d'olives noires
1 gousse d'ail
2 échalotes
Quelques feuilles de laitue
1 branche de persil
1 jus de citron
1 cuill. d'huile d'olive
1 pointe de paprika
Sel, poivre

1 - Lavez les tomates, essuyez-les avec un torchon et découpez un large chapeau sur chacune d'elles. Puis, en vous servant d'un petit couteau, évidez-les en partie. Salez et poivrez l'intérieur. Réservez.
2 - Faites durcir les œufs à l'eau bouillante salée 15 minutes.
3 - Pelez les échalotes et la gousse d'ail, lavez un peu de persil, et hachez finement ensemble ces trois légumes.
4 - Ouvrez la boîte de thon, et versez-en le contenu dans une terrine. Écrasez le poisson à la fourchette, puis ajoutez-y les œufs durs que vous écraserez de même, et le hachis d'échalotes, d'ail et de persil. Mouillez avec un jus de citron et une cuillerée d'huile d'olive, salez et poivrez légèrement, ajoutez une pointe de paprika, et remuez bien le tout pour obtenir une pâte homogène.
5 - Dénoyautez les olives, coupez-les en menus morceaux, et incorporez-les à la préparation.
6 - Garnissez les tomates évidées de ce mélange au thon. Tapissez un plat de service de quelques belles feuilles de laitue, et disposez-y les tomates. Servez aussitôt.

VOS NOTES PERSONNELLES

Ecrire . . . .
. . . .
Acheter . . . .
. . . .
Téléphoner . . . .

27 DÉCEMBRE

Menu

VELOUTÉ DE POISSONS AUX CREVETTES
(voir recette p. 225)

POULET ATLANTA
(voir recette ci-dessous)

ORANGES EN SURPRISE
(voir recette ci-contre)

ORANGES EN SURPRISE

Moyen — Très facile — Abordable

POUR 6 PERSONNES
CUISSON : 25 minutes
INGRÉDIENTS :
6 oranges
2 poires
150 g de fraises
3 blancs d'œufs
1 cuill. à café de sucre
1 v. à liqu. de kirsch

MINI-RECETTE

POULET ATLANTA

POUR 4 À 5 PERSONNES
CUISSON : 50 minutes
INGRÉDIENTS : 1 poulet
1 oignon, 1 gousse d'ail
2 cuillerées à soupe de moutarde
1 cuillerée à soupe de câpres
1 pointe de piment rouge
1 cuillerée à soupe de ketchup
70 g de chapelure
3 cornichons, 1 dl d'huile
1 cuillerée à soupe de vinaigre
1 jaune d'œuf, sel, poivre

1 - Fendez le poulet par le dos, puis aplatissez-le fortement en brisant les articulations.
2 - Salez et poivrez la volaille, huilez-la légèrement, et mettez-la à cuire à four moyen, sur la lèchefrite, pendant 40 minutes.
3 - Pendant ce temps, préparez une mayonnaise comme suit : mettez le jaune d'œuf et 1 cuillerée à café de moutarde dans un bol, salez, et versez l'huile en filet en tournant constamment.
4 - Qaund la mayonnaise est montée, ajoutez-lui un filet de vinaigre, un petit oignon finement haché, 1 gousse d'ail pilée, les cornichons en rondelles, quelques câpres, une pointe de piment rouge, et un peu de sauce ketchup. Remuez le tout.
5 - Après 40 minutes de cuisson du poulet, sortez-le du four, enduisez-le d'un peu de moutarde, et saupoudrez-le de chapelure sur ses deux faces. Puis mettez-le sous le gril, 3 à 4 minutes sur chaque côté.
6 - Dressez la volaille sur un plat chaud. Accompagnez de la mayonnaise, et servez des pommes chips.

1 - Lavez les oranges soigneusement et séchez-les avec un linge.
2 - Découpez un chapeau sur chaque fruit et, en vous servant d'un couteau pointu, ou mieux, d'un couteau à pamplemousses, évidez les fruits de leur pulpe. Prenez soin, lors de cette opération, de ne pas crever la peau.
3 - Mettez la pulpe des oranges, coupée en petits dés, dans un saladier.
4 - Épluchez les poires, coupez-les en quatre, ôtez le cœur et les pépins, et détaillez ces quartiers en lamelles dans le saladier.
5 - Lavez les fraises, séchez-les sur du papier absorbant, et équeutez-les. Coupez les fraises en quatre et ajoutez-les aux autres fruits. Réservez 6 fraises pour la décoration.
6 - Arrosez les fruits avec le kirsch et mélangez délicatement.
7 - Cassez les œufs, mettez les blancs dans une terrine, et fouettez-les en neige très ferme après avoir ajouté 1 cuillerée à café de sucre. Les blancs sont bien montés lorsqu'ils collent parfaitement au fouet.
8 - Remplissez les oranges évidées du mélange de fruits. Couronnez le tout d'une bonne cuillerée d'œufs en neige.
9 - Placez les fruits ainsi garnis sur une plaque, et mettez à four chaud 25 minutes.
10 - Lorsque la meringue est bien dorée, disposez les oranges sur des assiettes individuelles, et piquez sur chaque meringue une belle fraise entière.

VOS NOTES PERSONNELLES

Ecrire . . . .

. . . .

Acheter . . . .

. . . .

Téléphoner . . . .

Menu

BEIGNETS AU ROQUEFORT
(voir recette ci-contre)

FOIE DE PORC SOUBISE
(voir recette p. 20)

SALADE D'HIVER
(voir recette ci-dessous)

MINI-RECETTE

SALADE D'HIVER

POUR 6 PERSONNES
INGRÉDIENTS :
3 pommes, 3 oranges, 1 banane, 1/2 citron
1 verre à liqueur de rhum
1 cuillerée à soupe de sucre en poudre
1 pincée de sucre vanillé

1 - Epluchez les pommes, ôtez le cœur et les pépins à l'aide d'un vide-pommes, coupez-les en tranches. Réservez les six tranches les plus belles, et détaillez les autres en quartiers.
2 - Brossez soigneusement une orange à l'eau chaude, essuyez-la, et prélevez 6 belles tranches fines dans le milieu. Pressez le reste pour en extraire le jus.
3 - Epluchez deux oranges, séparez-les en quartiers, et coupez en deux chacun d'eux.
4 - Epluchez la banane, et détaillez-la en fines rondelles.
5 - Garnissez les parois d'un saladier (ou d'un compotier) en verre avec les tranches d'oranges et de pommes, en alternant. Placez au centre les quartiers de pommes, d'oranges, les rondelles de banane.
6 - Mettez dans un bol 1 cuillerée à soupe de sucre, 1 pincée de sucre vanillé, le jus d'orange, le jus d'un demi-citron, un peu de rhum. Remuez à la cuiller pour bien dissoudre le sucre dans le liquide, et arrosez la salade de fruits de cette préparation.
7 - Mettez la salade 20 à 30 minutes dans la partie haute du réfrigérateur, avant de servir.

BEIGNETS AU ROQUEFORT

Moyen   Très facile   Abordable

POUR 5
A 6 PERSONNES
CUISSON :
15 minutes environ
INGRÉDIENTS :
100 g de roquefort
150 g de fromage blanc
5 œufs
200 g de farine
Cerfeuil
Sel, poivre
1 bain de friture

1 - Versez la farine dans un saladier, faites un puits et mettez-y les jaunes d'œufs (réservez les blancs). Ajoutez 1 pincée de sel et remuez soigneusement le tout.
2 - Écrasez finement le fromage blanc avec le roquefort, et amalgamez ces fromages à la pâte. Ajoutez un petit hachis de cerfeuil.
3 - Montez en neige les blancs d'œufs en les fouettant énergiquement ou mieux, en vous servant d'un mixer afin d'obtenir une préparation très ferme.
4 - Incorporez peu à peu, et délicatement, ces blancs en neige à la pâte.
5 - Confectionnez de petites boules de pâte à l'aide d'une cuillère, et plongez-les dans le bain d'huile bouillante. Laissez cuire les beignets 3 à 4 minutes, jusqu'à ce qu'ils soient bien gonflés et dorés, ôtez-les au fur et à mesure avec une écumoire, et mettez-les à sécher sur du papier absorbant.
6 - Dressez les beignets sur un plat de service chaud et servez immédiatement.

LE TRUC DU CHEF

POUR LES BEIGNETS AU ROQUEFORT : choisissez un fromage blanc parfaitement égoutté afin qu'il ne mouille pas trop la pâte.

POUR LE FOIE DE PORC EN SOUBISE : le foie de porc est manifestement le foie le moins coûteux, mais il possède une saveur un peu particulière que n'apprécient pas tous les consommateurs.

VOS NOTES PERSONNELLES

Ecrire . . . .

. . . .

Acheter . . . .

. . . .

Téléphoner . . . .

29 DÉCEMBRE

 **Menu**

RILLETTES D'OIE
(voir recette p. 141)

POULET À LA LUZIENNE
(voir recette ci-dessous)

FLAN AUX ANANAS
(voir recette ci-contre)

MINI-RECETTE

POULET À LA LUZIENNE

POUR 4 À 5 PERSONNES
CUISSON : 1 h 15
INGRÉDIENTS : 1 poulet
6 tomates, 2 poivrons, 2 oignons
1 gousse d'ail, 1 noix de beurre
3 cuillerées à soupe d'huile
Laurier, sel, poivre

1 - Dans une cocotte, faites chauffer le mélange de beurre et d'huile, et mettez-y à dorer le poulet bridé, après l'avoir salé et poivré intérieurement.
2 - Pendant ce temps, mondez les tomates et coupez-les en gros dés.
3 - Pelez les oignons, et coupez-les en rondelles.
4 - Lavez les poivrons, fendez-les par le milieu, débarrassez-les de la queue et des pépins. Détaillez-les en lanières.
5 - Quand le poulet est doré, sortez-le du récipient, et réservez-le. Jetez dans la graisse de cuisson les poivrons et les oignons. Laissez ces légumes quelques instants prendre couleur, puis ajoutez les tomates, l'ail pilé, et 1 feuille de laurier. Salez et poivrez.
6 - Mouillez cette préparation avec 1/2 verre d'eau, et replacez la volaille dans la cocotte. Couvrez le récipient, et laissez cuire à feu doux 40 à 50 minutes en fonction de la taille du poulet. Quelques minutes avant la fin de la cuisson, découvrez la cocotte.
7 - Dressez le poulet sur un plat de service creux, entourez-le de sa garniture de légumes, et servez immédiatement.

FLAN AUX ANANAS

Moyen   Très facile   Abordable

POUR 8 PERSONNES
CUISSON : 45 minutes
INGRÉDIENTS : 1 ananas
8 œufs
1 l de lait écrémé
1 gousse de vanille
200 g de sucre semoule
1 sachet de sucre vanillé
Quelques cerises confites
1 pincée de sel

1 - Coupez l'ananas en quatre dans le sens de la longueur. Epluchez-le, réservez 1 quartier pour la décoration et détaillez le reste en petits morceaux après avoir éliminé la partie fibreuse centrale.
2 - Versez le lait écrémé dans une casserole, ajoutez la gousse de vanille fendue, 1 pincée de sel, et portez à ébullition. Ôtez immédiatement le récipient du feu.
3 - Cassez les œufs dans un saladier, ajoutez le sucre semoule et le sucre vanillé, et battez le tout comme pour une omelette. Cessez l'opération dès que le mélange blanchit.
4 - Versez le lait bouillant sur les œufs, après avoir ôté la gousse de vanille. Battez le tout au fouet pour obtenir un mélange bien homogène.
5 - Remplissez de cette préparation un moule à hauts bords, un moule à charlotte par exemple, et ajoutez-y les petits morceaux d'ananas.
6 - Placez le moule dans un récipient allant au four, rempli d'eau chaude, et mettez à cuire au bain-marie à four doux pendant 45 minutes environ.
7 - Quand le flan est cuit, laissez-le refroidir dans son moule, puis démoulez-le sur un plat de service. Décorez au mieux le dessus avec le quartier d'ananas coupé en tranches et les cerises confites, avant de servir.

 **LE TRUC DU CHEF**

POUR LE POULET À LA LUZIENNE : introduisez avant la cuisson dans le corps de la volaille une forte pincée d'estragon qui en parfumera délicieusement la chair.

POUR LE FLAN AUX ANANAS : pour vous assurer de la bonne cuisson, introduisez une lame de couteau. Elle doit ressortir pratiquement sèche si le flan est cuit.

VOS NOTES PERSONNELLES

Ecrire . . . .
. . . .
Acheter . . . .
. . . .
Téléphoner . . . .

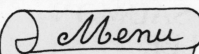

Menu

CROQUETTES AU PARMESAN
(voir recette ci-contre)
MOULES DIANO MARINA
(voir recette ci-dessous)
PUDDING DE PAIN FLAMBÉ
(voir recette p. 24)

CROQUETTES AU PARMESAN

Moyen   Facile   Abordable

POUR 6 PERSONNES
CUISSON :
50 minutes environ
INGRÉDIENTS :
150 g de parmesan
1/2 l de lait
2 pommes
de terre moyennes
80 g de beurre
30 g de farine
6 œufs
100 g de chapelure
Noix de muscade râpée
1 cuillerée à soupe
de crème fraîche
Sel, poivre
1 bain de friture

MINI-RECETTE

MOULES DIANO MARINA

POUR 6 À 7 PERSONNES
CUISSON : 20 minutes
INGRÉDIENTS : 3 litres de moules
1 verre de vin blanc sec
3 gousses d'ail, 1 gros oignon
100 g de crème fraîche, 2 œufs
100 g de farine, 100 g de chapelure fine
1 sachet de parmesan, thym, laurier
Sel, poivre, 1 bain de friture

1 - Lavez soigneusement les moules.
2 - Dans un faitout, mettez le vin blanc, l'oignon coupé en rondelles, l'ail haché, un peu de thym et de laurier. Salez, poivrez, et faites bouillir quelques instants.
3 - Versez alors les moules, et faites-les ouvrir à feu vif.
4 - Sortez alors les coquillages. Laissez réduire le liquide.
5 - Cassez les œufs et battez-les.
6 - Etalez la farine sur un torchon.
7 - Détachez les moules de leur coquille, et placez- les sur le torchon fariné. Roulez-les délicatement afin de bien les enrober.
8 - Trempez alors les moules dans l'œuf battu, égouttez-les, et passez-les dans la chapelure avant de les plonger dans le bain de friture bouillant.
9 - Laissez les moules dorer quelques instants, ôtez-les du bain et laissez-les s'égoutter sur du papier absorbant. Puis disposez-les dans un plat allant au four.
10 - Passez au tamis le liquide de cuisson réduit, incorporez-lui la crème fraîche, et versez cette sauce sur les moules.
11 - Parsemez de parmesan râpé, et mettez à four chaud, le temps de gratiner.

1 - Mettez à cuire les pommes de terre 20 minutes à l'eau bouillante salée. Puis épluchez-les et écrasez-les en purée.
2 - Faites fondre 80 g de beurre dans une casserole, ajoutez la farine en pluie, et laissez 2 à 3 minutes sur feu doux en tournant à la cuillère de bois.
3 - Mélangez au lait la purée de pommes de terre, et versez cette préparation sur le roux blanc. Incorporez hors du feu 1 œuf entier et 3 jaunes, le parmesan râpé, un peu de noix de muscade râpée. Salez, poivrez, remuez soigneusement le tout, et coulez la préparation sur une plaque. Laissez refroidir complètement.
4 - Découpez dans la pâte, des bâtonnets de la dimension d'un petit doigt.
5 - Battez 2 œufs entiers dans un plat creux et étalez la chapelure sur une assiette. Passez un à un les bâtonnets dans l'œuf battu puis roulez-les dans la chapelure.
6 - Plongez les bâtonnets dans le bain de friture bouillant, laissez-les 3 à 4 minutes, le temps de prendre une belle couleur dorée, sortez-les à l'aide d'une écumoire et mettez-les à égoutter sur du papier absorbant.
7 - Disposez les croquettes sur un plat de service garni de petits bouquets de persil, et servez immédiatement.

VOS NOTES PERSONNELLES

Ecrire . . . .
. . . .
Acheter . . . .
. . . .
Téléphoner . . . .

Menu

MOUSSE DE SAUMON EN GELÉE
(voir recette ci-contre)

HOMARD À L'AMÉRICAINE
(voir recette p. 288)

ANANAS GLACÉ
(voir recette ci-dessous)

Boisson conseillée :
UN CHAMPAGNE BRUT

MINI-RECETTE

ANANAS GLACÉ

POUR 5 À 6 PERSONNES
CUISSON : 15 minutes
1 heure en sorbetière
INGRÉDIENTS : 1 bel ananas
1/2 litre de lait
150 g de sucre en poudre
1/2 gousse de vanille
1 verre à liqueur de rhum
5 jaunes d'œufs
1 pincée de sucre vanillé

1 - Faites bouillir le lait dans une casserole avec la demi-gousse de vanille, et la pincée de sucre vanillé.
2 - Cassez les œufs, mettez les jaunes dans une jatte, battez-les avec le sucre jusqu'à ce que le mélange blanchisse, et versez dessus peu à peu, le lait bouillant, tout en continuant à battre. Otez la demi-gousse de vanille.
3 - Versez cette crème dans une casserole, remettez sur feu doux, et tournez avec une cuiller en bois jusqu'à ce que le mélange épaississe, en évitant surtout l'ébullition. Retirez alors du feu et laissez refroidir.
4 - Versez le mélange froid dans la sorbetière, pour une durée d'environ 1 heure.
5 - Evidez l'ananas en laissant 1 bon cm de pulpe contre l'écorce.
6 - Coupez la pulpe en petits dés, et arrosez avec le rhum. Laissez macérer 1 heure.
7 - Avant de servir, garnissez l'ananas évidé avec les dés de pulpe, recouvrez avec la glace à la vanille.
8 - L'opération terminée, coiffez l'ananas de son chapeau que vous avez réservé à cet effet, et servez immédiatement.

MOUSSE DE SAUMON EN GELÉE

POUR 6 PERSONNES
CUISSON : 35 minutes
INGRÉDIENTS :
500 g de saumon
1 v. de vin blanc sec
1 bouquet garni
25 g de beurre
20 g de farine
15 dl de lait
1 truffe en boîte
100 g de crème fraîche
2 sachets de gelée instantanée
Quelques feuilles d'estragon
Sel, poivre

1 - Préparez un court-bouillon avec 1/2 litre d'eau, le verre de vin blanc, le bouquet garni. Salez, poivrez, portez à ébullition, et laissez frémir le liquide à découvert 10 minutes.
2 - Passé ce temps, plongez le morceau de saumon dans le liquide chaud, mais non bouillant, et laissez pocher le poisson 10 minutes. Puis égouttez-le, ôtez la peau et les arêtes, et passez-le au mixer pour le réduire en fine purée.
3 - Confectionnez une béchamel comme suit : faites fondre 25 g de beurre dans une casserole, ajoutez 20 g de farine en pluie, laissez cuire 2 à 3 minutes sur feu doux en tournant à la cuillère de bois. Puis versez peu à peu le lait préalablement chauffé, salez, poivrez, et laissez cuire doucement 10 minutes.
4 - Incorporez la purée de poissons dans la béchamel refroidie, et passez le tout au fouet ou mieux au mixer. Ajoutez la crème fraîche légèrement battue et 4 cuillerées à soupe de gelée liquide (pour la confection de la gelée, conformez-vous aux instructions portées sur le sachet).
5 - Coulez une fine couche de gelée dans le fond d'un moule à charlotte, et mettez à prendre quelques instants au réfrigérateur. Déposez sur cette couche, de façon à former décor, de fines rondelles de truffe et des feuilles d'estragon. Recouvrez d'un peu de gelée ces ingrédients ainsi que les parois du moule. Remettez au réfrigérateur.
6 - Versez la préparation au saumon dans le moule, recouvrez de gelée, et placez cette préparation 2 heures au réfrigérateur.
7 - Passé ce temps, démoulez sur un plat de service tapissé de feuilles de laitue, et décorez avec le reste de gelée hachée.

VOS NOTES PERSONNELLES

Ecrire . . . .
. . . .
Acheter . . . .
. . . .
Téléphoner . . . .

31 DÉCEMBRE

Menu

CROUSTADE DE FRUITS DE MER
(voir recette p. 281)

RÔTI DE BICHE AUX CÈPES
(voir recette ci-dessous)

OMELETTE NORVÉGIENNE
(voir recette ci-contre)

Boisson conseillée :
UN POMEROL

MINI-RECETTE

RÔTI DE BICHE AUX CÈPES

POUR 5 à 6 PERSONNES
48 H À MARINER
CUISSON : 1 h 20
INGRÉDIENTS : 1 rôti de 1 kg
3 échalotes, 1 oignon, 1 carotte
2 gousses d'ail, 1 branche de persil
Thym, laurier, 1 litre de vin blanc sec
3 cuillerées à soupe d'huile
6 cuillerées à soupe de vinaigre
1 kg de cèpes, 30 g de beurre
Sel, poivre

1 - Dans un grand saladier, préparez une marinade avec le vin blanc, la carotte, l'oignon, les échalotes coupés en rondelles, les gousses d'ail pilées, un peu de persil, de thym, et de laurier. Ajoutez l'huile et le vinaigre, salez, poivrez, et plongez-y le rôti de biche. Laissez la viande mariner 48 heures en la retournant de temps en temps.
2 - Le jour de la confection du plat, sortez le rôti de la marinade, épongez-le, et mettez-le à four moyen 1 h 20.
3 - Passez la marinade, et arrosez-en la viande de temps en temps.
4 - Nettoyez et coupez les champignons.
5 - 15 minutes avant la cuisson de la viande, faites fondre le beurre dans une grande sauteuse, à feu vif, et jetez-y les lamelles de cèpes. Laissez-les bien dorer en remuant, puis baissez l'intensité du feu et laissez cuire quelques minutes.
6 - Dressez le rôti de biche sur un plat de service. Entourez-le de la garniture de champignons. Présentez la sauce en saucière.

OMELETTE NORVÉGIENNE

Moyen Facile Abordable

POUR 8 PERSONNES
CUISSON : 18 minutes
INGRÉDIENTS :
200 g de sucre
160 g de farine
100 g de beurre
20 g de fécule
6 œufs entiers
3 blancs d'œufs
1 pincée de vanille en poudre
1 l de glace
1 v. à liqu. de kirsch
1 v. à liqu. de rhum
3 cuillerées à soupe de sucre glace

1 - Préparez une génoise comme suit : dans une casserole, versez la moitié du sucre avec 3 œufs. Battez sur feu doux à l'aide d'un fouet. Incorporez l'un après l'autre les 3 œufs restants et ajoutez la pincée de vanille.
2 - Prolongez cette opération jusqu'à ce que la préparation monte.
3 - Retirez alors la casserole du feu, continuez à battre, et incorporez par petites doses la farine, puis la fécule, et le beurre fondu froid.
4 - Beurrez une plaque à gâteau de forme rectangulaire. Versez la pâte sur une épaisseur de 1,5 à 2 cm. Mettez à four moyen 15 minutes.
5 - Disposez la génoise sur un plat en métal allant au four. Imbibez la pâte avec le kirsch.
6 - Battez en neige très ferme les blancs d'œufs et incorporez le restant du sucre en le versant en pluie sur les œufs. Mélangez délicatement, sans battre, la meringue avec une cuillère de bois.
7 - Placez la glace sur la génoise, centrez-la afin que les bords du biscuit dépassent tout autour.
8 - Recouvrez le tout de meringue, en vous servant d'une poche à douille et saupoudrez de sucre glace.
9 - Mettez à four très chaud et laissez la meringue cuire environ 2 minutes, jusqu'à ce qu'elle prenne une belle teinte dorée.
10 - Sortez l'omelette norvégienne du four, arrosez-la avec le rhum préalablement chauffé, et faites flamber devant les convives.

VOS NOTES PERSONNELLES

Ecrire . . . .
. . . .
Acheter . . . .
. . . .
Téléphoner . . . .

SOMMAIRE

Les recettes précédées d'un point rouge sont gastronomiques,
celles précédées d'un point bleu diététiques

TOUT SAVOIR SUR...

L'ANNEE CUISINE JOUR PAR JOUR
est une production Editions Européennes

Photos et recettes : Création Edition et Recherche

ÉDITIONS DU ROCHER
28, rue Comte-Felix-Gastaldi
Monaco
Groupe des Presses de la Cité
8, rue Garancière
75006 Paris
CNE Section Commerce et Industrie
Monaco 19023

IMPRESSION – MAURY IMP. S.A. MALESHERBES
Dépôt légal : janvier 1988
Imprimé en France. — 503007 décembre 1987
N° d'imprimeur : K87/22380